CONCURRENTIESTRATEGIE

Van dezelfde auteur:
Concurrentievoordeel
Porter over concurrentie

MICHAEL E. PORTER

CONCURRENTIE-STRATEGIE

Analysemethoden voor bedrijfstakken en industriële concurrenten

2003 *Uitgeverij* Business Contact
Amsterdam/Antwerpen

Achtste druk, februari 2003

Oorspronkelijke titel: *Competitive Strategy*
Vertaling: Frans de Groot
Omslagontwerp: Studio Jan de Boer BNO
© 1980 The Free Press, New York, A Division of MacMillan Publishing Co. Inc.
© 1987, 2003 Uitgeverij Business Contact, Amsterdam/Antwerpen

ISBN 90 254 0465 0
D/1991/0108/455

Inhoud

Voorwoord

Dit boek, dat een baken is in de geestelijke reis die ik gedurende een groot deel van mijn beroepsleven heb ondernomen, is het resultaat van mijn onderzoek en onderwijs in de economie van bedrijfstakstructuren en concurrentiestrategie. Concurrentiestrategie is van vitaal belang voor managers, wier handelen gebaseerd is op een helder inzicht in bedrijfstakken en concurrenten. Toch bestaan er op dit gebied slechts weinig analysetechnieken en voor zover dit wel het geval is, gaan ze uit van een te enge benadering of zijn ze onoverzichtelijk. Economen bestuderen de structuur van bedrijfstakken daarentegen meestal vanuit een algemeen beleidsoogpunt en er is nog geen sprake van economisch onderzoek, dat uitgaat van de belangen van bedrijfsmanagers.

Als docent aan de Harvard Business School heb ik de afgelopen tien jaar artikelen geschreven over en college gegeven in zowel strategische bedrijfsvoering als de economie van bedrijfstakstructuren en zo geprobeerd die leemte op te vullen. De basis voor dit boek werd gelegd tijdens mijn onderzoek naar bedrijfstakstructuren, dat ik begonnen ben met mijn proefschrift en sindsdien heb voortgezet. Het boek kreeg gestalte bij mijn voorbereiding van het materiaal voor het college Bedrijfsvoering in 1975 en bij de ontwikkeling van de cursus Bedrijfstak- en Concurrentie-analyse en het onderwijs hierin aan studenten en opleidingen in de afgelopen jaren. Ik heb niet alleen gebruik gemaakt van statistisch onderzoek in de traditionele zin, maar ook van studies over honderden bedrijven, die het resultaat zijn van de voorbereiding van lesmateriaal, eigen onderzoek, supervisie van tientallen bedrijfsstudies van groepen bedrijfskundestudenten en mijn werk bij Amerikaanse en internationale bedrijven.

Dit boek is geschreven voor managers die een strategie voor een bepaald bedrijf moeten ontwikkelen, en voor studenten die het verschijnsel concurrentie beter willen begrijpen. Het is bestemd voor een ieder, die zijn bedrijfstak en concurrentie wil begrijpen. Concurrentie-analyse is niet alleen belangrijk voor het formuleren van een bedrijfsstrategie, maar ook voor bedrijfsfinanciering, marketing, beleggingsanalyse en nog veel meer bedrijfsaspecten. Ik hoop dat dit boek mensen in de praktijk in diverse functies en op verschillende niveaus in de organisatie een waardevol inzicht zal verschaffen.

Tevens hoop ik dat dit boek zal bijdragen tot de ontwikkeling van een gezond overheidsbeleid ten aanzien van concurrentie. *Concurrentiestrategie* onderzoekt hoe een bedrijf beter kan concurreren en zijn marktpositie kan verstevigen. Een dergelijke strategie dient in overeenstemming te zijn met de spelregels van sociaal aanvaardbaar concurrentiegedrag, die door normen van ethiek en overheidsbeleid bepaald worden. De spelregels missen effect, als ze niet correct anticiperen op de strategische reacties van bedrijven, op bedreigingen van en kansen voor de concurrentiepositie.

Bij de totstandkoming van dit boek heb ik veel hulp en steun ontvangen. De Harvard Business School heeft me unieke onderzoekfaciliteiten geboden en de decanen Lawrence Fouraker en John McArthur hebben me met hun nuttige commentaren, hun steun binnen het instituut en vooral hun enthousiasme enorm geholpen. De afdeling Onderzoek van de 'School' en de General Electric Foundation zijn mij in financieel opzicht bij deze studie behulpzaam geweest. Richard Rosenbloom, hoofd van de afdeling Onderzoek, is niet alleen een geduldig investeerder geweest, maar eveneens een gewaardeerde bron van commentaar en advies.

Dit werk zou onmogelijk zijn geweest zonder de inspanningen van een groep zeer bekwame en toegewijde medewerkers, die de laatste vijf jaar met mij hebben samengewerkt bij het onderzoek van bedrijfstakken en de voorbereiding van case-materiaal. Jessie Bourneuf, Steven J. Roth, Margaret Lawrence en Neal Bhadkamkar - allen bedrijfskundigen van Harvard - hebben mij ieder gedurende minstens een jaar bij mijn werk aan dit boek geholpen.

Ik heb verder kunnen profiteren van het onderzoek dat door een aantal van mijn promotie-studenten op het gebied van concurrentiestrategie is verricht. Kathryn Harrigans werk over in betekenis afnemende bedrijfstakken heeft in belangrijke mate bijgedragen tot hoofdstuk 12. Verder is ook het werk van Joseph D'Cruz, Nitin Mehta, Peter Patch en George Yip mijn inzicht in belangrijke onderwerpen van dit boek ten goede gekomen.

Bij de totstandkoming van dit boek hebben mijn collega's bij Harvard en verschillende bedrijven een belangrijke rol gespeeld. Het onderzoek dat ik samen met mijn vriend en collega Richard Caves heb verricht, vormt een belangrijke bijdrage tot dit boek; ook op het gehele manuscript heeft hij scherpzinnig commentaar geleverd. De leden van de faculteit Bedrijfsvoering van Harvard, met name Malcolm Salter en Joseph Bower, hebben mijn ideeën verhelderd en waardevolle steun geleverd. Catherine Hayden, vice-president van Strategic Planning Associates, Inc., is een voortdurende bron van ideeën geweest en heeft tevens het gehele manuscript becommentarieerd. Het gezamenlijk onderzoek en de talloze gesprekken met Michael Spence hebben mijn inzicht in strategie verruimd. Richard Meyer heeft samen met mij de college Bedrijfstak- en Concurrentie-analyse gedoceerd en mij hierbij op diverse gebieden gestimuleerd. Bij het ontwikkelen van 'casestudies' en bedrijfstakonderzoek heeft Mark Fuller mij geholpen. Thomas Hout, Eileen Rudden en Eric Vogt - allen van de Boston Consulting Group - hebben een bijdrage geleverd tot hoofdstuk 13. Onder diegenen, die mij hebben aangemoedigd en nuttige commentaren hebben geleverd op het manuscript in zijn verschillende stadia, wil ik noemen: de hoogleraren John Lintner, C. Roland Christensen, Kenneth Andrews, Robert Buzzell en Norman Berg, en voorts John Nils Hanson (Gould Corporation), John Forbus (McKinsey and Company) en mijn uitgever Robert Wallace.

Veel dank ben ik verder verschuldigd aan Emily Feudo en vooral Sheila Barry, die samen de produktie van het manuscript hebben verzorgd en hebben bijgedragen tot mijn gemoedsrust en produktiviteit tijdens mijn werk aan dit boek. Tenslotte wil ik mijn studenten in Bedrijfstak- en Concurrentie-analyse, Bedrijfsvoering en Praktijkstudies bij Bedrijfstakanalyse bedanken voor het geduld dat zij hebben opgebracht als proefkonijnen voor de concepten van dit boek, maar bovenal voor hun enthousiasme bij het werken met deze ideeën en voor de ontelbare manieren waarop ze mijn denken hebben verhelderd.

Inleiding

Elk bedrijf dat in een bepaalde bedrijfstak opereert, heeft expliciet of impliciet een bepaalde concurrentiestrategie. Deze strategie kan expliciet ontwikkeld zijn door een doelgerichte planning of impliciet aanwezig zijn in de activiteiten van verschillende afdelingen van het bedrijf. In principe zal elk functioneel onderdeel van een bedrijf geneigd zijn tot een benadering, die wordt bepaald door de eigen professionele oriëntatie en de initiatieven van de leiding. De som van deze deelbenaderingen is echter zelden tevens de beste strategie.

Het accent, dat tegenwoordig bij bedrijven in de Verenigde Staten en in het buitenland wordt gelegd op strategische planning, ondersteunt de stelling dat er belangrijke voordelen zitten aan een *expliciet* proces van strategieformulering om er zeker van te zijn dat in ieder geval het beleid (en wellicht ook de activiteiten) van verschillende afdelingen gecoördineerd en op gemeenschappelijke doelen afgestemd wordt. De verhoogde aandacht voor een formele strategische planning heeft de nadruk gelegd op vragen, die managers al geruime tijd bezig hielden. Door welke factoren wordt de concurrentie in mijn bedrijfstak of in de bedrijfstakken, waartoe ik wil toetreden, beheerst? Welke acties zullen concurrenten waarschijnlijk ondernemen en wat is de beste reactie daarop? Wat is de beste positie voor een bedrijf om op lange termijn goed te kunnen concurreren?

De nadruk in de processen van formele strategische planning heeft tot nog toe vooral gelegen op een georganiseerde en gestructureerde vraagstelling en veel minder op de antwoorden. De technieken die, voornamelijk door adviesbureaus, zijn ontwikkeld voor de beantwoording van deze vragen, zijn òf afgestemd op het gediversificeerde bedrijf en gaan voorbij aan het perspectief van de bedrijfstak, òf gaan uit van een enkel aspect van de bedrijfstakstructuur, zoals kostenontwikkeling, waardoor de diversiteit en complexiteit van bedrijfstakconcurrentie nooit geheel kunnen worden samengevat.

Dit boek biedt een uitgebreid overzicht van technieken, die een bedrijf kunnen helpen bij de analyse van een bedrijfstak als geheel en een prognose aangaande de toekomstige ontwikkeling daarvan om de positie van de concurrent en de eigen onderneming te doorgronden en om deze analyse te vertalen in een concurrentiestrategie voor een bepaald bedrijf. Het boek is opgesplitst in drie delen. Deel I geeft een algemeen schema voor de analyse van een bedrijfstak en de concurrentie daarin. Dit schema is gebaseerd op de analyse van de vijf concurrentiekrachten die inwerken op een bedrijfstak, en de strategische implicaties hiervan. In deel I wordt dit schema verder uitgebouwd met technieken voor de analyse van concurrenten, kopers en leveranciers; methoden om marktsignalen te onderkennen; speltheoretische concepten voor het ondernemen van bepaalde concurrerende acties en het reageren op die van de concurrenten; een benadering voor het in kaart brengen van strategische groepen in een bedrijfstak en de verklaring voor de onderlinge verschillen in resultaten; en tenslotte een schema voor het voorspellen van de ontwikkeling in een bedrijfstak.

Deel II laat zien hoe een analytisch schema, zoals beschreven in deel I, gebruikt kan worden om een concurrentiestrategie te ontwikkelen in bepaalde belangrijke soorten situaties in een bedrijfstak. Deze verschillen in situatie hebben te maken met verschillen in bedrijfstakconcentratie, de mate van volwassenheid en de invloed van internationale concurrentie. Deze verschillen in situatie zijn van doorslaggevend belang voor het definiëren van de strategische context, waarin een bedrijf concurrerend optreedt, het vaststellen van de beschikbare strategische alternatieven en het analyseren van veel gemaakte strategische fouten. Deel II onderzoekt gefragmenteerde bedrijfstakken, opkomende bedrijfstakken, de overgang naar volwassenheid, in betekenis afnemende bedrijfstakken en mondiale bedrijfstakken.

Deel III van het boek voltooit het analyse-schema door een systematisch onderzoek van de belangrijkste soorten strategische beslissingen waar bedrijven, die elkaar in een bedrijfstak beconcurreren, voor komen te staan: verticale integratie, belangrijke capaciteitsuitbreiding en penetratie in nieuwe marktgebieden. (Afbouw wordt in hoofdstuk 12 van deel II gedetailleerd behandeld.) De analyse van elke strategische beslissing is gebaseerd op de algemene analytische methoden uit deel I alsmede op andere beschouwingen van economisch-theoretische aard en bestuurlijke overwegingen betreffende het management en de motivatie van een organisatie. Deel III is niet alleen bedoeld om een bedrijf te helpen bij het nemen van deze sleutelbeslissingen, maar ook om inzicht te verschaffen in hoe die van concurrenten, afnemers, leveranciers en mogelijk binnenkomende bedrijven zouden kunnen uitvallen.

Bij het analyseren van een concurrentiestrategie voor een bepaald bedrijf kan de lezer in veel opzichten profijt hebben van dit boek. Allereerst kunnen de algemene analysemethoden van hoofdstuk I gebruikt worden. Vervolgens kunnen die hoofdstukken van deel II die de sleutelaspecten van een bepaalde bedrijfstak behandelen, gebruikt worden voor wat specifiekere richtlijnen bij het formuleren van een strategie, afgestemd op de omstandigheden van een bepaald bedrijf. Tenslotte kan de lezer bij de afweging van een bepaalde beslissing een houvast hebben aan de betreffende hoofdstukken in deel III. Als er geen sprake is van een onmiddellijk te nemen beslissing, kan deel III behulpzaam zijn bij het herzien van eerder genomen beslissingen en het onderzoeken van beslissingen in het heden en verleden van de concurrentie.

Hoewel de lezer zich kan beperken tot een bepaald hoofdstuk, zal hij toch baat hebben bij een globaal begrip van het hele schema als uitgangspunt voor de benadering van een specifiek strategisch probleem. De delen van dit boek zijn opgezet om elkaar wederzijds aan te vullen en te ondersteunen. Gedeelten die ogenschijnlijk van geen belang zijn voor de eigen positie van een bedrijf, zijn soms van cruciaal belang bij de beoordeling van concurrenten en kunnen de totale context van de bedrijfstak of de strategische beslissing, zoals die op dat moment voor ogen staat, veranderen. Het gehele boek lezen lijkt een zware opgave, maar zal beloond worden met een grotere snelheid en duidelijkheid bij het doorgronden van een strategische situatie en het daarop afstemmen van een concurrentiestrategie.

Als men het boek leest, zal spoedig duidelijk worden dat voor een grondige analyse van een bedrijfstak en de concurrentie daarin een enorme hoeveelheid soms moeilijk te verkrijgen gegevens nodig is. De bedoeling van dit boek is de lezer een schema in handen te geven, aan de hand waarvan hij kan bepalen welke gegevens voor hem van belang zijn en hoe die geanalyseerd kunnen worden. Voor de problemen bij een dergelijke analyse geeft appendix B een systematische aanpak van hoe een bedrijfstakonderzoek moet worden uitgevoerd, met inbegrip van bronnen van gepubliceerde gegevens en richtlijnen voor veldinterviews.

Dit boek is geschreven voor mensen *uit de praktijk*: managers die de resultaten van hun bedrijven willen verbeteren, management-adviseurs, docenten op het gebied van management, beleggingsanalisten of andere onderzoekers die het succes of de mislukking van een bedrijf proberen te begrijpen en voorspellen, en regeringsfunctionarissen die zich meer inzicht willen verwerven in concurrentie teneinde een overheidsbeleid te kunnen formuleren. Het boek is gebaseerd op mijn onderzoek op het gebied van bedrijfstakstructuren en bedrijfsstrategie en op mijn onderwijservaring in de bedrijfskunde en managementcursussen aan de Harvard Business

School. Het is gebaseerd op detailstudies van honderden bedrijfstakken met alle mogelijke structuren en in uiteenlopende stadia van volwassenheid. Dit boek is niet geschreven vanuit een wetenschappelijke invalshoek en heeft niet de stijl van mijn meer academisch georiënteerde werk. Toch hoop ik dat ook wetenschappers geïnteresseerd zullen zijn in de conceptuele benadering, de aanvullingen op de theorie van bedrijfsorganisatie en de vele praktijkvoorbeelden.

Overzicht: de klassieke benadering van strategieformulering

Het ontwikkelen van een concurrentiestrategie komt in wezen neer op het ontwikkelen van een brede formule voor hoe een bedrijf gaat concurreren, wat de doelstellingen zijn en met welk beleid deze zijn te verwezenlijken. Alvorens te beginnen met het analytische basisschema van dit boek zal de lezer een uitgangspunt geboden worden in de vorm van een overzicht van de klassieke benadering van strategieformulering[1], die standaard is geworden op dit terrein. Deze benadering wordt geïllustreerd in de figuren I-1 en I-2.

Figuur I-1 laat zien dat concurrentiestrategie een combinatie is van *doelstellingen* en *middelen* (beleid), waarmee die bereikt kunnen worden. De benamingen voor de concepten die in de figuur worden weergegeven, verschillen per bedrijf. Sommige zullen bijvoorbeeld in plaats van 'doelstellingen' termen gebruiken als 'streven' of 'doeleinden', en andere spreken over 'tactiek' in plaats van 'beleidsafstemming' of 'functioneel beleid'. De essentie van strategie ligt echter besloten in het onderscheid tussen doelstellingen en middelen.

Figuur I-1, het zogenaamde 'wiel van concurrentiestrategie', geeft een rangschikking van de sleutelaspecten voor de concurrentiestrategie van een bedrijf. Centraal in het wiel staan de doelstellingen van het bedrijf, oftewel de globale definitie van hoe het gaat concurreren en wat de specifieke economische en niet-economische doelstellingen zijn. In de spaken van het wiel staan de belangrijkste beleidsterreinen via welke het bedrijf deze doelstellingen wil realiseren. Elke kop in het wiel is het trefwoord voor de beleidsterreinen, waarop de activiteiten van het bedrijf op dat gebied zich afspelen. Afhankelijk van de aard van het bedrijf kan het management in

---

[1] Dit deel is grotendeels ontleend aan het werk van Andrews, Christensen en andere medewerkers van de groep Beleidsvoering van de Harvard Business School. Voor een uitgebreidere verhandeling over het begrip strategie, zie Andrews (1971) en recenter werk hierover van Christensen, Andrews en Bower (1977). In deze klassieke uiteenzettingen wordt tevens ingegaan op de redenen waarom een concurrentiestrategie in een bedrijf belangrijk is en op het verband tussen strategieformulering en het algemeen management in bredere zin. Het algemeen management mag zich zeker niet beperken tot alleen het plannen van een strategie.

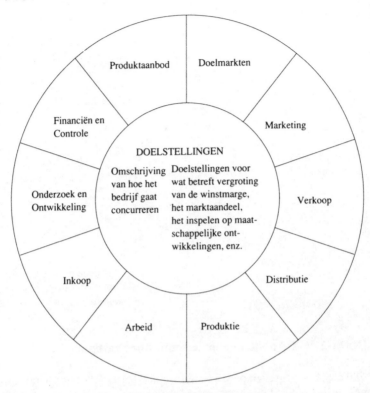

FIGUUR I-1 Het wiel van concurrentiestrategie

bepaalde mate deze beleidsterreinen specificeren; als dat eenmaal gebeurd is, kan een basisstrategie ontwikkeld worden, die de gezamenlijke activiteiten van een bedrijf bepaalt. Net als bij een wiel moeten de spaken (beleidsterreinen) vanuit de as (doelstellingen) komen en met elkaar in verbinding staan, omdat anders het wiel niet kan rollen.

Figuur I-2 laat zien dat voor het formuleren van een concurrentiestrategie in de ruimste zin vier sleutelfactoren in aanmerking dienen te worden genomen, die de grenzen bepalen van wat een bedrijf met succes kan nastreven. De sterke en zwakke punten van het bedrijf geven een vergelijkende schets van de bedrijfsmiddelen en vaardigheden (afgezet tegen die van de concurrentie), met inbegrip van financiële reserves, technologisch niveau, merkbekendheid, enzovoort. De persoonlijke inbreng van een organisatie wordt gevormd door de motivatie en prioriteiten van stafleden en ander personeel dat de gekozen strategie moet uitvoeren. Deze twee factoren vormen samen de interne begrenzingen van een succesvolle concurrentiestrategie voor een bedrijf.

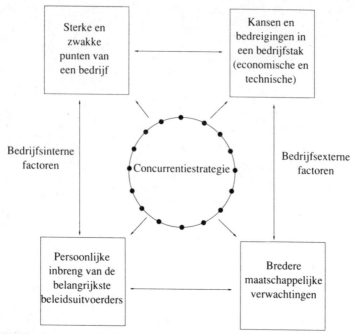

FIGUUR I-2   De context van concurrentiestrategie

De externe begrenzingen worden bepaald door de bedrijfstak en de omgeving in bredere zin. Het concurrentieklimaat, met al zijn risico's en mogelijkheden, wordt gevormd door het samenspel van bestaande kansen en bedreigingen. Onder de maatschappelijke verwachtingen vallen het regeringsbeleid, maatschappelijke belangen, veranderende gewoontes en andere zaken. Dit zijn de vier factoren waar een bedrijf op moet letten bij het uitwerken van doelstellingen en beleidsterreinen.

De geschiktheid van een concurrentiestrategie kan vastgesteld worden door het beoogde doel en beleid op consistentie te testen, zoals aangegeven in Figuur I-3.

FIGUUR I-3   Consistentie-test[a]

Interne samenhang
    Sluiten de doelstellingen elkaar niet uit?
    Zijn de belangrijkste beleidslijnen gericht op de doelstellingen?
    Ondersteunen deze beleidsactiviteiten elkaar?

Aanpassing aan het klimaat
    Worden door doelstellingen en beleidslijnen de in de bedrijfstak geboden kansen benut?

Is met het oog op de beschikbare bedrijfsmiddelen voldoende rekening gehouden met bedreigingen binnen de bedrijfstak (het risico van reactie van de concurrenten daarbij inbegrepen)?

Is er bij de timing van doelstellingen en beleid naar gekeken of het klimaat in de bedrijfstak rijp is voor de betreffende acties?

Stroken doelstellingen en beleidslijnen met bredere maatschappelijke belangen?

Aanpassing aan de bedrijfsmiddelen

Zijn doelstellingen en beleid reëel met het oog op de eigen bedrijfsmiddelen en die van de concurrenten?

Is bij de timing van doelstellingen en beleid rekening gehouden met het vermogen van de organisatie om te veranderen?

Communicatie en uitvoering

Zijn de doelstellingen goed begrepen door de voornaamste uitvoerders?

Stemmen doelstellingen en beleid in voldoende mate overeen met de persoonlijke opvattingen van de voornaamste uitvoerders om hen goed te motiveren?

Heeft het management voldoende kwaliteiten om een efficiënte beleidsvoering mogelijk te maken?

[a] Deze vragen zijn een variant op de vragen die Andrews (1971) heeft ontwikkeld.

Deze globale overwegingen op het gebied van concurrentiestrategie kunnen vertaald worden in een gegeneraliseerde benadering van het formuleren van een strategie. De vragenreeks in figuur I-4 beschrijft zo'n benaderingsmethode voor het ontwikkelen van een optimale concurrentiestrategie.

FIGUUR I-4   Het formuleren van een concurrentiestrategie

A. Wat doet het bedrijf nu?

1. Identificatie

Wat is de impliciete of expliciete strategie van het moment?

2. Impliciete veronderstellingen *

Welke veronderstellingen omtrent de positie van het bedrijf, de sterke en zwakke punten, de concurrentie en de bedrijfstak zouden voor de huidige strategie de juiste zijn?

B. Wat gebeurt er in de omgeving ?

1. Analyse van de bedrijfstak

Welke factoren zijn van belang voor een sterke concurrentiepositie en welke kansen en risico's biedt de bedrijfstak?

2. Analyse van de concurrentie

Wat zijn de mogelijkheden en beperkingen van bestaande en potentiële concurrenten en wat zullen ze in de toekomst waarschijnlijk gaan ondernemen?

3. Analyse van de maatschappij
   Welke belangrijke politieke, maatschappelijke en regeringsfactoren bieden kansen of vormen een bedreiging?

4. Sterke en zwakke punten
   Wat zijn de sterke en zwakke punten van het bedrijf *ten opzichte van huidige en toekomstige concurrenten* bij een gegeven analyse van bedrijfstak en concurrentie?

C. Wat zou het bedrijf moeten gaan doen?

1. Toetsing van veronderstellingen en strategie
   Vallen de veronderstellingen die ten grondslag liggen aan de huidige strategie, te rijmen met de analyse in B?
   Beantwoordt de strategie aan de tests in figuur I-3?

2. Strategische alternatieven
   Wat zijn in het licht van de analyse van hierboven de haalbare strategische alternatieven? (Behoort de huidige strategie hiertoe?)

3. Strategiekeuze
   Welk alternatief is het beste voor de positie van het bedrijf met betrekking tot externe mogelijkheden en bedreigingen?

De afweging in figuur I-4 lijkt vrij elementair, maar de beantwoording van deze vragen vergt niettemin een zeer diepgaande analyse. Het is het doel van dit boek om op deze vragen het antwoord te geven.

---

* Ervan uitgaande dat managers oprecht proberen om de resultaten van hun bedrijven te optimaliseren, dient de door een bedrijf gevolgde strategie de afspiegeling te zijn van veronderstellingen van het management omtrent de bedrijfstak en de positie van het bedrijf daarin. Een goed begrip en goede verwerking van deze impliciete veronderstellingen kunnen van cruciaal belang zijn bij het geven van een strategisch advies. Gewoonlijk worden deze veronderstellingen pas bijgesteld onder druk van een grote hoeveelheid overtuigende gegevens. Veel, zo niet alle aandacht zal dan ook hierop gericht moeten zijn. De logica van een strategische keus is op zichzelf niet voldoende; als voorbij wordt gegaan aan de veronderstellingen van het management, zal die keus niet overtuigend zijn.

I

Algemene analyse- technieken

Deel I legt de analytische fundamenten voor de ontwikkeling van een concurrentiestrategie, die gebaseerd is op de analyse van de structuur van de bedrijfstak en de concurrentie. In hoofdstuk 1 wordt het concept van een structurele analyse geïntroduceerd als basis voor het inzicht in de vijf fundamentele krachten, die de concurrentie in een bedrijfstak beheersen. Dit basisschema is het uitgangspunt voor het merendeel van de verhandelingen in dit boek. De structurele analyse-opbouw wordt in hoofdstuk 2 gebruikt om op het meest globale niveau de drie algemene concurrentiestrategieën te schetsen, die op lange termijn levensvatbaar kunnen zijn.

De hoofdstukken 3, 4 en 5 behandelen de andere sleutelfactor bij de formulering van een concurrentiestrategie: analyse van de concurrentie. In hoofdstuk 3 wordt een schema voor de analyse van de concurrentie gegeven, die helpt om te anticiperen op bepaalde acties van de concurrenten en om hun vermogen tot reageren in te schatten. In hoofdstuk 3 staan gedetailleerde vragen, die de analist behulpzaam kunnen zijn bij het beoordelen van een bepaalde concurrent. In hoofdstuk 4 wordt aangegeven hoe het gedrag van een bedrijf als een som van verschillende soorten marktsignalen opgevat kan worden, waardoor de analyse van de

concurrent duidelijker wordt en een basis wordt gelegd voor het
ondernemen van strategische acties. Hoofdstuk 5 vervolgt met
een handleiding voor het ondernemen en beïnvloeden van, alsmede voor het reageren op concurrerende acties. In hoofdstuk 6
wordt het concept van een structurele analyse voor de ontwikkeling van strategieën naar kopers en leveranciers verder uitgewerkt.

In de laatste twee hoofdstukken van deel I worden de analyses
van bedrijfstak en concurrentie samengevoegd. Hoofdstuk 7 laat
zien hoe de aard van de concurrentie *binnen* een bedrijfstak geanalyseerd moet worden. Hierbij wordt gebruik gemaakt van het
begrip strategische groepen en van het principe van barrières, die
verschuivingen in de strategische situatie in de weg staan. Hoofdstuk 8 besluit de uiteenzetting over algemene analytische technieken door de manieren te onderzoeken waarop een prognose
opgesteld kan worden over de ontwikkeling van de bedrijfstak en
enkele gevolgen daarvan voor de concurrentiestrategie.

1
De structurele analyse van bedrijfstakken

De essentie van het formuleren van een concurrentiestrategie ligt in de positionering van een bedrijf in zijn sociaal-economische omgeving. Dit is een zeer ruim begrip. Het sleutelaspect van deze bedrijfsomgeving is de bedrijfstak of bedrijfstakken, waarin de onderneming opereert. De spelregels van concurrentie en de beschikbare strategieën, waaruit het bedrijf kan kiezen, worden in hoge mate beïnvloed door de structuur van de bedrijfstak. Externe krachten zijn in principe slechts van relatief belang; gezien het feit dat die gewoonlijk alle bedrijven in de sector aangaan, ligt de sleutel in de verschillende mogelijkheden van bedrijven om daarmee te werken.

De intensiteit van de concurrentie in een bedrijfstak is noch een kwestie van toeval noch van pech, maar heeft zijn oorzaken veeleer in de onderliggende economische structuur en gaat verder dan de gedragingen van de concurrenten. De intensiteit van de concurrentie in een bedrijfstak hangt af van de vijf basisfactoren, die in figuur 1-1 te zien zijn. De gezamenlijke kracht van deze basisfactoren is bepalend voor het uiteindelijke winstpotentieel in deze bedrijfstak, gemeten in termen van opbrengsten uit geïnvesteerd kapitaal op lange termijn. Niet alle bedrijfstakken hebben hetzelfde potentieel. Ze verschillen fundamenteel in het uiteindelijke winstpotentieel als het totale effect van die factoren verschilt. Deze krachten lopen zeer uiteen; ze zijn zeer groot in bedrijfstakken als de papier-, banden- en metaalindustrie - waar geen enkel bedrijf spectaculaire resultaten boekt - en relatief

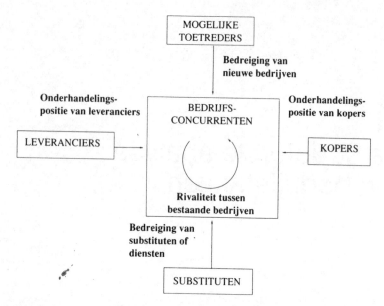

FIGUUR 1-1   Verschillende krachten in bedrijfsconcurrentie

zwak in bedrijfstakken als de produktie van materiaal voor boortorens en de kosmetica, waar hoge winsten normaal zijn.

Dit hoofdstuk zal zich bezighouden met de omschrijving van de *structurele* sleutelkenmerken van bedrijfstakken, die de grootte van de concurrentie-krachten en daardoor de winstgevendheid bepalen. Het doel van een con-currentiestrategie voor een bedrijf in een bepaalde bedrijfstak is het verkrij-gen van een positie, vanwaaruit het bedrijf zich het best kan verdedigen tegen deze concurrentiekrachten of ze ten gunste van het bedrijf kan laten werken. Aangezien de gezamenlijke kracht van deze factoren concurrenten pijnlijk bekend zal zijn, ligt de sleutel voor de te ontwikkelen strategie in de analyse van de bronnen van deze krachten. Kennis van de onderliggende bronnen van de concurrentiedruk maakt de kritieke sterke en zwakke pun-ten van een bedrijf duidelijk, dwingt tot het innemen van een bepaalde posi-tie in de bedrijfstak en maakt duidelijk op welke gebieden de strategische kansen het gunstigst zijn en welke onderdelen van de bedrijfstak de beste mogelijkheden en de grootste gevaren bieden. Inzicht in deze bronnen zal tevens nuttig blijken bij het beschouwen van gebieden voor diversificatie. De nadruk zal hier echter voornamelijk komen te liggen op een strategie voor een individuele bedrijfstak. Een structurele analyse is de fundamen-tele onderbouw voor het formuleren van een concurrentiestrategie en daarom ook de voornaamste bouwsteen voor de meeste concepten in dit boek.

Om nodeloze herhalingen te vermijden zal voor de aanduiding van de output van een bedrijfstak de term 'produkt' gebruikt worden in plaats van 'produkt of dienst', ook al zijn de beginselen van de hier ontwikkelde structurele analyse evenzeer van toepassing op de produktie- als op de dienstverlenende sectoren. Structurele analyse is ook bruikbaar bij de beoordeling van de bedrijfstakconcurrentie in een land of op een internationale markt, hoewel enkele van de institutionele factoren kunnen verschillen.[1]

Structurele determinanten voor de intensiteit van de concurrentie

Laten we beginnen met het definiëren van een bedrijfstak als een groep van bedrijven, die produkten leveren die elkaar kunnen vervangen. In de praktijk bestaat er onenigheid over de juiste definitie, waarbij dan vooral gediscussieerd wordt over hoe compleet de onderlinge inwisselbaarheid moet zijn in termen van produkt, vervaardigingswijze of geografische marktbegrenzingen. Aangezien we beter op deze zaken in kunnen gaan als het basisconcept van een structurele analyse is geïntroduceerd, zullen we er voorlopig van uit gaan dat bedrijfstak een afgebakend begrip is.

In elke bedrijfstak oefent concurrentie een voortdurende druk uit op de winstmarge op het geïnvesteerde kapitaal in de richting van de bodemmarge, oftewel de winst die behaald zou worden in een bedrijfstak met een zogeheten 'volledige concurrentie'. Deze bodemmarge, oftewel de 'vrije markt'-opbrengst, wordt bij benadering bepaald door de rente op langlopende staatsobligaties, maar ligt daar iets boven vanwege het risico van kapitaalverlies. Met lagere winsten zullen investeerders op de lange duur geen genoegen nemen, aangezien er voor hen ook andere investeringsmogelijkheden zijn, en bedrijven die langere tijd beneden deze winstmarge werken, zullen op den duur verdwijnen. De aanwezigheid van hogere winstmarges dan de aangepaste 'vrije markt'-winst stimuleert de kapitaalstroom naar een bepaalde bedrijfstak, hetzij door toetreding van nieuwe bedrijven, hetzij door nieuwe investeringen van bestaande concurrenten. De invloed van de concurrentiekrachten in een bedrijfstak is bepalend voor de grootte van deze kapitaalaanvoer en de mate waarin de winst naar het 'vrije markt'-niveau wordt geduwd, die weer bepalend is voor de mogelijkheid van bedrijven om een meer dan gemiddelde winst te boeken.

De vijf concurrentiekrachten - nieuwe concurrenten, bedreiging door substituten, kracht van de onderhandelingspositie van kopers en leveranciers, en de bestaande concurrentie - illustreren het feit dat de concurrentie in een bedrijfstak veel verder gaat dan de rol van de gevestigde spelers.

---

[1] Hoofdstuk 13 bespreekt enkele van de specifieke implicaties van concurrentie in mondiale bedrijfstakken.

Klanten, leveranciers, mogelijk toetredende bedrijven en substituten zijn allemaal 'mededingers' voor de bedrijven in een bedrijfstak en kunnen, afhankelijk van de omstandigheden een zeer belangrijke rol spelen. Concurrentie in deze brede zin zou *verruimde mededinging* kunnen worden genoemd.

De vijf concurrentiekrachten bepalen gezamenlijk de intensiteit van de concurrentie in een bedrijfstak en de winstgevendheid, en die krachten die de boventoon voeren, zijn het belangrijkst voor het formuleren van een strategie. Bijvoorbeeld een bedrijf met een sterke marktpositie in een bedrijfstak, waar potentiële nieuwkomers geen bedreiging vormen, zal lage winsten boeken, als het te maken heeft met een superieur en goedkoper substituut. Zelfs als er geen vervangende produkten bestaan en de bedrijfstak goed is afgeschermd, zal de intensieve concurrentie tussen bestaande mededingers het winstpotentieel beperken. Een extreem voorbeeld hiervan is de concurrentie in een bedrijfstak met volledige concurrentie, waar niets de toetreding van nieuwe bedrijven in de weg staat, waar bestaande bedrijven geen onderhandelingsruimte hebben naar leveranciers en afnemers, en waar de concurrentie ongebreideld is, omdat de talloze bedrijven en produkten allemaal gelijk zijn.

Welke factoren het belangrijkst zijn bij de vorming van concurrentie, hangt uiteraard af van de bedrijfstak. In de mammoettankerindustrie zijn dat waarschijnlijk de kopers (de grote oliemaatschappijen), terwijl dit in de bandenindustrie de macht van de vaste afnemers is in combinatie met de sterke concurrentie. In de metaal worden de sleutelfactoren gevormd door de buitenlandse concurrentie en vervangende materialen.

Er dient een onderscheid gemaakt te worden tussen de onderliggende structuur van een bedrijfstak, weerspiegeld in de invloed van de concurrentiekrachten, en de vele korte termijn factoren, die van een voorbijgaande invloed kunnen zijn op concurrentie en winstgevendheid. Een voorbeeld hiervan zijn de schommelingen in de economische condities over een bepaalde bedrijfsperiode, die een effect hebben op de winstgevendheid op korte termijn van bijna alle bedrijven in veel bedrijfstakken, evenals materiaalgebrek, stakingen, pieken in de vraag en andere factoren. Hoewel deze factoren van tactisch belang kunnen zijn, ligt bij de analyse van een bedrijfstakstructuur, oftewel 'structurele analyse', de nadruk op het beschrijven van de onderliggende basiskenmerken van een bedrijfstak, die hun wortels hebben in de economie en technologie die bepalend zijn voor het gebied, waarvoor een concurrentiestrategie moet worden uitgezet. Elk bedrijf heeft ten opzichte van de structuur van een bedrijfstak zijn eigen sterke en zwakke punten, en die structuur kan en zal geleidelijk veranderen. Toch zal begrip van deze bedrijfstakstructuur het uitgangspunt dienen te zijn van strategie-analyse.

Een aantal belangrijke economische en technische kenmerken van een bedrijfstak zijn bepalend voor de invloed van elke concurrentiekracht. Ze zullen stuk voor stuk behandeld worden.

BEDREIGING VAN SECTORTOETREDING

Nieuwkomers in een bedrijfstak betekenen nieuwe capaciteit, het streven naar een marktaandeel en vaak aanzienlijke bedrijfsmiddelen. De prijzen kunnen hierdoor dalen of de kosten van de gevestigde firma's kunnen worden opgedreven, waardoor de winstgevendheid daalt. Maatschappijen die willen diversifiëren door middel van het verwerven van een marktaandeel in andere bedrijfstakken, gebruiken hun hulpmiddelen vaak om een opschudding te veroorzaken, zoals Philip Morris heeft gedaan met Miller bier. De overname van een bedrijf met de bedoeling een marktpositie te verkrijgen moet dus ook gezien worden als een sectortoetreding, ook al is er niet echt een nieuwe grootheid bijgekomen.

De bedreiging van sectortoetreding hangt af van de bestaande *toetredingsbarrières*, gekoppeld aan de *reactie* van de bestaande concurrentie, die de nieuwkomer kan verwachten. Als deze barrières hoog zijn en/of de nieuwkomer kan scherpe maatregelen van een zich schrap zettende concurrentie verwachten, is de kans op toetreding gering.

Toetredingsbarrières

De zes voornaamste belemmerende factoren zijn:

Schaalvoordelen. Schaalvoordelen houden in dat de kosten per eenheid produkt (of operatie of functie die nodig is voor de vervaardiging van een produkt) afnemen naarmate het absolute volume *per periode* toeneemt. Schaalvoordelen houden sectortoetreding af, omdat de nieuwkomer gedwongen wordt een keus te maken tussen een intrede op grote schaal, wat een scherpe reactie van de concurrentie uitlokt, of op kleine schaal, hetgeen relatief hoge produktiekosten met zich meebrengt. Dit zijn beide weinig aanlokkelijke alternatieven. Schaalvoordelen kunnen optreden op bijna elk terrein van een bedrijf, inclusief produktie, inkoop, onderzoek en ontwikkeling, marketing, servicenet, gebruik van verkoopkracht en distributie. Schaalvoordelen bij produktie, onderzoek, marketing en serviceverlening zijn bijvoorbeeld waarschijnlijk de voornaamste barrières voor toetreding tot de sector van centrale verwerkingseenheden voor computers, zoals Xerox en General Electric tot hun spijt moesten constateren.

Schaalvoordelen kunnen te maken hebben met een heel functioneel gebied, zoals in het geval van een verkoopteam, of hun oorsprong hebben in bepaalde operaties of activiteiten, die deel uitmaken van een functioneel gebied. De televisie-industrie kent bijvoorbeeld een groot schaalvoordeel bij de vervaardiging van kleurenbuizen en een geringer voordeel bij het maken van de kasten en de assemblage. Het is van belang om elke kosten-component afzonderlijk te bekijken op de relatie tussen kosten per eenheid en schaal.

Eenheden van vertakte bedrijven kunnen voor soortgelijke besparingen zorgen, als ze in staat zijn hun *operaties of functies*, die in aanmerking komen voor schaalvoordelen, te combineren. Een vertakt bedrijf kan bij-voorbeeld kleine elektrische motoren maken, die vervolgens worden gebruikt voor bedrijfsventilatoren, haardrogers en koelsystemen voor elek-tronische apparatuur. Als bij het vervaardigen van deze kleine motoren pas sprake is van een schaalvoordeel bij een hoger aantal dan voor één bedrijfs-tak nodig is, zal een op deze wijze opgezet bedrijf met verschillende poten meer besparingen kunnen realiseren dan wanneer het slechts motortjes voor haardrogers maakte. Zo kunnen dus de beperkingen, opgelegd door de omvang van een bepaalde bedrijfstak, omzeild worden door combinaties van operaties en functies.[2] Hierdoor zal de potentiële markttoetreder ook gediversifieerd moeten zijn of zich neer moeten leggen bij een kostenna-deel. Mogelijke deelbare activiteiten of functies die in aanmerking komen voor schaalvoordeel, zijn onder andere verkoopkrachten, distributiesyste-men, inkoop, enzovoort.

De voordelen van combinatie zijn vooral aanzienlijk als het gaat om *gemeenschappelijke kosten*. Hiervan is sprake, als een bedrijf dat produkt A produceert (of een operatie of functie die een onderdeel is van de produktie van A), dientengevolge ook in staat moet zijn produkt B te produceren. Een voorbeeld hiervan is het passagiers- en goederenvervoer via de lucht. Door technologische beperkingen kan slechts een bepaalde ruimte gevuld worden met passagiers, terwijl er ruimte overblijft voor goederen en nuttige last. Om het vliegtuig in de lucht te houden moeten veel kosten gemaakt worden en er blijft altijd ruimte voor vrachtvervoer, ongeacht het aantal passagiers. Daarom zal een bedrijf, dat zich bezighoudt met het vervoer van zowel passagiers als goederen, een belangrijk voordeel hebben op het bedrijf dat slechts op één markt actief is. Hetzelfde effect treedt op bij bedrijven, wier produktieprocessen nevenprodukten opleveren. Een sector-toetreder, die niet het optimale profijt trekt uit die nevenprodukten, is in het nadeel ten opzichte van de gevestigde bedrijven die dit wel doen. Een veel voorkomend voorbeeld van gemeenschappelijke kosten is het

---

[2] Wil dit een solide barrière voor sectortoetreding zijn, dan moet de operatie- of functiecombi-natie wel een besparing opleveren, die groter is dan een eventueel schaalvoordeel op elke afzonderlijke markt. Is dit niet het geval, dan is kostenbesparing door combinatie wellicht niet haalbaar. De lasten van een bedrijf kunnen weliswaar dalen door overheadspreiding, doch dit wordt slechts veroorzaakt door een *overcapaciteit* van de operatie of functie. Deze voordelen zijn van korte duur en als de capaciteit eenmaal volledig wordt benut en uitge-breid, worden de eigenlijke kosten van de gedeelde operatie duidelijk.

geval waarbij de poten van een bedrijf *immateriële* bedrijfsmiddelen kunnen delen, zoals merknamen en kennis. De kosten voor het creëren van een immaterieel bedrijfsmiddel zijn eenmalig; daarna kan het onbeperkt gebruikt worden in de verschillende bedrijfsonderdelen, waarbij uitsluitend de kosten van veranderingen of aanpassingen gedragen worden. Het delen van immateriële bedrijfsmiddelen kan dus leiden tot belangrijke besparingen.

Als er besparingen mogelijk zijn bij verticale integratie (de verzorging van de verschillende produktie- of distributiestadia), is er sprake van een speciaal soort schaalvoordeelbarrière. Hier dient de niet geïntegreerde sectortoetreder rekening te houden met een kostennadeel, als ook met de mogelijkheid van uitsluiting van bepaalde input of markten, *als* de meeste gevestigde concurrenten wel geïntegreerd zijn. Een dergelijke uitsluiting is mogelijk, omdat de meeste klanten kopen van de eenheden in het eigen bedrijf en de meeste leveranciers hun input 'binnenshuis verkopen'. Het onafhankelijke bedrijf zal dan moeite hebben om vergelijkbare prijzen te bedingen en kan 'gemangeld' worden, als de geïntegreerde concurrenten het bedrijf andere voorwaarden bieden dan de 'eigen' eenheden. De eis van integratie brengt weer een verhoogd risico met zich mee van tegenmaatregelen en kan ook barrières opwerpen, die hieronder besproken worden.

Produktdifferentiatie. Produktdifferentiatie wil zeggen dat gevestigde bedrijven merkbekendheid en loyaliteit van klanten genieten, die het gevolg zijn van reclame, klantenservice, produktverschillen of simpelweg omdat ze de oudste in de branche zijn. Differentiatie betekent voor markttoetreders een barrière, omdat ze zwaar moeten investeren om de bestaande gunst van het publiek een wending te geven. Deze pogingen hebben vaak aanloopverliezen tot gevolg en kunnen zich over een langere tijd uitstrekken. Zulke investeringen in de vestiging van een merknaam zijn vooral daarom riskant, omdat het om kapitaal gaat dat als verloren moet worden beschouwd, als toetreding tot de bedrijfstak mislukt.

Produktdifferentiatie is misschien de belangrijkste barrière voor toetreding tot de sector van babyverzorgingsmiddelen, drogisterij-artikelen, kosmetica, investeringsbanken en accountantskantoren. In de brouwerijwereld is produktdifferentiatie gekoppeld aan schaalvoordelen bij de produktie, de marketing en de distributie en zorgt zo voor grote barrières.

Benodigd kapitaal. Een andere barrière bij sectortoetreding bestaat uit de noodzaak van aanzienlijke financiële middelen om te kunnen concurreren, vooral als het kapitaal nodig is voor riskante en onherroepelijke uitgaven voor reclame of onderzoek en ontwikkeling (O&O). Er kan niet alleen kapitaal nodig zijn voor produktiefaciliteiten, maar eveneens voor zaken als afnemerskrediet, voorraden, of voor het dekken van aanloopverliezen. Xerox heeft een aanzienlijke kapitaalbelemmering opgeworpen voor toe-

treding tot de kopieersector door bijvoorbeeld kopieermachines te verhu-
ren in plaats van ze gewoon te verkopen, waardoor een veel groter werkkapitaal nodig werd. Hoewel de grote maatschappijen van tegenwoordig de
financiële middelen hebben om tot bijna elke bedrijfstak toe te treden,
zorgt de enorme hoeveelheid benodigd kapitaal ervoor dat de groep bedrijven, die tot markten als computers en ertswinning kunnen toetreden,
beperkt blijft. Zelfs al is er kapitaal beschikbaar op de kapitaalmarkt, dan
nog vertegenwoordigt sectortoetreding een riskant gebruik van dat kapitaal, hetgeen zijn weerslag vindt in risicopremies, waarmee de toekomstige
sectortoetreder belast wordt. Dit is een voordeel voor de gevestigde bedrijven.[3]

Overstapkosten. Een andere belemmering voor sectortoetreding kan
gevormd worden door *overstapkosten*. Dit zijn de eenmalige kosten, waarvoor de koper, die van het produkt van de ene leverancier op dat van de
andere overstapt, komt te staan. Hieronder kunnen vallen de omscholing
van werknemers, de kosten van aanvullende uitrusting, de kosten en de tijd
die nodig zijn voor het testen of kwalificeren van een nieuw bedrijfsmiddel,
de noodzaak van technische hulp door de verkoper, herontwerping van een
produkt of zelfs de psychische kosten van een verbroken relatie.[4] Als deze
overstapkosten hoog zijn, moet de nieuwe toetreder een belangrijke verbetering in prijs of prestatie te bieden hebben, wil de koper de overstap van
de huidige leverancier maken. Zo lopen bijvoorbeeld bij intraveneuse
oplossingen en apparatuur voor gebruik in ziekenhuizen de bevestigingswij-
zen aan de patiënt van de diverse modellen nogal uiteen en zijn ook de toe-
stellen voor de ophanging van de flessen niet standaard. Hier zal overschakeling op een ander systeem op groot verzet stuiten van het verplegend personeel en tevens investeringen in de randapparatuur noodzakelijk maken.

Toegang tot distributiekanalen. Een andere mogelijke barrière is de
noodzaak voor de sectortoetreder om de distributie van zijn produkten veilig te stellen. Voor zover de logische distributiekanalen voor het produkt al
door de gevestigde bedrijven worden voorzien, zal de nieuwe firma de
kanalen van haar produkt moeten zien te overtuigen door middel van prijsverlagingen, coöperatieve reclamegelden en dergelijke, hetgeen de winst
doet dalen. De vervaardiger van een nieuw levensmiddel bijvoorbeeld zal
de detailhandel via voordelige aanbiedingen, intensieve verkoopmethoden
en andere middelen ertoe over moeten halen om ruimte voor het produkt

---

[3] In sommige bedrijfstakken zijn leveranciers bereid om te helpen bij de financiering van sectortoetreding om zo hun eigen verkoop te bevorderen (olietankers). Dit bemoeilijkt uiteraard het opwerpen van doeltreffende kapitaalbarrières.

[4] Ook de verkoper kan te maken hebben met overstapkosten. Overstapkosten en enkele
gevolgen daarvan zullen uitgebreider worden behandeld in hoofdstuk 6.

te maken in de toch al ruim gesorteerde schappen van de supermarkten. Het spreekt vanzelf dat hoe beperkter de groothandels- of detailhandelskanalen zijn en hoe vaster bestaande concurrenten deze in handen hebben, des te moeilijker sectortoetreding zal zijn. De banden van de bestaande concurrenten kunnen gebaseerd zijn op zeer oude contacten, uitstekende service of zelfs een exclusieve relatie, waarbij het kanaal volkomen geïdentificeerd wordt met een bepaalde producent. Soms is een dergelijke toetredingsbarrière zo hoog, dat een sectortoetreder een geheel nieuw distributiekanaal moet creëren, zoals Timex heeft gedaan in de horloge-industrie.

Kostennadelen onafhankelijk van de schaal. Gevestigde bedrijven kunnen kostenvoordelen genieten, die door eventuele sectortoetreders nooit kunnen worden geëvenaard, ongeacht hun omvang of bereikte schaalvoordelen. De meest kritieke voordelen zijn factoren, zoals:

- Het in eigendom hebben van produkttechnologie: produkt 'knowhow' of specifieke ontwerpen, waar patent op rust of die geheim gehouden worden.
- Gunstige toegang tot grondstoffen: gevestigde bedrijven kunnen de gunstigste bronnen afgeschermd hebben en/of al in een vroeg stadium in de toekomstige behoeften voorzien hebben tegen prijzen, die gebaseerd waren op een geringere vraag dan waar momenteel sprake van is. Frasch zwavelmaatschappijen als Texas Gulf Sulphur hebben enkele jaren geleden de exploitatierechten verworven van enkele zeer rijke zoutkoepels van zwavelafzettingen, voordat de exploitanten zich bewust werden van hun waarde met het oog op de Frasch mijntechnologie. Vaak waren de ontdekkers van zwavelbedden teleurgestelde oliemaatschappijen, die naar olie boorden en niet flexibel genoeg waren om de waarde ervan in te zien.
- Gunstige locaties: gevestigde bedrijven kunnen gunstige locaties hebben verkregen, voordat de marktkrachten prijzen boden om hun volledige marktwaarde vast te leggen.
- Overheidssubsidies: in sommige bedrijfstakken kunnen gevestigde bedrijven door overheidssubsidies duurzame voordelen genieten.
- De leer- of ervaringscurve: in sommige bedrijfstakken is een tendens waar te nemen van dalende kosten naarmate een bedrijf meer ervaring verkrijgt in de produktie van een goed. Er treedt kostenvermindering op, omdat arbeiders efficiënter gaan werken (de klassieke leercurve), de werkindeling beter wordt, speciale apparatuur en technieken worden ontwikkeld, een beter resultaat met bepaalde apparatuur wordt bereikt, wijzigingen in het produktontwerp produktie vergemakkelijkt, meettechnieken en controle-operaties geperfectioneerd worden, enzovoort. Evenals dit bij schaalvoordelen het geval is, heeft kostenvermindering door ervaring niet te maken met het bedrijf als geheel, maar heeft dit zijn oorsprong in de

individuele operaties of functies, die tesamen het bedrijf vormen. Ervaring kan een gunstig effect hebben op de kosten van marketing, distributie en andere gebieden, alsmede op die van produktie of operaties behorend tot de produktie, waarbij iedere kostencomponent afzonderlijk onderzocht moet worden op de effecten van ervaring.

Kostenvermindering lijkt het voornaamste te zijn in bedrijven, waar sprake is van een hoge arbeidssatisfactie bij het uitvoeren van ingewikkelde taken en/of assemblagewerkzaamheden (vliegtuigindustrie, scheepsbouw). Het verschijnsel is vrijwel altijd het sterkst bij de allereerste ontwikkelingsfasen van een produkt en neemt in latere stadia geleidelijk aan af. Vaak worden schaalvoordelen aangevoerd als één van de redenen voor verminderde kosten door ervaring. Schaalvoordelen hangen samen met de hoeveelheid per tijdseenheid, *niet* met een cumulatie van de hoeveelheid. Ze verschillen dus in analytisch opzicht belangrijk van ervaringsbesparingen, hoewel de twee vaak hand in hand gaan en soms moeilijk te onderscheiden zijn. De gevaren van het op één hoop gooien van schaal en ervaring zullen verderop in dit boek worden besproken.

Als in een bedrijfstak de kosten afnemen naarmate de ervaring toeneemt en als *de gevestigde bedrijven deze ervaring in eigendom kunnen blijven houden*, dan heeft dit een toetredingsbarrière tot gevolg. Nieuw opgezette bedrijven, zonder ervaring, zullen te maken krijgen met hogere kosten dan de gevestigde firma's en moeten rekening houden met zware aanloopverliezen als gevolg van het tegen of beneden de kostprijs op de markt brengen, teneinde de ervaring op te doen om dezelfde kosten te bereiken als de bestaande bedrijven (zo dit al mogelijk is). Gevestigde bedrijven, vooral de marktleider die de ervaring het snelst verkrijgt, zullen een hogere nettowinst boeken, omdat ze minder hoeven te investeren in nieuwe apparatuur en technieken. Het is echter van belang om in te zien dat het streven naar een dalende kostencurve door ervaring (en schaalvoordelen) op voorhand aanzienlijke investeringen kan vergen in apparatuur en voor de dekking van aanloopverliezen. Als de kosten per hoeveelheid blijven dalen, zelfs bij een grote cumulatie van de hoeveelheid, halen nieuwe bedrijven dit waarschijnlijk nooit meer in. Een aantal bedrijven, met name Texas Instruments, Black and Decker en Emerson Electric, hebben succesvolle strategieën opgesteld op basis van de ervaringscurve door met agressieve investeringen in een vroeg stadium van de bedrijfstak een cumulatie van de hoeveelheid te bewerkstelligen, vaak door met hun prijs te anticiperen op toekomstige kostendalingen.

Kostenvermindering door ervaring kan toenemen, als er in de sector gediversifieerde bedrijven zijn, waarvan de verschillende eenheden een *gedeeld* gebruik maken van functies of operaties, die voor een dergelijke vermindering in aanmerking komen, of als een bedrijf onderling verwante activiteiten kent, waardoor incomplete doch nuttige ervaringen kunnen worden opgedaan. Als van een activiteit als de fabricage van grondstoffen de verschillende eenheden van een bedrijf een gedeeld gebruik kunnen maken, neemt de ervaring uiteraard sneller toe dan wanneer die activiteit uitsluitend ten goede zou komen aan één bepaalde sector. Als een bedrijfseenheid onderling samenhangende activiteiten heeft binnen het bedrijf, kunnen aanverwante eenheden zonder bijkomende kosten daarvan mee profiteren, omdat immers veel ervaring een immaterieel bedrijfsmiddel is. Dit soort gedeelde leerprocessen accentueert de barrière die een ervaringscurve kan vormen, als aan de voorwaarden voor het belang ervan wordt voldaan.

Ervaring is een zo wijd verbreid begrip bij het formuleren van een strategie, dat op de strategische implicaties ervan nader zal worden ingegaan.

Regeringsbeleid. De laatste belangrijke bron van barrières is het regeringsbeleid. Een regering kan toetreding van een bedrijfssector beperken of zelfs helemaal uitsluiten door maatregelen als licentieverplichting en beperkte toegang tot grondstoffen (zoals bij bergen waarop men skiliften wil bouwen). Gereguleerde bedrijfstakken, zoals het wegvervoer, spoorwegen, slijterijen en expeditie van goederen, zijn hier duidelijke voorbeelden van. Een subtielere overheidsbeperking is bijvoorbeeld de controle op lucht- en watervervuiling, de veiligheid van produkten en doelmatigheidsbepalingen. Eisen met betrekking tot milieubescherming bijvoorbeeld kunnen het kapitaal verhogen, dat nodig is voor toetreding, de benodigde technologische verfijning en zelfs de optimale schaal van faciliteiten. Kwaliteitsnormen, zeer gebruikelijk in de voedingssector en andere sectoren die verband houden met de gezondheid, kunnen aanzienlijke vertragingen veroorzaken, waardoor niet alleen de kosten van markttoetreding stijgen, maar waardoor gevestigde bedrijven tevens op de hoogte worden gesteld van een op handen zijnde toetreding en soms volledige kennis hebben van het produkt van de nieuwe concurrent, op grond waarvan een tegenstrategie voorbereid kan worden. Regeringsbemoeienis op deze terreinen heeft zeker directe maatschappelijke voordelen, maar er zitten ook indirecte gevolgen aan vast voor de eventuele markttoetreder, die onvoldoende onderkend worden.

Verwachte tegenmaatregelen

De verwachtingen van de mogelijke markttoetreder inzake de reactie van de bestaande concurrentie zijn ook van invloed op de waarschijnlijkheid van sectortoetreding. Als van de bestaande concurrentie verwacht wordt dat ze krachtige maatregelen zullen treffen teneinde het verblijf van de nieuwkomer in de bedrijfstak zo onprettig mogelijk te maken, dan heeft dat ongetwijfeld een afschrikkingseffect. Omstandigheden, die tegenmaatregelen zeer waarschijnlijk maken en daardoor een afschrikkende werking hebben zijn:

- krachtige tegenmaatregelen tegen sectortoetreders in het verleden;
- gevestigde bedrijven die over aanzienlijke hulpbronnen beschikken om mee terug te vechten, met inbegrip van overschotten aan liquide middelen en ongebruikte leenmogelijkheden, een overschot aan produktiecapaciteit dat voldoende is om in de toekomstige vraag te voorzien of de mogelijkheid tot het uitoefenen van grote druk op distributiekanalen of afnemers;
- gevestigde bedrijven met een grote betrokkenheid bij de bedrijfstak en het gebruik van zeer vaste bedrijfsmiddelen daarin;
- langzame groei van de bedrijfssector, die daardoor minder in staat is om een nieuw bedrijf te absorberen zonder dat daardoor de verkoop en de financiële resultaten van de gevestigde bedrijven achteruitgaan.

De afschrikkingsprijs

De voorwaarde voor toetreding tot een bedrijfstak kan worden samengevat in een belangrijk hypothetisch concept: de *afschrikkingsprijs*. Dit is de heersende structuur van prijzen (en aanverwante begrippen als kwaliteit en service), waardoor het mogelijke profijt van sectortoetreding (zoals voorzien door de mogelijke toetreder) net opweegt tegen de verwachte kosten van het overwinnen van structurele barrières en van het riskeren van tegenmaatregelen. Als het heersende prijsniveau hoger ligt dan de afschrikkingprijs, zal de sectortoetreder een meer dan modale winst voorspellen en inderdaad in die sector actief gaan worden. Het spreekt vanzelf dat de verwachtingen van de toetreder omtrent de afschrikkingsprijs gebaseerd zijn op de toekomstige situatie en niet op de huidige.

Het gevaar van sectortoetreding kan geëlimineerd worden, als bestaande bedrijven ervoor kiezen of ertoe gedwongen worden om hun prijzen beneden deze hypothetische afschrikkingsprijs te stellen. Als ze hun prijzen daarboven houden, zal die winst van korte duur zijn en al snel weggestreept kunnen worden tegen de kosten van het vechten tegen of bestaan naast nieuw gevestigde bedrijven.

Eigenschappen van toetredingsbarrières

Er zijn nog verscheidene andere eigenschappen van toetredingsbarrières, die uit strategisch oogpunt van cruciaal belang zijn. Ten eerste veranderen deze barrières, als de hiervoor beschreven omstandigheden zich wijzigen. Het verlopen van Polaroids basispatenten op instant fotografie bijvoorbeeld verminderde in hoge mate de absolute kostenbarrière, die werd gevormd door het in eigendom hebben van technologie. Het is dan ook niet verwonderlijk dat Kodak zich op deze markt stortte. Produktdifferentiatie in de sector van tijdschriftdrukkerijen is bijna verdwenen, waardoor de barrières lager zijn geworden. Omgekeerd namen de schaalvoordelen in de auto-industrie na de Tweede Wereldoorlog toe door automatisering en verticale integratie, waardoor vrijwel een eind kwam aan succesvolle sectortoetreding.

Ten tweede kunnen, niettegenstaande het feit dat een firma op sommige veranderingen in de toetredingsbarrières absoluut geen invloed kan uitoefenen, beleidsbeslissingen van een bedrijf van grote invloed zijn. De acties bijvoorbeeld, die veel wijnproducenten in de V.S. ondernamen in de 60-er jaren om nieuwe produkten op de markt te introduceren, reclamecampagnes uit te breiden en een systeem van nationale distributie op te zetten, had zeker een barrièreverhogend effect, doordat de schaalvoordelen in die bedrijfstak toenamen en toegang tot de distributiekanalen moeilijker werd. Op soortgelijke wijze hebben de beslissingen van de leden van de tourfietsenindustrie om verticaal te integreren in het vervaardigen van onderdelen teneinde de kosten te drukken belangrijke schaalvoordelen tot gevolg gehad, waardoor de kapitaalbarrière werd verhoogd.

Tenslotte kunnen sommige bedrijven over bronnen of vaardigheden beschikken, waardoor ze in staat zijn om de barrière van een bedrijfstak goedkoper te overwinnen dan de meeste andere. Gillette bijvoorbeeld, met goed ontwikkelde distributiekanalen voor scheermesjes en scheerapparaten, had minder toetredingskosten in de sector van wegwerpaanstekers dan menig ander bedrijf. De mogelijkheid van kostendeling biedt ook kansen op goedkope sectortoetreding. (In hoofdstuk 16 zullen we de implicaties van dergelijke factoren voor toetredingsstrategie nader bekijken).

Ervaring en schaal als toetredingsbarrières

Hoewel de twee vaak samengaan, hebben schaalvoordelen en ervaringsbesparingen als barrières verschillende eigenschappen. Het bestaan van schaalvoordelen leidt *altijd* tot een kostenvoordeel van een grootschalig bedrijf (of bedrijf dat activiteiten kan delen) op een klein bedrijf, waarbij ervan wordt uitgegaan dat de eerste de meest efficiënte faciliteiten, distributiesystemen, service-afdelingen en andere functionele activiteiten, afgestemd op zijn omvang, heeft.[5] Dit kostenvoordeel kan alleen gecompenseerd worden door een vergelijkbare schaal te bereiken of door zodanig te diversifiëren, dat kosten gedeeld kunnen worden. Een grootschalig of gediversifieerd bedrijf kan de vaste bedrijfskosten van deze efficiënte faciliteiten over een groot aantal eenheden spreiden, terwijl het kleinschalige bedrijf, ook al heeft het technologisch efficiënte faciliteiten, deze niet optimaal zal benutten.

Enkele beperkingen van schaalvoordelen als barrière, vanuit het strategisch oogpunt van gevestigde bedrijven, zijn:

---

[5] En waarbij er tevens van wordt uitgegaan dat de grootschalige firma haar voordeel niet verloren laat gaan door uitbreiding van het assortiment.

- Grootschaligheid en daaruit voortvloeiende lagere kosten kunnen neerkomen op verlies van andere nuttige barrières, zoals produktdifferentiatie (de schaal kan bijvoorbeeld een negatief effect hebben op de reputatie of de service van het produkt) of de mogelijkheid om snel technologische kennis te verwerven.
- Technologische verandering kan een handicap voor een grootschalig bedrijf betekenen, als de faciliteiten, ontworpen met het oog op schaalvoordelen, eveneens gespecialiseerder worden en minder flexibel in kunnen spelen op nieuwe technologieën.
- Door fixatie op het bereiken van schaalvoordelen door het gebruik van bestaande technologie worden soms nieuwe technische mogelijkheden of andere, minder schaalafhankelijke manieren om te concurreren niet tijdig onderkend.

Als barrière is ervaring een wat ongrijpbaarder grootheid dan schaal, aangezien het bestaan alleen van een ervaringscurve nog niet direct een barrière hoeft te betekenen. Een andere noodzakelijke voorwaarde is dat de ervaring in eigendom is en niet toegankelijk is voor concurrenten of mogelijke sectortoetreders door middel van 1. imitatie, 2. in dienstneming van werknemers van de concurrent, of 3. het kopen van de meest recente apparatuur van uitrustingsleveranciers of van 'know-how' van adviseurs of andere bedrijven. Vaak is het onmogelijk om eigenaar te blijven van ervaring en zelfs al is dit mogelijk, dan kan de ervaring voor het tweede en derde bedrijf in de markt sneller toenemen dan voor de pionier, omdat sommige aspecten van het baanbrekende werk nu eenmaal altijd waargenomen kunnen worden. Als ervaring niet het eigendom van een bedrijf kan blijven, kunnen nieuwkomers zelfs een voordeel hebben, als ze de modernste apparatuur kunnen kopen of kunnen inspelen op nieuwe methoden zonder de ballast van gerichtheid op vroegere methoden.

Andere grenzen van de ervaringscurve als een toetredingsbarrière zijn:

- De barrière kan geheel verdwijnen als gevolg van vernieuwingen in het produkt of het produktieproces, die leiden tot een wezenlijk nieuwe technologie en daardoor een volkomen nieuwe ervaringscurve creëren.[6] Nieuwe bedrijven kunnen sprongsgewijs vorderingen maken op de marktleiders en neerstrijken op de nieuwe ervaringscurve, ten opzichte waarvan de leiders een slechte uitgangspositie kunnen hebben om een sprong te maken.

---

[6] Voor een voorbeeld van een dergelijke ontwikkeling in de geschiedenis van de automobielindustrie, zie Abernathy en Wayne (1974), blz. 109.

- Het streven naar lage kosten door ervaring kan neerkomen op het opgeven van andere nuttige barrières, zoals produktdifferentiatie door prestige of technische vooruitstrevendheid. Zo heeft Hewlett-Packard bijvoorbeeld hoge barrières opgeworpen door technologische progressie in bedrijfstakken, waarin andere bedrijven strategieën volgen die gebaseerd zijn op ervaring en schaal, zoals rekenmachientjes en minicomputers.
- Als meer dan één sterk bedrijf zijn strategie op de ervaringscurve baseert, kunnen de gevolgen voor een of meer van die firma's bijna fataal zijn. Tegen de tijd dat er nog slechts één bedrijf over is, dat zo'n strategie volgt, kan de groei uit de sector zijn en zijn er al lang geen vooruitzichten meer om profijt te trekken uit de ervaringscurve.
- Het agressief nastreven van kostenvermindering door ervaring kan de aandacht afleiden van marktontwikkelingen in andere gebieden of het waarnemingsvermogen vertroebelen met betrekking tot het onderkennen van nieuwe technieken, die eerdere ervaring waardeloos maken.

DE INTENSITEIT VAN MEDEDINGING ONDER BESTAANDE CONCURRENTEN

De mededinging onder bestaande concurrenten heeft de vertrouwde vorm van manoeuvreren voor het innemen van een gunstige positie - waarbij gebruik wordt gemaakt van tactieken als prijzenoorlog, reclamecampagnes, introductie van nieuwe produkten en verbeterde klantenservice of garantie. Mededinging vindt plaats, omdat een of meer concurrenten de druk voelen of de kans zien om hun positie te verbeteren. In de meeste bedrijfstakken hebben concurrentiemanoeuvres van een bedrijf een merkbaar effect op diens concurrenten en lokken dan ook tegenmaatregelen uit of pogingen om de manoeuvre te pareren; er is met andere woorden sprake van *wederzijdse beïnvloeding* van bedrijven. Door dit patroon van actie en reactie kan het initiatief nemende bedrijf of bedrijfstak als geheel er al dan niet op vooruitgaan. Als zetten en tegenzetten escaleren, kunnen alle bedrijven in een sector daar nadelige gevolgen van ondervinden en erop achteruitgaan.

Sommige concurrentievormen, met name prijsconcurrentie, zijn zeer labiel en kunnen heel wel de winstgevendheid van de bedrijfstak als geheel nadelig beïnvloeden. Prijsdalingen kunnen snel en gemakkelijk door de concurrentie geëvenaard worden en als dat eenmaal gebeurd is, zijn de inkomsten voor alle bedrijven minder geworden, tenzij de prijselasticiteit van de vraag groot genoeg is. Reclamecampagnes daarentegen kunnen een verhoogde vraag tot gevolg hebben of de produktdifferentiatie in de bedrijfstak versterken, tot voordeel van alle bedrijven.

In sommige bedrijfstakken wordt de concurrentiestrijd beschreven in termen als 'oorlog', 'verbitterd' of 'moordend', terwijl men voor andere sectoren woorden als 'mild' of 'beschaafd' gebruikt. De intensiteit van concurrentie is het resultaat van een aantal structurele factoren die met elkaar in wisselwerking staan.

Veel of gelijkwaardige concurrenten. Zijn er veel bedrijven, dan is de onderlinge gelijkenis groot en zijn sommige bedrijven geneigd te denken dat hun manoeuvres onopgemerkt blijven. Ook als er maar weinig bedrijven zijn, zal het feit dat ze aan elkaar gewaagd zijn in termen van omvang en bedrijfsmiddelen, onstabiliteit veroorzaken, omdat ze geneigd zullen zijn elkaar te bestrijden en hun middelen te gebruiken om te allen tijde te kunnen reageren op de concurrentie. Als daarentegen de bedrijfstak zeer geconcentreerd is en beheerst wordt door één of slechts een paar firma's, bestaan er over de krachtsverhoudingen geen misverstanden en kunnen de leiders een discipline opleggen, alsmede een coördinerende rol spelen in de bedrijfstak door middel van instrumenten als prijsbepaling.

In veel bedrijfssectoren spelen buitenlandse concurrenten, die exporteren naar die sector of er direct in deelnemen door buitenlandse investeringen, een belangrijke rol in de concurrentie. Buitenlandse concurrenten moeten met het oog op structurele analyse net zo benaderd worden als nationale concurrenten, ook al zijn er enkele verschillen, waar we later op in zullen gaan.

Langzame groei van de bedrijfstak. Door een trage groei van een sector verandert concurrentie in een marktaandeelspel voor bedrijven, die willen uitbreiden. Marktaandeelconcurrentie is veel wispelturiger dan de situatie, waarin snelle groei van de bedrijfstak zeker stelt dat de bedrijven hun resultaten kunnen verbeteren door slechts bij te blijven bij de ontwikkelingen in de bedrijfstak, en waarbij al hun financiële en beleidsmiddelen gebruikt kunnen worden door mee te groeien met de bedrijfstak.

Hoge vaste lasten of opslagkosten. Hoge vaste lasten zorgen voor een hoge druk op alle bedrijven om hun capaciteiten maximaal te benutten, hetgeen vaak leidt tot een snelle escalatie van prijsdalingen, als er sprake is van een capaciteitsoverschot. Dit probleem duikt vooral op bij veel grondstoffen, zoals papier en aluminium. Het belangrijkste kenmerk van kosten zijn de vaste lasten in verhouding tot de toegevoegde waarde, en niet als een gedeelte van de totale lasten. Bedrijven die een groot aandeel van hun lasten te danken hebben aan input van buitenaf (lage toegevoegde waarde), hebben een sterke neiging om hun capaciteit op te vullen om quitte te spelen, ondanks het feit dat het absolute aandeel van de vaste lasten laag is.

Een situatie, waarbij de vaste lasten hoog zijn, is die, waarin een eenmaal geproduceerd produkt moeilijk of slechts zeer duur opgeslagen kan worden. Hier zullen bedrijven ook bloot staan aan de verleiding om de prijzen scherp te stellen en zodoende verkoop veilig te stellen. Een dergelijke druk houdt de winsten laag in sectoren als de kreeftvisserij, de industrie van gevaarlijke chemicaliën en sommige dienstverlenende bedrijven.

Gebrek aan differentiatie of overstapkosten. Als een produkt of dienst beschouwd wordt als een gebruiksvoorwerp of bijna-gebruiksvoorwerp, zal de keus van de koper voornamelijk bepaald worden door prijs en service en heeft dat een intensieve prijs- en serviceconcurrentie tot gevolg. Zoals reeds eerder gezegd, zijn deze vormen van concurrentie bijzonder veranderlijk. Produktdifferentiatie daarentegen creëert isolerende lagen tegen een concurrentie-oorlog, omdat kopers voorkeuren hebben voor en loyaliteiten naar bepaalde verkopers. De al eerder beschreven overstapkosten hebben hetzelfde effect.

Capaciteitstoename op grote schaal. Daar, waar schaalvoordelen slechts bereikt worden door capaciteitsverruiming in de vorm van grote opbrengsten, kunnen deze verruimingen een tijdelijke ontwrichting van het evenwicht tussen vraag en aanbod in de bedrijfstak met zich meebrengen, vooral wanneer het risico bestaat van ongecontroleerde capaciteitsgroei. De bedrijfstak kan dan te maken krijgen met herhaalde perioden van overcapaciteit en prijsdalingen, zoals te zien is in de industrie van chloor, vinylchloride en kunstmest. De omstandigheden die leiden tot een chronische overcapaciteit, worden in hoofdstuk 15 besproken.

Verschillende concurrenten. Concurrenten verschillen in beleid, oorsprong, persoonlijkheden en verhoudingen tot aanverwante bedrijven, hebben verschillende doelstellingen en concurrentiestrategieën en kunnen elkaar soms voortdurend voor de voeten lopen. Soms kunnen ze elkaars bedoelingen maar moeilijk inschatten of het moeilijk eens worden over enkele 'spelregels' voor de bedrijfstak. Strategische keuzes, die voor de ene concurrent goed zijn, zullen voor andere concurrenten slecht zijn.

Buitenlandse concurrenten dragen vaak in hoge mate bij tot de diversiteit van bedrijfstakken, omdat hun situatie anders is en ze vaak andere doelstellingen hebben. Eigenaar-bedrijfsleiders van kleine produktie- of dienstverlenende maatschappijen kunnen eenzelfde effect hebben, omdat ze vaak tevreden zijn met een lagere winstmarge dan normaal om zo hun onafhankelijkheid te waarborgen, terwijl zulke winsten onaanvaardbaar en onredelijk zouden zijn in de ogen van een concurrent, die op de beurs genoteerd staat. In zo'n bedrijfstak kan de opstelling van kleine bedrijven de winstgevendheid van een groter concern beperken. Evenzo zullen bedrijven die een markt overwegen voor de afzet van capaciteitsoverschotten (bijvoorbeeld in het geval van dumpen), een beleid volgen dat tegengesteld is aan dat van bedrijven die die markt als hoofdmarkt zien. Tenslotte zijn ook verschillen in de verhoudingen van concurrerende bedrijfseenheden met hun corporatieve moedermaatschappijen een belangrijke bron van diversiteit in een bedrijfstak. Bijvoorbeeld een bedrijfseenheid, die deel uitmaakt van een verticale keten van bedrijven binnen een moederfirma, kan heel goed doelstellingen hebben die verschillen van of zelfs tegengesteld zijn aan die van een zelfstandige concurrent in dezelfde bedrijfstak. Een bedrijf dat als 'melkkoe' dient voor de andere bedrijven van de moedermaatschappij, zal zich anders opstellen dan een bedrijf dat een lange termijn groei voor ogen heeft vanwege een gebrek aan andere kansen voor de moedermaatschappij. (In hoofdstuk 3 zullen enige technieken voor het herkennen van diversiteit onder de concurrenten ontwikkeld worden.)

Grote strategische risico's. Mededinging in een bedrijfstak wordt nog wispelturiger, als er voor een aantal bedrijven veel op het spel staat. Een gediversifieerd bedrijf bijvoorbeeld kan er veel aan gelegen zijn om in een bepaalde sector succes te hebben in het belang van de algemene bedrijfsstrategie. Een buitenlands bedrijf, zoals Bosch, Sony of Philips, kan er veel aan gelegen zijn om een stevige marktpositie in de V.S. te krijgen uit overwegingen van prestige of technologische geloofwaardigheid. In dergelijke situaties kunnen de doelstellingen van deze bedrijven niet alleen verschillen, maar kunnen ze ook een destabiliserend effect hebben, omdat ze de winst eventueel ondergeschikt maken aan hun streven naar expansie. (Enkele technieken voor het vaststellen van de strategische risico's zullen ontwikkeld worden in hoofdstuk 3.)

Hoge uittredingsbarrières. Uittredingsbarrières zijn de economische, strategische en emotionele factoren, waardoor een bedrijf blijft concurreren in een bedrijfstak, ook al is er sprake van een laag of zelfs negatief rendement op het geïnvesteerde kapitaal. De voornaamste bronnen[7] van deze uittredingsbarrières zijn de volgende:

- Specialistische bedrijfsmiddelen: bedrijfsmiddelen die zeer specifiek gericht zijn op een bepaalde bedrijfstak of locatie, hebben een lage liquidatiewaarde en zijn slechts tegen hoge kosten over te zetten of te veranderen.
- Vaste uittredingslasten: hieronder vallen overeenkomsten met werknemers, kosten van hervestiging, het op peil houden van reserveonderdelen, enzovoort.

---

[7] Zie voor een uitgebreidere behandeling hoofdstuk 12, waarin tevens wordt verklaard hoe belangrijk het beoordelen van uittredingsbarrières is voor het ontwikkelen van strategieën in inzakkende sectoren.

- Interne strategische verhoudingen: interne verhoudingen tussen de bedrijfseenheid en andere eenheden van de maatschappij in termen van reputatie, marketingvermogen, toegang tot geldmarkten, gedeelde faciliteiten, enzovoort. Hierdoor hecht het bedrijf er veel belang aan om in de bedrijfstak te blijven opereren.
- Emotionele barrières: de onwil van het management om een economisch te rechtvaardigen beslissing tot uittreding te nemen heeft te maken met betrokkenheid bij een bepaald bedrijf, loyaliteit naar de werknemers, angst voor de eigen carrière, trots, en andere redenen.
- Beperkingen, opgelegd door overheid of samenleving: hieronder vallen de weigering van de regering of de tegenwerking bij uittreding uit bezorgdheid voor verlies aan banen en nadelige effecten voor de regionale economie; deze factoren treft men vooral buiten de V.S. aan.

Is er sprake van hoge uittredingsbarrières, dan zal het capaciteitsoverschot niet uit de sector verdwijnen en zullen bedrijven die de concurrentiestrijd aan het verliezen zijn, niet opgeven. Ze blijven zich liever wanhopig vastklampen en zoeken uit onmacht hun toevlucht tot extreme middelen. Dit kan lage winstgevendheid voor de gehele bedrijfstak tot gevolg hebben.

Veranderende concurrentie

De factoren die de intensiteit van de concurrentiestrijd bepalen kunnen veranderen en doen dit ook vaak. Een heel algemeen voorbeeld is een verandering van de groei in een bedrijfstak, als gevolg van de volwassenwording daarvan. Als een industrie volwassen wordt, nemen groeipercentage en winsten af, neemt de concurrentiestrijd toe en vindt er vaak een reorganisatie plaats. Tijdens de enorme hausse in de toerfietsenindustrie aan het begin van de jaren zeventig ging het bijna elke producent voor de wind, maar daarna waren hoge winsten uitgesloten vanwege de geringe groei (behalve voor de sterkste concurrenten) en moesten veel van de zwakkere bedrijven de strijd staken. Hetzelfde scenario komt men in talloze andere bedrijfstakken tegen: sneeuwmobielen, spuitbussen en sportuitrusting zijn slechts een paar voorbeelden.

Een andere algemene verandering in de concurrentie treedt op, als door een bedrijfsovername een heel andere grootheid zijn intrede doet in de sector, zoals het geval was toen Philip Morris de Miller brouwerijen overnam en Gamble de Charmin Paper Company. Technologische vernieuwingen kunnen eveneens het niveau van de vaste lasten van het produktieproces verhogen en de onvoorspelbaarheid van de mededinging vergroten, zoals het geval was bij de verschuiving van individuele, naar doorgetrokken lijn fotofinishes in de jaren zestig.

Hoewel een bedrijf moet leren leven met veel van de factoren die de intensiteit van de concurrentiestrijd bepalen - omdat ze nu eenmaal inherent zijn aan bedrijfseconomie -, is er toch een zekere speelruimte, waarin het de zaken kan begunstigen door middel van beleidsveranderingen. Het kan bijvoorbeeld proberen om de overstapkosten van de koper te verhogen door klanten technische hulp te verlenen bij het inpassen van het produkt in hun bedrijfsactiviteiten of door ze afhankelijk te maken van technisch advies. Het bedrijf kan ook proberen om de produktdifferentiatie te verhogen door nieuwe serviceverlening, marketing of produktveranderingen. Door de verkoopinspanningen te concentreren op de snelst groeiende segmenten van de bedrijfstak of op marktgebieden met de laagste vaste lasten, kan de impact van de concurrentie in de bedrijfstak verminderen. Als het mogelijk is, kan een bedrijf vermijden dat concurrenten met hoge uittredingsbarrières worden geconfronteerd en kan het zo een verbitterde prijzenoorlog uit de weg gaan of de eigen uittredingsbarrières verlagen. (In hoofdstuk 5 zal gedetailleerd ingegaan worden op concurrentiemanoeuvres.)

Uittredings- en toetredingsbarrières

Hoewel uittredings- en toetredingsbarrières conceptueel van elkaar verschillen, is hun gecombineerde niveau een belangrijk aspect bij de analyse van een bedrijfstak. Ze hangen vaak met elkaar samen. Belangrijke schaalvoordelen bij de produktie, bijvoorbeeld, gaan vaak samen met gespecialiseerde bedrijfsmiddelen en het in eigendom hebben van technologie.

Neem het vereenvoudigde geval, waarbij de uittredings- en toetredingsbarrières hoog of laag kunnen zijn:

Uittredingsbarrières

		Laag	Hoog
Toetredingsbarrière	Laag	Lage, stabiele winsten	Lage, riskante winsten
	Hoog	Hoge, stabiele winsten	Hoge, riskante winsten

FIGUUR 1-2   Barrières en winstgevendheid

Het gunstigste geval, uit het oogpunt van sectorvoordelen, doet zich voor, wanneer toetredingsbarrières hoog zijn, maar uittredingsbarrières laag. Dan wordt sectortoetreding ontmoedigd en verlaten niet succesvolle concurrenten de bedrijfstak. Als beide barrières hoog zijn, bestaat de mogelijkheid van hoge winst, maar is er tevens een verhoogd risico. Toetreding wordt onaantrekkelijk gemaakt, maar daar staat tegenover dat niet succesvolle firma's de strijd tot de laatste snik zullen blijven volhouden.

Als beide barrières laag zijn, hebben we te maken met een saai geval. Het ergst is echter de situatie, waarin toetredingsbarrières laag zijn, maar uittredingsbarrières hoog. In dit geval is toetreding tot de sector gemakkelijk en aantrekkelijk in tijden van kortstondige economische oplevingen of vanwege andere tijdelijke meevallers. Als de resultaten minder worden, zal er echter geen capaciteit aan de bedrijfstak onttrokken worden. Hierdoor hoopt zich capaciteit op in de bedrijfstak en wordt winstgevenheid in het algemeen marginaal. In deze ongelukkige situatie kan een industrie verzeild raken, als leveranciers of geldleners snel bereid zijn om toetreding te financieren, maar het bedrijf, eenmaal actief in die sector, met aanzienlijke vaste financieringskosten te maken krijgt.

DE DRUK VAN SUBSTITUTEN

Alle bedrijven in een bedrijfstak concurreren in brede zin met bedrijfstakken, waar substituten worden vervaardigd. Substituten beperken de potentiële opbrengsten van een bedrijfstak door een plafond te stellen aan de prijzen, die de bedrijven in die sector kunnen vragen.[8] Hoe aantrekkelijker de prijsstelling van substituten is, des te beperkter worden de winsten in de bedrijfstak.

Suikerproducenten die worden geconfronteerd met grootschalige commercialisering van fructosesiroop, een surrogaat voor suiker, zijn momenteel bezig deze les te leren, zoals in het verleden de producenten van acetyleen en kunstzijde dit deden, toen ze te maken kregen met zware concurrentie van alternatieve, goedkope materialen die deze in veel toepassingen konden vervangen. Substituten beperken niet alleen de winsten in normale tijden, maar zorgen ook voor een verminderd profijt van een industrie in tijden van hoogconjunctuur. In 1978 hadden de producenten van glasfiberisolaties te maken met een ongekende vraag als gevolg van de stijgende energieprijzen en strenge winter. De mogelijkheid van die bedrijfstak om de prijzen te verhogen werd echter ingeperkt door de overmaat aan vervangend isolatiemateriaal, zoals cellulose, steenwol en schuimplastic. Deze substituten zullen een steeds sterkere inperking vormen van de winstgevendheid, wanneer het huidige aantal bedrijven voldoende is toegenomen om aan de vraag te kunnen voldoen (en zelfs meer dan dat).

Het herkennen van substituten is een zaak van zoeken naar andere produkten die eenzelfde *functie* hebben als het produkt van de eigen bedrijfstak. Soms kan dat een onnaspeurbare taak zijn, die de onderzoekers naar bedrijven voert die ogenschijnlijk niets met de eigen sector te maken heb-

---

[8] De invloed van substituten kan samengevat worden als de algehele elasticiteit van de vraag in de bedrijfstak.

ben. Effectenmakelaars bijvoorbeeld hebben in toenemende mate te maken met substituten als onroerend goed, verzekeringen, geldmarktfondsen en andere manieren waarop een individu kan investeren, hetgeen benadrukt wordt door de slechte resultaten van de aandelenmarkten.

De positie tegenover substituten kan heel goed een kwestie zijn van *collectieve* acties van de bedrijfstak. Bijvoorbeeld reclame-activiteiten van één bedrijf zijn misschien onvoldoende om de bedrijfstak te wapenen tegen een substituut, maar een intensieve en langdurige campagne van alle bedrijven in die sector daarentegen kan de situatie van de gehele bedrijfstak zeker ten goede komen. Dergelijke argumenten zijn eveneens van toepassing op een collectieve respons op terreinen als kwaliteitsverbetering, marketingactiviteiten, betere beschikbaarheid van het produkt, enzovoort.

De meeste aandacht verdienen die substituten, die 1. een neiging vertonen tot een betere prijs-prestatieverhouding dan het eigen produkt of 2. geproduceerd worden in bedrijfstakken waar de winsten hoog liggen. In het laatste geval verschijnen substituten snel op het toneel, als door een bepaalde ontwikkeling de concurrentie in die sector toeneemt en daardoor de prijzen dalen of de kwaliteit verbetert. Onderzoek naar zulke trends kan belangrijk zijn bij de beslissing of het substituut strategisch de pas afgesneden moet worden, of dat een strategie ontwikkeld moet worden, waarin die analyse onvermijdelijk een sleutelrol speelt. In de beveiligingsbranche bijvoorbeeld zijn elektronische alarmsystemen een machtig substituut. Ze zullen zelfs een steeds sterkere bedreiging vormen, omdat arbeidsintensieve bewakingsdiensten onvermijdelijk met stijgende kosten te maken hebben, terwijl elektronische alarmsystemen alleen maar beter en goedkoper worden. De beste reactie voor beveiligingsmaatschappijen is waarschijnlijk het aanbieden van een combinatie van bewakers en elektronische systemen, waarbij de bewaker omgeschoold wordt tot een getraind vakman, in plaats van te proberen om de elektronische systemen weg te concurreren.

DE ONDERHANDELINGSMACHT VAN DE KOPERS

Kopers concurreren met de bedrijfstak door de prijzen omlaag te brengen, te onderhandelen over betere kwaliteit en meer service en bedrijfsconcurrenten tegen elkaar uit te spelen - hetgeen allemaal ten koste gaat van de winstgevendheid in de bedrijfstak. De machtspositie van de belangrijke kopersgroepen in de bedrijfstakken hangt af van een aantal kenmerken van de marktsituatie en van het relatieve belang van de aankopen in die bedrijfstak in vergelijking met de totale sectoromzet. De positie van een kopersgroep is sterk onder de volgende omstandigheden:

De groep is geconcentreerd of vormt een belangrijk deel van de afzet van de verkoper. Als een groot deel van de verkoop gekocht wordt door een bepaalde koper, dan wordt die koper belangrijk voor het bedrijfsresultaat van de verkoper. Kopers op grote schaal zijn vooral een belangrijke kracht, als de bedrijfstak gekenmerkt wordt door zware vaste lasten - zoals in graanraffinaderijen en chemicaliënopslag het geval is -, waardoor het belangrijk is om de capaciteit te benutten.

Het produkt dat de groep in de bedrijfstak koopt vertegenwoordigt een belangrijk deel van de kosten of aankopen van de koper. In dat geval zijn kopers geneigd tot het doen van de nodige moeite voor het vinden van een gunstige prijs en zullen ze selectief inkopen. Als het produkt dat door de bedrijfstak in kwestie wordt verkocht, slechts een kleine kostenpost voor de koper is, dan is deze in het algemeen minder prijsbewust.

Het produkt, dat van de bedrijfstak wordt gekocht, is standaard of niet gedifferentieerd. Kopers, die zeker zijn van alternatieve leveranciers, kunnen bedrijven tegen elkaar gaan uitspelen, zoals gebeurt in de aluminium-walsindustrie.

De groep heeft nauwelijks overstapkosten. Zoals reeds eerder gezegd klinken overstapkosten kopers vast aan leveranciers. Omgekeerd neemt de macht van de koper toe als de verkoper te maken heeft met overstapkosten.

De kopersgroep maakt lage winsten. Lagere winsten zijn een motief om de aankoopkosten te drukken. Leveranciers van Chrysler klagen er bijvoorbeeld over dat ze onder druk worden gezet om onder betere voorwaarden te leveren. Kopers met hoge winsten daarentegen zijn minder prijsbewust (als het produkt tenminste geen al te grote post op de begroting betekent) en kunnen kiezen voor een lange termijn benadering door hun leveranciers ook in bedrijf te houden.

Kopers vormen een reële bedreiging van achterwaartse integratie. Als kopers gedeeltelijk geïntegreerd zijn of een reële dreiging van achterwaartse integratie voorleggen, zijn ze in een positie om bij onderhandelingen concessies af te dwingen.[9] De grote autoproducenten General Motors en Ford staan erom bekend dat ze de dreiging van zelfvervaardiging gebruiken als breekijzer bij onderhandelingen. Ze houden zich bezig met *integratie op kleine schaal*, dat wil zeggen dat ze in sommige van hun behoeften zelf voorzien en de rest van leveranciers buiten het bedrijf kopen. Niet alleen wordt daardoor het dreigement van verdere integratie bijzonder geloofwaardig, maar de gedeeltelijke eigen vervaardiging geeft hun ook een uitstekend beeld van de kosten, hetgeen een belangrijke hulp is bij het voeren van onderhandelingen. De macht van de koper kan gedeeltelijk worden geneutraliseerd, als de bedrijven in de sector een bedreiging vormen in de zin van een voorwaartse integratie in de bedrijfstak van de koper.

Het produkt van de bedrijfstak is van geen belang voor de kwaliteit van het produkt of de diensten van de koper. Als de kwaliteit van het produkt van de koper nauw samenhangt met het produkt van de bedrijfstak, zijn kopers in het algemeen niet erg prijsbewust. Bedrijfstakken, waar dit het

---

[9] Als de beweegredenen van een koper om te integreren meer gebaseerd zijn op gewaarborgde levering of andere niet prijsgebonden factoren, kan dit tot gevolg hebben dat de bedrijven in de bedrijfstak grote prijsconcessies moeten doen om integratie te voorkomen.

geval is, zijn onder andere boorapparatuur voor oliemaatschappijen, waar
een mankement in de uitrusting tot enorme verliezen kan leiden (getuige
de enorme verliezen die het gevolg waren van een mankement in een spuit-
preventor op een Mexicaans off-shore platform), en bijsluiters voor elektronische, medische en testapparatuur, waarbij de kwaliteit van de bijsluiter de
indruk van de gebruiker inzake de kwaliteit van de apparatuur in hoge mate
kan beïnvloeden.

De koper is volledig geïnformeerd. Als een koper volledig geïnformeerd
is over de vraag, de huidige marktprijzen en zelfs de kosten van de leverancier, maakt dit zijn onderhandelingspositie sterker dan wanneer dit niet het
geval zou zijn. Een volledig geïnformeerde koper is in een betere positie
om zich ervan te verzekeren dat hij de gunstigste prijzen kan bedingen en
eventuele argumenten van de leveranciers dat hun voortbestaan wordt
bedreigd, kan pareren.

De meeste van deze machtsmiddelen van de koper kunnen in handen
zijn van zowel consumenten als industriële en commerciële kopers; alleen
is wel een verandering van het referentiekader nodig. Consumenten zijn bijvoorbeeld meer prijsbewust, als ze produkten kopen, die niet gedifferentieerd zijn, die voor hen duur zijn of waarvan de kwaliteit er niet erg toe
doet.

De onderhandelingspositie van groothandelaren en detailhandelaren
wordt door dezelfde factoren bepaald, met één belangrijk extra aspect.
Detailhandelaren kunnen een sterke troef in handen hebben, als ze het
koopgedrag van de consument kunnen beïnvloeden, zoals bij stereo-appara-
tuur, juwelen, gereedschap, sportartikelen en andere produkten. Groothandelaren kunnen een soortgelijke troef in handen krijgen, als ze het koopgedrag van de detailhandel of andere afzetgebieden kunnen beïnvloeden.

Verandering in de positie van de koper

De hierboven beschreven factoren kunnen met de tijd of door beleidsbeslissingen van een bedrijf veranderen, waardoor ook de positie van de
koper sterker of zwakker wordt. Bijvoorbeeld de confectie-industrie,
waarin de kopers (warenhuizen en kledingzaken) zich geconcentreerd hebben en de controle in handen is van grote ketens, is onder steeds grotere
druk komen te staan en heeft te kampen met dalende winstmarges. Deze
bedrijfstak is niet in staat geweest om zijn produkt te differentiëren of voldoende overstapkosten in te bouwen om de kopers aan zich te binden teneinde deze trend een halt toe te roepen. De groei van de import heeft
bovendien zeker ook negatief gewerkt.

De keuze van het bedrijf van de kopersgroep, waaraan het wil verkopen, is van zeer groot strategisch belang. De strategische positie van een
bedrijf kan verbeteren door een kopersgroep te vinden die het minst in
staat is tot ongunstige beïnvloeding - met andere woorden: *selectie van*

kopers. Slechts zelden hebben alle kopers, aan wie een maatschappij verkoopt, een zelfde macht. Zelfs als een bedrijf aan één enkele bedrijfstak verkoopt, zijn er binnen die bedrijfstak segmenten die minder invloed uitoefenen (en daardoor minder prijsbewust zijn) dan andere. De vervangingsmarkt voor de meeste produkten is bijvoorbeeld minder prijsbewust dan de OEM markt. (In hoofdstuk 6 zal ik verder ingaan op de selectie van kopers als strategie.)

ONDERHANDELINGSMACHT VAN DE LEVERANCIERS

Leveranciers kunnen macht uitoefenen over deelnemers in een bedrijfstak door te dreigen hun prijzen te verhogen of de kwaliteit van hun goederen en service te verlagen. Machtige leveranciers kunnen bovendien nog druk uitoefenen op de winstgevenheid in een bedrijfstak die niet in staat is om kostenverhoging te compenseren met de eigen prijzen. Chemische maatschappijen hebben bijvoorbeeld door prijsverhogingen bijgedragen tot de uitholling van de winstgevendheid van drijfgasverpakkers, omdat de verpakkers, intensief beconcurreerd door zelfvervaardiging van hun kopers, slechts beperkte mogelijkheden hebben om hun prijzen te verhogen.

De omstandigheden, waaronder de positie van de leverancier sterk is, vormen min of meer het spiegelbeeld van die, waaronder kopers sterk in hun schoenen staan, en doen zich voor in de volgende situaties:

De groep leveranciers wordt gedomineerd door een paar bedrijven en is meer geconcentreerd dan de bedrijfstak, waaraan deze verkoopt. Leveranciers, die aan meer gefragmenteerde kopers verkopen, kunnen vaak aanzienlijke invloed uitoefenen op prijzen, kwaliteit en leveringsvoorwaarden.

Er is geen concurrentie van substituten. Zelfs de macht van grote en invloedrijke leveranciers kan gecontroleerd worden, als ze met substituten moeten concurreren. Bijvoorbeeld leveranciers die vervangende zoetstoffen produceren, concurreren scherp met elkaar in vele toepassingsmogelijkheden, ook al zijn de afzonderlijke bedrijven groot in vergelijking met de afzonderlijke kopers.

De bedrijfstak is geen belangrijke klant van de groep leveranciers. Als leveranciers aan meerdere bedrijfstakken leveren en een bepaalde sector vertegenwoordigt slechts een onbelangrijk deel van de afzet, dan zijn leveranciers zich vaak heel goed van hun macht bewust. Is de bedrijfstak een belangrijke klant, dan is het lot van de leverancier nauw verweven met dat van de bedrijfstak en zal hij in zijn eigen belang redelijke prijzen vragen en assistentie verlenen op terreinen als onderzoek en ontwikkeling (O&O) en lobbyen.

Het produkt van de leverancier is een belangrijke input voor het bedrijf van de koper. Zo'n input is van belang voor het produktieproces van de koper of de kwaliteit van het produkt. Dit verstevigt de positie van de leverancier. Dit is vooral het geval als de input niet op te slaan is, waardoor de koper niet in staat is om voorraden ervan aan te leggen.

De produkten van de leveranciers zijn gedifferentieerd of er zijn overstap-kosten ingebouwd. Als kopers te maken hebben met differentiatie of overstapkosten, kunnen ze de leveranciers niet onderling tegen elkaar uitspelen. Heeft de leverancier overstapkosten, dan is het effect net andersom. *De leveranciersgroep vormt een reële bedreiging van voorwaartse integratie.* Hierdoor worden de mogelijkheden van de kopers om betere leveringsvoorwaarden te bedingen ingedamd.

Meestal denken we aan leveranciers in termen van andere bedrijven, maar ook *arbeid* is een leverancier die zelfs in veel bedrijfstakken een zeer grote invloed heeft. De praktijk heeft duidelijk uitgewezen dat schaarse, hoog gekwalificeerde werknemers en/of strak in vakbonden georganiseerde arbeid een belangrijk deel van de mogelijke winst in een bedrijfstak weg kan onderhandelen. De principes, volgens welke de mogelijke macht van arbeid als leverancier bepaald kan worden, zijn gelijk aan hetgeen hierboven is beschreven. Extra aspecten worden hierbij gevormd door de *mate van organisatie* en de mogelijke *toename* van de schaarste aan arbeid. Als de arbeid goed en hecht georganiseerd is of de leverantie van schaarse arbeid beperkt wordt, kan de macht van arbeid hoog zijn.

De factoren die bepalend zijn voor de leverancierspositie, zijn niet alleen aan verandering onderhevig, maar liggen vaak buiten de controle van de bedrijven. Evenals de kopers dit kunnen, hebben ook de leveranciers de mogelijkheid om hun situatie door middel van een strategie te verbeteren. Ze kunnen dreigen met achterwaartse integratie, ze kunnen overstapkosten proberen te omzeilen, enzovoort. (In hoofdstuk 6 zullen sommige implicaties van de macht van de leverancier voor inkoopstrategie uitgebreider worden behandeld.)

De overheid als factor in concurrentie in een bedrijfstak

Lange tijd heeft men voornamelijk over de overheid gesproken als mogelijke invloed op toetredingsbarrières, maar in de zeventiger en tachtiger jaren moet de overheid gezien worden als een mogelijke invloedsfactor op veel, zo niet alle aspecten van de bedrijfstakstructuur, zowel direct als indirect. In veel bedrijfstakken *is* de regering koper of leverancier en kan ze de concurrentie in de bedrijfstak door haar beleid beïnvloeden. De regering van de V.S. bijvoorbeeld speelt een belangrijke rol als koper van defensiemateriaal en als leverancier van hout via het Staatsbosbeheer over uitgestrekte bossen in het westen. Vaak wordt de rol van de overheid als leverancier of koper meer door politieke factoren bepaald dan door economische omstandigheden, maar dat is nu eenmaal niet anders. Overheidsbepalingen kunnen ook regels geven voor het gedrag van bedrijven als leveranciers of kopers.

De overheid kan ook de positie van een bedrijfstak, waar substitute produkten gemaakt worden, beïnvloeden door reguleringen, subsidies of andere middelen. De regering van de V.S. is bijvoorbeeld een groot voorstander van zonne-energie en drukt deze voorkeur uit in belastingvoordelen voor gebruikers en onderzoeksubsidies. Door de opheffing van het staatsbeheer over aardgas is acetyleen bezig als chemische grondsof te verdwijnen. Normen voor veiligheid en vervuiling hebben een effect op de relatieve kosten en de kwaliteit van substituten. De overheid kan ook een effect hebben op de concurrentie door de groei van een bedrijfstak te beïnvloeden, in te grijpen in de kostenstructuur, enzovoort.

Kortom, een structurele analyse is incompleet zonder een diagnose van de invloed van het huidige en toekomstige overheidsbeleid, op alle niveaus, op de structurele voorwaarden. Voor een strategische analyse is het gewoonlijk meer verhelderend om te bekijken hoe de overheid de concurrentie beïnvloedt *door middel van* de vijf concurrentiekrachten dan om haar als een zelfstandige grootheid te beschouwen. Een strategie kan echter heel goed inhouden dat de regering behandeld moet worden als een beïnvloedbare actor.

Structurele analyse en concurrentiestrategie

Wanneer er een diagnose is gesteld inzake de concurrentie in een bedrijfstak en de daaraan ten grondslag liggende factoren, is het bedrijf in een positie om zijn sterke en zwakke punten met betrekking tot die bedrijfstak vast te stellen. Strategisch bezien zijn de belangrijkste sterke en zwakke punten de positie van de firma jegens de onderliggende oorzaken van elke concurrentiekracht afzonderlijk. Wat is de positie van het bedrijf ten opzichte van substituten en de oorzaken van toetredingsbarrières? Hoe zal het kunnen omgaan met de rivaliteit van de bestaande concurrentie?

Een goede concurrentiestrategie voorziet in offensieve of defensieve actie om een positie te creëren die *verdedigbaar* is tegen de vijf concurrentiekrachten. Dit kan de volgende globale benaderingen inhouden:

- de firma in zo'n positie manoeuvreren, dat haar kwaliteiten de beste verdediging vormen tegen de bestaande concurrentiekrachten;
- het machtsevenwicht door strategische manoeuvres beïnvloeden en daarmee de positie van het bedrijf verstevigen; of
- anticiperen op verschuivingen in de factoren, die ten grondslag liggen aan deze krachten, en erop reageren om bijgevolg de verandering in eigen voordeel te laten werken door een geschikte strategie te kiezen, gericht op het nieuwe evenwicht, vóórdat de concurrenten deze verschuiving hebben opgemerkt.

Positionering

De eerste benadering gaat uit van een gegeven structuur van de bedrijfstak en past de sterke en zwakke punten van het bedrijf hieraan aan. Strategie kan beschouwd worden als het opbouwen van een verdediging tegen de concurrentiekrachten of het zoeken naar de positie, waar deze krachten de geringste werking hebben.

Kennis van de mogelijkheden van het bedrijf en van de oorzaken van de concurrentiekrachten zal duidelijk maken op welke terreinen het bedrijf de concurrentiestrijd moet aangaan en waar die vermeden moet worden. Als een bedrijf bijvoorbeeld tegen lage kosten produceert, zal het bij voorkeur aan machtige kopers verkopen en ervoor zorgen dat het daar alleen produkten aan verkoopt, die geen gevaar hebben te duchten van substituten.

Beïnvloeding van het evenwicht

Een bedrijf kan een offensieve strategie opstellen. Dit houdt in dat het meer wil doen dan zich alleen te weer stellen tegen de krachten zelf; zo'n strategie heeft tot doel de onderliggende factoren te veranderen.

Vernieuwingen op het gebied van marketing kunnen merkbekendheid met zich meebrengen of het produkt op andere wijze differentiëren. Kapitaalinvesteringen in faciliteiten voor grootschalige produktie of verticale integratie hebben een effect op toetredingsbarrières. Het machtsevenwicht is gedeeltelijk het gevolg van externe factoren en ligt gedeeltelijk in handen van het bedrijf zelf. Structurele analyse kan gebruikt worden om de sleutelfactoren vast te stellen, die bepalend zijn voor de concurrentie in een bepaalde bedrijfstak, en daarmee de terreinen waar strategische manoeuvres het meeste rendement opleveren.

Voordeel trekken uit een verandering

De ontwikkeling van een bedrijfstak is strategisch belangrijk, omdat daardoor uiteraard ook veranderingen in de structurele bronnen van concurrentie optreden. Een bekend patroon in de produktlevenscyclus bij de ontwikkeling van een bedrijfstak is bijvoorbeeld dat de groeipercentages veranderen, dat reclame-activiteiten afnemen naarmate een industrie volwassener wordt en dat bedrijven een neiging vertonen tot verticale integratie.

Deze trends zijn op zichzelf niet zo belangrijk; wat wel belangrijk is, is de vraag of ze een effect hebben op de structurele bronnen van concurrentie. Laten we het verschijnsel van verticale integratie eens bekijken. In de tot wasdom komende sector van minicomputers vindt uitgebreid verticale integratie plaats, zowel wat betreft hardware- als software-ontwikkeling. Door deze belangrijke trend nemen de schaalvoordelen enorm toe, evenals het kapitaal, dat nodig is om in deze bedrijfstak te concurreren. Hierdoor worden de toetredingsbarrières enorm opgehoogd en kunnen kleinere concurrenten uit de sector verdwijnen, als de groei daar eenmaal uit is.

Uit strategisch oogpunt bekeken zijn uiteraard die trends het belangrijkst, die een effect hebben op de voornaamste bronnen van concurrentie in de bedrijfstak en die nieuwe structurele factoren naar de voorgrond halen. Bijvoorbeeld in de sector van drijfgasverpakkingen overheerst nu de trend naar geringere produktdifferentiatie. Door deze trend is de macht van de kopers toegenomen, zijn toetredingsbarrières verlaagd en is de concurrentiestrijd feller geworden.

Structurele analyse kan gebruikt worden om de uiteindelijke winstgevendheid van een bedrijfstak te voorspellen. Bij een lange termijn planning is het van belang om elke concurrentiekracht te onderzoeken, de impact van de onderliggende oorzaken te voorspellen en vervolgens een composítiebeeld te vormen van het waarschijnlijke winstpotentieel van de bedrijfstak.

De uitkomst hiervan kan wezenlijk verschillen van de bestaande structuur van de bedrijfstak. Tegenwoordig zijn er bijvoorbeeld honderden bedrijven actief in de sector van zonnepanelen en heeft geen enkel bedrijf een overheersende positie. Toetreding tot deze sector is gemakkelijk en de concurrenten doen verwoede pogingen om zonnewarmte als superieur substituut voor conventionele verwarmingsmethoden te presenteren.

Het potentieel van deze bedrijfstak zal voornamelijk afhangen van de toekomstige toetredingsbarrières, de verbetering van de positie van de sector ten opzichte van substituten, de uiteindelijke intensiteit van de concurrentie en de onderhandelingspositie van kopers en leveranciers. Deze kenmerken zullen op hun beurt weer beïnvloed worden door factoren als de waarschijnlijkheid dat merkidentiteit gekweekt zal worden, het al dan niet ontstaan van schaalvoordelen of ervaringscurves bij de produktie door technologische veranderingen, wat de uiteindelijke kapitaalkosten van sectortoetreding zullen zijn en het uiteindelijke aandeel van de vaste lasten in produktiefaciliteiten. (Het structurele ontwikkelingsproces in bedrijfstakken en de daaraan ten grondslag liggende factoren zullen in hoofdstuk 8 gedetailleerd worden besproken.)

Diversificatiestrategie

Het schema voor de analyse van de concurrentie in een bedrijfstak kan gebruikt worden voor het ontwikkelen van een diversificatiestrategie. Deze voorziet in de beantwoording van de uiterst lastige sleutelvraag bij het nemen van een beslissing tot diversificatie: 'Wat zijn de mogelijkheden van deze bedrijfstak?' Het schema kan een bedrijf in staat stellen om een veelbelovende sector te ontdekken, voordat deze rooskleurige toekomst wordt weerspiegeld in de prijzen van overname.

Het schema kan ook helpen bij het vaststellen van bijzonder waarde-volle verbanden bij diversificatie. Bijvoorbeeld verbanden, die een firma in staat stellen om belangrijke toetredingsbarrières te overwinnen door middel van gedeelde functies of reeds bestaande relaties met distributiekanalen, kunnen een vruchtbare basis zijn voor diversificatie. Al deze onderwerpen zullen uitgebreider behandeld worden in hoofdstuk 16.

Structurele analyse en afbakening van de bedrijfstak

Er wordt altijd veel aandacht besteed aan de afbakening van een bepaalde bedrijfstak als een cruciaal onderdeel van het formuleren van een concurrentiestrategie. Veel schrijvers hebben ook benadrukt dat het belangrijk is om bij het afbakenen van een bedrijfstak niet alleen te kijken naar produkt, maar ook naar functie, niet alleen naar het binnenland, maar ook naar mogelijke internationale concurrentie, en niet alleen naar de huidige concurrenten, maar ook naar die bedrijven die dat in de toekomst zouden kunnen worden. Door deze nadruk is de juiste afbakening van de bedrijfstak of bedrijfstakken, waarin een bedrijf actief is, een veelbesproken onderwerp geworden. De rode draad door deze discussies is de angst dat men verborgen bronnen van concurrentie, die ooit de sector zouden kunnen bedreigen, over het hoofd ziet.

Een structurele analyse, waarbij de aandacht voor de concurrentie zich veel verder uitstrekt dan de bestaande concurrenten, kan een eind maken aan de discussies over waar men nu de grenzen van een bedrijfstak moet trekken. Afbakening van een bedrijfstak is in wezen het trekken van een scheidslijn tussen gevestigde concurrenten en substitute produkten, tussen bestaande bedrijven en mogelijke sectortoetreders, en tussen bestaande bedrijven en leveranciers en kopers. Het trekken van deze scheidslijnen is altijd een kwestie van opvatting en heeft weinig te maken met de keuze van de strategie.

Als men deze ruime bronnen van concurrentie echter erkent en de invloed ervan vaststelt, dan is het van minder belang voor het formuleren van een strategie waar die lijnen nu precies zijn getrokken. Verborgen bronnen van concurrentie zullen niet over het hoofd worden gezien, evenmin als sleutelaspecten van concurrentie.

Afbakening van een bedrijfstak is *niet* hetzelfde als het bepalen van waar de firma wil gaan concurreren (*haar* 'business'). Alleen het feit dat de bedrijfstak ruim is gedefinieerd, wil nog niet zeggen dat het bedrijf ook ruim kan of moet concurreren; en zoals al eerder gezegd, kunnen er grote voordelen verbonden zijn aan het concurreren in een groep aanverwante bedrijfstakken. Het loskoppelen van afbakening van de gehele sector en die van de beoogde branches, waarin het bedrijf wil opereren, maakt verwarrende discussies over de grenzen van een bepaalde bedrijfstak overbodig.

Gebruik van een structurele analyse

In dit hoofdstuk is een groot aantal factoren aan de orde gekomen, die de concurrentie in een bedrijfstak kunnen beïnvloeden.[10] Ze zullen niet altijd voor elke bedrijfstak gelden. Het schema is eerder bedoeld als hulp bij het snel herkennen van de belangrijke structurele kenmerken van de concurrentie in een bepaalde bedrijfstak. De meeste analytische en strategische aandacht zal zich namelijk daarop moeten richten.

[10] In appendix B worden de bronnen van gegevens over deze factoren besproken.

2
Generieke concurrentiestrategieën

In hoofdstuk 1 werd concurrentiestrategie omschreven als het ondernemen van offensieve of defensieve acties om in een bedrijfstak een verdedigbare positie in te nemen, om succesvol het hoofd te bieden aan de vijf concurrentiekrachten en daardoor zo hoog mogelijke investeringsopbrengsten voor het bedrijf te oogsten. Hiertoe hebben bedrijven uiteenlopende benaderingen ontwikkeld, en de beste strategie voor een bepaald bedrijf is uiteindelijk een unieke constructie, die de afspiegeling is van de specifieke situatie waarin het bedrijf verkeert. Op het meest globale niveau kunnen we echter drie intern consistente, generieke strategieën onderscheiden (die afzonderlijk of naast elkaar toegepast kunnen worden), die tot zo'n verdedigbare positie en goede concurrentie kunnen leiden. In dit hoofdstuk worden deze generieke strategieën beschreven en enkele vereisten en risico's onderzocht. De bedoeling hiervan is een inleiding te geven in enkele concepten, waarop kan worden voortgebouwd in latere analyses. In de hierop volgende hoofdstukken zal uitgebreid worden ingegaan op de manier waarop deze brede generieke strategieën kunnen worden vertaald naar een specifiek beleid voor een speciale situatie in een bedrijfstak.

Drie generieke strategieën

In de confrontatie met de vijf concurrentiekrachten zijn er drie generieke strategische benaderingen mogelijk om betere resultaten dan de andere bedrijven in de branche te behalen:

1. algeheel kostleiderschap
2. differentiatie
3. concentratie

Soms kan een bedrijf met succes meerdere benaderingen als hoofddoel nastreven, maar verderop zal uitgelegd worden dat dit zelden het geval is. Een efficiënte uitvoering van één van deze generieke strategieën vereist een totale betrokkenheid en organisatorische steunmaatregelen, die afgezwakt worden als er meer dan één hoofddoel is. De generieke strategieën hebben tot doel om betere resultaten te bereiken dan de concurrentie in de bedrijfstak; van sommige bedrijfstakken is de structuur zodanig, dat alle bedrijven hoge winsten kunnen maken, terwijl in ander sectoren het succes van één van de drie generieke strategiën voorwaarde is voor het verkrijgen van slechts een aanvaardbaar resultaat.

ALGEHEEL KOSTLEIDERSCHAP

De eerste strategie, steeds vaker toegepast sinds de jaren zeventig vanwege de inburgering van het concept van de ervaringscurve, is erop gericht om te komen tot een algemene kostenvoorsprong in een bedrijfstak door een aantal functionele beleidsmaatregelen, die hierop gericht zijn. Kostleiderschap vereist een agressieve constructie van schaalefficiënte faciliteiten, een krachtig streven naar kostenvermindering door ervaring, strakke beheersing van lasten en overheadkosten, het vermijden van kleinschalige afnemers en kostenminimalisering op gebieden als research en ontwikkeling (R&O), service, verkoopkracht, reclame, enzovoort. Een groot deel van de aandacht van het management zal gericht moeten zijn op kostleiderschap om deze doelstellingen te verwezenlijken. Lage kosten in vergelijking met de concurrenten wordt het hoofdthema van de totale strategie, hoewel kwaliteit, service en andere aspecten niet uit het oog mogen worden verloren.

Als een bedrijf te maken heeft met lage kosten, kan het resultaten boeken, die boven het gemiddelde van de bedrijfstak liggen, ondanks het bestaan van sterke concurrentiekrachten. De kostenpositie geeft het bedrijf een verdedigingsmiddel tegen de concurrentie, omdat de winstmarge groter is. Het versterkt tevens de positie van het bedrijf tegenover machtige kopers, omdat die alleen macht kunnen uitoefenen om de prijzen naar beneden te drijven tot het niveau van de op één na efficiëntste concurrent.

Het versterkt verder ook de positie tegenover leveranciers door een grotere flexibiliteit bij het aanpassen aan verhoogde inputkosten. De factoren die leiden tot positie van lage kosten, zorgen gewoonlijk ook voor hoge toetredingsbarrières in termen van schaalvoordelen en kostenbesparingen. Tenslotte zorgen lage kosten meestal voor een gunstige positie ten opzichte van substituten. Kortom, lage kosten zorgen voor een bescherming tegen alle vijf de concurrentiekrachten, omdat onderhandelingen de winsten slechts kunnen uithollen, totdat die van de op één na beste concurrent verdwenen zijn, en omdat minder efficiënte concurrenten het eerst te lijden zullen hebben van de concurrentiekrachten.

Het bereiken van lage totale lasten vraagt vaak een relatief groot marktaandeel of andere voordelen, zoals een gunstige toegang tot grondstoffen. Het kan ook noodzakelijk zijn om gemakkelijk te produceren produkten te ontwerpen, een breed assortiment van verwante produkten te handhaven om de kosten te spreiden en aan alle grote afnemersgroepen te leveren om een grote omzet te bereiken. De uitvoering van een strategie van lage kosten zal echter van tevoren grote kapitaalinvesteringen vergen in aangepaste uitrusting, agressieve prijspolitiek en aanloopverliezen bij het verkrijgen van een marktaandeel. Een groot marktaandeel maakt daarentegen besparingen mogelijk bij het inkopen, waardoor de kosten nog verder gedrukt worden. Als eenmaal een positie van lage kosten is bereikt, zijn de winstmarges hoog en kunnen die geherinvesteerd worden in nieuwe machines en moderne voorzieningen om kostleiderschap te handhaven. Vaak is deze herinvestering nodig om een positie van lage kosten te handhaven.

De strategie van kostleiderschap lijkt de sleutel te zijn van het succes van Briggs and Stratton in kleine benzinemotoren, waarin het vijftig procent van de wereldmarkt in handen heeft, en dat van Lincoln Electric in booglasapparatuur. Andere bedrijven, die de kostenbeheersingsstrategie succesvol hebben toegepast, zijn Emerson Electric, Texas Instruments, Black and Decker en DuPont.

Een strategie van kostleiderschap kan soms voor een omwenteling zorgen in de bedrijfstak, waar de historische bases van concurrentie anders waren en waarin de concurrenten qua perceptie of economie slecht zijn voorbereid op de noodzakelijke stappen voor kostenminimalisering. Harnischfeger is momenteel bezig met een gewaagde poging om een omwenteling teweeg te brengen in de sector van veldhijskranen. Werkend vanuit een marktaandeel van 15% heeft Harnischfeger zijn kranen opnieuw ontworpen voor eenvoudigere produktie en betere service door middel van gemodulariseerde componenten, veranderingen in de configuratie en materiaalbesparingen. Dit bedrijf zette eenheden op voor subassemblage en een geautomatiseerde assemblagelinie, een opmerkelijke overstap in deze bedrijfstak. Het bestelde onderdelen in grote hoeveelheden om kosten te besparen. Dit alles stelde het bedrijf in staat om een produkt van acceptabele kwaliteit op de markt te brengen tegen een 15% lagere prijs. Harnischfegers marktaandeel is snel gegroeid tot 25 procent en groeit nog steeds. Willis Fisher, algemeen manager van Harnischfegers Hydraulic Equipment Division zegt hierover:

> Het was niet onze bedoeling om een machine op de markt te brengen die beduidend beter was dan andere, maar we wilden een machine ontwikkelen die echt eenvoudig te maken was en daardoor laag geprijsd zou kunnen worden.[1]

De concurrenten mopperen dat Harnischfeger een marktaandeel 'gekocht' heeft door met lagere winsten te werken, hetgeen door het bedrijf wordt ontkend.

DIFFERENTIATIE

De tweede generieke strategie bestaat uit het differentiëren van het produkt of dienstenpakket van het bedrijf, waardoor iets gemaakt wordt dat *in de gehele bedrijfstak* als uniek wordt beschouwd. Dit doel kan op diverse manieren nagestreefd worden: ontwerp of merkprestige (Fieldcrest in kwaliteitshanddoeken en linnengoed; Mercedes in auto's), technologie (Hyster in heftrucks; MacIntosh in stereo-installaties; Coleman in kampeerartikelen), specialiteiten (Jenn-Air in elektrische fornuizen), klantenservice (Crown Cork and Seal in blikmetaal), dealernetwerk (Caterpillar Tractor in bouwgereedschap) of andere aspecten. In het ideale geval differentieert het bedrijf zich op meerdere gebieden tegelijk. Caterpillar staat bijvoorbeeld niet alleen bekend om zijn netwerk van dealers en de uitstekende beschikbaarheid van reserve-onderdelen, maar tevens om de hoogwaardige kwaliteit en duurzaamheid van zijn produkten, hetgeen allemaal belangrijke zaken zijn bij zware machinerieën, waar tijdverlies zeer kostbaar is. Nu is het niet zo dat bij de differentiatiestrategie het bedrijf de kosten geheel uit het oog kan verliezen, maar ze zijn niet de voornaamste strategische doelstelling.

Als differentiatie bereikt wordt, is dit een goede strategie om meer dan gemiddelde winst te maken in een bedrijfstak, omdat het een positie schept, waarin het hoofd geboden kan worden aan de vijf concurrentiekrachten, ook al gebeurt dit via een andere methode dan bij kostleiderschap. Differentiatie isoleert een bedrijf van concurrentie door middel van de trouw van klanten aan het eigen merk en de daaruit resulterende lagere prijsgevoeligheid. Hierdoor worden de marges ook groter, waardoor het niet nodig is om de kosten omlaag te brengen. De loyaliteit van klanten en de noodzaak om het unieke van een produkt te overwinnen zorgen voor toetredingsbarrières. Door differentiatie wordt meer onderhandelings-

---

[1] 'Harnischfeger's Dramatic Pickup in Cranes', *Business Week*, 13 Augustus 1979.

ruimte verkregen ten opzichte van leveranciers en ook de macht van de kopers wordt duidelijk beknot, omdat die geen aanvaardbare alternatieven hebben en daardoor niet erg prijsbewust kunnen zijn. Tenslotte heeft een gedifferentieerd bedrijf met een grote klantenloyaliteit een sterkere positie ten opzichte van substituten dan zijn concurrenten.

Het bereiken van differentiatie sluit soms het verkrijgen van een groot marktaandeel uit. Het gaat vaak samen met exclusiviteit, hetgeen onverenigbaar is met een groot marktaandeel. Wat differentiatie vaak ook uitsluit, is het bereiken van een positie van lage kosten, als de activiteiten die gericht zijn op differentiatie, onvermijdelijk kostbaar zijn, zoals uitgebreid onderzoek, produktontwerp, hoogwaardige materialen of uitstekende klantenservice. Hoewel alle klanten in de bedrijfstak de superioriteit van het produkt zullen erkennen, zullen ze niet allemaal in staat of bereid zijn om de navenante prijs ervoor te betalen (hoewel de meeste klanten die zich bezighouden met het bouwrijp maken van grond, dit wel zijn, getuige de dominante positie van Caterpillar). In andere bedrijfstakken hoeft differentiatie lage kosten en vergelijkbare prijzen niet uit te sluiten.

FOCUS

De laatste generieke strategie bestaat uit de gerichtheid op een bepaalde groep kopers, een segment van de produktlijn of een geografische markt; net als differentiatie kan ook focus op verschillende manieren nagestreefd worden. Terwijl de strategieën van kostleiderschap en differentiatie gericht zijn op doelen in de gehele bedrijfstak, zijn alle beleidsonderdelen van een focusstrategie gericht op resultaten in één enkel deel van de markt. De strategie gaat uit van de veronderstelling dat een bedrijf op deze wijze zijn enge strategische doelgroep efficiënter of effectiever van dienst kan zijn dan breder opererende concurrenten. Als resultaat hiervan bereikt het bedrijf ofwel differentiatie doordat het beter voorziet in de behoeften van de bepaalde doelgroep, ofwel lagere kosten bij het bedienen van deze doelgroep, ofwel allebei. Hoewel een focusstrategie geen differentiatie of lage kosten bereikt vanuit een totaalperspectief, wordt tenminste één van deze posities wel gerealiseerd naar de enge doelmarkt toe. Figuur 2-1 illustreert de verschillen tussen de drie strategieën.

Het bedrijf dat de focus bereikt, kan eveneens resultaten boeken, die boven het gemiddelde in de bedrijfstak liggen. Aangezien focus neerkomt op een vorm van kostleiderschap of differentiatie, gelden voor deze strategie die afweermiddelen tegen de vijf concurrentiekrachten, zoals die onder de andere twee strategieën beschreven zijn. Focus kan ook gebruikt worden om doelgroepen uit te zoeken, die het minst kwetsbaar zijn voor substituten of waar de concurrentie het zwakst is.

Illinois Tool Works bijvoorbeeld heeft zich geconcentreerd op de speciaalmarkt voor bevestigingsapparatuur, waarbij het produkten kan ontwerpen, die afgestemd zijn op de behoeften van een bepaalde koper en zo overstapkosten creëren. Veel kopers hebben geen belang bij deze service, maar sommigen toch wel. Fort Howard Paper richt zich op de smalle markt van papierindustrie en gaat voorbij aan de consumptiemarkt met zijn reclamecampagnes en snelle introducties van nieuwe produkten. Porter Paint richt zich op de beroepsschilders en niet op de doe-het-zelvers, waarbij het beleid vooral is opgezet rond de beroepsschilders door middel van gratis verfaanpassingsservices, snelle aflevering van kleine hoeveelheden verf op de plaats van het werk en gratis koffiekamers voor beroepsschilders in fabriekswerkplaatsen. Een voorbeeld van een focusstrategie, waarbij een positie van lage kosten wordt verkregen bij het bedienen van een bepaalde doelgroep, is Martin-Brower, de op twee na grootste levensmiddelengroothandel van de Verenigde Staten. Martin-Brower heeft zijn klantenlijst gereduceerd tot slechts acht belangrijke 'fast-food' ketens. De strategie is uitsluitend gericht op de speciale behoeften van de klanten, het slechts daar voorraden van aanhouden, het aannemen van orders afgestemd op hun aankoopcyclus, uitgekiende vestigingsplaatsen van pakhuizen, intensieve controle en geautomatiseerde boekhouding. Hoewel Martin-Brower geen 'lage kosten' distributiebedrijf is in de gehele bedrijfstak, is het dat wel in dat speciale segment. Martin-Brower zag hierdoor het bedrijf snel groeien en de winsten stijgen.

FIGUUR 2-1   Drie generieke strategieën

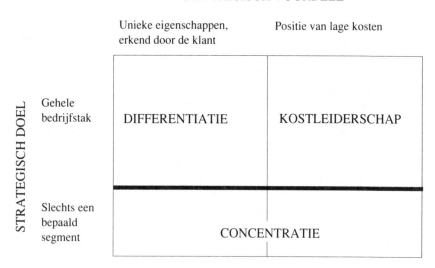

Een focusstrategie impliceert altijd enige beperkingen aangaande het haalbare aandeel in de totale markt. Focus betekent het inruilen van verkoophoeveelheden voor winstgevendheid. Net als bij een differentiatiestrategie kan het al dan niet het inruilen van een positie van lage totale kosten betekenen.

ANDERE VOORWAARDEN VOOR DE GENERIEKE STRATEGIEËN

De drie generieke strategieën verschillen nog in andere dan de hierboven genoemde functionele aspecten. Succesvolle uitvoering ervan vergt verschillende middelen en vaardigheden en maken ook verschillende organisatorische maatregelen, conctroleprocedures en ingenieuze systemen noodzakelijk. Daarom is een voortdurende betrokkenheid bij elk van de drie strategieën een absolute voorwaarde voor succes. In dit verband kunnen de volgende algemene implicaties van deze generieke strategieën genoemd worden:

GENERIEKE STRATEGIE	ALGEMEEN VEREISTE VAARDIGHEDEN EN MIDDELEN	ALGEMENE ORGANISATORISCHE VEREISTEN
Beheersing van de totale lasten	Voortdurende kapitaalinvestering en gegarandeerde toegang tot kapitaal Vaardigheid in procestechnieken Nauwlettend toezicht op werk Gemakkelijk te vervaardigen produkten Goedkoop distributiesysteem	Nauwlettende controle op de uitgaven Frequente en gedetailleerde controlerapporten Gestructureerde organisatie en verantwoordelijkheden Stimulerende maatregelen voor het bereiken van strikt kwantitatieve doelstellingen

GENERIEKE STRATEGIE	ALGEMEEN VEREISTE VAARDIGHEDEN EN MIDDELEN	ALGEMENE ORGANISATORISCHE VEREISTEN
Differentiatie	Goede marketingvaardigheden Produktietechnieken Creativiteit Goede capaciteit voor basisonderzoek Bedrijfsreputatie wat betreft topkwaliteit en technologie Lange traditie in de bedrijfstak of unieke combinatie van vaardigheden, verworven in andere bedrijfstakken. Veel medewerking van de kanalen	Goede coördinatie van functies als research en ontwikkeling (R&O), produktontwikkeling en marketing Maatregelen, gericht op kwaliteit in plaats van kwantiteit Aantrekkelijke voorwaarden voor goed opgeleid, wetenschappelijk of creatief personeel

GENERIEKE STRATEGIE	ALGEMEEN VEREISTE VAARDIGHEDEN EN MIDDELEN	ALGEMENE ORGANISATORISCHE VEREISTEN
Focus	Combinatie van boven-genoemde beleidsmaat-regelen, gericht op een specifiek strategisch doel	Combinatie van boven-genoemde beleidsmaat-regelen, gericht op een specifiek strategisch doel

De generieke strategieën kunnen ook uiteenlopende stijlen van leiderschap vergen en resulteren in verschillen in werkklimaat. Ook zullen verschillende mensen worden aangetrokken.

Tussen wal en schip

De drie generieke strategieën zijn verschillende reële benaderingen in de strijd tegen de concurrentiekrachten. De keerzijde van de zojuist ontvouwde denkbeelden is, dat het bedrijf, die geen strategie in althans één van deze drie richtingen ontwikkelt - een bedrijf dat tussen de wal en het schip invalt - in een strategisch zeer vervelende situatie komt te verkeren. Zo'n bedrijf mist het marktaandeel, de kapitaalinvestering en de plannen om tot lage kosten te komen, de differentiatie over de gehele bedrijfstak om een strategie van lage kosten te vermijden, of de focus om tot een positie van differentiatie en lage kosten te komen in een wat beperktere omgeving.

Het bedrijf tussen wal en schip is bijna verzekerd van een lage winstgevendheid. Of het verliest de grote klanten, die lage prijzen bedingen, of het moet zonder winst gaan werken om de zaken niet aan bedrijven met lage kosten te verliezen. Het zal echter ook de 'hoge marge' bedrijven - het neusje van de zalm - verliezen aan concurrenten, die zich op die doelgroepen concentreren of die algehele differentiatie hebben bereikt. Zo'n bedrijf heeft waarschijnlijk ook te kampen met een vaag beleid en een conflicterende organisatiestructuur en motivatiesysteem.

Het is heel goed mogelijk dat Clark Equipment tussen de wal en het schip is geraakt in de heftruckindustrie, waarin het zowel in de Verenigde Staten als daarbuiten een leidende positie heeft. Twee Japanse producenten, Toyota en Komatsu, hebben strategieën ontwikkeld om alleen de segmenten van groot-afnemers te voorzien, produktiekosten te minimaliseren en zeer scherpe prijzen te hanteren, waarbij dan ook nog gebruik wordt gemaakt van de lagere staalprijzen in Japan, waardoor de vervoerskosten meer dan gecompenseerd worden. Clarks grotere aandeel in de wereldmarkt (18 procent; in de Verenigde Staten 33 procent) geeft het bedrijf geen duidelijk kostleiderschap vanwege de zeer grote produktielijn en het gebrek aan oriëntatie op lage kosten. Toch is Clark, door die grote produktielijn en de gebrekkige aandacht voor technologie, niet in staat gebleken om de technologische reputatie en de produktdifferentiatie van Hyster, die zich heeft geconcentreerd op grotere vorkheftrucks en agressief heeft geïnvesteerd in onderzoek en ontwikkeling, te evenaren. Het gevolg is dat Clark beduidend lagere winstmarges heeft dan Hyster en behoorlijk terrein moet prijsgeven.[2]

Als een bedrijf tussen de wal en het schip dreigt te vallen, moet het een fundamentele strategische beslissing nemen. Het moet ofwel stappen ondernemen om een kostleiderschap, of althans kostengelijkheid, te verkrijgen, hetgeen doorgaans agressieve investeringen om te moderniseren met zich meebrengt en wellicht het kopen van een marktaandeel noodzakelijk maakt, ofwel zich richten op een speciale doelgroep (focus), ofwel een zekere uniekheid tot stand brengen (differentiatie). De laatste twee mogelijkheden kunnen een beperking van het marktaandeel of zelfs van de absolute verkoopcijfers inhouden. De keuze uit deze opties is meestal gebaseerd op de mogelijkheden en beperkingen van het bedrijf. Zoals reeds eerder gezegd, vraagt elke strategie afzonderlijk verschillende middelen, sterke punten, organisatorische opbouw en managementstijl. Een firma leent zich zelden voor alle drie de strategieën.

Als men eenmaal een achterstand heeft opgelopen, kost het vaak veel tijd en langdurige inspanningen om het bedrijf uit zijn benarde positie te halen. Toch valt bij bedrijven in moeilijkheden de neiging waar te nemen om van de ene strategie op de andere over te springen. Gezien de onderlinge inconsistentie hiervan is zo'n benadering bijna altijd gedoemd te mislukken.

Deze concepten gaan uit van een aantal mogelijke relaties tussen marktaandeel en winst. In sommige bedrijfstakken betekent tussen de wal en het schip vallen dat de kleine (gerichte of gedifferentieerde) bedrijven en de grootste (kostleiderschap) bedrijven het meest winstgevend zijn en dat de middelgrote bedrijven de slechtste resultaten boeken. Dit betekent een U-vormige relatie tussen winst en marktaandeel, zoals weergegeven in figuur 2-2. Dit verband lijkt in de Verenigde Staten op te gaan voor de sector van kleine elektromotoren. Daar hebben G.E. en Emerson grote marktaandelen en sterke kostenposities, waarbij G.E. ook nog een grote technische reputatie heeft. Van beide wordt aangenomen dat ze hoge winsten maken in de motorsector. Baldor en Gould (Century) hebben focusstrategieën gevolgd, waarbij Baldor zich op het distributiekanaal heeft gericht en Gould op een bepaalde klantenkring. Beide worden geacht eveneens goede resultaten te boeken. De positie van Franklin ligt ertussen in; noch lage kosten noch focus. De resultaten in die sector zijn hiermee in overeenstemming. Een dergelijk U-vormig verband bestaat waarschijnlijk ook in de auto-industrie, als men die globaal bekijkt. Hier scoren

[2] Zie Wertheim (1977).

General Motors (lage kosten) en Mercedes (differentiatie) het hoogst. Chrysler, British Leyland en Fiat hebben geen van de drie strategieën gevolgd; ze zijn tussen wal en schip gevallen.

De U-curve van figuur 2-2 geldt echter niet voor elke bedrijfstak. In sommige bedrijfstakken bestaat geen gelegenheid voor marktfocus of differentiatie - is het alleen een kwestie van kosten - en dit geldt voor een aantal grootschalige sectoren. In andere bedrijfstakken zijn de kosten relatief onbelangrijk vanwege bepaalde kenmerken van kopers en produkt. In dergelijke bedrijfstakken bestaat vaak een omgekeerd verband tussen marktaandeel en winstgevendheid. In nog weer andere bedrijfstakken is de concurrentie zo intensief, dat focus of differentiatie de enige manier is om een winst te behalen, die boven het gemiddelde ligt - hetgeen lijkt te gelden voor de Amerikaanse staalindustrie. Tenslotte hoeft een lage kostenpositie niet onverenigbaar te zijn met differentiatie of focus, of kunnen lage kosten samengaan met een relatief laag marktaandeel. Een voorbeeld van de complexe combinaties, die voor kunnen komen, is het feit dat Hyster, nummer twee in heftrucks, een hogere winstmarge heeft dan verscheidene kleinere producenten in die sector (Allis-Chalmers, Eaton), die niet het marktaandeel hebben om ofwel lage kosten, ofwel voldoende produktdifferentiatie ter compensatie van hun kostenpositie te bereiken.

FIGUUR 2-2

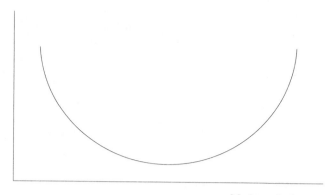

Rendement op
investering

Marktaandeel

Er bestaat *geen eenduidig verband* tussen winst en marktaandeel, tenzij de markt op zodanige wijze gedefinieerd wordt, dat gerichte of gedifferentieerde bedrijven hoge marktaandelen hebben in zeer beperkte bedrijfstakken en de bedrijfstaksdefinities van bedrijven met een kostleiderschap ruim gesteld blijven (dat moet wel, want 'kostenleiders' hebben vaak niet het grootste aandeel in alle submarkten). Zelfs een verschuiving in de afbakening van een bedrijfstak kan niet de verklaring zijn voor de hoge winsten van bedrijven, die over de gehele bedrijfstak differentiatie hebben bereikt en een kleiner marktaandeel hebben dan de leider.

Wat echter zeer belangrijk is, is het feit dat al deze verschillende afbakeningen van de bedrijfstak geen antwoord geven op de vraag welke van de drie generieke strategieën geschikt is voor een bepaald bedrijf. Deze keus komt neer op het kiezen van een strategie die het best is afgestemd op sterke punten van het bedrijf en die het lastigst is te pareren voor concurrenten. De principes van structurele analyse moeten deze keus vergemakkelijken en de analist in staat stellen om het verband tussen marktaandeel en winstgevendheid in elke bedrijfstak te verklaren en te voorspellen. Ik zal verder op dit onderwerp ingaan in hoofdstuk 7, waarin structurele analyse wordt uitgebreid om de verschillende posities van bedrijven binnen een bepaalde bedrijfstak te beschouwen.

Risico's van de generieke strategieën

Aan het volgen van de generieke strategieën zijn twee fundamentele risico's verbonden: ten eerste het niet kunnen realiseren of volhouden van de strategie; ten tweede het achterhaald raken van de strategie door ontwikkelingen in de bedrijfstak. Meer toegespitst: de drie strategieën zijn erop gericht om verschillende soorten van verdediging op te bouwen tegen de concurrentiekrachten en brengen dan ook verschillende risico's met zich mee. Het is van belang om deze risico's expliciet te maken om tot een betere keus uit de drie alternatieven te komen.

RISICO'S VAN ALGEHEEL KOSTLEIDERSCHAP

Het bereiken en consolideren van een kostleiderschap legt een zware last op een bedrijf, omdat het nieuwe investeringen moet doen in moderne apparatuur, verouderde bedrijfsmiddelen direct moet schrappen, proliferatie van de produktlijn moet zien te vermijden en een open oog moet houden voor technische verbeteringen. Vergroting van het aantal eenheden brengt niet altijd automatisch ook kostenvermindering met zich mee en het bereiken van het maximaal haalbare schaalvoordeel vergt de nodige aandacht.

De strategie van kostleiderschap is aan dezelfde risico's blootgesteld als het vertrouwen op schaal of ervaring als toetredingsbarrières, zoals uitgelegd in hoofdstuk 1. Sommige van deze risico's zijn:

- technologische veranderingen, waardoor investeringen of leerprocessen in het verleden waardeloos zijn geworden;
- leren tegen lage kosten door nieuwkomers of navolgers in de bedrijfstak, door middel van imitatie of hun vermogen om in de modernste apparatuur te investeren;
- het onvermogen om de noodzaak te onderkennen van een verandering van het produkt of de marketing door fixatie op alleen de kosten;
- inflatie van de kosten, waardoor het bedrijf minder in staat is om een voldoende prijsverschil te handhaven om de reputatie van het merk van de concurrent of andere differentiatiemethoden te compenseren.

Een klassiek voorbeeld van de risico's van kostleiderschap levert de Ford Motor Company van de jaren twintig. Ford had een ongeëvenaarde voorsprong in kosten genomen door types en modellen te beperken, een agressieve achterwaartse integratie door te voeren, veel te automatiseren en door een gericht streven naar kostenvermindering door ervaring. De leerprocessen werden bespoedigd door het niet veranderen van de modellen. Toen de inkomens echter begonnen te stijgen en veel kopers hun eerste auto al hadden gekocht en een tweede aan het overwegen waren, werden zaken als stijl, verschillende modellen, comfort en gesloten auto's in plaats van open auto's ineens belangrijker. De klanten waren gaandeweg meer bereid om voor deze mogelijkheden extra geld neer te leggen. General Motors stond met zijn uitgebreide produktlijn aan modellen gereed om munt te slaan uit deze ontwikkeling. Ford daarentegen kreeg te maken met de kosten van strategische aanpassing, die, gezien de starheid van het zwaar investeren in kostenminimalisering van een verouderd model, zeer hoog waren.

Een ander voorbeeld van de risico's van kostleiderschap als zaligmakende strategie levert ons de elektronika-producent Sharp. Sharp, dat lange tijd een strategie van kostleiderschap had gevolgd, werd gedwongen tot het voeren van een agressieve campagne teneinde erkenning van het merk te krijgen. Vanwege een stijging van de kosten èn de Antidumpwet in de Verenigde Staten was Sharp niet langer in staat om voldoende onder de prijzen van Sony en Panasonic te blijven. Hierdoor ontstond een verslechterde strategische positie, die het gevolg was van de eenzijdige concentratie op kostleiderschap.

RISICO'S VAN DIFFERENTIATIE

Differentiatie brengt ook enkele risico's met zich mee:

- het kostenverschil tussen een reeks 'lage kosten' concurrenten en het gedifferentieerde bedrijf wordt te hoog om door middel van differentiatie de merkloyaliteit te behouden. Kopers zien dan af van sommige kenmerken van het produkt van het gedifferentieerde bedrijf om flinke besparingen te kunnen realiseren;
- de behoefte van de koper aan de differentiefactor komt te vervallen. Dit kan gebeuren, als de koper zich verder ontwikkelt;
- door imitatie gaat het effect van differentiatie grotendeels verloren. Dit komt veel voor in volwassen bedrijfstakken.

Het eerste risico is zo belangrijk, dat enige uitleg wel op zijn plaats is. Een bedrijf kan differentiatie bereiken, maar deze differentiatie zal toch slechts een beperkt prijsverschil kunnen opvangen. Als een bedrijf dus al te zeer achterop raakt wat kosten betreft, door technologische veranderingen of doordat het niet goed oplet, dan kan het 'lage kosten' bedrijf in een positie komen om die van het gedifferentieerde bedrijf aan te tasten. Kawasaki en andere Japanse motorproducenten bijvoorbeeld hebben met succes gedifferentieerde fabrikanten als Harley-Davidson en Triumph in de sector van zware motoren aangevallen door de kopers een belangrijk goedkoper produkt aan te bieden.

RISICO'S VAN FOCUS

Focus brengt weer andere risico's met zich mee:

- het kostenverschil tussen concurrenten met een ruime draagkracht en het geconcentreerde bedrijf wordt groter, waardoor de kostenvoordelen, verbonden aan het bedienen van een smalle doelgroep, geëlimineerd worden of de door focus bereikte differentiatie gecompenseerd wordt;
- de verschillen in de gewenste produkten of diensten tussen de strategische doelgroep en de markt als geheel worden kleiner;
- concurrenten vinden submarkten *binnen* de strategische doelgroep en ze concurreren via die markt de marktconcentrant weg.

3
Schema voor concurrentie-analyse

Een concurrentiestrategie heeft tot doel een onderneming in zo'n positie te brengen, waarbij de waarde van de aspecten die die onderneming van zijn concurrenten doet onderscheiden, gemaximaliseerd wordt. Hieruit volgt dat bij het formuleren van een dergelijke strategie een goede analyse van de concurrentie centraal staat. Het doel van een concurrentie-analyse is de uitwerking van een schets van de aard en het succes van de eventuele strategieveranderingen die elke concurrent zou kunnen doorvoeren, van het waarschijnlijke antwoord van elk van de concurrenten op het scala van mogelijke strategische manoeuvres van andere bedrijven en van hun reactie op de mogelijke veranderingen in de bedrijfstak en eventuele verschuivingen daarbuiten. Een grondige concurrentie-analyse is onmisbaar voor de beantwoording van vragen als: 'Met welk bedrijf in de bedrijfstak moeten we de strijd aangaan en in welke volgorde moeten de manoeuvres gemaakt worden?' 'Welke bedoeling steekt achter die zet van de concurrent en hoe serieus moeten we die nemen?' 'Welke terreinen moeten we vermijden, omdat de reactie van de concurrent emotioneel of wanhopig zal zijn?'

Ondanks de duidelijke behoefte aan een grondige concurrentie-analyse bij het formuleren van een strategie, wordt zo'n analyse in de praktijk soms niet erg uitgebreid of gedetailleerd uitgevoerd. In het denken van het management over concurrenten kunnen gevaarlijke vooronderstellingen kruipen: 'Concurrenten kunnen niet systematisch geanalyseerd worden', 'We weten alles van onze concurrenten af, omdat we elke dag met hen concurreren'. In het algemeen zijn beide veronderstellingen onjuist. Een ander probleem is het feit dat voor een grondige analyse van een concurrent een grote hoeveelheid vaak moeizaam te verkrijgen gegevens nodig is. Veel bedrijven verzamelen informatie over hun concurrenten op een niet systematische wijze en handelen op basis van informele indrukken, gissingen en intuïtie, die gevoed worden door praatjes uit het circuit waar elke manager dagelijks in verkeert. Toch is betrouwbare informatie onontbeerlijk voor een grondige concurrentie-analyse.

Een concurrentie-analyse kent vier diagnostische bestanddelen (zie figuur 3-1): toekomstige *doelstellingen*, huidige *strategie*, *veronderstellingen* en *capaciteiten*.[1] Een goed begrip van deze vier componenten zal een gefundeerde verwachting omtrent het reactiepatroon van de concurrent opleveren, zoals geformuleerd in de sleutelvragen van figuur 3-1. De meeste bedrijven hebben in ieder geval een intuïtieve mening over de huidige strategieën van de concurrenten en hun zwakke en sterke punten (zie rechter helft van figuur 3-1). Het linker gedeelte, oftewel het inzicht in de drijfveren achter het gedrag van de concurrent -de toekomstige doelstellingen en de inschatting die hij van zijn eigen positie en de aard van de bedrijfstak maakt-, krijgt in het algemeen veel minder aandacht. Deze drijfveren zijn veel moeilijker te observeren dan het feitelijke gedrag van de concurrent, maar zijn toch vaak bepalend voor het gedrag van de concurrent in de toekomst.

Dit hoofdstuk zal een basisschema geven voor concurrentie-analyse, waarop in verdere hoofdstukken zal worden voortgebouwd. Elk onderdeel van concurrentie-analyse in figuur 3-1 zal in volgorde behandeld worden door een reeks van vragen op te stellen omtrent de concurrenten, waarbij de nadruk met name zal komen te liggen op de diagnose van de doelstellingen en veronderstellingen van de concurrent. Op dit wat subtielere terrein zal het belangrijk zijn om verder te gaan dan alleen het categoriseren van technieken en methoden, willen we kunnen vaststellen wat precies de doelstellingen en veronderstellingen van een bepaald bedrijf zijn. Nadat we elk onderdeel van de concurrentie-analyse besproken hebben, zal bekeken worden hoe de verschillende onderdelen met elkaar kunnen worden verbonden om de vragen van figuur 3-1 te beantwoorden. Tenslotte zullen in het kort enkele concepten worden besproken voor het verzamelen en analyseren van gegevens over de concurrent, aangezien dit een zeer belangrijk onderdeel is van een concurrentie-analyse.

Hoewel het schema en de vragen hier staan weergegeven in termen van concurrenten kunnen dezelfde begrippen ook gebruikt worden voor een analyseschema voor de positie van het eigen bedrijf in zijn omgeving. Bovendien kan een dergelijk onderzoek het bedrijf ook inzicht verschaffen

---

[1] Hoewel we toekomstige doelstellingen gewoonlijk als onderdeel van de strategie behandelen, is het uit analytisch oogpunt zinvol om bij concurrentie-analyse doelstellingen en huidige strategie te scheiden.

FIGUUR 3-1   De componenten van een concurrentie-analyse

omtrent de *conclusies die de concurrenten waarschijnlijk zullen trekken*. Dit maakt deel uit van een grondige concurrentie-analyse, omdat de veronderstellingen van een concurrent, en daardoor ook zijn gedrag, op deze conclusies gebaseerd zijn en dus van groot belang zijn bij het verrichten van concurrerende handelingen (zie hoofdstuk 5).

De componenten van een concurrentie-analyse

Voor we de afzonderlijke componenten van een concurrentie-analyse zullen bespreken, is het belangrijk om vast te stellen naar welke concurrenten een onderzoek moet worden ingesteld. Uiteraard moeten alle *bestaande concurrenten* van enig belang geanalyseerd worden. Het is echter ook belangrijk om de *potentiële concurrenten* te analyseren. Het voorspellen van potentiële concurrenten is niet eenvoudig; ze kunnen echter vaak uit de volgende groepen voortkomen:

- Bedrijven die niet in de bedrijfstak actief zijn, maar die de toetredingsbarrières met weinig kosten zouden kunnen overwinnen;
- Bedrijven die, door tot de sector toe te treden, samenwerking van functies en/of activiteiten zouden kunnen realiseren;
- Bedrijven, voor wie concurrentie in de betreffende sector duidelijk in het verlengde zou liggen van de algemene bedrijfsstrategie;
- Klanten of leveranciers die achterwaarts of voorwaarts kunnen integreren.

Het kan ook nuttig zijn om te proberen eventuele *fusies of overnames*, die onder gevestigde concurrerende bedrijven of door tussenkomst van een betrokken buitenstaander zouden kunnen plaatsvinden, te voorspellen. Door fusie kan een zwakke concurrent ineens veel sterker worden en een sterke concurrent kan ongelooflijk machtig worden. Het voorspellen van bedrijfsovernames gaat volgens dezelfde logica als het voorspellen van potentiële sectortoetreders. Het voorzien van overnamedoelen binnen de bedrijfstak kan gebaseerd zijn op de situatie van de eigenaar, de mogelijkheid om het hoofd te bieden aan toekomstige ontwikkelingen in de bedrijfstak, de mogelijke aantrekkelijkheid als operatiebasis in de bedrijfstak en andere factoren.

TOEKOMSTIGE DOELSTELLINGEN

De diagnose van de doelstellingen van de concurrent (en hoe zij zichzelf zullen beoordelen ten opzichte van deze doelstellingen), de eerste component van concurrentie-analyse, is om een aantal redenen van belang. Kennis van deze doelstellingen zal een bedrijf in staat stellen een inschatting te maken van de vraag of de concurrenten al dan niet tevreden zijn met hun huidige positie en financiële resultaten, de daarmee samenhangende kans dat een concurrent zijn strategie zal aanpassen en de kracht waarmee hij zal reageren op gebeurtenissen van buitenaf (bijvoorbeeld conjunctuurschommelingen) of op acties van andere bedrijven. Een bedrijf dat bijvoorbeeld veel waarde hecht aan een stabiele groei van de omzet, zal heel anders reageren op dalende omzet of een toename van het marktaandeel van een ander bedrijf dan een bedrijf dat het meest is geïnteresseerd in het rendement op de investeringen. Als men op de hoogte is van de doelstellingen van een concurrent, kan men ook beter zijn reacties voorspellen op strategische veranderingen. Sommige van deze veranderingen zullen voor de ene concurrent een grotere dreiging vormen dan voor de andere, gezien de doelstellingen en eventuele druk van een moederbedrijf. Deze mate van dreiging is bepalend voor de kans op tegenmaatregelen. Tenslotte helpt een diagnose van de doelstellingen van de concurrent het belang van initiatieven, die die concurrent neemt, in te schatten. Een strategische manoeuvre van een concurrent, die gericht is op één van de centrale doelstellingen of bedoeld is om de resultaten bij een belangrijke doelgroep te verbeteren, is geen toevallige aangelegenheid. Evenzo kan een diagnose van de doelstellingen van een moederfirma helpen bij het vaststellen of zij een initiatief of tegenmaatregelen, gericht op acties van concurrenten, van één van haar dochterondernemingen serieus zal ondersteunen.

Hoewel meestal wordt gedacht aan financiële doelstellingen, zal een uitvoerige diagnose van de doelstellingen van een concurrent vaak ook meer kwalitatieve factoren omvatten, zoals marktleiderschap, technologie, sociale condities en dergelijke. Diagnose van doelstellingen moet ook de diverse managementniveaus bestrijken. Er zijn algemene bedrijfsdoelstellingen, doelstellingen van afzonderlijke eenheden en zelfs doelstellingen die voortspruiten uit individuele functionele terreinen en managers. De doelstellingen op de hogere niveaus beïnvloeden, maar bepalen niet volledig de doelstellingen op lagere niveaus.

Aan de hand van de volgende diagnostische vragen kunnen de huidige en toekomstige doelstellingen van de concurrent bepaald worden. Allereerst zal de bedrijfseenheid of divisie, die in sommige gevallen de hele firma van de concurrent zal omvatten, onder de loep worden genomen. Vervolgens zullen we in het gediversifieerde bedrijf de invloed van de moederfirma op de toekomstige doelstellingen van de betreffende bedrijfseenheid onderzoeken.

Doelstellingen van een bedrijfseenheid

1. Wat zijn de expliciete en impliciete *financiële doelstellingen* van de concurrent? Welke compromissen sluit de concurrent bij het vaststellen van de doelstellingen, zoals die tussen lange termijn en korte termijn resultaten? Tussen winst en de groei van de middelen? Tussen groei en de mogelijkheid om regelmatig dividend uit te keren?

2. Wat is de *houding van de concurrent ten aanzien van risico's*? Als de financiële doelstellingen voornamelijk bestaan uit winst, marktaandeel, groeipercentage en gewenst risiconiveau, hoe weegt hij deze aspecten dan tegen elkaar af?

3. Heeft de concurrent economische of niet economische *waarden of normen*, die of algemeen gedeeld worden, of bij het algemeen management hoog in het vaandel staan en waardoor de doelstellingen in belangrijke mate worden beïnvloed? Wil de concurrent marktleider zijn (Texas Instruments)? De beleidsbepaler in de bedrijfstak (Coca-Cola)? Een afwijkend beleid voeren? Vooroplopen in technologie? Heeft de concurrent eeen traditie of verleden, waarbij een bepaalde strategie of een functioneel beleid werd gevoerd die inmiddels doel op zich zijn geworden? Is het wel zo nuttig

om foto's voor een brochure te nemen als je niet eens weet wat die grap gaat kosten? Worden er in sterke mate eigen opvattingen over het ontwerp of de kwaliteit van het produkt op nagehouden? Bepaalde plaatselijke voorkeuren?

4. Welke *organisatorische structuur* heeft de concurrent (functionele structuur, aanwezigheid of ontbreken van produktmanagers, aparte O&O-laboratoria, enz.)? Waar ligt de structurele verantwoordelijkheid voor en bevoegdheid tot het nemen van beslissingen op sleutelterreinen als de aanwending van bedrijfsmiddelen, prijsbepaling en produktveranderingen? De organisatorische structuur van de concurrent levert soms een aanwijzing op voor het relatieve belang van de verschillende functionele gebieden en voor de coördinatie en accenten die van strategisch belang worden geacht. Als bijvoorbeeld de afdeling verkoop geleid wordt door een onderdirecteur die rechtstreeks verslag uitbrengt aan de president-directeur en de afdeling produktie door een directeur die verslag uitbrengt aan een onderdirecteur, is dat een indicatie voor het feit dat de verkoop belangrijker is dan de produktie. De toewijzing aan van beslissingsverantwoordelijkheid aan bepaalde personen geeft aan welk belang het topmanagement aan deze beslissingen toekent.

5. Welke *controle- en beloningssystemen* worden gehanteerd? Hoe worden de beleidsuitvoerders beloond? Hoe wordt de verkoopafdeling beloond? Zijn de managers tevens aandeelhouders? Is er sprake van een uitgesteld compensatiesysteem? Welke prestatiemaatstaven worden regelmatig bijgesteld? Hoe vaak? Al deze zaken, hoe moeilijk ze ook te bepalen zijn, bevatten belangrijke elementen voor de beantwoording van de vraag wat de concurrent belangrijk vindt en hoe zijn managers op gebeurtenissen zullen reageren met het oog op hun beloning.

6. Met welk *boekhoudsysteem* en welke conventies wordt er gewerkt? Hoe waardeert de concurrent de inventaris, wijst hij de kosten toe en pakt hij inflatie aan? Deze aspecten van beleid met betrekking tot financiële administratie kunnen de mening van de concurrent omtrent zijn eigen resultaten, wat zijn kosten zijn, en hoe hij zijn prijzen moet bepalen sterk beïnvloeden.

7. Uit wat voor *managers* bestaat de leiding van de concurrent? Wie is de president-directeur (PD)? Wat is hun achtergrond en ervaring?[2] Welke jongere managers schijnen beloond te worden en waar leggen deze de nadruk op? Is er een patroon te herkennen in de plaatsen vanwaaruit mensen worden aangetrokken als een indicatie voor de richting waarin het bedrijf wil gaan? Bic Pen bijvoorbeeld had een duidelijke voorkeur voor mensen van buiten de bedrijfstak, omdat men geloofde in een nonconventioneel beleid. Gaan bepaalde mensen binnenkort met pensioen?

---

[2] Enige belangrijke vragen betreffende achtergrond en ervaring van managers komen verderop aan de orde.

8. In hoeverre heerst er onder het management *overeenstemming* inzake de toekomstige richting? Zijn er groepen binnen het management die verschillende doeleinden nastreven? Als dit het geval is, kan dit leiden tot plotselinge wijzigingen in de strategie als gevolg van machtsverschuivingen. Eenstemmigheid daarentegen kan leiden tot een zeer stabiele macht en zelfs eigenzinnigheid in tijden van tegenspoed.

9. Hoe ziet de *Raad van commissarissen* eruit? Zitten er voldoende mensen van buitenaf in om een goede inspectie van het beleid te garanderen? Wat voor mensen zijn dat, wat is hun achtergrond en band met het bedrijf? Hoe presteren ze in hun eigen bedrijven, of op welk gebied zijn ze verder actief (bankiers, advocaten?)? De samenstelling van de Raad van commissarissen kan een indicatie zijn voor de oriëntatie van het bedrijf, de houding tegenover risico's en zelfs een voorkeur voor bepaalde strategische benaderingen.

10. Door welke *contractuele verplichtingen* worden de keuzemogelijkheden beperkt? Bestaan er schuldovereenkomsten waardoor het aantal mogelijke doelstellingen beperkt is? Zijn er beperkingen als gevolg van overeenkomsten tot licentie of joint ventures?

11. Zijn er *regulerende of antitrustbepalingen, of andere overheids- of sociale beperkingen*, die het gedrag van het bedrijf zullen beïnvloeden voor wat betreft bijvoorbeeld diens reacties op manoeuvres van een kleinere concurrent of de waarschijnlijkheid dat het een groter marktaandeel zal proberen te verkrijgen? Heeft de concurrent in het verleden problemen met antitrustwetgeving gehad? Wat waren de redenen daarvan? Heeft de concurrent bepaalde overeenkomsten afgesloten? Dergelijke beperkingen, of zelfs slechts een verleden daarvan, kan een bedrijf gevoelig maken, zodat het reacties op strategische gebeurtenissen zal vermijden, tenzij een essentieel element van de activiteiten wordt bedreigd. Het bedrijf, dat een klein marktaandeel van een groot concern probeert af te pakken, kan bijvoorbeeld als gevolg van deze beperkingen enige bescherming genieten.

Doelstellingen van moedermaatschappij en dochteronderneming

Als een concurrent deel uitmaakt van een groter bedrijf, zal de moederfirma waarschijnlijk eisen stellen en beperkingen opleggen aan de betreffende dochteronderneming, die van groot belang zijn voor de voorspelling van haar gedrag. De volgende vragen moeten, naast de hiervoor genoemde, gesteld worden:

1. Hoe zijn de huidige *resultaten* (omzetgroei, winstpercentage, enz.) *van de moedermaatschappij*? Als eerste benadering geeft dit een indicatie omtrent de doelen van de moederfirma, die vertaald kunnen worden in doelstellingen ten aanzien van marktaandelen, prijszetting, druk met het oog op nieuwe produkten, enzovoort, voor de dochteronderneming. Een dochteronderneming die slechtere resultaten boekt dan de moedermaat-

schappij als geheel, staat in het algemeen onder druk. Een dochteronderneming die financieel gekenmerkt wordt door een ononderbroken opgaande lijn, zal niet gauw een actie ondernemen dat dat record in gevaar kan brengen.

2. Wat zijn de *algemene doelstellingen van de moedermaatschappij*? Wat verwacht die maatschappij, met het oog op deze doelstellingen, waarschijnlijk van de dochteronderneming?

3. Welk *strategisch belang* hecht de moedermaatschappij aan de dochteronderneming in termen van algehele bedrijfsstrategie? Ziet de moederfirma deze onderneming als een bedrijf 'aan de basis' of als een randbedrijf binnen de eigen activiteiten? Waar past de 'business' van de dochter in de portfolio van de moedermaatschappij? Wordt deze sector van de 'business' gezien als groeisector en van vitaal belang voor de toekomst van het concern, of wordt deze als volwassen of stabiel en als geldbron beschouwd? Het strategische belang van de dochteronderneming zal een belangrijke invloed hebben op de te bereiken doelstellingen. Het vaststellen van het strategisch belang wordt hieronder besproken.

4. Waarom heeft de moedermaatschappij *zich in de bedrijfssector begeven*? Was er sprake van overcapaciteit of behoefte aan verticale integratie, of wilde men de distributiekanalen uitbuiten of z'n marketing benutten? Deze factor geeft een verdere indicatie van hoe de moederfirma de bijdrage van de 'business' van de dochter ziet en van de mogelijke druk die ze zal uitoefenen op het strategisch gedrag van de dochteronderneming.

5. Welk *economisch verband* bestaat er tussen de onderneming en andere ondernemingen uit de portfolio van het moederbedrijf (verticale integratie, aanvulling op andere bedrijfsactiviteiten, gedeelde O&O)? Welke implicaties heeft dit voor de eisen die door de moederfirma aan de dochter gesteld worden, afgezet tegen het gedrag dat het onderdeel zou vertonen als het op zichzelf stond? Gedeelde faciliteiten bijvoorbeeld kunnen betekenen dat de dochter onder druk staat om capaciteitsoverschotten van dochtereenheden te absorberen of overhead te dekken. Als de dochter een aanvulling is op een andere divisie van de moedermaatschappij, kan deze laatste ervoor kiezen om de winsten ergens anders te laten ontstaan. Onderlinge verbanden met andere dochterbedrijven kunnen ook gekruiste subsidies betekenen.

6. Wat zijn de *waarden en normen* van het topmanagement over het hele bedrijf? Willen ze in al hun dochterondernemingen een technische voorsprong nemen? Streven ze naar gelijkmatige produktie en het vermijden van ontslagen om een gemeenschappelijk beleid tegen de vakbonden te voeren?[3] Dergelijke waarden en opvattingen binnen de moederfirma zullen in het algemeen effect hebben op de dochteronderneming.

---

[3] Een voorbeeld van een beleid dat gericht is tegen ontslagen, is het opbouwen van grote voorraden in tijden van laagconjunctuur en eventueel de bereidheid om in tijden van hoogconjunctuur een gedeelte van het marktaandeel op te geven. In een aantal grote concerns in de V.S. wordt een dergelijk beleid gevoerd.

7. Is er een *basisstrategie* die de moedermaatschappij bij een aantal dochterondernemingen heeft toegepast en nu weer kan toepassen? Bic Pen bijvoorbeeld heeft een strategie toegepast van goedkope, gestandaardiseerde wegwerpprodukten, geproduceerd in zeer grote hoeveelheden en met uitgebreide reclame-ondersteuning om te concurreren in de sector van schrijfgereedschap, aanstekers, panty's en nu scheermesjes. Haynes Corporation is momenteel bezig de L'eggs-strategie in panty's toe te passen in uiteenlopende ondernemingen als kosmetica, herenondergoed en sokken.

8. Gezien de *prestaties en behoeften van andere dochterondernemingen* binnen de maatschappij en de globale strategie zouden wat voor omzetdoeleinden, rendementsvoorwaarden en kapitaalbeperkingen de concurrerende dochteronderneming opgelegd kunnen worden? Zal ze in staat zijn om met succes tegen andere eenheden van de moederorganisatie de strijd voor moederkapitaal te voeren, gezien de prestaties in vergelijking met deze andere bedrijfseenheden en de doelstellingen van de moedermaatschappij wat betreft de concurrerende dochter? Is de dochteronderneming of feitelijk of naar potentieel groot genoeg om aandacht en steun te krijgen van de moedermaatschappij, of zal ze aan haar eigen lot worden overgelaten en een lage prioriteit krijgen in termen van managementaandacht? Wat zijn de investeringsvereisten voor kapitaal van de andere eenheden van de maatschappij? Als men alle beschikbare informatie bekijkt over de prioriteiten van de moedermaatschappij ten aanzien van de verschillende dochterondernemingen en de fondsen die beschikbaar zijn na dividenduitkering, hoeveel zal er dan overblijven voor de betreffende eenheid?

9. Wat zijn de *diversificatieplannen* van de moedermaatschappij? Overweegt ze diversificatie in andere gebieden, waardoor kapitaal zal worden opgeslokt of die een indicatie kunnen zijn voor nadruk op de lange termijn die op de eenheid zal komen te liggen? Begeeft het moederbedrijf zich in een richting die de eenheid zal ondersteunen door middel van mogelijkheden tot samenwerking van systemen? Reynolds heeft bijvoorbeeld onlangs Del Monte opgekocht, waardoor de levensmiddelenbedrijven van Reynolds een positieve impuls kregen vanwege Del Montes distributiesysteem.

10. Welke aanwijzingen zijn er uit de *organisatiestructuur* van het overkoepelende concern van de concurrent te halen omtrent de status, positie en doelstellingen van de eenheid (dochter) in de ogen van het concern? Brengt de eenheid rechtstreeks verslag uit aan het hoogste staflid of een belangrijke afdelingsdirecteur, of maakt ze deel uit van een groter organisatorisch geheel? Heeft een 'nieuwkomer' binnen de organisatie de leiding, of een manager die zijn beste tijd gehad heeft? Organisatorische verbanden kunnen ook aanwijzingen bevatten omtrent de werkelijke of waarschijnlijke strategie. Als bijvoorbeeld een groep divisies die elektrische produkten maken, onder leiding staat van een algemeen manager van elektrische produkten, dan is een gecoördineerde strategie waarschijnlijker dan wanneer het onafhankelijke divisies waren geweest, vooral als een belangrijk staflid

tot algeheel groepsmanager is benoemd. We leggen er de nadruk op dat aanwijzingen die uit hiërarchische verhoudingen worden gehaald, gecombineerd dienen te worden met andere indicaties voor ze vertrouwd kunnen worden, aangezien bij organisatorische verhoudingen de schijn kan bedriegen.

11. Hoe wordt het afdelingsmanagement in het globale corporatieschema *gecontroleerd en beloond*? Wat is de beoordelingsfrequentie? De omvang van premies in vergelijking met het salaris? Waar zijn de premies op gebaseerd? Zijn de managers ook aandeelhouders? Deze vragen zijn van belang voor de doelstellingen en het gedrag van de divisie.

12. Welke leden van *kaderpersoneel* worden door de moedermaatschappij beloond, als aanwijzing voor het soort strategisch gedrag dat door het overkoepelend management wordt aangemoedigd en dus voor de doelstellingen van het afdelingsmanagement? Hoe snel worden managers van de ene dochteronderneming naar de andere binnen het moederbedrijf overgeplaatst? Het antwoord zegt misschien iets over hun tijdslimieten en de wijze waarop ze riskante strategieën zullen afwegen tegen veiliger strategieën.

13. Waar haalt de moederfirma *haar personeel* vandaan? Is het huidige management gestimuleerd van binnenuit - wat kan betekenen dat de huidige strategie zal worden voortgezet - of komt het management van buiten de divisie of zelfs het moederbedrijf? Waar hield de huidige algemeen manager zich hiervoor mee bezig (een indicatie voor de accenten die het overkoepelend management wil aanbrengen)?

14. *Is de moedermaatschappij als geheel gevoelig voor antitrustbepalingen of algemeen maatschappelijke regelgeving*, waardoor de dochteronderneming beïnvloed kan worden?

15. Heeft de moedermaatschappij of hebben bepaalde topmanagers een *emotionele binding* met de eenheid (dochter)? Is de eenheid een van de oudste ondernemingen van het concern? Zijn er mensen, die vroeger de leiding hadden van de eenheid en nu een toppositie bekleden bij het moederbedrijf? Besloot het huidige management om de eenheid over te nemen of te ontwikkelen? Is er onder de leiding van zo'n manager een begin gemaakt met programma's of manoeuvres van de eenheid? Dergelijke bindingen kunnen erop wijzen dat aan de eenheid meer dan evenredige aandacht en steun gegeven zal worden. Ze kunnen ook wijzen op uittredingsbarrières.[4]

---

[4] Uittredingsbarrières worden besproken in de hoofdstukken 1 en 12.

Analyse van de portfolio en doelstellingen van de concurrent

Als een concurrent onderdeel is van een gediversifieerd concern, kan een analyse van de verzameling ondernemingen daarbinnen veel antwoorden op bovengenoemde vragen opleveren. De verschillende technieken voor de analyse van een bedrijfsportfolio kunnen gebruikt worden om vragen te beantwoorden omtrent de behoeften, waaraan de concurrerende eenheid in de ogen van het moederbedrijf moet voldoen.[5] De beste techniek voor portfolio-analyse van de concurrent is die, welke door de concurrent zelf wordt toegepast.

- Welke criteria worden gebruikt bij de classificatie van de verschillende activiteiten van het moederbedrijf, als er een classificatieschema wordt gebruikt? Hoe worden de activiteiten afzonderlijk geclassificeerd?
- Welke activiteiten zijn bedoeld als kas-genererend?
- Welke activiteiten lenen zich voor het behalen van winsten of voor desinvestering, gezien hun positie in de portfolio?
- Welke activiteiten vormen doorgaans de bronnen van stabiliteit om fluctuaties elders in de portfolio op te vangen?
- Welke activiteiten vormen een verdediging van andere belangrijkere activiteiten?
- Welke werkterreinen bieden de meeste mogelijkheden voor de moedermaatschappij om er bedrijfsmiddelen in te investeren en een marktpositie op te bouwen?
- Welke activiteiten hebben een 'hefboomwerking' in de portfolio? Dit zijn de gebieden waar veranderingen in de resultaten een belangrijk effect zullen hebben op de resultaten van het overkoepelend concern als geheel in termen van stabiliteit, inkomsten, 'cash-flow', groei van omzet en kosten. Bedrijven die op zo'n gebied actief zijn, zullen krachtdadig beschermd worden.

Portfolio-analyse van het moederbedrijf zal aanwijzingen opleveren met betrekking tot wat de doelstellingen van de dochteronderneming zullen zijn, hoe hard ze ervoor zal vechten om haar positie en resultaten te handhaven wat betreft rendement, marktaandeel, cash flow, enzovoort, en hoe groot de kans is dat ze zal proberen haar strategische positie te veranderen.

Doelstellingen van de concurrent en strategische positionering

Een mogelijke benadering om een strategie te formuleren is het zoeken naar posities op de markt, waar een bedrijf zijn doelstellingen kan verwezenlijken zonder een bedreiging te vormen voor zijn concurrenten. Als men

---

[5] Appendix A beschrijft in het kort enkele van de benaderingen die tegenwoordig door bedrijven worden gebruikt om hun portefeuille te classificeren.

een goed inzicht heeft in de doelstellingen van de concurrent, kan er een situatie bestaan, waarin iedereen redelijk tevreden is. Uiteraard is dit niet altijd mogelijk, vooral als men bedenkt dat nieuwe markttoetreders in een bedrijfstak terechtkomen waar alle bestaande bedrijven het goed doen. In de meeste gevallen moet een bedrijf zijn concurrenten dwingen hun doelen aan te passen, zodat het zijn eigen doeleinden kan bereiken. Om dit te bewerkstelligen moet er een strategie gevonden worden, die tegen bestaande concurrenten en sectortoetreders verdedigd kan worden door het bieden van enkele specifieke voordelen.

Analyse van de doelstellingen van de concurrent is van cruciaal belang, omdat een bedrijf daardoor strategische zetten kan vermijden die een verbitterde strijd tot gevolg hebben, doordat door deze zetten de mogelijkheid van de concurrenten om hun doelstellingen te bereiken wordt bedreigd. Een portfolio-analyse kan bijvoorbeeld kas-genererende en oogstactiviteiten scheiden van die terreinen waar de moedermaatschappij iets aan het opbouwen is. Het is vaak heel goed mogelijk om een positie naast een 'melkkoe' in te nemen, als hierdoor de geldstroom naar de moedermaatschappij niet in gevaar komt, maar het kan een heikele onderneming zijn om te gaan concurreren met een bedrijf, dat de overkoepelende organisatie juist probeert op te zetten (of waar deze een emotionele binding mee heeft). Evenzo zal een bedrijf, waarvan stabiele verkoopcijfers worden verwacht, er veel aan gelegen zijn om deze te bereiken, zelfs als dit ten koste gaat van de inkomsten, terwijl het veel minder sterk zal reageren op een manoeuvre, bedoeld om een deel van de winst af te pakken met behoud van het marktaandeel. Dit zijn slechts een paar voorbeelden van hoe een analyse van doelstellingen een begin kan maken met de beantwoording van de vragen over het gedrag van de concurrent, zoals gesteld in figuur 3-1.

VERONDERSTELLINGEN

De tweede cruciale component van een concurrentie-analyse is het vaststellen van de veronderstellingen van elke concurrent afzonderlijk. Deze vallen in twee categorieën uiteen:

- De veronderstellingen van de concurrent over *zichzelf*
- De veronderstellingen van de concurrent over *de bedrijfstak en de andere bedrijven daarin*

Elk bedrijf gaat uit van een serie veronderstellingen inzake de eigen situatie. Het kan zichzelf bijvoorbeeld zien als een maatschappijbewust bedrijf, als marktleider in een bedrijfstak, als een producent tegen lage kosten, als een bedrijf dat de grootste verkoopafdeling heeft, enzovoort. De veronderstellingen inzake de eigen situatie zullen bepalend zijn voor het gedrag van een bedrijf en de manier waarop het zal reageren op bepaalde gebeurtenissen. Als het zichzelf bijvoorbeeld ziet als een 'lage kosten'-producent, dan zal het een bedrijf, dat onder de prijs verkoopt, door prijsverlagingen voor het eigen produkt tot de orde proberen te roepen.

De veronderstellingen van een concurrent inzake zijn eigen situatie kunnen al dan niet juist zijn. Als ze onjuist zijn, levert dit een interessant strategisch pressiemiddel op. Als een concurrent bijvoorbeeld meent dat het de grootste klantenloyaliteit op de markt heeft terwijl dit niet het geval is, kan een prikkelende prijsverlaging een goede manier zijn om terrein op hem te winnen. De concurrent zal wellicht weigeren aan deze prijsactie mee te doen, ervan uitgaande dat het geen invoed zal hebben op het eigen marktaandeel. Het kan zijn dat de concurrent zijn fout pas inziet, als hij al een aanzienlijk marktaandeel heeft verloren.

Evenals iedere concurrent opvattingen heeft over zichzelf, opereert elk bedrijf tevens op basis van veronderstellingen omtrent de bedrijfstak en de concurrentie. Ook deze kunnen juist of onjuist zijn. Gerber Products bijvoorbeeld heeft hardnekkig geloofd dat vanaf 1950 het geboortecijfer zou stijgen, ook al vertoonde dat een gestaag dalende lijn, die pas in 1979 weer omhoog is gegaan. Er zijn ook talloze voorbeelden van bedrijven die de stabiliteit, de bedrijfsmiddelen of de vaardigheden van hun concurrenten in belangrijke mate onder- of overschat hebben.

Een onderzoek naar het scala van veronderstellingen kan vertekeningen of *blinde vlekken* aan het licht brengen bij de perceptie van managers van hun omgeving. De blinde vlekken zijn de terreinen waar een concurrent ofwel het belang van bepaalde gebeurtenissen (zoals een strategische manoeuvre) in het geheel niet onderkent of onjuist inschat, ofwel dit te laat inziet. Het elimineren van deze blinde vlekken zal het bedrijf helpen om uit te vinden welke acties minder kans lopen op onmiddellijke tegenmaatregelen en welke manoeuvres ineffectieve tegenmaatregelen zullen uitlokken.

De volgende vragen zijn gericht op het bepalen van de veronderstellingen en uitgangspunten van de concurrent en de terreinen waarop deze niet geheel objectief en realistisch zijn:

1. Wat lijkt de mening van de concurrent te zijn inzake *de eigen relatieve positie* - in kosten, produktkwaliteit, technologische verfijning en andere sleutelaspecten van de bedrijfstak - afgaande op openbare verklaringen, beweringen van het management, verkoopafdeling en andere aanwijzingen? Wat beschouwt de concurrent als zijn sterke en zwakke punten? Klopt dat?

2. Heeft de concurrent een sterke *historische of emotionele binding* met bepaalde produkten of beleidsterreinen, zoals een bepaalde benadering van produktontwerp, streven naar kwaliteit, produktielocatie, verkoopbenadering, distributieregelingen, enzovoort, waar erg de nadruk op zal worden gelegd?

3. Bestaan er *culturele, regionale of landelijke verschillen*, die van invloed zullen zijn op de manier, waarop de concurrenten bepaalde gebeurtenissen waarnemen en betekenis toekennen? Om eens een voorbeeld te noemen: Westduitse maatschappijen zijn vaak erg gericht op kwaliteit van produktie en produkt, ten koste van kosten per eenheid en de marketing.

4. Bestaan er *organisatorische waarden of richtlijnen* die sterk geïnstitutionaliseerd zijn en invloed zullen hebben op de manier waarop tegen bepaalde gebeurtenissen zal worden aangekeken? Zijn er beleidsopvattingen, waar de oprichter van een bedrijf sterk in geloofde en die misschien nog steeds leven?

5. Wat lijken de veronderstellingen van de concurrent te zijn omtrent de *toekomstige vraag* naar het produkt en de *betekenis van trends in de bedrijfstak*? Zal de concurrent aarzelen alvorens over te gaan tot capaciteitsuitbreiding, omdat hij ongegronde twijfels heeft over de vraag, of zal hij misschien juist te hard van stapel lopen? Is de concurrent geneigd het belang van bepaalde trends verkeerd in te schatten? Gaat hij er bijvoorbeeld vanuit dat er sprake is van concentratie in de bedrijfstak, terwijl dit niet het geval is? Dit zijn allemaal wiggen die als basis voor een strategie kunnen worden gebruikt.

6. Wat lijkt de mening van de concurrent te zijn inzake de doelstellingen en mogelijkheden van zijn *concurrenten*? Zal er sprake zijn van over- of onderschatting?

7. Lijkt de concurrent te geloven in '*ongeschreven wetten*' of historisch gegroeide vuistregels voor de bedrijfstak en een algemene benadering van de sector, die niet is aangepast aan de nieuwe marktcondities?[6] Voorbeelden van ongeschreven wetten zijn begrippen als 'Iedereen moet een compleet assortiment hebben', 'Klanten drijven de handel op', 'In deze bedrijfstak moet men de grondstofbronnen controleren', 'Gedecentraliseerde werkplaatsen vormen het meest efficiënte produktiesysteem', 'Het is noodzakelijk om een groot aantal dealers te hebben', enzovoort. Het herkennen van situaties waar zulke wijsheden niet opgaan of veranderd kunnen worden, kan voordelen opleveren in termen van tijdigheid en doeltreffendheid van de tegenmaatregelen van de concurrent.

8. De veronderstellingen van een concurrent kunnen op subtiele wijze beïnvloed worden door en zich weerspiegelen in de *huidige strategie*. Ze kunnen ertoe leiden dat gebeurtenissen in de bedrijfstak worden gezien door een bril, die gekleurd wordt door historische en tegenwoordige ervaringen, en die daardoor niet bevorderlijk is voor een objectieve kijk op de zaken.

---

[6] Dit verschijnsel is vooral waar te nemen in bedrijfstakken, waarin concurrenten een lange traditie hebben.

*De betekenis van het waarnemen van blinde vlekken of ongeschreven
wetten*

De recente wederopstanding van Miller Breweries is een voorbeeld van
het profijt dat getrokken kan worden uit het waarnemen van blinde vlekken. Miller, overgenomen door Philip Morris en niet gebonden aan ongeschreven wetten zoals veel familiebrouwerijen, heeft Lite Bier geïntroduceerd, een halve liter fles en een in eigen beheer gebrouwen Lowenbrau
Bier tegen een 25 procent lagere prijs dan Michelob (de grootste binnenlandse producent van goedkoop bier). Volgens de berichten lachten de
brouwerijen om Millers pogingen, maar hebben ze inmiddels eieren voor
hun geld gekozen, omdat Millers marktaandeel bleef stijgen.[7]
Een andere situatie, waarin het onderkennen van gedateerde vuistregels
grote voordelen heeft opgeleverd, is de omwenteling van Paramount Pictu-
res. Twee nieuwe topmensen, beiden afkomstig uit de televisiewereld, hebben zich niet gehouden aan allerlei ongeschreven wetten van de filmindus-
trie - het vooraf verkopen van films, het gelijktijdig uitbrengen van films in
talloze theaters, enzovoort - en zagen hierdoor hun marktaandeel enorm
stijgen.[8]

VERLEDEN ALS INDICATIE VOOR DOELSTELLINGEN EN UITGANGSPUNTEN

Een vaak zeer krachtige aanwijzing inzake de doelstellingen en uitgangspunten van een concurrent met betrekking tot een bepaalde bedrijfstak is zijn verleden in die bedrijfstak. Onderzoek hiernaar kan aan de hand
van de volgende vragen verricht worden:
1. Hoe staat het met de huidige financiële situatie en het marktaandeel
van het bedrijf *in vergelijking* met het vrij recente verleden? Dit kan een
goede eerste indicatie zijn voor de toekomstige doelstellingen, zeker als de
resultaten uit het recente verleden beter waren en een tastbare en hinderlijk
duidelijke indicatie zijn van de mogelijkheden van de concurrent. Hij zal
namelijk bijna altijd ernaar streven om weer op het oude niveau terug te
komen.
2. Hoe ziet door de tijden heen *de marktgeschiedenis* van de concurrent
eruit? Op welk gebied is het slecht gegaan of is hij verslagen en zal hij dus
niet gauw weer een poging wagen? De herinnering aan mislukkingen in het
verleden en het daaruit voortvloeiend gebrek aan enthousiasme voor verdere stappen op die gebieden kunnen van langdurige aard zijn en onredelijk
zwaar wegen. Dit geldt vooral voor organisaties die verder in het algemeen
wel succesvol zijn. Men beweert bijvoorbeeld dat door een vroegere mis-

---

[7] Voor een kort verslag hierover, zie *Business Week*, 8 november 1976.
[8] Voor een korte beschrijving hiervan, zie *Business Week*, 27 november 1978.

lukking met discountwinkels de hernieuwde toetreding tot deze sector door Federated Department Stores zeven jaar is uitgesteld.

3. Op welke terreinen heeft het bedrijf van de concurrent *uitgeblonken of succes gehad*? In de introductie van nieuwe produkten? Met geavanceerde marketingtechnieken? Andere zaken? Op deze terreinen zal de concurrent voldoende vertrouwen hebben om een nieuwe actie te ondernemen of de strijd met concurrenten aan te gaan.

4. Hoe heeft de concurrent in het verleden *gereageerd* op bepaalde strategische manoeuvres of ontwikkelingen in de bedrijfstak? Rationeel? Emotioneel? Snel? Langzaam? Wat was toen zijn benadering? Op welke soort ontwikkelingen reageerde de concurrent slap, en waarom?

ACHTERGRONDEN VAN DE LEIDING EN DE ROL VAN ADVISEURS

Een andere basisaanwijzing voor de doelstellingen, uitgangspunten en vermoedelijke toekomstige manoeuvres van de concurrent is welke achtergrond de leiding heeft en hoe de staat van dienst van de managers is.

1. De *functionele achtergrond* van het topmanagement is een belangrijke maatstaf voor de oriëntatie van en de opvattingen over het bedrijf en de keuze van de doelstellingen.leiders met een financiële achtergrond zijn, op basis van die achtergrond, geneigd de nadruk te leggen op andere strategische richtingen dan leiders met een achtergrond op het gebied van marketing of produktie. Als voorbeelden hiervan zou men kunnen noemen Edwin Lands voorkeur voor radicale innovatie als oplossing voor de strategische problemen bij Polaroid en McGee's bezuinigingsstrategie voor energiegebonden activiteiten bij Gulf Oil.

2. Een andere aanwijzing voor de veronderstellingen, doelen en mogelijke manoeuvres van topmanagers is *het soort strategieën*, waarmee zij in het verleden al dan niet succes hebben gehad. Als bijvoorbeeld bezuiniging op de kosten een succesvolle strategie was voor een probleem van de PD in het verleden, dan is het mogelijk dat het ook bij een tweede gelegenheid zal worden toegepast.

3. Een ander aspect van de achtergrond van de leiding dat belangrijk kan zijn, zijn de *andere bedrijfstakken* waarin ze actief zijn geweest en de spelregels en strategische benaderingen die daar gebruikelijk waren. Toen bijvoorbeeld Marc Roijtman in het midden van de jaren zestig presidentdirecteur werd van J.I. Case, paste hij in de sector van landbouwwerktuigen een verkoopstrategie toe, die hij met succes gebruikt had in de sector van industriewerktuigen. Bij R.J. Reynolds zijn onlangs nieuwe mensen deel uit gaan maken van de leiding. Zij waren afkomstig uit de sectoren van voorverpakte levensmiddelen en toiletartikelen. Hierdoor zijn veel methoden van produktmanagement en andere voor die bedrijfstakken kenmerkende praktijken in deze sector geïntroduceerd. Het eind jaren '70 uitgetre-

den management van Household Finance Corporation (HFC) kwam uit de detailhandel. In plaats van HFC's sterke positie in consumentenkredieten te schragen en de hausse daarin te kapitaliseren, gebruikte de maatschappij haar bedrijfsmiddelen om in de detailhandel te diversifiëren. Een nieuwe PD, naar voren geschoven door de afdeling consumentenfinanciering, heeft deze richting omgedraaid. Deze neiging om concepten die in het verleden bleken te werken, opnieuw te gebruiken, is vooral waar te nemen bij kaderleden, afkomstig uit advocatenkantoren, adviesbureaus en andere bedrijven in de bedrijfstak. Allemaal kunnen ze de concurrent een invalshoek bieden en een reeks werkmethoden die in zekere mate hun verleden weerspiegelen.

4. Topmanagers kunnen in hoge mate beïnvloed zijn door *belangrijke gebeurtenissen* die ze hebben meegemaakt, zoals een ernstige recessie, energiecrisis, zware verliezen als gevolg van schommelingen in de valuta, enzovoort. Zulke gebeurtenissen kunnen soms een grote invloed hebben op het gezichtspunt, vanwaaruit een manager allerlei terreinen benadert, en dientengevolge op de keuze van de strategie.

5. Aanwijzingen voor het perspectief van managers kunnen ook worden verkregen uit hun *geschreven of gesproken uitlatingen*, hun *technische achtergrond* of eventueel patentverleden, *andere bedrijven* met wie ze regelmatig in contact staan (zoals in raden van commissarissen en bestuursraden), hun activiteiten buiten hun beroep om en een heleboel andere nevenfactoren.

6. Management adviesbureaus, reclamebureaus, investeringsbanken en andere *adviseurs*, die door de concurrent in de arm worden genomen, kunnen belangrijke aanwijzingen bevatten. Welke andere bedrijven maken van hun diensten gebruik en wat hebben die gedaan? Om welke conceptuele benaderingen en technieken staan deze adviseurs bekend? De identiteit van de adviseurs van een concurrent en een grondig inzicht in hun bezigheden kunnen een aanwijzing opleveren voor op handen zijnde strategische veranderingen.

HUIDIGE STRATEGIE

De derde component van concurrentie-analyse is de omschrijving van de kenmerken van de huidige strategie van elke concurrent afzonderlijk. Men beschouwt de strategie van een concurrent meestal als de belangrijkste operationele richtlijnen voor alle functionele gebieden en de manier waarop geprobeerd wordt om die gebieden met elkaar in verband te brengen. De strategie kan expliciet of impliciet zijn - het is altijd één van beide. De principes van strategieherkenning zijn in de Inleiding besproken.

CAPACITEITEN

Een realistische beoordeling van de capaciteiten van elke concurrent afzonderlijk is de laatste diagnostische stap in de concurrentie-analyse. *Waarschijnlijkheid, tijdstip, aard en intensiteit* van de reactie van de concurrent worden bepaald door zijn doelstellingen, uitgangspunten en huidige strategie. De sterke en zwakke punten zullen bepalend zijn voor het *vermogen* om strategische acties te beginnen of erop te reageren en om het hoofd te bieden aan mogelijke gebeurtenissen in de omgeving of de bedrijfstak.

Aangezien het begrip 'sterke en zwakke punten van de concurrent' vrij duidelijk is, zal ik er hier niet al te diep op ingaan. Kort gezegd: men kan de sterke en zwakke punten vaststellen door de positie van de concurrent ten opzichte van de vijf concurrentiekrachten, besproken in hoofdstuk 1, te onderzoeken. In hoofdstuk 7 zal deze analyse verder worden uitgebouwd. Vanuit een enger standpunt gezien geeft figuur 3-2 een overzichtsschema voor het beoordelen van de sterke en zwakke punten van een concurrent in elk gebied van de bedrijfstak.[9] Een dergelijke lijst kan zinvoller gemaakt worden door er enkele samenvattende vragen aan toe te voegen.

FIGUUR 3-2   **Sterke en zwakke punten van de concurrent**

Produkten
> Reputatie van de produkten, gezien vanuit het oogpunt van de gebruiker, in elk segment van de markt
> Breedte en diepte van de produktlijn

Dealer/distributie
> Bereik en kwaliteit van de kanalen
> Kracht van de relatie met de kanalen
> Servicemogelijkheden binnen de kanalen

Marketing en verkoop
> Vaardigheden in de diverse aspecten van de marketing mix
> Vaardigheden in marktonderzoek en ontwikkeling van nieuwe produkten
> Training en vaardigheden van de verkoopafdeling

Produktie
> Produktiekosten - schaalvoordelen, ervaringscurve, ouderdom van apparatuur, enz.
> Technologische verfijning van faciliteiten en apparatuur
> Flexibiliteit van faciliteiten en apparatuur
> Kennis in eigendom en unieke patent- of kostenvoordelen
> Vaardigheden in capaciteitstoevoeging, kwaliteitscontrole, gereedschap, enz.

[9] Voor andere nuttige bronnen bij de beoordeling van capaciteiten, zie Robert Buchele, 'How to Evaluate a Firm', *California Management Review*, Fall 1962, blz. 5-16; 'Checklist for Competitive and Competence Profiles', in H.I. Ansoff, *Corporate Strategy* (New York: McGraw-Hill, 1965), blz. 98-99; hoofdstuk 2 van W.H. Newman en J.P. Logan, *Strategy, Policy and Central Management*, zesde ed. (Cincinnati: South-Western Publishing, 1971); hoofdstuk 5 in W.E. Rothschild, *Putting It All Together* (New York: AMACOM, 1979).

FIGUUR 3-2   Vervolg

Locatie, waaronder arbeids- en transportkosten
Arbeidsklimaat; vakbondssituatie
Toegang tot en kosten van grondstoffen
Mate van verticale integratie

Onderzoek en techniek
Patenten en copyrights
Bedrijfseigen mogelijkheden voor onderzoek en ontwikkelingsprocessen (produktonderzoek, procesonderzoek, basisonderzoek, ontwikkeling, imitatie, enz.)
Vaardigheden van de O&O-staf in termen van creativiteit, eenvoud, kwaliteit, betrouwbaarheid, enz.
Beschikking over faciliteiten voor onderzoek en techniek buiten het bedrijf (bijv. leveranciers, klanten, aannemers)

Totale kosten
Totale relatieve kosten
Kosten of activiteiten die gedeeld worden met andere bedrijfseenheden/dochterondernemingen
Waar haalt de concurrent zijn schaalvoordelen of andere factoren die van belang zijn voor zijn kostenpositie, vandaan

Financiële positie
Cash flow
Mogelijkheid tot kort- en langlopende leningen (relatieve ratio van schuld en actief vermogen)
Uitzicht op nieuw actief vermogen in de naaste toekomst
Kwaliteiten van het financieel management, waaronder onderhandelingen, het aantrekken van kapitaal, kredieten, voorraden en uitstaande rekeningen

Organisatie
Overeenkomst tussen normen en duidelijkheid in de doelstellingen van de organisatie
Vermoeidheid binnen de organisatie vanwege onlangs uitgevoerde zware taken
De consisitentie van organisatorische maatregelen met de strategie

Kwaliteiten van het algemeen management
Leiderskwaliteiten van PD; vermogen van PD om te motiveren
Vermogen om bepaalde functies of functiegroepen te coördineren (bijv. coördinatie van produktie met onderzoek)
Leeftijd, training en beleidsoriëntatie van het management
Vooruitziende blik van het management
Flexibiliteit en aanpassingsvermogen van het management

Portefeuille van het overkoepelend concern
Vermogen van het concern om geplande veranderingen in alle dochterondernemingen/bedrijfseenheden te steunen met financiële of andere bedrijfsmiddelen
Vermogen van het concern om de positie van dochterondernemingen/bedrijfseenheden uit te breiden of te versterken

FIGUUR 3-2   Vervolg

Overige
  Speciale behandeling door of toegang tot overheidsorganen
  Personeelsverloop

Voornaamste capaciteiten

- Op welke beleidsterreinen liggen de capaciteiten van de concurrent?
  Waarin is hij het best? Waarin het slechtst?
- Hoe komt de concurrent tevoorschijn uit de consistentietest van zijn
  strategie (uiteengezet in de inleiding)?
- Is het mogelijk dat deze capaciteiten veranderen naarmate de concur-
  rent volwassener wordt? Zullen ze met de tijd toenemen of afnemen?

Groeimogelijkheden

- Zullen de capaciteiten van de concurrent toenemen of afnemen als hij
  groeit? Op welke gebieden?
- Wat zijn de groeimogelijkheden van de concurrent in termen van personeel, vaardigheden en bedrijfscapaciteit?
- Wat is de *vol te houden groei* van de concurrent in financieel opzicht?
  Als een 'Du Pont'analyse wordt toegepast, kan hij dan met de bedrijfstak mee groeien?[10] Kan hij zijn marktaandeel vergroten? Hoe belangrijk is het aantrekken van kapitaal van buitenaf voor duurzame groei?
  En voor het behalen van goede financiële resultaten op korte termijn?

Vermogen om snel te reageren

- Is de concurrent in staat om snel te reageren op manoeuvres van anderen, of om snel offensief te reageren? Dit wordt bepaald door factoren
  als:
  - onaangesproken cashreserves
  - onaangesproken leenmogelijkheden
  - overcapaciteit binnen het bedrijf
  - nog niet geïntroduceerde, maar wel reeds voltooide nieuwe produk-
    ten

Aanpassingsvermogen

- Wat is bij de concurrent de verhouding tussen vaste en variabele lasten?
  Wat zijn de kosten van ongebruikte capaciteit? Deze zullen de waarschijnlijke reacties op veranderingen beïnvloeden.

[10] Groei die men in stand moet houden $= \left(\dfrac{\text{omzetsnelheid}}{\text{van de activa}}\right) \times \left(\dfrac{\text{inkomsten uit verkoop na aftrek van belastingen}}{}\right) \times \left(\dfrac{\text{activa}}{\text{schulden}}\right) \times \left(\dfrac{\text{schulden}}{\text{eigen vermogen}}\right) \times \left(\dfrac{\text{gedeelte van de ingehouden winsten}}{}\right)$

- Welke mogelijkheden heeft de concurrent om zich aan te passen aan en te reageren op veranderde omstandigheden in elk afzonderlijk functiegebied? Kan de concurrent zich bijvoorbeeld aanpassen aan
  - concurrentie in kosten?
  - het leiden van meer complexe produktlijnen?
  - de toevoeging van nieuwe produkten?
  - concurrentie in service?
  - escalatie van marketingactiviteiten?
- Kan de concurrent reageren op eventuele exogene gebeurtenissen als
  - een voortdurend hoge inflatie?
  - technologische omwentelingen waardoor bestaande fabrieken verouderd zijn?
  - recessie?
  - loonsverhogingen?
  - diverse vormen van regelgeving door de overheid, die invloed zullen hebben op deze onderneming?
- Heeft de concurrent te maken met *uittredingsbarrières*, waardoor hij zijn activiteiten in de bedrijfstak niet snel kleinschaliger zal maken of zal desinvesteren?
- Maakt de concurrent gedeeld gebruik van produktiefaciliteiten, een verkoopafdeling of andere faciliteiten, samen met andere eenheden van de moedermaatschappij? Deze kunnen een beperking van de aanpassingsmogelijkheden vormen en/of kostenbeheersing bemoeilijken.

Uithoudingsvermogen

- In hoeverre is de concurrent in staat om een langdurige strijd te voeren, waarbij winst en cash flow onder druk komen te staan? Indicaties hiervoor zijn:
  - kasreserves
  - eenstemmigheid onder de managers
  - lange termijn planning in financieel opzicht
  - geen druk op de aandelenmarkt

Samenvoeging van de vier componenten - reactiepatroon van de concurrent

Nu we een analyse hebben van de doelstellingen, uitgangspunten, huidige strategie en de capaciteiten van de concurrent, kunnen we beginnen met het stellen van de kritische vragen, die tot een schets zullen leiden van hoe de concurrent waarschijnlijk zal reageren.

OFFENSIEVE ACTIES

De eerste stap bestaat uit het voorspellen van de strategische veranderingen, waartoe de concurrent het initiatief zou kunnen nemen.

1. *Tevredenheid met de huidige positie.* Als men de doelstellingen van de concurrent (en die van de moederfirma) vergelijkt met de huidige positie, is het dan waarschijnlijk dat hij een strategische verandering zal proberen door te voeren?

2. *Vermoedelijke manoeuvres.* Als men kijkt naar de doelstellingen, uitgangspunten en mogelijkheden tegen de achtergrond van de bestaande situatie, wat zijn dan de meest waarschijnlijke strategische veranderingen die de concurrent zal willen doorvoeren? Deze zullen samenhangen met de kijk van de concurrent op de toekomst, de opvattingen over wat zijn eigen sterke punten zijn, van welke concurrenten hij denkt dat ze kwetsbaar zijn, hoe hij het liefst concurreert, de vooroordelen van het topmanagement met betrekking tot de bedrijfstak en andere overwegingen van deze aard.

3. *Kracht en betekenis van manoeuvres.* Analyse van de doelstellingen en capaciteiten van een concurrent kan gebruikt worden om de verwachte uitwerking van deze vermoedelijke manoeuvres in te schatten. Het is eveneens belangrijk om te weten wat de concurrent hoopt te *winnen* bij een bepaalde manoeuvre. Bijvoorbeeld een actie, waardoor de concurrent kosten kan delen met een andere divisie en zo zijn kostenpositie belangrijk kan wijzigen, kan veel belangrijker zijn dan een maatregel die leidt tot een doeltreffender marketingbeleid. Analyse van het beoogde voordeel voor de concurrent, gekoppeld aan kennis van de doelstellingen van de concurrent, levert een aanwijzing op voor de hardnekkigheid, waarmee de concurrent die manoeuvre zal proberen door te voeren, ook als daartegen verzet zal ontstaan.

DEFENSIEF VERMOGEN

De volgende stap bij het opbouwen van een reactiepatroon is het aanleggen van een lijst van de mogelijke strategische maatregelen die een bedrijf in een bedrijfstak zou kunnen nemen, en een lijst van mogelijke veranderingen die in de bedrijfstak en de omgeving zouden kunnen optreden. Deze kunnen beoordeeld worden tegen de achtergrond van de volgende criteria voor het bepalen van het defensieve vermogen van de concurrent, waarbij de input komt van de analyse in vorige secties.

1. *Kwetsbaarheid.* Voor welke strategische maatregelen en overheids-, macro-economische of bedrijfstakfactoren is de concurrent het meest kwetsbaar? Welke ontwikkelingen hebben asymmetrische winstconsequenties, dat wil zeggen beïnvloeden de winst van de concurrent in mindere of meerdere mate dan die van de bedrijven die daartoe het initiatief nemen?

FIGUUR 3-3 Schema voor het vaststellen van het defensieve vermogen van de concurrent

Gebeurtenissen	Kwetsbaarheid van de concurrent m.b.t. de gebeurtenissen	Mate waarin de gebeurtenis tegenmaatregelen van de concurrent zal uitlokken	Doeltreffendheid van de tegenmaatregelen van de concurrent m.b.t. de gebeurtenissen
Geschikte strategische manoeuvres door ons bedrijf			
Alle alternatieven op een rij zetten, zoals:			
Opvullen van de produktielijn			
Verbeteren van kwaliteit van produkt en service			
Prijsverlaging en concurrentie in de kosten			
Mogelijke veranderingen in de omgeving			
Veranderingen op een rij zetten, zoals:			
Belangrijke kostenverhoging van grondstoffen			
Daling van omzet			
Verhoogde prijsgevoeligheid van de kopers			

Welke acties zouden dermate veel geld kosten om ertegen in te gaan of ze te volgen, dat de concurrent die niet kan riskeren?

2. *Uitlokking*. Welke manoeuvres of gebeurtenissen zijn van dien aard dat ze tegenmaatregelen van de concurrentie zullen uitlokken, ook al zijn die kostbaar en zullen ze leiden tot marginale financiële resultaten? Met andere woorden, welke acties vormen zo'n bedreiging voor de doelstellingen of de positie van de concurrent, dat die wel gedwongen wordt om zich ertegen te verzetten? De meeste concurrenten zullen *extreem gevoelig* zijn op bepaalde terreinen binnen de bedrijfstak en een dreiging zal daar dan ook leiden tot een onevenredig felle reactie. Meestal hebben deze gevoelige terreinen te maken met hoge prioriteiten, emotionele betrokkenheid en dergelijke. Waar mogelijk moeten ze ontweken worden.

3. *Doeltreffendheid van tegenmaatregelen*. Op welke manoeuvres of ontwikkelingen is het voor de concurrent moeilijk om snel en/of doeltreffend te reageren, gezien de doelstellingen, strategie, bestaande capaciteiten en veronderstellingen? Wat voor soort acties kunnen ondernomen worden, waarbij de concurrent zich niet doeltreffend op kan stellen, als hij ze wil navolgen of tracht te evenaren?

Figuur 3-3 is een eenvoudig schematisch diagram voor de analyse van het defensieve vermogen van de concurrent. De linker kolom laat een opsomming zien van de voor een bepaald bedrijf in aanmerking komende strategische maatregelen en de mogelijke veranderingen in de omgeving en de bedrijfstak (waaronder vermoedelijke acties van concurrenten). Deze gebeurtenissen kunnen dan afgezet worden tegen de vragen, die in de bovenste kolom van het diagram staan weergegeven. De matrix die hieruit resulteert, is nuttig voor het bepalen van de meest doeltreffende strategie, ervan uitgaande dat de concurrenten zullen reageren, en zal een snelle reactie mogelijk maken op gebeurtenissen in de bedrijfstak en de omgeving, die de kwetsbare punten van de concurrent aan het licht zullen brengen. (Concepten voor het uitvoeren van concurrerende maatregelen zullen in hoofdstuk 5 uitvoerig aan de orde komen.)

DE KEUZE VAN HET STRIJDTONEEL

Aangenomen dat concurrenten zullen reageren op maatregelen die door een bepaald bedrijf worden genomen, is het van strategisch belang om het *meest geschikte strijdtoneel* uit te kiezen, waarop het met de concurrenten kan worden uitgevochten. Dit strijdtoneel wordt gevormd door het marktsegment of de aspecten van strategie, waar de concurrenten slecht op zijn voorbereid, weinig enthousiast voor zijn of liever niet concurreren. Het gunstigste strijdtoneel kan concurrentie op basis van kosten, produktaanbod of andere gebieden zijn.

Het meest ideale geval doet zich voor, als een strategie gevonden wordt waarop door de concurrentie, gezien de omstandigheden waarin die verkeert, niet kan worden gereageerd. De erfenis van het verleden of de huidige strategie kan het voor sommige concurrenten tot een zeer kostbare aangelegenheid maken om in bepaalde acties mee te gaan, terwijl deze de initiatief nemende firma veel minder problemen geven. Toen Folger's Coffee bijvoorbeeld het domein van Maxwell House in het oosten aanviel met prijsverlagingen, waren Maxwells kosten om deze actie te volgen enorm vanwege het grote marktaandeel.

Een ander strategisch basisconcept, dat uit concurrentie-analyse gehaald kan worden, is het creëren van een situatie van *gemengde motieven* of conflicterende doelstellingen voor de concurrenten. Deze strategie houdt in het vinden van manoeuvres, waartegen maatregelen wel doeltreffend zouden kunnen zijn, maar de ruimere positionering van de concurrent zouden kunnen schaden. Als IBM bijvoorbeeld zou reageren op de bedreiging van minicomputers door middel van een eigen minicomputer, zou het de daling van de verkoopcijfers van zijn grote computers versnellen en de overstap op minicomputers bespoedigen. Het plaatsen van concurrenten in een situatie van conflicterende doelstellingen kan een zeer doeltreffende strategische benadering zijn voor het aanvallen van gevestigde bedrijven die in hun markt succes hebben. Kleine bedrijven en nieuwkomers, die nog geen erfenis hebben overgehouden van bestaande strategieën, kunnen soms veel profijt trekken uit strategieën, die gebruik maken van de investeringen die concurrenten in deze bestaande strategieën hebben gedaan.

In werkelijkheid zullen concurrenten er door gemengde motieven maar zelden van worden weerhouden om te reageren. In dat geval zullen de hierboven genoemde vragen helpen bij het bepalen van die strategische acties, die de initiatiefnemer in de beste positie zullen brengen om een eventuele concurrentiestrijd aan te gaan. Dit betekent voordeel trekken uit het inzicht in de doelstellingen en uitgangspunten van de concurrent om, waar mogelijk, effectieve tegenmaatregelen te vermijden en een strijdtoneel te kiezen waar de specifieke mogelijkheden van het bedrijf het best tot hun recht komen.

Concurrentie-analyse en prognoses omtrent de bedrijfstak

Afzonderlijke analyses van elke belangrijke bestaande en potentiële concurrent vormen een belangrijke bron van gegevens voor een prognose over de toekomstige ontwikkelingen in de bedrijfstak. De kennis van alle mogelijke manoeuvres van de concurrenten en hun vermogen om op veranderingen in te spelen kunnen worden samengevat en de concurrentie kan beschouwd worden als onderlinge interactie volgens een bepaald model om vragen te beantwoorden, zoals:

- Wat zijn de implicaties van de interactie tussen de vermoedelijke maatregelen van de concurrenten?

- Convergeren de strategieën van de diverse bedrijven en is het waarschijnlijk dat ze botsen?
- Zijn de groeipercentages, die de bedrijven duurzaam kunnen volhouden, voldoende om gelijke tred te kunnen houden met de voorspelde groei van de bedrijfstak of ontstaat er een gat dat uitnodigt tot toetreding?
- Zal een combinatie van vermoedelijke maatregelen gevolgen hebben voor de structuur van de bedrijfstak?

De noodzaak van een informatiesysteem voor concurrentiebeoordeling

Voor de beantwoording van deze vragen over concurrenten is een enorme reeks gegevens nodig. Gegevens over concurrenten kunnen diverse bronnen hebben: openbare rapporten, toespraken van managers van de concurrent voor beursdeskundigen, de pers, de verkoopafdeling, de vaste klanten van of leveranciers aan de concurrent, inspectie van de produkten van een concurrent, beoordeling door het eigen technisch personeel, kennis die verkregen is van managers of ander personeel dat de concurrent verlaten heeft, enzovoort. In appendix B worden de bronnen voor dit soort gegevens uitvoeriger besproken. Het is niet waarschijnlijk dat al deze gegevens met één enorme krachtsinspanning vergaard kunnen worden. De gegevens die voor een subtiele beoordeling van al deze vragen nodig zijn, komen meestal druppelsgewijs binnen en niet in stromen tegelijk. Ze moeten over een lange periode bijgehouden worden om een betrouwbaar beeld te krijgen van de situatie, waarin een concurrent verkeert.

Voor het verzamelen van gegevens voor een grondige concurrentie-analyse is meer nodig dan alleen hard werken. Wil dit doeltreffend gebeuren, dan is er een georganiseerde werkwijze nodig - een soort *systeem* van inlichtingen over de concurrent. De elementen van zo'n systeem hangen af van de specifieke behoeften van een bedrijf, die gebaseerd kunnen zijn op de bedrijfstak, de kwaliteiten van het kader en de interesses en talenten van het management. In figuur 3-4 staan de functies weergegeven, die vervuld moeten worden voor het verkrijgen van voldoende gegevens voor een grondige concurrentie-analyse, en tevens geeft het enkele mogelijkheden aan voor hoe die functies vervuld zouden kunnen worden. In sommige bedrijven zal al dit werk zeer efficiënt door één persoon gedaan kunnen worden, maar vaak is dit niet het geval. Er zijn talrijke bronnen voor veldgegevens en gepubliceerde gegevens en daaraan kunnen in een bedrijf meestal meerdere personen een bijdrage leveren. Bovendien gaan het verzamelen, het catalogiseren, het verwerken en het overbrengen van al deze gegevens de krachten van een enkele persoon vaak te boven.

FIGUUR 3-4 Functies van een informatiesysteem voor concurrentie-beoordeling

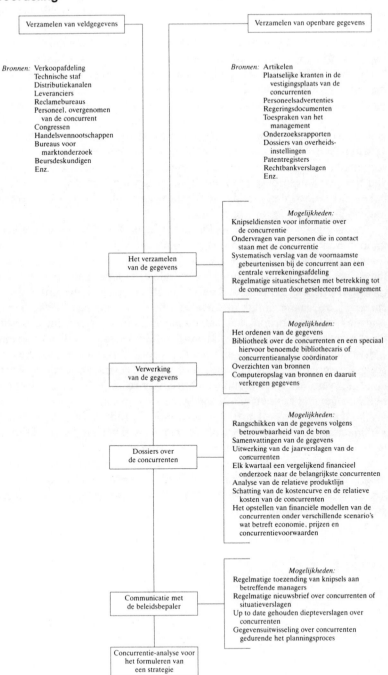

In de praktijk worden deze functies op uiteenlopende manieren vervuld. Ze variëren van een groep voor concurrentie-analyse die deel uitmaakt van de afdeling planning en alle functies vervult (waarbij misschien gesteund wordt op anderen bij de verzameling van veldgegevens), tot een coördinator van concurrentie-inlichtingen die het verzamelen, catalogiseren en overbrengen voor zijn rekening neemt, of tot een systeem waarbij de beleidsbepaler dit allemaal op informele wijze doet. Te vaak echter wordt niemand verantwoordelijk gesteld voor de concurrentie-analyse. Er lijkt niet één enkele juiste methode te bestaan voor het verzamelen van gegevens over de concurrent, maar het is duidelijk dat men hier wel degelijk belangstelling voor dient te hebben, omdat anders veel nuttige informatie verloren gaat. Het topmanagement kan veel doen om deze inspanningen te stimuleren door een zeer volledig profiel van de concurrent als onderdeel van het planningsproces te eisen. In ieder geval zal er toch een manager belast moeten worden met de eindverantwoordelijkheid voor het verzamelen van gegevens over de concurrent.

Zoals figuur 3-4 laat zien, kan elk van de functies op verschillende manieren uitgevoerd worden. De getoonde mogelijkheden variëren in verfijning en volledigheid. Het is mogelijk dat een klein bedrijf niet de middelen of het personeel heeft om de verfijndere benaderingen toe te passen, terwijl een bedrijf dat zeer veel belang heeft bij een goed inzicht in de concurrentie, ze waarschijnlijk allemaal zal moeten toepassen. Welke benadering ook wordt gebruikt, het belang van de functie van informatie-overdracht kan niet genoeg benadrukt worden. Het verzamelen van gegevens is tijdverspilling, tenzij ze gebruikt worden voor het formuleren van een strategie. Er moet dan ook een creatieve manier gevonden worden, waarop deze gegevens in overzichtelijke en bruikbare vorm onder de aandacht van het management kunnen worden gebracht.

Welke werkwijze of methode men ook gebruikt voor het verzamelen van inlichtingen over de concurrentie, het is altijd verstandig om dit op een systematische wijze te doen en gebruik te maken van documentatietechnieken. Kleine brokjes informatie raken maar al te gauw zoek en de voordelen die uit de combinatie daarvan te halen zijn, zouden daarmee tevens verloren gaan. Een onderzoek naar de concurrentie is te belangrijk om op goed geluk te verrichten.

4
Marktsignalen

Marktsignalen zijn al die acties van concurrenten, die directe of indirecte aanwijzingen vormen voor hun plannen, motieven, doelstellingen of interne situatie. Het gedrag van concurrenten is een onuitputtelijke bron van signalen. Sommige signalen zijn bedoeld als intimidatie, andere zijn waarschuwingen en weer andere zijn stappen die deel uitmaken van een serieuze actie.[1] Marktsignalen zijn de indirecte communicatiemiddelen op de markt en de meeste aspecten, zo niet alle, van het gedrag van de concurrent kunnen informatie bevatten die nuttig is voor concurrentie-analyse en strategieformulering.

Het herkennen en juist uitleggen van marktsignalen is derhalve van groot belang voor het ontwikkelen van een concurrentiestrategie en het aflezen van signalen uit gedrag is een essentiële aanvulling op concurrentie-analyse (hoofdstuk 3). Ook voor het doeltreffend uitvoeren van concurrerende maatregelen (hoofdstuk 5) is kennis van marktsignalen van belang. Een eerste vereiste voor juiste interpretatie is de ontwikkeling van een basis concurrentie-analyse: inzicht in de doelstellingen van de concurrent, veronderstellingen over de markt en hun eigen bedrijf, huidige strategieën en capaciteiten. Het duiden van marktsignalen, een secundaire vorm van con-

---

[1] Zowel in de experimentele literatuur over oligopolies als in vluchtige bestudering van concurrentiegedrag zijn duidelijke aanwijzingen te vinden voor marktsignalen. Voor een interessante experimentele studie over het belang van marktsignalering, zie Fouraker en Siegel (1960).

currentie-analyse, is een kwestie van genuanceerde beoordeling van de concurrenten, gebaseerd op een vergelijking tussen de bekende aspecten van hun situaties en hun gedrag. Zoals we zullen zien, maken de vele nuances bij de interpretatie van signalen een voortdurende vergelijking tussen gedrag en het soort concurrentie-analyse, zoals beschreven in hoofdstuk 3, noodzakelijk.

Verschillende soorten marktsignalen

Marktsignalen kunnen twee fundamenteel verschillende functies hebben: het kunnen betrouwbare aanwijzingen zijn voor de motieven, bedoelingen of doelstellingen van de concurrent, of het kan intimidatie zijn. Onder intimidatie vallen die signalen, die uitgezonden worden om andere bedrijven om de tuin te leiden, zodat ze reageren of niet reageren in het voordeel van de zender. Voor het onderscheiden van intimiderende en werkelijke signalen is vaak een fijne neus nodig.

Marktsignalen kunnen verschillende vormen aannemen, afhankelijk van het specifieke gedrag van de concurrent en het gebruikte medium. Bij de bespreking van de verschillende vormen van signalen zal het belangrijk zijn om aan te geven hoe ze als intimidatie gebruikt kunnen worden en hoe intimiderende en werkelijke signalen onderscheiden kunnen worden.

De belangrijkste vormen van marktsignalen zijn de volgende:

AANKONDIGING VAN ACTIES

De vorm, aard en timing van aankondigingen kunnen krachtige signalen zijn. Onder een aankondiging wordt de formele mededeling van een concurrent verstaan, waarin hij vermeldt dat hij al dan niet een bepaalde actie zal ondernemen, zoals het bouwen van een fabriek, het veranderen van prijzen, enzovoort. Aankondiging van een actie wil niet zeggen dat deze ook daadwerkelijk wordt uitgevoerd; het kan zijn dat er gewoon niets wordt gedaan of dat een latere aankondiging de actie zinloos maakt. Deze eigenschap van een aankondiging maakt deel uit van de signaalwaarde. We zullen hier later op in gaan.

In het algemeen kunnen aankondigingen gebruikt worden voor een aantal signaalfuncties die elkaar niet uitsluiten. Allereerst kan het een poging zijn om de intentie aan te geven tot het ondernemen van een actie, die tot doel heeft de concurrentie de wind uit de zeilen te nemen. Als een concurrent bijvoorbeeld een grote capaciteitsuitbreiding aankondigt die voldoende is om de verwachte groei in de bedrijfstak op te vangen, kan dat een poging zijn om andere bedrijven ervan te weerhouden hun capaciteit uit te breiden, omdat dit tot overcapaciteit in de bedrijfstak zou leiden. Een andere, veel door IBM toegepaste methode is de aankondiging van een nieuw produkt, ruim voordat het klaar voor de markt is, om op deze wijze kopers ertoe te verleiden op dat nieuwe produkt te wachten in plaats van in die tussentijd een produkt van de concurrent te kopen.[2] Bijvoorbeeld: Berkey heeft in zijn antitrustproces tegen Kodak de beschuldiging geuit dat Eastman Kodak nieuwe camera's aankondigde, die nog lang niet gereed waren voor produktie, om zo de aankoop van concurrerende produkten te ontmoedigen.

Ten tweede kunnen aankondigingen *dreigementen* inhouden van acties, die zullen volgen als een concurrent een bepaald plan doorzet. Als bedrijf *A* bijvoorbeeld hoort van het voornemen van concurrent *B* om de prijs van bepaalde artikelen uit de produktlijn te laten dalen (of als concurrent *B* dit voornemen aankondigt), dan kan bedrijf *A* aankondigen dat het zijn prijzen beduidend lager dan die van *B* zal stellen. Dit kan *B* ervan weerhouden om de prijsverlaging door te zetten, omdat *B* weet dat *A* weinig gelukkig is met de lagere prijs en bereid is tot een prijzenoorlog.

Een derde doel van een aankondiging kan het *testen van de gevoelens van de concurrentie zijn*, waarbij dus gebruik wordt gemaakt van het feit dat de aankondiging niet persé een vervolg hoeft te hebben. Bedrijf *A* kan bijvoorbeeld een nieuw garantieprogramma aankondigen om te kijken hoe daarop door anderen binnen de bedrijfstak wordt gereageerd. Als de concurrentie voorspelbaar reageert, dan zal het de geplande verandering doorvoeren. Als concurrenten echter signalen van ongenoegen uitzenden of garantieprogramma's aankondigen die afwijken van de door *A* voorgestelde, dan kan *A* kiezen tussen het niet uitvoeren van de geplande actie of een aangepast garantieprogramma aankondigen om zijn concurrenten hierin na te volgen.

Deze opeenvolging van acties veronderstelt een vierde functie van aankondigingen, die verband houdt met hun rol als dreigement. Aankondigingen kunnen middelen zijn om *tevredenheid of ongenoegen* over ontwikkelingen met betrekking tot de concurrentie in de bedrijfstak aan te geven.[3] Het aankondigen van een maatregel die harmonieert met die van een concurrent, kan op tevredenheid wijzen, terwijl het aankondigen van een strafmaatregel of een fundamenteel andere benadering van hetzelfde doel een aanwijzing kan zijn voor ongenoegen.

Een vijfde en veelgebruikte functie van aankondigingen is het maken van een verzoenend gebaar om *provocatie te minimaliseren*. Met zo'n aan-

---

[2] Zie Brock (1975).

[3] Concurrenten kunnen hun tevredenheid of ongenoegen ook *direct* uiten door middel van interviews, toespraken voor beursdeskundigen, enzovoort. De aankondiging echter, dat ze daadwerkelijk zullen reageren op een maatregel van een bepaald bedrijf, is in het algemeen een meer bindende verklaring over hun positie dan een zuivere mededeling van tevredenheid of ongenoegen. De reden hiervoor is dat het afzien van een aangekondigde actie of maatregel een groter verlies aan geloofwaardigheid inhoudt dan het ondernemen van een actie die in tegenspraak is met wat eerder in een interview of toespraak werd gezegd. Soms wordt het middel van een interview of toespraak gebruikt om ongenoegen aan te geven in de hoop dat een ander bedrijf van gedachten zal veranderen. Heeft dit geen succes, dan wordt aangekondigd dat het bedrijf in de actie mee zal gaan.

kondiging wordt gepoogd om onwelkome tegenmaatregelen tegen een strategische aanpassing te vermijden. Een voorbeeld: firma *A* vindt dat de prijzen in de bedrijfstak moeten worden verlaagd. Door deze prijsverlaging ruim van tevoren aan te kondigen en het te rechtvaardigen met het argument van specifieke kostenverlaging kan vermeden worden dat bedrijf *B* de prijsaanpassing ziet als een agressieve poging tot vergroting van het marktaandeel en krachtige tegenmaatregelen zal nemen. In deze functie wordt een aankondiging vooral gebruikt, als er sprake is van een noodzakelijke, niet agressief bedoelde strategische aanpassing. Een dergelijke aankondiging kan echter ook gebruikt worden om de concurrentie een veilig gevoel te geven als voorbereiding op het uitvoeren van een agressieve actie. Dit is één van de vele voorbeelden, waarin een signaal wordt gezien als een mes dat aan twee kanten snijdt.

Een zesde functie van aankondigingen is het *vermijden van kostbare gelijktijdige acties*, bijvoorbeeld op het gebied van capaciteitsuitbreidingen, waar een opeenstapeling van nieuwe vestigingen tot overcapaciteit zou leiden. Bedrijven kunnen uitbreiding ruim van te voren aankondigen om daarmee de concurrenten in staat te stellen hun uitbreidingsschema's aan te passen teneinde overcapaciteit te vermijden.[4]

De laatste functie van aankondigingen kan die van *communicatie met de financiële wereld* zijn, met het doel om de prijs van de aandelen te laten stijgen of de reputatie van het bedrijf te verbeteren. Deze gang van zaken houdt in dat bedrijven vaak een public relations motief hebben voor het zo gunstig mogelijk voorstellen van hun situatie. Aankondigingen van deze aard kunnen verwarring stichten, omdat er een misleidend signaal naar de concurrentie van uitgaat.

Aankondigingen kunnen soms ook bedoeld zijn om *interne steun* voor een bepaalde maatregel te verwerven. In het openbaar een verplichting op zich nemen kan voor een bedrijf een manier zijn om interne discussies over de wenselijkheid ervan af te kappen. Aankondigingen van financiële doelstellingen hebben niet zelden deze achtergrond.

Uit bovenstaande bespreking moet duidelijk zijn dat via aankondigingen een concurrentiestrijd geheel kan worden uitgevochten, nog voordat er een dollar is uitgegeven. De volgende opeenvolging van aankondigingen onder producenten van computergeheugens is hier een voorbeeld van. Texas Instruments kondigde een prijs aan voor RAM-geheugens, die over twee jaar op de markt zouden worden gebracht. Een week later kondigde Bowmar een lagere prijs aan. Drie weken later kondigde Motorola een nog lagere prijs aan. Tenslotte kondigde Texas Instruments twee weken hierna een prijs aan die 50% onder die van Motorola lag, waarop de andere bedrijven maar afzagen van produktie. Zo had Texas Instruments de strijd gewon-

---

[4] Dit gevaar is zeker niet denkbeeldig. Zie hoofdstuk 15, 'Capaciteitsuitbreiding'.

nen nog voor er werkelijk investeringen gedaan waren.[5] Op soortgelijke wijze kan door aankondigingen tussen bedrijven onderling de grootte van een prijswijziging bepaald worden of de vorm van een nieuw kortingsprogramma voor de dealers, zonder dat het nodig is de markt te ontwrichten en een strijd te riskeren door daadwerkelijk een schema te introduceren om het daarna weer te moeten aanpassen of terugtrekken.

Het is duidelijk dat het van groot belang is om in te zien of een aankondiging bedoeld is als een poging tot voorkoop (preëmptieve manoeuvre) of als een tegemoetkoming aan de concurrentie. Er kan met het maken van zo'n onderscheid begonnen worden door middel van een analyse van de duurzame voordelen die zouden toekomen aan de concurrent door een preëmptieve maatregel.[6] Als er inderdaad sprake is van duurzame voordelen, dan moet er terdege rekening worden gehouden met preëmptieve bedoelingen. Als er aan de andere kant sprake is van maar enkele voordelen vanwege een preëmptieve maatregel of als de concurrent, uitsluitend handelend vanuit eigenbelang, meer baat zou hebben gehad bij een verrassingsmanoeuvre, mag een tegemoetkomend gebaar niet worden uitgesloten. Aankondiging van een actie, die voor de anderen veel minder schadelijk uitvalt dan gezien de capaciteiten van de concurrent denkbaar zou zijn geweest, kan over het algemeen als een verzoenend gebaar worden beschouwd. Een andere aanwijzing voor de motieven is het tijdstip van de aankondiging van de actie in samenhang met de voorziene datum van de actie zelf. Aankondigingen die ruimschoots van tevoren worden gedaan, zijn in het algemeen, overige omstandigheden gelijk verondersteld, bedoeld als tegemoetkoming. Men kan hier echter niet al te zeer generaliseren.

Met nadruk zij nog eens vermeld dat een aankondiging kan berusten op intimidatie, aangezien hij niet altijd uitgevoerd hoeft te worden. Zoals reeds eerder gezegd, kan een bedrijf het middel van de aankondiging gebruiken om zijn voornemen te uiten tegenmaatregelen te treffen tegen een concurrent teneinde deze over te halen een bepaalde actie af te zwakken of aan te passen, of er niet eens mee te beginnen. Een firma kan bijvoorbeeld een bedrijfsuitbreiding aankondigen om het marktaandeel te behouden, wanneer ze geconfronteerd wordt met andere aankondigingen van capaciteitsuitbreiding, in de hoop dat de concurrenten daarvan afzien omdat er een aanzienlijke overcapaciteit in de bedrijfstak zou ontstaan. Als een dergelijke intimiderende aankondiging geen effect sorteert, dan heeft de concurrent, die deze aankondiging heeft gedaan, er wellicht geen belang bij om zijn dreigement ook daadwerkelijk uit te voeren. Het al dan niet uitvoeren of nakomen van een dreigement of toezegging heeft echter belang-

---

[5] Om dit te bereiken moet uit andere acties van Texas Instruments overtuigend gebleken zijn dat het serieus van plan was om de computergeheugens tegen de lage prijzen te verkopen. Was dit niet het geval, dan zouden de concurrenten er niet van hebben afgezien om in deze bedrijfstak te gaan opereren (zie hoofdstuk 5).

[6] Hoofdstuk 15 bespreekt de voorwaarden voor ondersteuning van een anticiperende strategie.

rijke consequenties voor de geloofwaardigheid van aankondigingen en toezeggingen in de toekomst. In het uiterste geval kan een aankondiging een intimiderende maatregel zijn om de concurrenten ertoe te verleiden bedrijfsmiddelen aan te wenden voor het opbouwen van een verdediging tegen een dreiging die niet bestaat.

Aankondigingen, die door concurrenten van tevoren gedaan worden, kunnen in verschillende media aangetroffen worden: officiële persberichten, toespraken van het management voor beursdeskundigen, interviews met de pers en via andere kanalen.het medium dat voor de aankondiging gekozen wordt, is een aanwijzing voor de onderliggende motieven. Hoe formeler de aankondiging, des te meer zekerheid wil het bedrijf hebben dat het bericht overkomt en des te breder is het publiek dat het wil bereiken. Het medium voor de aankondiging beïnvloedt tevens degene die deze zal ontvangen. Een aankondiging in een gespecialiseerd handelstijdschrift wordt waarschijnlijk alleen gelezen door concurrenten of andere betrokkenen bij de bedrijfstak. Een dergelijke aankondiging staat in een heel ander licht dan een aankondiging die gedaan wordt voor een aantal beursdeskundigen of voor de landelijke economisch-financiële pers. Een aankondiging van tevoren voor een breed publiek kan bedoeld zijn om een publieke verplichting aan te gaan tot het ondernemen van een actie, die door de concurrenten wordt beschouwd als moeilijk te pareren en die derhalve een afschrikeffect heeft.[7]

MEDEDELINGEN ACHTERAF VAN RESULTATEN OF ACTIES

Bedrijven delen vaak capaciteitsuitbreiding, verkoopcijfers en andere resultaten of acties mee, nadat ze al plaats hebben gevonden. Dergelijke mededelingen kunnen signalen bevatten, vooral als er gegevens onthuld worden waar anders moeilijk aan te komen zou zijn en/of waarvan openbaarmaking niet voor de hand ligt. De mededeling achteraf heeft tot doel er zeker van te zijn dat andere bedrijven kennis nemen van de onthulde gegevens - waardoor hun gedrag beïnvloed kan worden.

Zoals ook bij aankondigingen van tevoren het geval is, kan de ex post mededeling onjuist, of althans misleidend zijn. Gebruikelijk is dit echter niet. Veel van zulke mededelingen hebben betrekking op gegevens als marktaandelen, die noch in de boeken zijn terug te vinden, noch door de beurscommissie zijn na te gaan of op juistheid gecontroleerd kunnen worden. Soms verstrekken bedrijven misleidende gegevens, als ze geloven dat deze een preëmptieve werking kunnen hebben of een verplichting kenbaar kunnen maken. Een voorbeeld van deze tactiek is het vrijgeven van verkoopcijfers, waarbij de verkoop van enkele aanverwante produkten buiten de smalle produktcategorie zijn getrokken, met andere woorden: het inflateren van het schijnbare marktaandeel. Een andere tactiek is het noemen

---

[7] Zie hoofdstuk 5 voor een bespreking van het belang van verplichting en afschrikking in concurrentiesituaties.

van een uiteindelijke capaciteit voor een nieuwe fabriek, ook al zal er voor het bereiken van die capaciteit een tweede uitbreiding nodig zijn en terwijl de uiteindelijke capaciteit impliciet als begincapaciteit wordt voorgesteld.[8] Als een bedrijf dit soort misleidende praktijken op het spoor kan komen of deze kan doorzien, zullen ze duidelijke signalen bevatten omtrent de doelstellingen en de ware concurrentiesterkte van de concurrent.

OPENBARE DISCUSSIES OVER DE BEDRIJFSTAK TUSSEN CONCURRENTEN

Het komt regelmatig voor dat concurrenten de situatie binnen de bedrijfstak becommentariëren, alsmede voorspellingen doen inzake vraag en prijzen, de capaciteit in de toekomst, de betekenis van veranderingen buiten de bedrijfstak zoals gestegen materiaalkosten. Dergelijk commentaar is geladen met signalen, aangezien de veronderstellingen van de becommentariërende firma omtrent de bedrijfstak en daarmee tevens de vermoedelijke basis van haar strategie hieruit naar voren komen. Als zodanig kan deze discussie een bewuste of onbewuste poging zijn andere bedrijven ertoe over te halen om van dezelfde veronderstellingen uit te gaan en zo de kans op misverstanden en strijd te minimaliseren. Dergelijk commentaar kan eveneens een impliciet pleidooi inhouden voor een prijsdiscipline: 'De prijsconcurrentie is nog steeds zeer scherp. In de bedrijfstak wordt de stijging van de lasten in volstrekt onvoldoende mate doorberekend aan de klant.'[9] 'Het probleem in deze bedrijfstak is dat sommige bedrijven niet inzien dat de huidige prijzen een funeste uitwerking hebben op onze mogelijkheid om te groeien en op de lange duur een kwaliteitsprodukt te leveren.'[10] Het is ook mogelijk dat discussies binnen een bedrijfstak impliciete pleidooien bevatten voor een gecontroleerde capaciteitsuitbreiding van andere bedrijven, het afzien van al te intensieve concurrentie op het gebied van de reclame, het sluiten van de gelederen tegenover grote klanten, impliciete toezeggingen om samen te werken als anderen zich 'netjes' gedragen, of andere zaken.

Het is natuurlijk mogelijk dat een bedrijf in zijn commentaar een interpretatie van de situatie in de bedrijfstak geeft om er zelf beter van te worden. Een bedrijf kan er bijvoorbeeld belang bij hebben dat de prijzen dalen en daarom een situatieschets geven van de bedrijfstak, waarbij het lijkt alsof de prijzen van de concurrenten te hoog zijn, ook al zouden die concurrenten er echt beter aan doen om hun prijzen te handhaven. Deze mogelijkheid heeft tot gevolg dat bedrijven, die de signalen in het commentaar van hun concurrent lezen, zelf moeten nagaan hoe de toestand van de bedrijfs-

---

[8] Deze actie verschilt duidelijk van het juist aankondigen van de bestaande capaciteit en gelijktijdig aankondigen van uitbreidingsplannen voor de toekomst.

[9] De president van de Sherwin-Williams Coating Group, in een commentaar op de verfindustrie in 'A Thin Coating of Profit for Paint Makers,' *Business Week*, 14 augustus, 1977.

[10] Staflid van een belangrijke producent van gebruiksartikelen in een toespraak voor beursdeskundigen.

tak is en naar terreinen moeten zoeken, waarin de positie van de concurrent door zijn eigen interpretatie van de feiten zou verbeteren, waarmee zijn ware bedoelingen aan het licht zouden komen.

Naast commentaar op de bedrijfstak in het algemeen, geven bedrijven soms direct commentaar op maatregelen van hun concurrenten: 'De recente uitbreiding van krediet voor dealers was onjuist om de redenen X en Y.' Zulk commentaar kan een aanwijzing zijn voor tevredenheid of ongenoegen over een maatregel, maar zoals bij elke openbare verklaring zijn ook hier verschillende interpretaties mogelijk. Een bedrijf kan de eigen doeleinden dienen door een zeer tendentieuze interpretatie van de wenselijkheid van de maatregel van de concurrent te geven, zodat zijn eigen positie wordt verbeterd.

Soms richten bedrijven lovende woorden tot bepaalde concurrenten of de bedrijfstak in het algemeen. Dit is bijvoorbeeld voorgekomen in het ziekenhuismanagement. Zulke lof is meestal een verzoenend gebaar om spanningen te verminderen of een einde te maken aan ongewenste praktijken. Het komt veel voor in bedrijfstakken, waar alle bedrijven afhankelijk zijn van het imago van de bedrijfstak bij de klanten of de financiële gemeenschap.

DISCUSSIES TUSSEN CONCURRENTEN EN VERKLARINGEN VOOR HUN EIGEN MAATREGELEN

Concurrenten bespreken hun maatregelen vaak in het openbaar of in fora, waarin de discussies normaal gesproken andere bedrijven ter ore komen. Een voorbeeld van dit laatste is het bespreken van een maatregel met belangrijke klanten of leveranciers. In dit geval wordt het besprokene bijna altijd in de bedrijfstak bekend.

De uitleg of bespreking van een maatregel door een bedrijf kan drie bewuste of onbewuste bedoelingen hebben. Allereerst kan het een poging zijn om andere bedrijven de logica te laten inzien van een maatregel, zodat ze daarin meegaan, of om aan te geven dat de maatregel niet als provocatie bedoeld is. Een andere reden voor verklaringen of besprekingen kan het maken van een preëmptief gebaar zijn. Bedrijven die een nieuw produkt op de markt brengen of zich op een nieuwe markt begeven, geven soms aan de pers verhalen door over hoe kostbaar en moeilijk uitvoerbaar de manoeuvre was. Hierdoor kunnen andere bedrijven van een poging afgehouden worden. Tenslotte kunnen besprekingen van maatregelen bedoeld zijn om verplichtingen van het bedrijf aan te geven. De concurrent kan de nadruk leggen op de omvang van de bestede bedrijfsmiddelen en zijn verplichting op de lange termijn op een nieuw terrein teneinde zijn rivalen ervan te overtuigen dat de manoeuvre als blijvend is bedoeld en dat niet geprobeerd moet worden hem ongedaan te maken.

DE TACTIEK VAN DE CONCURRENTEN IN HET LICHT VAN WAT ZE GEDAAN ZOUDEN KUNNEN HEBBEN

In het licht van wat een concurrent verantwoord had kunnen doen, bevatten de gekozen prijzen, het niveau van reclamevoering, de omvang van de capaciteitsuitbreiding, de specifiek ontwikkelde produktkenmerken, enzovoort belangrijke signalen met betrekking tot de motieven. Wanneer de keuze van strategische variabelen met het oog op de schade aan andere bedrijven de slechtste is die een concurrent had kunnen maken, dan is dit een sterk agressief signaal. Als een bedrijf de concurrenten meer geschaad zou hebben met een andere strategie dan de gekozen, maar die wel binnen het scala van verantwoorde alternatieven lag (bijv. een prijs, die hoger ligt dan de kosten van de concurrent, zou kunnen rechtvaardigen), dan kan dit een verzoenend gebaar inhouden. Een concurrent, wiens gedrag niet geheel strookt met zijn eigenbelang, kan hierdoor ook impliciet een verzoenend signaal uitzenden.

WIJZE WAAROP STRATEGISCHE VERANDERINGEN AANVANKELIJK WORDEN GEREALISEERD

Een nieuw produkt van een concurrent kan in eerste instantie op de perifere markt worden geïntroduceerd, maar het kan ook onmiddellijk agressief verkocht worden aan de voornaamste klanten van zijn concurrenten. Prijswijzigingen kunnen direct voor produkten gelden die de kern van de produktlijn van een concurrent vormen, of ze kunnen eerst ingesteld worden voor produkten of marktsegmenten waar de concurrent niet veel belang bij heeft. Een maatregel kan aanpassingen betreffen die normaal zijn voor die tijd van het jaar, maar ze kunnen ook op een ongewoon tijdstip genomen worden. Dit zijn enkele voorbeelden van hoe de manier waarop een strategische verandering wordt uitgevoerd, gebruikt kan worden om een onderscheid te maken tussen het voornemen van een concurrent om een strafmaatregel te treffen en het voornemen om een actie te ondernemen die in het belang van de gehele bedrijfstak is. Zoals gebruikelijk bij dergelijke motieven, bestaat ook hier het risico, dat men bluft.

HET AFWIJKEN VAN DOELSTELLINGEN IN HET VERLEDEN

Als een concurrent in het verleden uitsluitend produkten aan de top van het produktspectrum produceerde, is de introductie van een duidelijk minder produkt een aanwijzing voor een mogelijke herziening van doelstellingen of uitgangspunten. Een dergelijke afwijking van de doelstellingen in het verleden, op welk strategisch gebied dan ook, heeft altijd zo'n betekenis. Deze afwijkingen leiden waarschijnlijk tot een periode van speciale aandacht voor signalen en concurrentie-analyse.

AFWIJKING VAN NORMEN IN DE BEDRIJFSTAK

Een actie of maatregel die tegen de normen van een bedrijfstak ingaat, is in het algemeen een agressief signaal. Voorbeelden hiervan zijn het geven van korting op produkten die in de bedrijfstak nog nooit in de aanbieding zijn geweest, en de bouw van een fabriek in een geheel nieuw geografisch gebied of land.

DE TEGENAANVAL

Als een bedrijf een actie begint in het ene gebied en een concurrent reageert hierop met een actie op een ander terrein, die gericht is tegen het initiatief nemende bedrijf, dan kan men spreken van een *tegenaanval*. Deze situatie komt vaak voor tussen bedrijven die in verschillende geografische gebieden concurreren, of die meerdere produktlijnen hebben die elkaar niet volledig overlappen. Bijvoorbeeld een bedrijf, dat haar basis aan de oostkust heeft en de markt in het westen penetreert, kan heel goed te maken krijgen met penetratie van de eigen markt door een bedrijf uit het westen. Een dergelijke situatie heeft zich voorgedaan in de bedrijfstak van koffiebranderijen. Maxwell House heeft van oudsher een sterke positie in het oosten gehad, Folger in het westen. Folger, overgenomen door Procter en Gamble, ondernam actie om zijn penetratie van de markt in het oosten kracht bij te zetten door middel van agressieve marketing. Maxwell ging in de tegenaanval door prijsverlagingen en opvoering van de marketinginspanningen in enkele van Folgers belangrijkste markten in het westen. Een ander voorbeeld deed zich wellicht voor in de machine-industrie. Deere betrad aan het eind van de jaren vijftig de grondverplaatsingssector met eenzelfde strategie als Caterpillar. Deere heeft zijn inspanningen nog meer opgevoerd om enkele van Caterpillars belangrijkste markten te penetreren. De geruchten deden de ronde dat Caterpillar toetreding tot de sector van landbouwwerktuigen overwoog, waar Deere zijn basis had.[11]

De reactie van de tegenaanval geeft aan dat het verdedigende bedrijf ervoor kiest om de oorspronkelijke actie *niet* direct, maar indirect te bestrijden. Door indirect te reageren probeert het aangevallen bedrijf een serie destructieve acties en tegenacties in de gepenetreerde markt te vermijden, terwijl toch een duidelijk signaal van ongenoegen wordt uitgezonden en de dreiging van zware tegenmaatregelen in het vooruitzicht wordt gesteld.

Als de tegenaanval direct gericht is op een van de vitale markten van de agressor, kan dit opgevat worden als een ernstige waarschuwing. Als hij gericht is op een kleinere markt, kan het een signaal zijn van de dingen die komen gaan, maar ook van de hoop dat dit niet een destabiliserende of haastige tegenreactie van de agressor uitlokt. Een reactie op een kleinere markt kan ook een signaal zijn dat de verdediger de inzet zal verhogen met een dreigender tegenaanval, als de aanvaller niet inbindt.

---

[11] Een gerucht kan, evenals een daadwerkelijke actie, dienen als tegenaanval.

De tegenaanval kan een bijzonder effectieve manier zijn om een concurrent tot de orde te roepen, als er grote verschillen in marktaandeel bestaan. Als de tegenaanval bijvoorbeeld een prijsverlaging inhoudt, dan zullen de kosten die het bedrijf met het grotere marktaandeel zal moeten maken om deze prijsverlaging te volgen, veel hoger zijn dan voor het signalerende bedrijf. Dit feit kan de aanvaller onder grote druk zetten om zich koest te houden.

Een implicatie van deze analyses is dat het handhaven van een klein aandeel op dergelijke 'vergeldingsmarkten' een machtig afschrikmiddel kan vormen.

HET STRIJDMERK

Een signaalvorm die verwant is aan de tegenaanval, is het zogenaamde *strijdmerk*. Een bedrijf dat (mogelijk) bedreigd wordt door een ander, kan een merk introduceren dat het effect heeft - of dit nu de enige motivatie voor het merk is of niet - van straf of strafdreiging tegen de bron van de dreiging. Coca-Cola bijvoorbeeld introduceerde in het midden van de jaren zeventig een merk Mr. Pibb, dat in smaak erg veel leek op Dr. Pepper, een merk waarvan het marktaandeel groeide. Maxwell House introduceerde op enkele markten, waar Folger zijn positie probeerde te verstevigen, een koffiemerk dat Horizon heette en dat dezelfde kenmerken en hetzelfde verpakkingsontwerp had als Folger. Strijdmerken kunnen bedoeld zijn als waarschuwingen, afschrikmiddelen of als stootkussen om een aanval van de concurrentie op te vangen. Vaak worden ze ook onopvallend en met geringe ondersteuning geïntroduceerd *vóórdat* er sprake is van een serieuze aanval, zodat ze als waarschuwing dienen. Strijdmerken kunnen gebruikt worden als offensieve wapens, die onderdeel van een bredere campagne vormen.

AANKLACHTEN OP BASIS VAN ANTITRUSTWETGEVING

Als een bedrijf tegen een opdringende concurrent een antitrustaanklacht indient, kan dit gezien worden als een signaal van ongenoegen en in sommige gevallen als pesterij of vertragingstactiek. Aangezien een privaatrechtelijke aanklacht ten allen tijde ingetrokken kan worden door het indienende bedrijf, is het een relatief milde uiting van ongenoegen in vergelijking met bijvoorbeeld een concurrerende prijsverlaging. De aanklacht kan betekenen: 'Je bent nu toch echt te ver gegaan, ophouden ermee!', terwijl het risico van een directe confrontatie op de markt niet genomen wordt. Als een kleiner bedrijf een groter bedrijf aanklaagt, kan het de bedoeling zijn dat het sterke bedrijf op zijn tellen past en geen verdere agressieve actie zal ondernemen zolang de aanklacht in behandeling is. Als een sterk bedrijf zich door de wet op de vingers gekeken weet, wordt daardoor een groot deel van zijn macht geneutraliseerd.

Als een groot bedrijf een klein bedrijf aanklaagt op basis van antitrustwetgeving, kan dit een manier zijn om een bedrijf te straffen. Aanklachten dwingen het zwakke bedrijf om over een langere periode extreem hoge juridische kosten te dragen en leiden misschien tevens de aandacht af van de marktconcurrentie. Een andere mogelijkheid is ook hier dat een aanklacht een veilige manier is om een klein bedrijf duidelijk te maken dat het een iets te groot marktaandeel wil. Een in behandeling zijnde aanklacht kan met behulp van juridische manoeuvres als een stok achter de deur worden gebruikt, die tevoorschijn wordt gehaald (wat kosten voor het kleinere bedrijf met zich meebrengt), als het kleinere bedrijf het signaal niet lijkt op te pikken.

Gebruik van gegevens uit het verleden bij het herkennen van signalen

Het bestuderen van de historische relatie tussen de aankondigingen en de acties van een bedrijf, of tussen andere mogelijke verschijningsvormen van marktsignalen en het vervolg daarop, kan zeer verhelderend werken bij het interpreteren van marktsignalen. Het zoeken naar signalen die een concurrent in het verleden onbewust kan hebben uitgezonden vóór een bepaalde ommezwaai, kan tevens helpen bij het herkennen van nieuwe soorten onbewuste signalen, die uniek zijn voor die concurrent. Gaan aan produktveranderingen altijd bepaalde activiteiten van de verkoopafdeling vooraf? Gaat aan introductie van produkten altijd een landelijke verkoopvergadering vooraf? Volgt op prijsveranderingen binnen de bestaande produktlijn altijd introductie van een nieuw produkt? Kondigt de concurrent altijd capaciteitsuitbreiding aan, wanneer het niveau van de capaciteitsbenutting een bepaalde waarde heeft bereikt?

Bij het interpreteren van dergelijke signalen moet natuurlijk altijd rekening gehouden worden met de mogelijkheid dat van gedrag in het verleden wordt afgeweken; in het ideale geval zal een volledige concurrentieanalyse economische en organisatorische redenen geven waarom zou kunnen worden afgeweken van gedrag in het verleden, nog vóór dit afwijkend patroon zich manifesteert.

Kan aandacht voor marktsignalen afleidend werken?

Gezien de vele nuances bij het beoordelen van marktsignalen, lijkt het gevaar reëel dat een al te grote aandacht hiervoor afleidend werkt. Vanuit dit standpunt wordt dan ook wel geredeneerd dat bedrijven in de eerste plaats hun tijd en energie zouden moeten besteden aan het concurreren in plaats van zich bezig te houden met ingewikkelde 'vraag-en-antwoord'-spelletjes om de bedoelingen van de concurrent te weten te komen.

Hoewel men zich een situatie zou kunnen voorstellen, waarin het top-management zich zo verdiept in marktsignalen dat de belangrijke taken van bedrijfsvoering en het verwerven van een sterke strategische positie ver-waarloosd worden, is dit toch geen reden om af te zien van potentieel waar-devolle informatiebronnen. Het formuleren van een strategie impliceert expliciete of impliciete veronderstellingen omtrent de concurrenten en hun motieven. Marktsignalen kunnen het inzicht van een bedrijf in zijn concur-renten in belangrijke mate verruimen en zo de kwaliteit van de veronder-stellingen verbeteren. Het negeren van marktsignalen komt feitelijk neer op het negeren van alle concurrentie.

5
Concurrentie-acties

In de meeste bedrijfstakken is het feit dat bedrijven onderling afhankelijk van elkaar zijn, een sleutelaspect van de concurrentie: bedrijven ondervinden de gevolgen van elkaars acties en zijn geneigd erop te reageren. In deze situatie, die door de economen een oligopolie wordt genoemd, is het resultaat van een concurrerende actie door een bedrijf in ieder geval tot op zekere hoogte afhankelijk van de reactie van de concurrenten.[1] 'Slechte' of 'irrationele' reacties van concurrenten (zelfs van zwakkere concurrenten) kunnen vaak het succes van 'goede' strategische acties verijdelen. Men is dus alleen van succes verzekerd, als de concurrenten ervoor kiezen of ertoe overgehaald worden om non-destructief te reageren.

In een oligopolie komt een bedrijf vaak voor een dilemma te staan. Het kan het belang (de winstgevendheid) van de gehele bedrijfstak (of van een subgroep van bedrijven) nastreven en dus geen reactie van de concurrentie uitlokken, of het kan strikt uit eigenbelang handelen, waarbij het tegenmaatregelen en een escalatie van de concurrentie tot een oorlog in de bedrijfstak riskeert. Dit dilemma doet zich voor, omdat het kiezen van strategieën en reacties, die het risico van felle concurrentiestrijd vermijden en de bedrijfstak als geheel ten goede komen (de zogenaamde *coöperatieve* strategieën), kan inhouden dat het bedrijf afziet van mogelijke winsten en marktaandeel.

[1] Een oligopolie houdt het midden tussen een monopolie, waar de dienst wordt uitgemaakt door slechts één bedrijf, en een bedrijfstak met volledige concurrentie, waarin zoveel bedrijven actief zijn en toetreding zó gemakkelijk is, dat de bedrijven elkaar niet werkelijk beïnvloeden, maar meer op de algehele marktsituatie reageren.

De situatie lijkt op de volgende versie van het klassieke 'Dilemma van de gevangenen'. Twee boeven zitten in de gevangenis. Beiden hebben de keus tussen het verklikken van de ander of zwijgen. Als geen van beide gevangenen klikt, worden ze beiden vrijgelaten. Als ze allebei klikken, hangen ze beiden. Als de ene gevangene echter praat, terwijl de ander zijn mond houdt, komt de verklikker niet alleen vrij, maar krijgt hij voor zijn moeite ook nog een beloning. De gevangenen samen zijn beter af, als ze niet klikken, maar puur uit eigenbelang zouden ze er beiden baat bij hebben om te praten, op voorwaarde dat de ander niet op hetzelfde idee komt. Vertalen we dit dilemma naar een oligopolie, dan zouden alle bedrijven een redelijke winst boeken, als ze zouden samenwerken. Als echter één bedrijf een strategische actie uit eigenbelang onderneemt, waarop de anderen niet doeltreffend reageren, dan kan dat bedrijf hogere winsten maken. Als alle concurrenten echter zeer fel reageren op de actie, dan is het mogelijk dat iedereen slechter af is dan wanneer zou zijn samengewerkt.

Dit hoofdstuk beschrijft enkele principes voor het ondernemen van concurrerende acties in een dergelijke situatie. Hierbij worden zowel offensieve acties voor het verbeteren van de eigen positie bekeken, als defensieve acties om concurrenten af te houden van ongewenste acties. Dit hoofdstuk bouwt eerst voort op hoofdstuk 1 om de algemene kans op concurrentie-uitbarstingen in te schatten, die de achtergrond vormt voor alle offensieve of defensieve manoeuvres. Vervolgens zullen enkele belangrijke overwegingen bij het nemen van verschillende concurrerende maatregelen besproken worden, waarbij onder andere niet-dreigende of coöperatieve acties, dreigende acties en afweeracties aan de orde zullen komen. Bij deze bespreking zal de cruciale rol van het bestaan van een *verplichting* tot het ondernemen van bepaalde acties duidelijk worden. Benaderingen voor de uitvoer hiervan zullen in detail behandeld worden. Tenslotte zullen in het kort enkele benaderingen besproken worden, die door bedrijven worden toegepast om samenwerking binnen de bedrijfstak te bevorderen.

Behalve op hoofdstuk 1 zal dit hoofdstuk ook voortbouwen op de basisprincipes van concurrentie-analyse, zoals beschreven in hoofdstuk 3, en de bespreking van marktsignalen in hoofdstuk 4. Concurrentie-analyse is een duidelijke vereiste voor het overwegen van offensieve of defensieve acties en marktsignalen vormen een instrument zowel voor het verkrijgen van inzicht in de concurrentie als bij het daadwerkelijk ondernemen van concurrerende acties.

Instabiliteit van de bedrijfstak: de waarschijnlijkheid van een concurrentieslag

Het eerste, waar een bedrijf bij het overwegen van defensieve of offensieve acties naar moet kijken, is de algemene mate van instabiliteit van de bedrijfstak of de omstandigheden binnen de bedrijfstak, die ervoor kunnen zorgen dat de actie wellicht een algehele concurrentie-oorlog zal ontketenen. In sommige bedrijfstakken kan men minder agressief te werk gaan dan in andere. De onderliggende *structuur* van een bedrijfstak, besproken in hoofdstuk 1, is bepalend voor de intensiteit van de concurrentie en het gemak waarmee een coöperatieve of vreedzame situatie gevonden kan worden. Hoe groter het aantal concurrenten is, hoe meer hun relatieve macht gelijk is, hoe meer hun produkten gestandaardiseerd zijn, hoe hoger hun vaste lasten zijn, hoe belangrijker andere factoren, die hen naar volledige capaciteitsbenutting zullen doen streven, zijn en hoe langzamer de groei van de bedrijfstak is, des te groter is de waarschijnlijkheid dat de bedrijven hun eigenbelang voorop zullen stellen. Ze zullen acties ondernemen als prijsverlagingen ('verklikken'), waarbij de vrijwel zekere tegenmaatregelen een situatie van actie en tegenactie zullen creëren, waarin de winsten laag blijven. Evenzo zal het des te moeilijker zijn om elkaars acties juist te interpreteren en een situatie van samenwerking creëren, naarmate de doelstellingen en perspectieven van de concurrenten meer uiteenlopen, hun strategische belangen in een bepaalde bedrijfstak groter zijn en de markt minder gesegmenteerd is. Kort samengevat: zowel offensieve als defensieve acties zijn riskanter, als deze omstandigheden intensieve concurrentie oproepen.

De kans op plotselinge opleving van de concurrentiestrijd in een bedrijfstak kan door enkele andere voorwaarden worden beïnvloed. Een verleden van concurrentie of *continuïteit van interactie* tussen de partijen kan stabiliteit bevorderen, aangezien dit het kweken van vertrouwen (het idee dat de concurrenten niet uit zijn op elkaars faillissement) vergemakkelijkt en tot meer accurate prognoses zal leiden over hoe de concurrenten zullen reageren. Omgekeerd zal een gebrek aan continuïteit de kansen op een concurrentie-uitbarsting vergroten. Continuïteit van interactie hangt niet alleen af van een stabiele groep van concurrenten, maar wordt ook bevorderd door een stabiele groep van algemene managers van deze concurrenten.

Meervoudige onderhandelingsgebieden, of situaties waarbij de bedrijven op meer dan één concurrentiegebied met elkaar te maken hebben, kunnen eveneens leiden tot een stabiele situatie in de bedrijfstak. Een voorbeeld: als twee bedrijven elkaar zowel op de Amerikaanse als de Europese markt beconcurreren, kan het overwicht op de Amerikaanse markt van het ene bedrijf gecompenseerd worden door dat van het andere bedrijf op de Europese markt, waarbij zo'n overwicht van de ander op zich voor elk der bedrijven ontoelaatbaar zou zijn. Meervoudige markten kunnen een bedrijf in de gelegenheid stellen om een ander bedrijf te belonen voor het niet aanvallen[2] of, omgekeerd, om een afvallige tot de orde te roepen. *Onderlinge verbondenheid* door middel van joint ventures of gezamenlijke deelnemingen kunnen ook de stabiliteit in een bedrijfstak bevorderen door middel van onderlinge samenwerking en vrijwel volledige informatie over

---

[2] Of 'zijdelingse betalingen' in het jargon van de speltheorie.

elkaar. Volledige informatie werkt meestal stabiliserend, omdat zo misverstanden tussen de bedrijven vermeden worden, evenals strategische initiatieven op grond van verkeerde informatie.

De structuur van de bedrijfstak beïnvloedt de positie van de concurrenten, de druk op hen om agressieve maatregelen te nemen en de kans dat hun belangen met elkaar zullen botsen. De structuur bepaalt dus de basisparameters voor concurrerende acties. Wat zich op de markt afspeelt, wordt echter niet uitsluitend door de structuur bepaald. De concurrentie wordt ook bepaald door de specifieke situatie van de individuele concurrenten. Een volgende stap bij het vaststellen van de instabiliteit van de bedrijfstak is een *concurrentie-analyse*. Met behulp van de technieken, die in hoofdstuk 3 beschreven zijn, moeten de waarschijnlijke acties van elke concurrent afzonderlijk worden bekeken, evanals de dreiging die hiervan uitgaat en de mogelijkheden van elke concurrent om zich met succes tegen zulke acties te weer te stellen. Deze analyse is een eerste vereiste voor het ontwikkelen van afschrikkingsstrategieën en het bepalen van waar en hoe offensieve acties op touw gezet moeten worden. We zullen er nu van uitgaan dat een dergelijke analyse al heeft plaatsgevonden.

Het laatste onderdeel bij het vaststellen van de instabiliteit van de bedrijfstak is het bepalen van de aard van de informatiestroom tussen bedrijven op de markt, met inbegrip van de grootte van hun gedeelde kennis van de bedrijfstakcondities en hun vermogen om bedoelingen door middel van signalen duidelijk kenbaar te maken. Het is deze informatiestroom die in dit hoofdstuk centraal zal staan.

Concurrentie-acties

Aangezien een bedrijf in een oligopolie gedeeltelijk afhankelijk is van het gedrag van zijn concurrenten, moet het resultaat van de gekozen concurrentie-actie snel bereikt worden (geen langdurige of harde strijd) en bovendien zo veel mogelijk stroken met de eigen belangen van het bedrijf. Met andere woorden, doelstelling van het bedrijf is het vermijden van een destabiliserende en kostbare concurrentie-oorlog, die voor alle deelnemers ongunstig zou zijn, en het tegelijkertijd behalen van betere resultaten dan andere bedrijven.

Een brede benadering is het gebruik van superieure bedrijfsmiddelen (resources) en vaardigheden om een resultaat, dat in het belang van het bedrijf is, *af te dwingen*, waarbij tegenmaatregelen uiteindelijk overwonnen worden: dit zou men de *'brute kracht'-benadering* kunnen noemen. Deze benadering is slechts dan mogelijk, wanneer het bedrijf over duidelijk superieure mogelijkheden beschikt, en leidt slechts tot stabiliteit zolang het bedrijf deze voorsprong handhaaft en zolang de concurrenten deze superieure mogelijkheden niet verkeerd interpreteren en ten onrechte hun positie proberen te veranderen.

Bibliotheek Breda - Centrum
Molenstraat 6
4811 GS Breda
Telnr.: 076-5299500
www.bibliotheekbreda.nl

Balie: Uitleen 1

Lener: J. van Zuilen

Uitgeleend op: 06-02-2014

1: Concurrentiestrategie : a
Nr.:37601006879193
Inleverdatum: 27/02/2014
Beveiliging: OK

Materialen nog thuis

1: Doorgeschoten
Nr.: 37601006864153
Inleverdatum: 25/02/2014

2: Schone kunsten
Nr.: 37601008242911
Inleverdatum: 25/02/2014

3: Ex
Nr.: 37601008290340
Inleverdatum: 25/02/2014

4: Eten met Emma
Nr.: 37601009305121
Inleverdatum: 25/02/2014

5: Supersingle
Nr.: 37601010529354
Inleverdatum: 25/02/2014

Openstaand bedrag: EUR 0,00
Voor betalingen ga naar de betaalautomaat

Sommige bedrijven beschouwen alle concurrentie-acties als een kwestie van brute kracht: het louter ophopen van bedrijfsmiddelen (resources) om er een concurrent mee aan te vallen. De sterke en zwakke punten van een bedrijf (hoofdstuk 3) kunnen zeker nuttig zijn bij het bepalen van de kansen en risico's van dat bedrijf. Vaak zijn echter bedrijfsmiddelen alleen niet voldoende voor een goed resultaat, als de concurrentie zich hardnekkig verweert (of, erger nog, wanhopig of schijnbaar irrationeel) of als de concurrenten zeer verschillende doelstellingen nastreven. Bovendien beschikt niet ieder bedrijf, dat zijn strategische positie probeert te verbeteren, over duidelijk sterke punten. Tenslotte is, zelfs in geval van duidelijke sterke punten, een slijtageslag voor zowel de winnaar als de overwonnene kostbaar en kan deze het best vermeden worden.

Het ondernemen van concurrerende acties is ook een subtiel spel, dat gestructureerd kan worden en waarbij de maatregelen kunnen worden uitgekozen en uitgevoerd op een zodanige wijze, dat het resultaat daardoor gemaximaliseerd wordt, ongeacht de beschikbare hulpmiddelen van het bedrijf. In het ideale geval volgen er helemaal geen tegenmaatregelen. Concurrerende acties in een oligopolie kunnen het best gezien worden als een combinatie van alle brute krachten, die het bedrijf op een subtiele manier kan gebruiken.

COÖPERATIEVE OF NIET-DREIGENDE ACTIES

Maatregelen die geen bedreiging vormen voor de doelstellingen van de concurrenten, kunnen als uitgangspunt dienen bij het zoeken naar manieren om de positie te verbeteren. Op basis van een zorgvuldige analyse van de doelstellingen en uitgangspunten van de concurrenten en met gebruikmaking van het schema uit hoofdstuk 3 kunnen er maatregelen gevonden worden, waardoor de winsten (of zelfs het marktaandeel) stijgen, maar noch de resultaten van de belangrijkste concurrenten worden aangetast noch hun doelstellingen worden bedreigd. Deze maatregelen kunnen in de volgende drie categorieën worden ingedeeld:

- Maatregelen die de positie van het bedrijf èn die van de concurrenten verbeteren, *ook al* volgen zij die niet na;
- Maatregelen die de positie van het bedrijf èn die van de concurrenten verbeteren, *maar dan alleen* als een belangrijk aantal concurrenten die navolgen;
- Maatregelen die de positie van het bedrijf verbeteren, *omdat* de concurrenten die *niet* zullen navolgen.

De eerste categorie kent de minste risico's, als dergelijke maatregelen gevonden kunnen worden. Toepassing hiervan kan wenselijk zijn, wanneer het bedrijf activiteiten kent die niet alleen de eigen resultaten nadelig beïnvloeden, maar tevens die van de concurrenten, zoals een niet effectieve reclamecampagne of een gebrekkige prijsstructuur, die niet in overeenstemming is met de bedrijfstak. Het bestaan van dergelijke mogelijkheden duidt op een zwakke strategie in het verleden.

De tweede categorie komt vaker voor. In de meeste bedrijfstakken zijn er maatregelen die ieders situatie ten goede zouden komen, als alle bedrijven die zouden navolgen. Als bijvoorbeeld elk bedrijf zijn garantieperiode van twee jaar zou terugbrengen tot één jaar, dan zouden de kosten van alle bedrijven dalen en de winsten stijgen op voorwaarde dat de totale vraag in de bedrijfstak niet gevoelig is voor garantievoorwaarden. Een ander voorbeeld is een verandering in de kosten, die prijsaanpassing noodzakelijk maakt. Het probleem met dergelijke maatregelen is de mogelijkheid dat niet alle bedrijven de maatregel navolgen, omdat die, hoewel strikt genomen leidend tot een positieverbetering, voor hen niet de optimale is. Bijvoorbeeld het bedrijf met het meest betrouwbare produkt zal door een verkorting van de garantieperiode een concurrentie-voordeel kwijtraken. Concurrenten kunnen er ook van weerhouden worden om de maatregel na te volgen, omdat een of meer bedrijven gelegenheid zien tot verbetering van hun relatieve positie door niet te volgen, ervan uitgaande dat anderen dat wel zullen doen.

Bij het kiezen van een maatregel van deze tweede categorie zijn de belangrijkste stappen: 1. het bepalen van het effect van de maatregel op elke belangrijke concurrent afzonderlijk, en 2. het inschatten van de druk op elke concurrent om de voordelen van samenwerking te laten prevaleren boven de mogelijke voordelen van het verbreken van de eenheid. Deze twee stappen zijn een probleem in de concurrentie-analyse. Als men maatregelen neemt, die slechts succes hebben indien ze nagevolgd worden, bestaat het risico dat de concurrenten de maatregel niet navolgen. Dit risico is beperkt, als de gekozen maatregel goedkoop ongedaan gemaakt kan worden of als de verschuivingen in de relatieve positie van het bedrijf zich langzaam voltrekken of gemakkelijk terug te draaien zijn. Een dergelijke maatregel kan echter zeer riskant zijn, als de relatieve positieverbeteringen van de bedrijven die besluiten om niet mee te doen, aanzienlijk en moeilijk terug te winnen zijn.

Het herkennen van niet-dreigende maatregelen van de derde categorie - maatregelen die concurrenten niet zullen navolgen - is afhankelijk van een goed inzicht in de mogelijkheden op grond van bepaalde doelen en veronderstellingen van concurrenten. Het gaat erom maatregelen te vinden, waarop de concurrenten niet zullen reageren, omdat ze het belang daar niet van inzien. Een concurrent kan bijvoorbeeld weinig belang hechten aan de Zuidamerikaanse markt en in plaats daarvan zijn exportactiviteiten op Canada concentreren. Een inval in Zuid-Amerika ten koste van plaatselijke bedrijven kunnen deze concurrent geheel onverschillig laten.

Maatregelen worden als niet-dreigend beschouwd, indien:

- de concurrenten ze niet eens opmerken, omdat het voornamelijk om interne aanpassingen gaat;
- de concurrenten zich er geen zorgen over maken, omdat ze hun eigen opvattingen hebben over de bedrijfstak en de beste manier om daarin te concurreren;
- de resultaten van de concurrenten niet of nauwelijks schade wordt toegebracht volgens *hun eigen criteria*.

Een voorbeeld van een maatregel die een aantal van deze kenmerken in zich had, was het toetreden van Timex tot de horloge-industrie in het begin van de jaren vijftig.[3] Timex' toetredingsstrategie bestond uit het produceren van ongesteende horloges, die zo goedkoop waren dat het niet lonend was om ze te laten repareren. In plaats van via juwelierszaken werd dit horloge verkocht via warenhuizen en andere ongebruikelijke kanalen. De wereldmarkt van horloges werd indertijd gedomineerd door de Zwitsers met hoogwaardige, dure horloges, die via juwelierszaken werden verkocht en op de markt werden gebracht als precisie-instrumenten. De Zwitserse horloge-industrie groeide snel in het begin van de jaren vijftig. Het Timex-horloge verschilde dermate van het Zwitsers uurwerk, dat de Zwitsers daar helemaal geen concurrentie in zagen. Hun reputatie op het gebied van kwaliteit werd er niet door aangetast, evenmin als hun positie bij de juweliers of hun reputatie als voornaamste producenten van hoogwaardige, kostbare horloges. Het Timex-horloge creëerde aanvankelijk waarschijnlijk een primaire vraag en beïnvloedde de verkoop van de Zwitsers niet. Bovendien waren de Zwitsers aan het groeien en vormde Timex aanvankelijk geen enkele dreiging voor hen. Hierdoor was Timex in staat om vaste voet te krijgen in het onderste gedeelte van de markt zonder zelfs maar de aandacht van de Zwitsers te trekken.

Het nemen van maatregelen, die ieders positie ten goede komen, vereist wel dat de concurrenten *inzien* dat ze er niet door bedreigd worden. Zo'n maatregel kan een gewone en zich herhalende aanpassing zijn met het oog op veranderingen binnen de bedrijfstak. Voor alle drie de categorieën van niet-dreigende maatregelen bestaat echter het risico dat ze ten onrechte uitgelegd worden als agressie.

Er bestaan zeer uiteenlopende methoden voor bedrijven om zulke misverstanden te vermijden, maar geen enkele is waterdicht. Een actieve marktsignalering (hoofdstuk 4) door middel van aankondigingen, openbare verklaringen omtrent de verandering en dergelijke is een mogelijkheid voor het aangeven van vriendelijke bedoelingen. Bijvoorbeeld een uitvoerige

---

[3] Voor achtergrondinformatie, zie *Note on the Watch Industries in Switzerland, Japan and the United States*, Intercollegiate Case Clearinghouse 9-373-090; en *Timex (A)*, Intercollegiate Case Clearinghouse 6-373-080.

bespreking in de pers over toegenomen kosten, die een prijsaanpassing rechtvaardigen, kan helpen bij het kenbaar maken van een bedoeling. Een bedrijf dat zo'n maatregel neemt, kan ook concurrenten, die de maatregel niet navolgen, tot de orde roepen, bijvoorbeeld door middel van selectieve reclamecampagnes of verkoopactiviteiten, gericht op de klantengroep van de concurrent. Een andere manier om een verkeerde uitleg te voorkomen is te vertrouwen op een traditionele leider in de bedrijfstak. In sommige bedrijfstakken is er een bedrijf dat een historisch gegroeide leidersrol vervult bij het aanpassen aan nieuwe omstandigheden; anderen wachten tot dit bedrijf in actie komt om daarna te volgen. Een andere methode is het verbinden van prijzen en andere beslissingsvariabelen aan een duidelijk zichtbare index, zoals de concsumentenprijsindex, om aanpassingen gemakkelijker te maken. Concentratiepunten, die hieronder besproken zullen worden, kunnen eveneens als coördinerend mechanisme gebruikt worden.

DREIGENDE MAATREGELEN

Veel van de maatregelen, die de positie van een bedrijf aanmerkelijk zouden versterken, vormen voor de concurrenten een bedreiging: dit is immers de essentie van een oligopolie. Een sleutel voor het succes van zulke maatregelen ligt dus in het voorspellen en beïnvloeden van de tegenmaatregelen. Als de maatregel snel en effectief is, is de initiator van de maatregel niet beter, of zelfs slechter af. Als de tegenmaatregel erg scherp is, kan de initiator in feite een stuk slechter af zijn dan voorheen.

De belangrijkste vragen bij het overwegen van dreigende maatregelen:

1. Hoe groot is de *kans* op tegenmaatregelen?
2. Hoe *snel* zullen ze op gang komen?
3. Hoe *effectief* zullen ze mogelijk zijn?
4. Hoe *hardnekkig* zullen de tegenmaatregelen zijn (waarbij met hardnekkigheid bedoeld wordt de mate waarin de concurrent bereid is om krachtige tegenmaatregelen te nemen, ook al gaan deze ten koste van hemzelf)?
5. Kunnen de tegenmaatregelen *beïnvloed* worden?

Aangezien het schema voor concurrentie-analyse in hoofdstuk 3 zich met een aantal van deze vragen bezighoudt, zullen we onze aandacht hier richten op het voorspellen van vertragingen in de tegenmaatregelen met betrekking tot offensieve acties. Veel van deze overwegingen kunnen omgedraaid worden om gebruikt te worden bij de ontwikkeling van een defensieve strategie. Het beïnvloeden van tegenmaatregelen zal verderop in dit hoofdstuk, in het gedeelte over verplichting, eveneens aan de orde komen.

Vertragingen in tegenmaatregelen

Stel dat de overige omstandigheden gelijk blijven, dan zal de voorkeur van het bedrijf uitgaan naar die maatregel, die het de meeste tijd geeft, voordat de concurrenten doeltreffende tegenmaatregelen kunnen nemen. In een defensieve context zal het bedrijf bij de concurrenten de indruk willen wekken dat het snel en doeltreffend op hun maatregelen zal reageren. Vertragingen bij het nemen van tegenmaatregelen kennen vier basisoorzaken:

- vertraagde perceptie;
- vertragingen bij het opstellen van een vergeldingsstrategie;
- onvermogen tot het nemen van nauwkeurige tegenmaatregelen, waardoor kosten op korte termijn stijgen;
- vertragingen als gevolg van conflicterende doelstellingen of vermenging van motieven.

De eerste oorzaak, *vertraagde perceptie*, betreft de traagheid waarmee de concurrent het strategisch initiatief opmerkt, hetzij omdat de maatregel geheim werd gehouden, hetzij omdat hij werd ingevoerd in een gebied buiten het aandachtsveld van de concurrent (bijvoorbeeld maatregelen ten aanzien van kleine of buitenlandse afnemers). Soms kan een bedrijf, door in het geheim of onopvallend te werk te gaan, een maatregel doorvoeren of een nieuwe capaciteit verwerven, voordat de concurrentie doeltreffend heeft kunnen reageren. Ook is het mogelijk dat concurrenten een maatregel niet onmiddellijk als belangrijk beschouwen vanwege hun doelstellingen, marktopvattingen, enzovoort. Ook hierop is het voorbeeld van de introductie van het Timex-horloge van toepassing. Terwijl Timex allang de verkoopcijfers van Zwitserse en Amerikaanse producenten aantastte, beschouwden deze producenten het Timex-horloge nog steeds als inferieur produkt, dat de moeite van het nemen van tegenmaatregelen niet waard was.

Perceptievertragingen hangen gedeeltelijk samen met de methoden, die bedrijven ter beschikking staan om het gedrag van de concurrentie in de gaten te houden, en kunnen beïnvloed worden. Wanneer concurrenten voor de basisgegevens, op grond waarvan ze hun marktaandeel inschatten, afhankelijk zijn van externe statistische bronnen, zoals handelsgenootschappen, dan is het mogelijk dat ze maatregelen niet onderkennen voordat deze basisgegevens gepubliceerd zijn. Vertraging in de perceptie kan soms nog worden versterkt door *afleidingsmanoeuvres*, zoals het introduceren van een produkt of het nemen van een andere maatregel op een ander terrein dan waarop het basisinitiatief is gericht. Vanuit defensief oogpunt kan perceptievertraging verkort worden door een systeem van voortdurende observatie van de concurrentie, waarmee gegevens worden verzameld van de relevante verkoopgroep, de distributeurs, enzovoort. Met een nauwgezet observatiesysteem kunnen concurrenten in feite vooraf op de hoogte komen van maatregelen, omdat de concurrent van tevoren verplichtingen moet aangaan wat betreft reclameruimte, levering van apparatuur en dergelijke. Zijn de concurrenten op de hoogte van de aanwezigheid van zo'n systeem, dan werkt dat des te beter als afschrikmiddel.

Vertragingen bij het opstellen van een tegencampagne variëren al naar gelang de aard van de beginmaatregel. Op een prijsverlaging kan onmiddellijk gereageerd worden, maar met het defensieve onderzoek, dat nodig is om een produktverandering te evenaren, of met het inschakelen van moderne faciliteiten om gelijke tred te houden met een nieuwe fabriek van de concurrent kunnen jaren gemoeid zijn. De tijd, die bijvoorbeeld verloopt tussen de planning van een nieuw automodel en de introductie op de markt, is drie jaar. De bouw van een grote moderne hoogoven voor de produktie van gietijzer of die van een geïntegreerde papierfabriek vergt drie tot vijf jaar.

Deze vertragende factoren voor het nemen van tegenmaatregelen kunnen ook door acties van een bedrijf beïnvloed worden. Een bedrijf kan besluiten tot offensieve maatregelen, waartegen de concurrenten slechts langzaam een tegenstrategie kunnen ontwikkelen ten gevolge van natuurlijke produktietijden en interne zwakke punten. Vanuit defensief standpunt kan de reactietijd verkort worden door een reserve aan vergeldingsmiddelen op te bouwen, ook al worden deze nooit gebruikt. Zo kunnen bijvoorbeeld nieuwe produkten ontwikkeld en vervolgens achter de hand gehouden worden, kan apparatuur besteld worden met het risico van bescheiden annuleringskosten, enzovoort.

Vertragingen als gevolg van *onvermogen tot het nemen van nauwkeurige tegenmaatregelen* zijn te vergelijken met het probleem dat men een heel televisietoestel moet demonteren om een enkele transistor te vervangen. Vooral in geval van reacties van grotere bedrijven op maatregelen van kleine is het mogelijk dat tegenmaatregelen gegeneraliseerd moeten worden voor alle klanten en niet beperkt kunnen blijven tot de klanten of marktsegmenten waar het eigenlijk om gaat. Een voorbeeld: als een grote maatschappij een prijsverlaging van een kleine concurrent wil volgen, zal zij wellicht aan al haar klanten kortingen moeten geven, hetgeen enorme kosten met zich meebrengt. Kan een bedrijf maatregelen vinden die veel minder kosten dan de eventuele reacties hierop van de concurrenten, dan kunnen hierdoor vertragingen optreden in de tegenmaatregelen of kunnen tegenmaatregelen zelfs geheel uitblijven, omdat de kosten de baten ervan zouden overtreffen.

Vertragingen bij het nemen van tegenmaatregelen als gevolg van *conflicterende doelstellingen of vermenging van motieven* vormen een laatste belangrijke situatie die zeer algemeen van toepassing is bij de bestudering van de competitieve interactie. Deze situatie, geïntroduceerd in hoofdstuk 3, doet zich voor wanneer een bedrijf overgaat tot een actie, die in bepaalde opzichten schadelijk is voor de concurrent, maar waarbij een snelle en felle reactie hierop van deze concurrent nadelige gevolgen voor hem heeft op andere terreinen. Dit verschijnsel kan een vertraging in de reactie tot gevolg hebben (en tevens leiden tot een verminderde doeltreffendheid hiervan) of zelfs leiden tot een geheel achterwege blijven van tegenmaatregelen. Een deel van de vertraging kan het gevolg zijn van de tijd die nodig is voor het uitvechten van interne conflicten.

Het vinden van een situatie, waarin de belangrijkste concurrenten gevangen worden in een web van conflicterende doelstellingen, vormt de basis voor het succes van heel wat bedrijven. De trage reactie van de Zwitsers op het Timex-horloge is hier een voorbeeld van. Timex verkocht zijn horloges via warenhuizen in plaats van de traditionele juwelierszaken en legde de nadruk op lage kosten, overbodigheid van reparatie en het feit dat een horloge geen statusvoorwerp was, maar eerder een functioneel kledingstuk. De hoge verkoopcijfers van Timex vormden op den duur een bedreiging voor de financiële en groeidoelstellingen van de Zwitsers, maar creëerde tevens het lastige dilemma of ze hier nu al dan niet rechtstreeks op moesten reageren. De Zwitsers hadden een groot belang in de juwelierszaken als distributiekanaal en hadden zwaar geïnvesteerd in de reputatie van hun horloge als een stuk juwelierswerk van verfijnde precisie. Agressieve maatregelen tegen Timex zouden erkenning van hun concept inhouden, de benodigde medewerking van de juweliers als verkopers van Zwitserse horloges in gevaar brengen en de produktreputatie van de Zwitsers bezoedelen. Daarom zijn er nooit echt serieuze tegenmaatregelen tegen Timex genomen.

Er zijn nog veel meer voorbeelden van dit verschijnsel. De strategieën in het verleden van American Motors en Volkswagen om een elementaire basisvervoersauto te produceren, met weinig veranderingen in stijl, creëerde voor de Grote Drie autoproducenten een soortgelijk dilemma. Hun strategie was gebaseerd op inruil en frequente modelwijzigingen. Bics introductie van wegwerp scheerapparaten heeft Gillette in een lastig parket gebracht: als het reageert, kan dat gevolgen hebben voor de verkoopcijfers van andere produkten in zijn uitgebreide produktlijn van scheerspullen, een dilemma dat Bic niet kent.[4] En tot slot wilde IBM eigenlijk liever geen minicomputers gaan produceren, omdat hierdoor de verkoop van grotere 'mainframe' computers in gevaar gebracht zou worden.

Het vinden van strategische maatregelen, waar met vertraging op gereageerd zal worden, of het ondernemen van actie om die vertraging te maximaliseren, zijn grondbegrippen in de competitieve interactie. Het zoeken naar manieren voor tegenmaatregelen kan echter niet zonder het stellen van voorwaarden tot strategisch principe verheven worden. Trage maar onverbiddelijke vergeldingsacties kunnen het initiërende bedrijf meer schade

---

[4] Voor een beschrijving van Bics actie, zie 'Gillette: After the Diversification that Failed,' *Business Week*, 28 februari, 1977.

berokkenen dan een snelle maar minder doeltreffende tegenactie. Bij de keuze van zijn actie zal het bedrijf dus een afweging moeten maken tussen de vertraging van de tegenmaatregelen en de doeltreffendheid en hardnekkigheid daarvan.

DEFENSIEVE ACTIES

We hebben tot dusver alleen over offensieve acties gesproken, maar de noodzaak om zich te verdedigen tegen acties van concurrenten kan even belangrijk zijn. Het probleem bij verdediging is uiteraard tegenovergesteld aan dat bij offensieve acties. Een goede verdediging houdt in het creëren van een situatie, waarin de concurrenten, na de hierboven beschreven analyse te hebben uitgevoerd of na daadwerkelijk een poging gewaagd te hebben, tot de conclusie komen dat de actie onverstandig is. Evenals bij offensieve acties het geval is, kan men zich verdedigen door de concurrenten na een strijd te dwingen een stapje terug te doen. De meest doeltreffende verdediging bestaat echter uit het *geheel voorkomen van enige strijd*.

Om een maatregel te voorkomen is het noodzakelijk dat de concurrenten met een hoge mate van zekerheid tegenmaatregelen verwachten en geloven dat deze doeltreffend zullen zijn. Enige methoden om dit te bereiken zijn al besproken en andere zullen geïntroduceerd worden als onderdeel van het gegeneraliseerde concept van de *verplichting*, dat verderop besproken zal worden.

Zelfs als een maatregel niet kan worden voorkomen, zijn er nog andere verdedigingsmethoden:

Strafmaatregelen als vorm van verdediging

Als een concurrent een actie onderneemt en het bedrijf reageert daar zonder aarzeling en onmiddellijk op, dan kan deze bestraffende actie ertoe leiden dat de agressor verwacht dat deze vergelding altijd plaats zal vinden. Hoe beter het bestraffende bedrijf in staat is om zijn tegenmaatregelen specifiek te richten op de initiator en hoe duidelijker het wordt dat het doel van de tegenmaatregelen de initiator is en geen enkel ander bedrijf, des te doeltreffender zal de strafmaatregel zijn. Een strijdmerk dat erg lijkt op een bepaald produkt van de concurrent, is bijvoorbeeld een veel doeltreffender strafmaatregel dan een meer algemeen nieuw produkt.[5] Omgekeerd geldt ook dat hoe algemener de strafmaatregel moet zijn (bijvoorbeeld een prijsverlaging voor alle klanten en niet alleen die klanten die gedeeld worden met de initiator van prijsverlagingen), des te kostbaarder en minder doeltreffend de strafmaatregel zal zijn. Ook is het zo dat als de reactie op een maatregel algemeen moet zijn in plaats van geconcentreerd op de agressor, de kans op een kettingreactie van zetten en tegenzetten toeneemt, hetgeen de strafmaatregel riskanter maakt.

---

[5] Voor voorbeelden van strijdmerken, zie hoofdstuk 4.

Het ontzeggen van een basis

Als de concurrent een actie heeft uitgevoerd, kan voor de concurrent de ontzegging van een geschikte basis om zijn doelstellingen te bereiken, gekoppeld aan de verwachting dat in deze situatie geen verandering zal komen, aanleiding zijn om zich terug te trekken. Nieuwe toetreders hebben bijvoorbeeld over het algemeen bepaalde doelstellingen wat betreft groei, marktaandeel, ROI en een bepaalde termijn, waarbinnen deze gerealiseerd moeten zijn. Als een nieuwe toetreder inziet dat hem doelstellingen onthouden worden en deze overtuigd raakt van het feit dat het lang zal duren voor ze bereikt zullen zijn, kan hij zich terugtrekken of een stapje terug doen. Tactieken met betrekking tot het ontzeggen van een basis omvatten een sterke prijsconcurrentie, hoge onderzoekinvesteringen, enzovoort. Het aanvallen van nieuwe produkten die nog in de testfase zitten, kan zeer doeltreffend zijn om de bereidheid van een bedrijf tot vechten aan te geven en is vaak goedkoper dan te wachten tot de introductie op de markt daadwerkelijk heeft plaatsgevonden. Een andere tactiek is het maken van speciale afspraken om de klanten zwaar óver te bevoorraden, zodat er tijdelijk geen markt voor het produkt is, waardoor de korte termijn kosten van toetreding zullen stijgen. Het kan de moeite waard zijn voor een korte tijd een aanzienlijk bedrag om een basis te ontzeggen te betalen, als de marktpositie van een bedrijf bedreigd wordt. Van groot belang voor zo'n strategie is echter een juiste veronderstelling omtrent de doelstellingen van de concurrent over resultaat en tijdsplanning.

Een voorbeeld van zo'n situatie is de uittreding van Gillette uit de digitale horlogebranche. Hoewel Gillette beweerde dat het op de testmarkten een aanzienlijk marktaandeel had veroverd, stapte ze er toch uit, wijzend op de enorme investeringen die nodig waren voor het ontwikkelen van de technologie alsmede de marges, die lager waren dan die van haar andere bedrijfsactiviteiten. Texas Instruments' strategie van agressieve prijspolitiek en snelle technologische ontwikkeling in de sector van digitale horloges zal aan deze beslissing zeker niet vreemd zijn geweest.

Verplichting

Misschien wel het belangrijkste concept bij het plannen en uitvoeren van offensieve en defensieve concurrerende acties is het concept van verplichting. Een verplichting kan een garantie vormen voor de waarschijnlijkheid, de snelheid en de kracht, waarmee op offensieve acties gereageerd zal worden, en kan de hoeksteen zijn van een defensieve strategie. Verplichtingen beïnvloeden de manier, waarop bedrijven hun eigen positie zien en die van de concurrenten. Het aangaan van een verplichting is in wezen een ondubbelzinnige mededeling omtrent de bedrijfsmiddelen en bedoelingen

van een bedrijf.[6] Concurrenten verkeren in onzekerheid omtrent de bedoelingen van een bedrijf en de omvang van haar hulpmiddelen. Door het duidelijk uit laten komen van bepaalde verplichtingen neemt deze onzekerheid af en gaan de concurrenten bij hun rationele strategieën uit van
nieuwe veronderstellingen, waardoor een concurrentieslag vermeden
wordt. Als een bedrijf zich bijvoorbeeld onmiskenbaar verplicht om scherp
te reageren op een bepaalde actie, dan zullen de concurrenten deze reactie
veeleer als een zekerheid en niet als een waarschijnlijkheid incalculeren bij
hun strategieformulering. Ze zijn dus sowieso minder geneigd tot het
ondernemen van actie. Waar het bij competitieve interactie om gaat, is het
zodanig uitspelen van verplichtingen, dat de eigen marktpositie van het
bedrijf wordt geoptimaliseerd.

Er zijn drie belangrijke soorten verplichtingen in de concurrentiesfeer,
die elk afzonderlijk een verschillend afschrikmiddel vormen:

- een onomstotelijke verplichting voor een bedrijf om een actie, die
  momenteel gaande is, te blijven steunen;
- de verplichting, die een bedrijf op zich heeft genomen, om tegenmaatregelen te treffen en te blijven treffen tegen bepaalde acties van
  de concurrentie;
- de verplichting dat een bedrijf geen actie zal ondernemen of een
  actie zal opgeven.

Als een bedrijf zijn concurrenten ervan kan overtuigen dat het zich verplicht heeft tot een strategische actie die gaande is of op stapel staat, vergroot het daarmee de kans dat de concurrenten zich bij de nieuwe situatie
zullen neerleggen en af zullen zien van de kosten van tegenmaatregelen of
pogingen om het bedrijf een halt toe te roepen. Een verplichting kan derhalve *tegenmaatregelen voorkomen*. Hoe vastbeslotener en koppiger een
bedrijf bij zijn plannen blijft om een bepaalde actie uit te voeren, des te
waarschijnlijker is dit resultaat. Als de concurrenten de indruk krijgen van
een grimmige en volstrekt gebonden concurrent, dan kunnen ze er wellicht
van overtuigd zijn dat de concurrent zal reageren op eventuele tegenmaatregelen teneinde zijn nieuwe positie te behouden, hetgeen een neerwaartse
spiraal tot gevolg zou hebben.

De tweede vorm van verplichting lijkt op de eerste, maar heeft betrekking op de mogelijke reactie van een bedrijf op initiatieven van de concurrentie. Als een bedrijf de concurrentie ervan kan overtuigen dat het zonder
uitzondering krachtig zal reageren op hun acties, dan kunnen de concurren-

[6] Hier dient te worden opgemerkt dat de term *communicatie* (mededeling) niet in letterlijke
zin opgevat dient te worden. Niettemin worden sommige wijzen van signaleren en aangaan
van verplichtingen nauwlettend in de gaten gehouden door de V.S. antitrust autoriteiten, uit
bezorgdheid dat ze tot stilzwijgende botsingen binnen de bedrijfstak zouden kunnen leiden.
Hoewel deze interpretatie nieuw is en nog onbewezen, dienen managers zich van het
bestaan hiervan bewust te zijn.

ten tot de conclusie komen dat die actie het daarom niet waard is om ondernomen te worden. Hier is de functie van verplichting het sowieso *voorkomen van dreigende acties*. Hoe meer de concurrenten een verbitterde concurrentiestrijd, die uiteindelijk de winsten van iedereen nadelig kan beïnvloeden, in het vooruitzicht wordt gesteld, des te minder zullen ze geneigd zijn om die te veroorzaken. Dit lijkt een beetje op de situatie, waarin de struikrover zegt: 'Handen omhoog en hier met je geld', waarop het slachtoffer met een krankzinnige blik in zijn ogen zegt: 'Als je m'n geld afpakt, zal ik deze bom tot ontploffing brengen en ons allebei doden!'

De derde vorm van verplichting, het niet ondernemen van een schadelijke actie, zou aangeduid kunnen worden als het *scheppen van vertrouwen*. Deze vorm van verplichting kan belangrijk zijn voor het beëindigen van een concurrentiestrijd. Als een bedrijf bijvoorbeeld zijn concurrenten ervan kan overtuigen dat het met een prijsverhoging mee zal gaan en niet zal proberen die te ondermijnen, kan dat helpen een einde te maken aan een prijzenoorlog.

De overtuigingskracht van een verplichting hangt samen met de mate waarin deze *bindend en onherroepelijk* is. De waarde van een verplichting is die van een afschrikmiddel, en de afschrikkende waarde neemt toe met de zekerheid, waarmee de concurrent de verplichting voldaan ziet. De ironie wil dat, wanneer de afschrikking geen effect sorteert, het bedrijf spijt kan krijgen van de aangegane verplichting (het slachtoffer wil zichzelf niet echt opblazen). Het bedrijf staat dan voor de moeilijke keus tussen het niet nakomen van de verplichting, waarbij de geloofwaardigheid in soortgelijke situaties in de toekomst afneemt, en het betalen van de prijs, die verbonden is aan het nakomen van de verplichting.

Zowel het feit of er al dan niet sprake is van een verplichting als de timing van de verplichting zijn van cruciaal belang. Een concurrent die zich als eerste ergens toe kan verplichten, kan in een positie verkeren om zijn gedrag door andere bedrijven als een gegeven te laten aanvaarden bij hun maximaliseringsberekeningen, waarbij de uitkomst in zijn voordeel wordt omgebogen. Dit kan vooral doeltreffend zijn, als bedrijven in principe een stabiel resultaat nastreven, maar het niet eens zijn over de precieze vorm ervan. Als twee bedrijven in een verwoede strijd zijn gewikkeld om een marktpositie en zeer uiteenlopende belangen hebben, biedt een verplichting in een vroeg stadium minder voordelen.[7]

KENBAAR MAKEN VAN EEN VERPLICHTING

Het kenbaar maken van een verplichting om een actie of tegenactie te ondernemen kan geschieden door uiteenlopende mechanismen en signaleringsmethoden. De bouwstenen voor een geloofwaardige verplichting zijn:

[7] Voor proefondervindelijke bewijzen van deze conclusie, zie Deutsch (1960).

- de bedrijfsmiddelen en andere hulpmiddelen om de actie, waartoe men zich verplicht heeft, snel uit te voeren;
- een duidelijk voornemen om de verplichting in daden om te zetten, inclusief een verleden van nagekomen verplichtingen;
- de onmogelijkheid om op te geven of duidelijke vastbeslotenheid om niet op te geven;
- vermogen tot het vaststellen van de omstandigheden, waarin de verplichting geldt of gaat gelden.

Dat de beschikking over de *middelen* om een verplichting na te komen een noodzakelijke voorwaarde is voor de geloofwaardigheid ervan, behoeft geen betoog. Als een bedrijf onverslaanbaar wordt geacht, is een concurrentiestrijd onwaarschijnlijk. Duidelijk zichtbare middelen voor het nakomen van verplichtingen zijn liquiditeitsoverschotten, overschotten aan produktiecapaciteit[8], een groot aantal verkooppersoneelsleden, uitgebreide onderzoeksfaciliteiten, een klein marktaandeel in bedrijfstakken van concurrenten dat voor tegenacties gebruikt kan worden, en strijdmerken. Minder zichtbare middelen zijn zaken als geheel gereed zijnde, maar nog niet geïntroduceerde nieuwe produkten die bedoeld zijn voor de basismarkt van een concurrent. *Disciplinaire methoden* zijn die bedrijfs- of hulpmiddelen, die bedoeld zijn om een concurrent te straffen, als deze een voor het bedrijf ongewenste actie onderneemt. Veel van de hierboven opgesomde middelen kunnen als effectieve disciplinaire methode gebruikt worden.

Het opbouwen van de middelen voor het nakomen van verplichtingen kan een belangrijke rol spelen bij het aangaan van die verplichtingen. Er is echter meer nodig dan alleen de beschikking over de middelen. De concurrenten moeten op de hoogte zijn van die middelen, willen deze afschrikkend werken. Dit maakt soms openbare bekendmakingen noodzakelijk, besprekingen met klanten, waarvan de inhoud in de bedrijfstak de ronde zal doen, en samenwerking met de financieel-economische vakpers voor artikelen, waarin melding wordt gemaakt van het bestaan van die middelen. Duidelijk zichtbare bedrijfsmiddelen zijn zeer waardevol als afschrikmiddel, aangezien het risico, dat ze door de concurrentie verkeerd beoordeeld worden, minimaal is.

Het duidelijke voornemen om een verplichting in daden om te zetten moet eveneens kenbaar gemaakt worden, wil de verplichting geloofwaardig zijn. Een manier om dit te bereiken is het volgen van een patroon van consistent gedrag. Het verleden wordt door de concurrenten vaak gebruikt als een aanwijzing voor de betrouwbaarheid en vastbeslotenheid van de reacties van een bedrijf, en goed uitgevoerde reacties in het verleden (die wellicht gericht waren op minder belangrijke zaken of zelfs kleinigheden) kunnen een overtuigend signaal zijn voor toekomstige bedoelingen. De duidelijke bedoeling om een verplichting na te komen wordt ook versterkt door merkbare acties die een snellere tegenmaatregel mogelijk maken, zoals de-

---

[8] Voor een behandeling van het hiermee verband houdende feit dat overcapaciteit een toetredingsbarrière kan vormen, zie Spence (1977).

fensieve O&O-programma's waar al aan wordt gewerkt en waar de concurrentie van afweet. Aankondigingen of het laten doorschemeren van plannen om een verplichting na te komen zijn eveneens communicatiemethoden, maar hebben minder overtuigingskracht dan gedrag in het verleden.

Heel doeltreffend in het kenbaar maken van een verplichting zijn bekende factoren die het *moeilijk en kostbaar, zo niet onmogelijk maken voor het bedrijf om te stoppen.* Bijvoorbeeld een gepubliceerd langlopend contract met een leverancier of klant is een aanwijzing voor een belang op lange termijn bij pogingen de markt te penetreren en er een plaats te veroveren. Hetzelfde geldt voor het kopen van een bedrijfsruimte in plaats van het te huren, of het penetreren van een markt als een volledig geïntegreerd producent en niet slechts als een 'assembleur'. De verplichting om tegenmaatregelen te treffen tegen acties van concurrenten kan onherroepelijk gemaakt worden door schriftelijke of mondelinge overeenkomsten met detailhandelaren of klanten betreffende prijsverlagingen, garanties voor een produkt van gelijke kwaliteit, coöperatieve reclame-ondersteuning om een actie van een concurrent het hoofd te bieden, enzovoort. Uit het bekend maken van verplichtingen aan de bedrijfstak of de financiële gemeenschap, het publiceren van doelstellingen wat betreft het marktaandeel of andere signalen kunnen de concurrenten opmaken dat een bedrijf in het openbaar in verlegenheid zal worden gebracht, als het terug moet krabbelen. Deze wetenschap zal hen er eerder van doen weerhouden om te proberen het bedrijf hiertoe te dwingen.

Volgens deze zelfde redenering geldt dat hoe meer een concurrent denkt dat het bedrijf haar verplichtingen tot op de grens van het onredelijke zal proberen na te komen, des te minder die concurrent geneigd zal zijn om dat bedrijf uit te dagen. Onredelijkheid in concurrentiesituaties kan blijken uit acties in het verleden, processen en openbare verklaringen. Gedrag, waardoor concurrenten begrijpen dat het een bedrijf ernst is, kan voorkomen in alle delen van het zakenleven. Wat verteld wordt aan leveranciers, klanten, distributiekanalen en in het openbaar, kan het belang aangeven dat een bedrijf hecht aan het zaken doen of aan het nakomen van een verplichting op lange termijn.

Het is van belang op te merken dat voor het kenbaar maken van een verplichting niet altijd ruime bedrijfsmiddelen noodzakelijk zijn. Bijvoorbeeld een bedrijf met een groot marktaandeel en een breed produktaanbod heeft meestal tegenstrijdige belangen bij het reageren op sommige acties, zoals reeds eerder vermeld is. Een klein bedrijf kan echter veel te winnen en weinig te verliezen hebben bij het ondernemen van een bepaalde actie of tegenactie. Als zo'n bedrijf bijvoorbeeld zijn prijzen verlaagt, kan dat enorme gevolgen hebben voor de grote concurrent gezien diens grotere produktie. Hoewel een kleiner bedrijf minder middelen tot zijn beschikking heeft om zijn dreigingen uit te voeren, kan dit toch deels gecompenseerd worden met volharding of irrationaliteit.

Tenslotte is *het vermogen van een bedrijf om een verplichting te onderkennen* zeer belangrijk voor de doeltreffendheid van de verplichting tot het nemen van tegenmaatregelen. Als een concurrent denkt, dat hij onopgemerkt blijft als hij heimelijk te werk gaat, zal de verleiding daartoe groot zijn. Als het bedrijf echter kan *tonen* dat het onmiddellijk op de hoogte kan zijn van prijsveranderingen, kwaliteitsaanpassingen of binnenkort op de markt komende nieuwe produkten, wordt de verplichting tot het nemen van tegenmaatregelen geloofwaardiger. Bij concurrenten *bekende* systemen voor verkoopcontrole, contacten met klanten en distributeurs zijn voorbeelden van manieren om duidelijk te maken dat de vinger aan de pols wordt gehouden. Het is natuurlijk mogelijk dat kopers melding maken van geheime prijsverlagingen, ook al is hier in werkelijkheid geen sprake van, in de hoop op een korting. Hierdoor kan de stabiliteit van een markt, waar informatie schaars is of waar leveranciers de beweringen van kopers niet kunnen verifiëren, aan het wankelen worden gebracht.

De zich ontwikkelende concurrentiestrijd rond Baxter Travenol Laboratories (infusievloeistoffen, bloedflessen en aanverwante wegwerpprodukten in de gezondheidssfeer) is een interessant voorbeeld van sommige ideeën omtrent verplichting.[9] Baxter ($ 800 miljoen), dat een sterke marktpositie heeft, moet het hoofd bieden aan een uitdaging van de McGaw-divisie van de American Hospital Supply Corporation ($ 1,5 miljard), dat een nieuwe houder voor infusievloeistoffen heeft ontwikkeld. Hoewel de Food and Drug Administration pas in november 1977 het groene licht gaf voor het nieuwe concurrerende produkt, was Baxter naar verluidt al in actie gekomen om blijk te geven van zijn verplichting zich tegen de toetreding te verzetten. Inkopers van ziekenhuizen maakten melding van een toenemende prijzenslag. Men maakte melding van het feit dat Baxter grote kortingen gaf op veel produkten en het vooral voorzien had op de belangen van McGaw. Baxter had ook veel in onderzoek geïnvesteerd en toen een andere concurrent in het begin van de jaren zeventig de markt penetreerde, had Baxter gereageerd met zeer forse prijsverlagingen. Baxters volharding en vastbeslotenheid om deze recente uitdaging van de concurrentie het hoofd te bieden is blijkbaar duidelijk overgekomen.

VERTROUWEN ALS VERPLICHTING

Onze bespreking betrof vooral het kenbaar maken van een verplichting om vast te houden aan een maatregel of tegenmaatregel, maar in sommige situaties vinden bedrijven het wenselijk om verplichtingen aan te gaan om *geen* agressieve acties te ondernemen of die te beëindigen. Dit lijkt gemakkelijk, maar in het algemeen staan concurrenten wantrouwend tegenover verzoenende gebaren van een bedrijf, vooral als ze in het verleden door dat

---

[9] Voor een beschrijving, zie 'A Miracle of Sorts', *Forbes*, 15 november 1977.

bedrijf zijn misleid. Ze kunnen ook aarzelen om hun verdedigende houding te laten varen uit angst dat ze zo het initiatief nemende bedrijf de kans geven hen schade toe te brengen, die maar moeilijk te herstellen zal zijn. Hoe moeten bedrijven dan te werk gaan, als ze een verzoening kenbaar willen maken of vertrouwen willen kweken?

Ook hier is het aantal mogelijkheden in de praktijk groot en zijn de principes, die reeds beschreven werden bij het kenbaar maken van een verplichting, van toepassing. Een overtuigende manier om vertrouwen te kweken is het *aantoonbaar* omlaagbrengen van de omzet in het voordeel van de concurrenten. Zo bestaan er bijvoorbeeld duidelijke aanwijzingen dat General Electric in tijden van laagconjunctuur in de sector van turbine generators een deel van zijn marktaandeel afstond om al te grote prijsteruggang te voorkomen en dat het marktaandeel weer teruggewonnen werd als de markt weer aantrok.[10]

Concentratiepunten

Een probleem dat tot instabiliteit in een oligopolie leidt, is het coördineren van de verwachtingen van concurrenten over wat de eventuele marktresultaten zullen zijn. Naarmate de verwachtingen van de concurrenten meer uiteenlopen, zal er meer gemanoeuvreerd worden en bestaat er grote kans op het uitbarsten van een concurrentie-oorlog. Thomas Schelling gaat in zijn werk over speltheorie[11] uit van de veronderstelling dat voor het bereiken van een resultaat in een dergelijke situatie het ontdekken van een *concentratiepunt*, of een duidelijk rustpunt waar de verwachtingen binnen dit concurrentieproces kunnen samenkomen, een belangrijke rol speelt. De kracht van concentratiepunten ligt in de behoefte en de wens van concurrenten om een algehele stabiele situatie te bereiken, zodat lastige en destabiliserende acties en tegenacties vermeden kunnen worden. Concentratiepunten kunnen de vorm aannemen van logische prijspunten, regels voor een bepaald percentage markup, globale verdeling van marktaandelen, informele verdelingen van de markt op basis van ligging of afnemers, enzovoort. De theorie van concentratiepunten is dat concurrentie-aanpassingen uiteindelijk uit zullen komen op een dergelijk punt, dat dan als een natuurlijk evenwicht dient.

Het concept van concentratiepunten werpt drie implicaties omtrent concurrentie op. Ten eerste moeten de bedrijven zo snel mogelijk een wenselijk concentratiepunt vaststellen. Hoe sneller dit gerealiseerd kan worden, des te minder zullen de kosten van het manoeuvreren in die richting zijn. Ten tweede moeten prijsstructuur en andere beslissingsvariabelen vereenvoudigd worden, zodat een concentratiepunt vastgesteld kan worden.

---

[10] Sultan (1974), vol. 1.
[11] Schelling (1960)

Dit kan bijvoorbeeld inhouden dat kwaliteit of produkten gestandaardiseerd worden ter vervanging van een complex geheel van produkten binnen de produktlijn. Ten derde is het in het belang van een bedrijf om te proberen de zaken zo te sturen, dat een zo gunstig mogelijk concentratiepunt bereikt wordt. Dit kan inhouden dat binnen de bedrijfstak een terminologie wordt geïntroduceerd die tot een wenselijk concentratiepunt leidt, zoals het spreken in termen van prijzen per vierkante meter in plaats van absolute prijzen. Het kan ook de vorm aannemen van het zodanig opbouwen van de *reeks* strategische maatregelen, dat een (voor het bedrijf) voordelig concentratiepunt op natuurlijke wijze tot stand lijkt te komen.

Een kanttekening bij informatie en geheimhouding

Deels vanwege de snelle ontwikkeling van de financieel-economische vakpers en de strengere eisen voor publikatie van bepaalde gegevens onthullen bedrijven steeds meer over zichzelf. Hoewel dit soms een wettelijke verplichting is, berust veel van wat in jaarverslagen wordt geschreven, in interviews of toespraken wordt gezegd of via andere media kenbaar wordt gemaakt niet op een statutaire of wettelijke verplichting. Onthulling hiervan kan voortkomen uit bezorgdheid over de ontwikkeling van de koers van het eigen aandeel, uit trots van de manager, uit gebrekkige controle over uitspraken van werknemers of eenvoudig uit onoplettendheid.

Uit dit hoofdstuk blijkt duidelijk dat informatie van cruciaal belang is voor zowel defensieve als offensieve concurrerende acties. Soms kan het selectief doorgeven van informatie zeer nuttig zijn voor bepaalde doelstellingen, marktsignalen, het aangeven van een verplichting en dergelijke; vaak echter kan informatie over plannen en bedoelingen strategieformulering voor de concurrenten aanzienlijk vergemakkelijken. Als bijvoorbeeld een op de markt te brengen nieuw produkt tot in details wordt beschreven, dan zullen de concurrenten in staat zijn om hun bedrijfs- of hulpmiddelen aan te wenden voor een passende reactie. Als de gegevens over de aard van het nieuwe produkt daarentegen zeer vaag zijn, zullen de concurrenten diverse defensieve strategieën moeten ontwikkelen, afhankelijk van de werkelijke aard van het nieuwe produkt.

Het *selectief* onthullen van gegevens over zichzelf is een belangrijk hulpmiddel van een bedrijf bij het uitvoeren van concurrerende acties. Gegevens zouden slechts vrijgegeven moeten worden als een integraal onderdeel van een concurrentiestrategie.

6
Strategie ten opzichte van kopers en leveranciers

In dit hoofdstuk worden enkele implicaties van structurele analyse voor het selecteren van kopers of het kiezen van doelgroepen of klantengroepen uitgewerkt. Tevens worden enkele gevolgen van structurele analyse voor de inkoopstrategie besproken. Het beleid met betrekking tot kopers en leveranciers wordt vaak te eng gezien, waarbij de aandacht voornamelijk uitgaat naar beheersproblemen. Toch kan een brede aandacht voor algemene strategie-onderwerpen met betrekking tot kopers en leveranciers de concurrentiepositie van een bedrijf verbeteren en het minder kwetsbaar maken voor hun machtsuitoefening.

Selectie van kopers

In de meeste bedrijfstakken worden produkten of diensten niet alleen aan een enkele koper verkocht, maar aan verschillende groepen kopers. De gezamenlijke onderhandelingsmacht van deze groepen is een van de belangrijkste concurrentiekrachten die de potentiële winstgevendheid van een bedrijfstak bepalen. In hoofdstuk 1 werden enkele van de structurele voorwaarden onderzocht, die een kopersgroep binnen een industrie machtiger of minder machtig maken.

Toch komt het niet vaak voor dat een kopersgroep in een bedrijfstak structureel homogeen is. In veel kapitaalgoederen-industrieën bijvoorbeeld worden de produkten verkocht aan bedrijven in uiteenlopende sectoren, die het kapitaalgoed op verschillende manieren gebruiken. Deze bedrijven kunnen erg verschillen in de hoeveelheden die ze kopen, de belangrijkheid van het produkt als input voor hun produktieproces, enzovoort. Kopers van consumptie-artikelen kunnen ook verschillen in de hoeveelheden die ze kopen, inkomen, opleiding en andere aspecten.

Afnemers van een bedrijfstak kunnen eveneens verschillende koopbehoeften hebben. Verschillende kopers kunnen verschillende niveaus van klantenservice vragen, verschillende kwaliteit en duurzaamheid van het produkt wensen, andere informatie willen, enzovoort. Deze verschillende behoeften vormen een van de redenen waarom kopers een verschillende structurele onderhandelingspositie hebben.

Kopers verschillen niet alleen in hun structurele positie, maar ook in groeimogelijkheden en daarmee in de mogelijke groei van hun inkoophoeveelheden. De verkoop van een elektronica-component aan een bedrijf als Digital Equipment in de snelgroeiende minicomputerindustrie biedt betere vooruitzichten op groei dan de verkoop van dezelfde component aan de fabrikant van zwart-wit TV's.

Tenslotte verschillen de kosten van serviceverlening aan individuele kopers om een aantal redenen. Bijvoorbeeld: bij de distributie van elektronica-componenten zijn de kosten van service aan kopers, die de componenten in kleine hoeveelheden vragen, veel hoger (als percentage van de verkoopcijfers) dan die aan groot-afnemers, omdat de servicekosten bij een order vrijwel los staan van de grootte hiervan. De voornaamste kosten zijn administratie, verwerking en behandeling, en deze worden nauwelijks beïnvloed door het aantal componenten.

Door deze heterogeniteit wordt de *selectie van de kopers* -de doelgroep- een belangrijke strategische variabele. Met andere woorden: voor zover het bedrijf een keus heeft, moet het verkopen aan de gunstigste kopersgroep. De selectie van de kopersgroep kan het groeipercentage van het bedrijf sterk beïnvloeden en de macht van de koper als verstorende factor minimaliseren. De selectie van de doelgroep met aandacht voor structurele overwegingen is vooral een belangrijke strategische variabele in volwassen bedrijfstakken en in die bedrijfstakken, waar barrières, veroorzaakt door produktdifferentiatie of technologische innovaties moeilijk in stand zijn te houden.

Enige concepten voor de selectie van kopersgroepen zullen hieronder besproken worden. Nadat we de kenmerken van gunstige of 'goede' kopers hebben vastgesteld, zullen enkele strategische implicaties van de doelgroepselectie worden besproken. Eén van deze basisimplicaties is dat een bedrijf niet alleen goede kopers kan vinden, maar ze ook kan *creëren*.

EEN SCHEMA VOOR DOELGROEPSELECTIE EN STRATEGIE

Uit het voorgaande kunnen vier algemene criteria worden afgeleid, die bepalend zijn voor de kwaliteit van de kopers vanuit strategisch oogpunt:

- Koopbehoeften versus bedrijfscapaciteit en -mogelijkheden

- Groeimogelijkheden

- Structurele positie   intrinsieke onderhandelingsmacht
  geneigdheid om deze onderhandelingsmacht uit te oefenen door lage prijzen te vragen

- Servicekosten

De verschillende koopbehoeften van de kopers hebben strategische gevolgen, als de mogelijkheden van een bedrijf om aan deze behoeften tegemoet te komen verschillen van die van de concurrenten. Stel dat overige omstandigheden gelijk blijven, dan zal het bedrijf zijn concurrentievoordeel uitbouwen, indien het zijn inspanningen richt op die kopers, aan wier behoeften het het best tegemoet kan komen. De betekenis van het groeipotentieel van de kopers voor strategieformulering spreekt voor zich. Hoe groter het groeipotentieel van de koper is, des te waarschijnlijker is het dat de vraag naar het produkt van de firma met de tijd zal toenemen.

Met het oog op strategische analyse wordt de structurele positie van de kopers over het algemeen in twee aspecten verdeeld. De intrinsieke onderhandelingsmacht is de pressie, die de kopers mogelijkerwijs op de verkoper kunnen uitoefenen gezien hun positie en beschikbare alternatieve toevoerbronnen. Van dit pressiemiddel kan echter *al dan niet* gebruik worden gemaakt, omdat de kopers ook verschillen in hun geneigdheid om hun onderhandelingsmacht te gebruiken voor het bedingen van lagere prijzen. Sommige kopers zijn niet erg prijsgevoelig, ook al kopen ze in grote hoeveelheden. Het is ook mogelijk dat ze bereid zijn om prijsvoordeel te ruilen tegen andere produktkenmerken op een manier dat de marges van de verkoper gehandhaafd blijven. Zowel de intrinsieke onderhandelingsmacht als de bereidheid die te gebruiken zijn strategisch van cruciaal belang, omdat ongebruikte macht een dreiging is die bij ontwikkeling van de bedrijfstak ten uitvoer kan worden gebracht. Kopers die niet prijsgevoelig zijn geweest, kunnen dit snel worden zodra de bedrijfstak volwassen is geworden of als een substituut druk begint uit te oefenen op hun eigen marges.

Het laatste sleutelkenmerk van de koper vanuit strategisch oogpunt zijn de kosten voor het bedrijf met betrekking tot de serviceverlening aan bepaalde kopers. Zijn deze kosten hoog, dan kunnen kopers die op basis van andere criteria 'goede' kopers zijn, hun aantrekkelijkheid verliezen, omdat de kosten dan zwaarder wegen dan hogere marges of lagere risico's bij het toeleveren aan hen.

Deze vier criteria wijzen *niet* noodzakelijkerwijs in dezelfde richting. Kopers met het grootste groeipotentieel kunnen ook het sterkst en/of meest meedogenloos zijn bij het uitoefenen van hun macht, maar dit hoeft niet persé het geval te zijn. Het kan ook zijn dat de kosten van serviceverlening aan kopers met een zwakke onderhandelingspositie en een geringe prijsgevoeligheid zo hoog zijn, dat de voordelen van hogere prijzen komen te vervallen. Tenslotte kunnen kopers, die het meest geschikt zijn om aan te leveren, op alle andere punten tekortschieten. De uiteindelijke keus van de beste doelgroep is derhalve een afwegingsproces tussen al deze factoren, gerelateerd aan de doelstellingen van het bedrijf.

Om vast te stellen waar een koper zich bevindt met betrekking tot de vier criteria, moeten de concepten van structurele en concurrentie-analyse op hun situatie worden toegepast. Enkele van deze factoren zullen nu besproken worden.

KOOPBEHOEFTEN VERSUS BEDRIJFSCAPACITEITEN

De noodzaak om de specifieke koopbehoeften te laten overeenstemmen met de relatieve bedrijfscapaciteiten is duidelijk. Als deze parallel lopen, zal het bedrijf in vergelijking met zijn concurrenten de hoogste produktdifferentiatie bereiken, afgestemd op zijn kopers. Hetzelfde geldt voor het minimaliseren van de leverings- en servicekosten. Als een bedrijf bijvoorbeeld deskundigheden op het gebied van proces- en produktontwikkeling bezit, zal het het grootste relatieve voordeel behalen bij het leveren aan klanten, die de grootste nadruk leggen op verscheidenheid van het produktaanbod. Een bedrijf dat over een relatief efficiënt logistiek systeem beschikt, zal het meeste baat hebben bij kopers, voor wie de kosten zeer belangrijk zijn of voor wie de logistiek om die te bereiken zeer ingewikkeld is.

Het bepalen van de behoeften van bepaalde kopers is een kwestie van vaststellen van alle factoren, die een rol spelen bij de beslissing om te kopen en bij het afhandelen van de koopovereenkomst (vervoer, aflevering, afwikkeling van de order). Deze kunnen opgesteld worden voor individuele kopers of kopersgroepen binnen de toale koperspopulatie. Bij het vaststellen van de relatieve mogelijkheden van het eigen bedrijf kan gebruik gemaakt worden van de concurrentie-analyse, zoals weergegeven in hoofdstuk 3.

HET GROEIPOTENTIEEL VAN DE KOPER

Het groeipotentieel van een industriële koper wordt door drie eenvoudige voorwaarden bepaald:

- de groeivoet van de bedrijfstak van de koper;
- de groeivoet van de voornaamste marktsegmenten van de koper;
- de verandering in het marktaandeel van het bedrijf binnen de bedrijfstak en de voornaamste segmenten.

De groeivoet van de bedrijfstak van de koper zal van een aantal factoren afhangen, zoals de positie van de bedrijfstak ten opzichte van substitutiegoederen, de groei van de kopersgroep van die bedrijfstak, enzovoort. De algemene factoren die de groei op lange termijn binnen de bedrijfstak bepalen, zullen in hoofdstuk 8, 'Ontwikkeling van de bedrijfstak', worden besproken.

Sommige marktsegmenten van een bedrijfstak groeien harder dan andere. De potentiële groei van de koper zal dus ook deels afhangen van de segmenten, waaraan hij voornamelijk levert of zou kunnen en misschien zal gaan leveren. Het bepalen van het groeipotentieel van bepaalde segmenten vereist in principe eenzelfde analyse als die, die nodig is voor het vaststellen van het groeipotentieel van de bedrijfstak, maar dan op een lager aggregatieniveau.

Het marktaandeel van een koper binnen een bedrijfstak en bepaalde marktsegmenten zijn het derde element van een groeianalyse. Zowel het huidige marktaandeel van de koper als de mogelijkheid dat dit aandeel groter of kleiner zal worden is afhankelijk van de concurrentiesituatie van de koper. Voor het vaststellen hiervan is zowel een concurrentie-analyse nodig als een diagnose inzake de huidige en toekomstige structuur van de bedrijfstak, zoals in andere hoofdstukken beschreven.

Deze drie elementen gezamenlijk bepalen het groeipotentieel van de koper. Als een koper bijvoorbeeld in een gunstige positie verkeert om zijn marktaandeel te vergroten, dan kunnen er zelfs in een volwassen of neergaande bedrijfstak goede groeimogelijkheden aanwezig zijn.

Het groeipotentieel van consumenten wordt bepaald door een overeenkomstige reeks factoren:

- demografische aspecten
- gekochte hoeveelheden

De demografische factor is bepalend voor de toekomstige omvang van een bepaald consumentensegment. Het aantal consumenten van ouder dan 25 jaar en met een goede opleiding zal bijvoorbeeld snel toenemen. Elke bevolkingsgroep kan zo met behulp van demografische technieken geanalyseerd worden naar inkomen, opleiding, burgerlijke staat, leeftijd, enzovoort.

De hoeveelheid produkten of diensten, die een bepaald consumentensegment zal kopen, is de andere sleutelfactor voor de groeivooruitzichten. Deze zal bepaald worden door factoren als het bestaan van substituten, maatschappelijke trends die een verschuiving in de behoeften veroorzaken, enzovoort. Net als de vraag naar industriële goederen of produkten, zullen ook de onderliggende factoren die bepalend zijn voor de vraag op lange termijn naar consumptie-artikelen, in hoofdstuk 8 besproken worden.

INTRINSIEKE ONDERHANDELINGSMACHT VAN KOPERS

De factoren, die bepalend zijn voor de intrinsieke onderhandelingsmacht van bepaalde kopers of kopersgroepen, zijn dezelfde als de factoren beschreven in hoofdstuk 1, die bepalend zijn voor de macht van een kopersgroep als geheel, maar dienen enigszins uitgebreid te worden. Nu zal ik de criteria weergeven, aan de hand waarvan kopers met relatief *weinig* intrinsieke onderhandelingsmacht herkend kunnen worden, aangezien deze goede kopers vormen met het oog op doelgroepselectie:

Afgezet tegen de verkoopcijfers van de verkopers kopen ze kleine hoeveelheden. Kleinschalige kopers beschikken over minder pressiemiddelen om prijsconcessies en andere speciale gunsten te bedingen. De omvang van de aankopen van een bepaalde koper zal vooral van betekenis zijn voor het geven van onderhandelingsmacht, wanneer de verkoper hoge vaste lasten heeft.

Ze hebben geen gekwalificeerde alternatieven. Als de behoeften van bepaalde kopers zodanig zijn, dat er maar weinig alternatieven bestaan waarmee ze tevreden zullen zijn, dan is hun onderhandelingspositie vrij zwak. Als een koper bijvoorbeeld een onderdeel van buitengewone hoge precisie nodig heeft, zijn er wellicht maar weinig verkopers, die daarin kunnen voorzien. Volgens dit criterium is een goede koper een koper, die eigenschappen van het produkt van een bepaalde verkoper nodig heeft, die uniek zijn. Gekwalificeerde alternatieven kunnen ook beperkt zijn vanwege de noodzaak van uitgebreide tests of praktijkproeven om de de koper van de kwaliteit te overtuigen. Dit zien we vaak bij apparatuur voor telecommunicatie.

Ze hebben te maken met hoge kosten van inkoop, transactie of onderhandeling. Kopers, die zich zeer moeilijk kunnen verzekeren van alternatieve aanbiedingen of die te kampen hebben met moeilijkheden bij onderhandelingen of het doorvoeren van transacties, hebben in het algemeen minder intrinsieke macht. De kosten, die het vinden van een nieuw merk of nieuwe leverancier voor hen met zich mee zou brengen, zijn hoog, zodat ze gedwongen zijn om bij de huidige te blijven. Kopers in verafgelegen gebieden hebben bijvoorbeeld met zulke problemen te maken.

Ze zijn niet in staat om op geloofwaardige wijze te dreigen met achterwaartse integratie. Kopers die niet in een positie zijn om achterwaarts te integreren, verliezen daarmee een belangrijk pressiemiddel. Wat betreft de mogelijkheden hiertoe verschillen kopers van een produkt over het algemeen aanzienlijk. Van de talloze kopers van zwavelzuur bijvoorbeeld verkeren alleen de groot-afnemers (kunstmestfabrikanten en oliemaatschappijen) in deze positie. De andere kopers van zwavelzuur beschikken over minder onderhandelingsmacht. De factoren, die de uitvoerbaarheid van achterwaartse integratie door een bepaalde koper bepalen, worden in hoofdstuk 14, 'De strategische analyse van verticale integratie', besproken.

Ze hebben te maken met hoge vaste kosten bij het wisselen van leverancier. Sommige kopers zitten in een situatie, waarin hun overstapkosten hoog zijn. Ze kunnen bijvoorbeeld de specificaties van hun produkt afgestemd hebben op dat van een bepaalde leverancier of zwaar geïnvesteerd hebben om een bepaald apparaat van de leverancier te leren gebruiken.

De voornaamste oorzaken van overstapkosten zijn de volgende:

- kosten van produktwijziging om het produkt van een nieuwe leverancier na te volgen;
- kosten, die gepaard gaan met het testen en beproeven van het produkt van een nieuwe leverancier om substitueerbaarheid te garanderen;
- investeringen in het omscholen van werknemers;
- investeringen in nieuwe hulpapparatuur, noodzakelijk voor het gebruik van produkten van een nieuwe leverancier (gereedschap, testapparatuur, enz.);
- kosten van het treffen van logistieke regelingen;
- psychische kosten, die gepaard gaan met het beëindigen van een relatie.

De invloed van déze factoren verschilt van koper tot koper.

Ook de verkoper kan getroffen worden door overstapkosten, omdat hij mogelijk vaste lasten moet dragen van wisselende kopers. Overstapkosten, waar de verkoper zich voor gesteld ziet, leveren voor de kopers onderhandelingsmacht op.

PRIJSGEVOELIGHEID VAN DE KOPER

Individuele kopers kunnen ook aanzienlijk verschillen in hun neiging om al hun troeven uit te spelen teneinde lagere prijzen te bedingen. Kopers, die absoluut niet prijsgevoelig zijn of die een hogere prijs accepteren in ruil voor kwaliteiten van het produkt, zijn over het algemeen goede kopers. Ook hier zijn de voorwaarden, die de prijsgevoeligheid van individuele kopers bepalen, dezelfde als die, die de prijsgevoeligheid van een kopersgroep als geheel bepalen, zoals weergegeven in hoofdstuk 1, weliswaar met een aantal toevoegingen.

Kopers die *niet* gevoelig voor prijzen zijn, vallen over het algemeen in één of meer van de volgende categorieën:

De kosten van het produkt beslaan slechts een klein deel van de produktiekosten van de koper en/of zijn inkoopbudget. Als de kosten van het produkt relatief laag zijn, heeft de koper weinig te winnen met onderhandelingen over de prijs. Waar het hier om gaat zijn dus de totale kosten van het produkt per periode, niet de kosten per eenheid. De kosten per eenheid kunnen laag zijn, maar het aantal gekochte eenheden kan het een belangrijk artikel maken. De aandacht van de consument of de inkoper, wat maar van toepassing is, zal zich meer richten op artikelen met hogere kosten. Voor bedrijfsinkopers betekent dit vaak dat oudere, gespecialiseerde inkopers en directieleden produkten met hoge kosten kopen, terwijl de junioren algemene inkopers zorgen voor de inkoop van de goedkopere produkten. Voor consumenten is een goedkoop artikel de hoge kosten van langdurig winkelen en vergelijken niet waard. Kortom, bij aankoop kunnen gemakzucht en gewoonte een belangrijker motief vormen en zal de aankoop op minder 'objectieve' criteria gebaseerd zijn.

De gevolgen van gebreken in het produkt wegen zwaar in vergelijking met de kosten. Als een produkt, dat gebreken vertoont of niet aan de verwachtingen voldoet, aanzienlijke financiële schade toebrengt aan de koper, zal deze minder geneigd zijn tot prijsgevoeligheid. De koper zal kwaliteit belangrijk genoeg vinden om er extra voor te betalen en zal geneigd zijn om bij een bepaald produkt dat zijn kwaliteit in het verleden bewezen heeft, te blijven. Een duidelijk voorbeeld van dit produktkenmerk treft men aan in de bedrijfstak van elektrische produkten. Hier zijn kopers van elektrische controlesystemen voor machines minder prijsgevoelig dan kopers van controlesytemen voor huis-, tuin- en keukenartikelen. Gebreken in het controlesysteem van een dure machine kunnen zowel de hele machine als een aantal werknemers op non-actief stellen, of zelfs een hele produktielijn lamleggen. Produkten die aan kopers verkocht worden voor gebruik in onderling verbonden systemen, brengen ook bijzonder hoge kosten in geval van gebrekkigheid met zich mee, omdat door de mislukking van een produkt het hele systeem uitgeschakeld kan worden.

Effectiviteit van het produkt kan belangrijke besparingen opleveren of tot verbeterde prestaties leiden. Van het omgekeerde van de voorgaande situatie is sprake, als een produkt of dienst de koper tijd en geld kan uitsparen als het goed voldoet of de kwaliteiten van het produkt van de koper kan verbeteren. De koper zal dan niet geneigd zijn erg op de prijs te letten. De diensten van een 'investment banker' of (bedrijfs)adviseur bijvoorbeeld kunnen belangrijke besparingen met zich meebrengen door nauwkeurige prijsbepaling bij aandelenemissies, door beoordeling van eventueel over te nemen bedrijven of door oplossingen voor bedrijfsproblemen. Kopers met bijzonder moeilijke prijsbeslissingen of die veel belang hebben bij de oplossing van bepaalde problemen zullen extra willen betalen voor het allerbeste advies. Een ander voorbeeld levert het 'in kaart brengen' van olievelden. Bedrijven als Schlumberger maken gebruik van verfijnde elektronische technieken om de eventuele aanwezigheid van olie in rotsformaties vast te stellen. Nauwkeurige voorspelling kan belangrijke besparingen op de boorkosten met zich meebrengen, en oliemaatschappijen zijn maar al te graag bereid om voor deze diensten goed te betalen, vooral die bedrijven die te maken hebben met lastige of kostbare bronnen door grote diepte of ligging ver van de kust af. Besparingen voor de koper die hieraan verwant zijn, zijn tijdige levering, snelle serviceverlening bij problemen, enzovoort. Sommige kopers zijn bereid extra te betalen aan bedrijven die in deze opzichten goede resultaten behalen. Produkten, waardoor de koper betere resultaten kan boeken, zijn geneesmiddelen en elektronische apparatuur.

De koper concurreert met een kwaliteitsstrategie, waaraan het gekochte produkt verondersteld wordt een bijdrage te leveren. Dergelijke kopers stellen vaak zeer hoge eisen aan de input die ze kopen. Als ze bemerken dat door die input de kwaliteit van hun produkt verbeterd wordt of dat het merk van de input prestigewaarde heeft die past in hun kwaliteitsstrategie, zullen ze minder geneigd zijn op de prijs te letten. Om deze redenen zullen fabrikanten van kostbare machines vaak extra betalen voor elektrische motoren of generatoren, die gemaakt zijn door een leverancier van naam.

De koper zoekt een op bestelling ontworpen of speciale variant. Als de koper een speciaal ontworpen produkt wil, dan is hij vaak (niet altijd) bereid om daar extra voor te betalen. Hierdoor kan een koper gebonden zijn aan een bepaalde leverancier of groep leveranciers en hij kan bereid zijn om extra te betalen om die leveranciers tevreden te houden. Vaak zijn zulke kopers van mening dat deze extra inspanning een beloning verdient. Een goed voorbeeld van een bedrijf dat deze strategie hanteert, is Illinois Tool Works. Dit bedrijf doet zijn uiterste best om bevestigingssystemen te ontwerpen, die zijn afgestemd op de specifieke behoeften van de klant. Dit beleid heeft geleid tot hoge winstmarges en een grote loyaliteit van de klanten.

Een koper met veel intrinsieke onderhandelingsmacht kan echter unieke of op bestelling gemaakte produkten verlangen zonder bereid te zijn daar extra voor te betalen. Het leveren aan deze kopers brengt de verkoper in een zeer onprettige situatie, aangezien hij hogere kosten heeft zonder dat de marges stijgen.

De koper maakt hoge winsten en/of hoeft geen aandacht te schenken aan de kosten van zijn inputs. Kopers die hoge winsten maken, zijn geneigd om minder prijsgevoelig te zijn dan zij die met krappe financiële marges te maken hebben, tenzij het gekochte produkt een belangrijke post op de begroting is. Deze houding valt deels te verklaren uit het feit dat deze kopers in één van de hierboven beschreven categorieën vallen en deels uit een grotere bereidheid om de verkoper een redelijke winst te gunnen. Hoewel men hier tegenin zou kunnen brengen dat kopers hun hoge winsten wellicht te danken hebben aan het feit dat ze goede onderhandelaars zijn, lijkt de praktijk toch uit te wijzen dat de prioriteiten van zulke kopers niet zo zeer bij agressief onderhandelen over de prijs liggen, maar meer op andere gebieden.

De koper heeft weinig informatie over het produkt en/of koopt niet op basis van duidelijk omschreven specificaties. Kopers die slecht geïnformeerd zijn over de kosten van een input, vraagvoorwaarden of criteria volgens welke alternatieve merken zouden moeten worden bekeken, zijn over het algemeen minder prijsgevoelig dan goed geïnformeerde kopers. Als kopers zeer goed geïnformeerd zijn over de marktsituatie en de kosten van de leverancier, kunnen ze over de prijs meedogenloos onderhandelen. Dit is het geval met veel grote kopers van relatief homogene goederen. Kopers die daarentegen slecht op de hoogte zijn, laten zich vaak door subjectieve factoren leiden en zijn minder vastberaden in het omlaag halen van de marges van de verkoper. De koper mag echter niet zo slecht geïnformeerd zijn, dat hij de verschillen tussen concurrerende produkten niet onderkent.

De beweegredenen van de feitelijke beslisser zijn niet overwegend gebaseerd op de kosten van de input. De prijsgevoeligheid van de koper hangt voor een deel af van de beweegredenen van degene, die de uiteindelijke beslissing neemt over de aankoop. Deze kunnen van koper tot koper aanzienlijk verschillen. Inkopers worden bijvoorbeeld vaak beloond voor kostenbesparingen, waardoor ze zeer prijsgevoelig zijn, terwijl bedrijfsmanagers vaker de bedrijfsproduktiviteit op langere termijn voor ogen hebben.[1] De feitelijke beslissing kan genomen worden door een inkoper, bedrijfsmanager of zelfs een directielid, al naar gelang de omvang van de onderneming en een aantal andere factoren. Bij consumptie-artikelen kunnen verschillende leden van een gezin de beslissing nemen over verschillende produkten. Verschillende consumenten hebben verschillende beweegredenen: hoe minder de motivatie van de beslisser is gedefinieerd als kostenminimalisering van de inputs, des te minder prijsgevoelig zal de koper waarschijnlijk zijn.

Factoren, die leiden tot een geringe prijsgevoeligheid, kunnen samen optreden. Bijvoorbeeld de meeste kopers van Letraset, een snel overzetproces voor fraaie letters en tekeningen, zijn architecten en reclame-ontwerpers. Voor hen zijn de kosten van het aanbrengen van deze letters gering in vergelijking met de kosten van hun tijd, en aantrekkelijke letters hebben een grote invloed op de algehele indruk van ontwerpen van hun hand. Architecten en kunstenaars zijn vooral geïnteresseerd in een directe beschikbaarheid van een grote verscheidenheid aan lettertypen. Hierdoor zijn kopers van Letraset absoluut niet prijsgevoelig en werkt Letraset met zeer hoge winstmarges.

Uit de hierboven vermelde factoren vloeit eveneens voort dat *grote afnemers niet noodzakelijkerwijs het meest prijsgevoelig zijn.* Grote afnemers van bouwwerktuigen bijvoorbeeld maken intensief gebruik van die goederen en kopen meestal zeer uiteenlopende machines, waarbij ze het liefst met één leverancier in zee gaan. Hieraan zijn voordelen verbonden van onderlinge inwisselbaarheid van onderdelen en onderhoudswerkzaamheden door één enkele service-organisatie. Ze willen extra betalen voor een betrouwbaar machinepark, zodat daarvan intensief gebruik kan worden gemaakt, en voor produkten met lage onderhoudskosten. Kleine aannemers daarentegen zullen slechts een paar machines kopen en deze vaak

[1] Zie voor een bespreking van dit aspect Corey (1976).

minder intensief gebruiken. Ze zijn veel prijsgevoeliger, omdat deze machines veel zwaarder op hun begroting drukken.

LEVERINGSKOSTEN AAN KOPERS

De kosten van het leveren van een produkt aan verschillende kopers kunnen zeer uiteenlopen, meestal om één van de volgende redenen:

- grootte van de order;
- rechtstreekse verkoop versus verkoop via distributeurs;
- benodigde produktietijd;
- stabiliteit van de orderportefeuille met het oog op planning en logistiek;
- vervoerskosten;
- verkoopkosten;
- noodzaak tot speciale aanpassingen of wijzigingen.

Veel van de leveringskosten aan kopers kunnen verborgen zijn en zijn soms erg moeilijk te beoordelen. Ze kunnen verstopt zitten in de overheadkosten. Om de leveringskosten aan verschillende soorten afnemers vast te stellen, zal een bedrijf vaak een speciaal onderzoek moeten instellen, omdat de hiervoor benodigde gedetailleerde gegevens niet terug te vinden zijn in de normale bedrijfsrapporten.

SELECTIE VAN KOPERSGROEP EN STRATEGIE

Het feit dat kopers verschillen in de hiervoor besproken aspecten, betekent dat de keuze van de doelgroep een zeer belangrijke strategische variabele kan zijn. Niet alle bedrijven kunnen het zich permitteren te kiezen en niet in alle bedrijfstakken verschillen de kopers duidelijk in deze opzichten. In veel gevallen kan de kopersgroep echter wel gekozen worden.

Het strategische basisprincipe bij de selectie van de koper is *het opsporen van en het proberen te verkopen aan de gunstigste kopersgroep* op basis van de hierboven beschreven criteria. Zoals reeds eerder is opgemerkt, kunnen de vier criteria tegenstrijdige implicaties opleveren omtrent de aantrekkelijkheid van een bepaalde koper. De koper met het hoogste groeipotentieel kan bijvoorbeeld ook de sterkste onderhandelingspositie hebben en het meest prijsgevoelig zijn. Bij de keuze van de doelgroep moeten derhalve deze vier criteria worden afgewogen tegen de mogelijkheden van het bedrijf ten opzichte van de concurrentie.

Verschillende bedrijven zullen in verschillende posities verkeren met betrekking tot het selecteren van kopers. Een bedrijf met een hoge produktdifferentiatie kan bijvoorbeeld misschien aan goede kopers verkopen, die niet beschikbaar zijn voor een groot deel van de concurrenten. De intrinsieke macht van de kopers kan ook van bedrijf tot bedrijf verschillen. Een heel groot bedrijf of een bedrijf met een unieke produktsoort ondervindt minder invloed van de grootte van de koper dan een kleiner bedrijf, om maar eens een mogelijkheid te noemen. Tenslotte verschillen bedrijven in hun mogelijkheid om aan de behoeften van bepaalde kopers tegemoet te komen. Tot op zekere hoogte hangt de gunstigste kopersgroep dus af van *de afzonderlijke positie van het bedrijf.*

Er bestaat nog een aantal andere strategische implicaties met betrekking tot doelgroepselectie:

Een bedrijf met een 'lage kosten'-positie kan verkopen aan machtige, prijsgevoelige kopers en toch succesvolle resultaten boeken. Als een bedrijf een 'lage kosten'-producent is, zal het bij het leveren aan prijsgevoelige en machtige kopers toch marges kunnen handhaven die boven het gemiddelde van de bedrijfstak liggen, omdat het de prijzen van zijn concurrenten kan evenaren en nog meer winst kan boeken dan de anderen. In sommige zaken bevat deze uitspraak echter iets van een vicieuze cirkel. Soms zal een verkoper wel aan 'waardeloze' kopers moeten verkopen, omdat het de omzet nodig heeft om schaalvoordelen te bereiken.

Een bedrijf zonder kostenvoordeel of differentiatie moet zijn kopers zorgvuldig uitkiezen, wil het een meer dan gemiddelde winst behalen. Als een bedrijf geen kostenvoordeel heeft, zal het zijn aandacht moeten richten op kopers die minder prijsgevoelig zijn, wil het resultaten boeken die boven het gemiddelde van de bedrijfstak liggen. Deze vereiste zou kunnen betekenen dat zo'n bedrijf de omvang van zijn verkoop opzettelijk moet beperken om deze gerichtheid te kunnen volhouden. Een bedrijf dat geen kostenvoordeel heeft, maar toch zijn verkoop opschroeft, doet zichzelf de das om, doordat het met steeds ongunstigere kopers te maken krijgt. Dit beginsel onderschrijft de betekenis van de algemene strategieën, beschreven in hoofdstuk 2. Als een bedrijf geen voorsprong kan nemen in kostenbeheersing, moet het ervoor waken niet tussen de wal en het schip te geraken door aan machtige kopers te verkopen.

Goede kopers kunnen gecreëerd worden (of de kwaliteit van de kopers kan verbeterd worden) door middel van strategie. Sommige kenmerken van kopers, die hen tot een gunstige doelgroep maken, kunnen door een bedrijf beïnvloed worden. Een belangrijke strategie is bijvoorbeeld *het opbouwen van overstapkosten* - door de klant ertoe over te halen het produkt van het bedrijf af te stemmen op het eigen produkt, door verscheidenheid in het produktaanbod te ontwikkelen, door te helpen bij het trainen van het personeel van de klant in het gebruik van het produkt, enzovoort. Bovendien kan door slimme verkoopmethoden *degene, die de beslissing neemt* over het produkt overgaan van een prijsgevoelig persoon op een minder prijsgevoelig iemand (wijziging van de beslisser). Het produkt of de dienst kan verbeterd worden door eventuele besparingen voor bepaalde soorten kopers in te bouwen; er zijn talloze acties die de kwaliteit van de koper vanuit het standpunt van de verkoper kunnen verbeteren door middel van beïnvloeding van de hierboven beschreven kenmerken van goede kopers.

Deze analyse geeft aan dat strategieformulering in zeker opzicht gezien kan worden als het creëren van goede kopers. Het spreekt vanzelf dat het beter is om goede kopers te creëren die vastzitten aan een bepaald bedrijf dan om kopers te creëren die voor elke concurrent eveneens gunstig zijn. *De basis, waarop de koper zijn keuze maakt, kan verbreed worden.* Het verbreden van de basis, waarop de koper kiest, is een zo belangrijke benadering voor het creëren van goede kopers, dat deze apart besproken dient te worden. In het ideale geval kan de basis verschoven worden van de aankoopprijs in richtingen waar het bedrijf over specifieke kwaliteiten beschikt of waar overstapkosten kunnen worden gecreëerd.

Er bestaan twee fundamentele manieren, waarmee de keuze van de koper verbreed kan worden. De eerste bestaat uit het *verhogen van de toegevoegde waarde* voor de klant,[2] waarbij gebruik kan worden gemaakt van tactieken als

- het verzorgen van een doeltreffende klantenservice;
- het verzorgen van technische hulpverlening;
- zorgen voor kredietmogelijkheden of snelle levering;
- nieuwe kenmerken van het produkt creëren.

De kwestie is simpel. Het verhogen van de toegevoegde waarde verruimt de argumenten, op basis waarvan de keuze gemaakt kan worden. Hierdoor kan een produkt, dat op zichzelf een homogeen goed is, veranderd worden in een produkt dat gedifferentieerd kan worden.

Een andere, maar aanverwante wijze waarop de basis voor de keus van de koper verbreed kan worden, is het herdefiniëren van de manier waarop de koper over de functie van het produkt *denkt*, zelfs als het produkt zelf en de aangeboden service hetzelfde zijn. In dit geval wordt de koper onder de aandacht gebracht, dat de kostprijs of de waarde van het produkt voor hem niet alleen ligt in de aankoopprijs, maar in bijkomende factoren als[3]

- doorverkoopwaarde;
- kosten en tijdverlies aan onderhoud over de levensduur van het produkt;
- brandstofkosten;
- rentabiliteit;
- installatie- of aankoppelingskosten.

Als de koper ervan overtuigd kan worden dat dergelijke factoren betrokken dienen te worden bij de totale werkelijke kosten of waarde van het produkt, dan heeft het bedrijf de gelegenheid om aan te tonen dat zijn produkt op

---

[2] In de terminologie van Theodore Levitt zou dit inhouden het verkopen van een 'verrijkt' produkt aan de koper; zie Levitt (1969).

[3] Dit begrip is zorgvuldig uitgewerkt door McKinsey and Company in de zin van de 'economische waarde voor de klant.' Zie Forbus en Mehta (1979).

deze gebieden over uitstekende eigenschappen beschikt, waardoor de wat hogere prijs gerechtvaardigd is en de loyaliteit van de klant terecht is. Uiteraard moet het bedrijf wel in staat zijn om zijn toezeggingen op dit punt waar te maken en moeten deze zich tot op zekere hoogte onderscheiden van die van zijn concurrenten, omdat anders de eventuele hogere marges spoedig zullen worden uitgehold. Het verbreden van de basis, waarop de koper kiest, vereist een efficiënt marketingbeleid dat hierop is gericht en een produktontwikkeling die dit verhaal overtuigend ondersteunt. Op de markt van grote turbinegeneratoren heeft General Electric deze strategie tientallen jaren zeer succesvol toegepast.

Kopers, die hoge kosten met zich meebrengen, kunnen worden geëlimineerd. Een veel gebruikte strategie om het rendement op investeringen te verhogen is het elimineren van kopers die hoge kosten met zich meebrengen, uit de klantenbasis. Deze tactiek is vaak zeer doeltreffend, aangezien er een algemene tendens bestaat tot uitbreiding van het aantal marginale klanten, vooral in de groeifase van de ontwikkeling van een bedrijfstak. Het elimineren van 'hoge kosten'-kopers levert ook vaak resultaat op, omdat de kosten van het leveren aan individuele kopers zelden bestudeerd worden. Het is echter van het grootste belang om in te zien dat er nog meer aspecten vastzitten aan de wenselijkheid van bepaalde kopers dan alleen de kosten van serviceverlening. 'Hoge kosten'-kopers kunnen bijvoorbeeld nogal ongevoelig voor prijzen zijn en zeer volgzaam zijn bij prijsverhogingen die de kosten van levering aan hen meer dan dekken, wanneer deze eenmaal duidelijk zijn vastgesteld. Verder kunnen 'hoge kosten'-kopers een belangrijke bijdrage leveren aan de groei van een bedrijf, die een voorwaarde kan zijn voor het bereiken van schaalvoordelen of andere strategische doelstellingen. Een beslissing om 'hoge kosten'-kopers te elimineren dient derhalve gepaard te gaan met een bestudering van alle vier de elementen, die aantrekkelijkheid van een koper bepalen.

De kwaliteit van de kopers kan met de tijd veranderen. Veel factoren, die bepalend zijn voor de kwaliteit van een koper, kunnen veranderen. Als bijvoorbeeld een bedrijfstak tot wasdom komt, hebben de kopers de neiging om op veel gebieden prijsgevoeliger te worden, omdat hun eigen marges onder druk staan en ze veel deskundigere kopers zijn geworden. Vanuit strategisch oogpunt is het dan belangrijk om de strategie niet te baseren op de verkoop aan kopers met kwaliteiten, die gaandeweg minder worden. Omgekeerd is het in een vroeg stadium herkennen van een kopersgroep, die zich waarschijnlijk tot een gunstige doelgroep zal ontwikkelen, een belangrijk strategisch moment. Het bereiken van zulke kopers in een vroeg stadium kan gemakkelijk zijn, als ze lage overstapkosten hebben en de belangstelling van de concurrentie gering is. Eenmaal binnengehaald kunnen de overstapkosten door middel van strategie opgevoerd worden.

Bij het uitvoeren van strategische manoeuvres dienen overstapkosten in aanmerking te worden genomen. Met het oog op het potentiële belang van overstapkosten moet het effect van elke strategische maatregel hierop in aanmerking worden genomen. De aanwezigheid van overstapkosten betekent bijvoorbeeld dat het voor een klant vaak goedkoper is om een reeds gekocht produkt te modificeren dan het volledig te vervangen door een ander merk. Hierdoor kan een bedrijf dat al geschikte onderdelen hiervoor heeft, zeer hoge winst maken met produktverfijning, zolang die redelijk is geprijsd ten opzichte van de kosten van nieuwe onderdelen van de concurrentie.

Inkoopstrategie

De analyse van de onderhandelingsmacht van leveranciers in hoofdstuk 1, gekoppeld aan een omgekeerde toepassing van de principes van doelgroepselectie, kan een bedrijf helpen bij het formuleren van een inkoopstrategie. Hoewel veel aspecten van inkoopstrategie, werkwijze en organisatie buiten de opzet van dit boek vallen, kunnen enkele aspecten zinvol onderzocht worden aan de hand van het schema van de bedrijfstakstructuur. Basisconcepten van een inkoopstrategie vanuit structureel standpunt zijn:

- stabiliteit en concurrentiesituatie van de verzamelde leveranciers;
- optimale verticale integratie;
- het plaatsen van bestellingen bij gekwalificeerde leveranciers;
- het creëren van een optimale onderhandelingspositie tegenover de gekozen leveranciers.

Het eerste punt betreft de stabiliteit en de concurrentiesituatie van de leveranciers. Vanuit strategisch standpunt is het wenselijk om te kopen van leveranciers die hun concurrentiepositie zullen handhaven of verbeteren in termen van hun produkten of diensten. Hierdoor is het bedrijf ervan verzekert dat het een input koopt met een kwaliteit/kosten-verhouding, die voldoende is om de eigen concurrentiepositie veilig te stellen. Evenzo zal het uitkiezen van leveranciers, die in staat zullen blijven om aan de wensen van het bedrijf tegemoet te komen, overstapkosten tot een minimum terugbrengen. Structurele en concurrentie-analyse, de rode draad door dit boek, kunnen gebruikt worden om vast te stellen in welke mate de leveranciers van een bedrijf aan deze criteria voldoen.

Op het tweede punt, verticale integratie, zal in hoofdstuk 14 teruggekomen worden, waarin strategische overwegingen bij het nemen van besissingen om verticaal te integreren zullen worden besproken. Hier zal ik ervan uitgaan dat het bedrijf heeft besloten welke inputs het buitenshuis zal aankopen en dat het er nu om gaat *hoe ze gekocht moeten worden* om de sterkste structurele onderhandelingspositie te bereiken.

Voor het derde en vierde punt, het toekennen van orders aan leveranciers en het optimaliseren van de onderhandelingspositie, kunnen we gebruik maken van structurele analyse. In hoofdstuk 1 werden de volgende voorwaarden vastgesteld, die leiden tot machtige leveranciers van een bepaalde input:

- concentratie van leveranciers;
- onafhankelijkheid van de klant wat betreft zijn substantiële aandeel in de verkoop;
- overstapkosten voor de klant;
- een uniek of gedifferentieerd produkt (weinig alternatieven);
- dreiging van voorwaartse integratie.

De analyse van doelgroepselectie eerder in dit hoofdstuk voegde nog andere omstandigheden toe, waaronder een leverancier macht heeft ten opzichte van de koper:

- koper kan niet op geloofwaardige wijze dreigen met achterwaartse integratie;
- koper heeft te maken met hoge informatie-, winkel- of onderhandelingskosten.

Bij het inkopen gaat het er dus om een tegenwicht te vinden voor deze bronnen van leveranciersmacht. Soms is deze macht inherent aan de economische structuur van de bedrijfstak en kan het bedrijf hier geen invloed op uitoefenen, maar vaak kan deze machtspositie door middel van een strategie veranderd worden.

Gespreide inkoop. Aankopen van een artikel kunnen zodanig over verschillende leveranciers gespreid worden, dat de onderhandelingspositie van het bedrijf er beter op wordt. Het belang van de order aan elke leverancier afzonderlijk moet zo groot zijn dat hij deze niet wil verspelen: een te ver doorgevoerde spreiding heeft geen sterkere onderhandelingspositie tot gevolg. Het kopen van een enkele leverancier kan echter leiden tot grotere macht van de leverancier of het inbouwen van overstapkosten. Hiertegenover staat de mogelijkheid van de koper om kortingen te bedingen, hetgeen deels een kwestie van onderhandelingsmacht is, deels een kwestie van besparingen voor de leverancier. Als men deze factoren tegen elkaar afweegt, moet de koper zoveel mogelijk leveranciersafhankelijkheid van zijn bedrijf zien te creëren en zo hoog mogelijke kortingen zien te krijgen, zonder een al te groot risico te lopen dat hij ten prooi valt aan overstapkosten.

Het vermijden van overstapkosten. Een inkoopstrategie is structureel verantwoord, als overstapkosten worden vermeden. De algemene bronnen van overstapkosten zijn al eerder besproken, en er bestaan eveneens nog andere, subtiele terreinen. Het vermijden van overstapkosten betekent: geen al te grote afhankelijkheid van een leverancier inzake technische hulp; geen werknemers van de leverancier in dienst nemen; het verijdelen van pogingen van de leverancier om speciale produkten of technische toepassingen te creëren, met als gevolg een eventueel pressiemiddel, zonder dat daar iets tegenover staat; enzovoort. Dit beleid kan onder andere inhouden het welbewust af en toe gebruiken van het produkt van een andere leverancier, het weigeren te investeren in hulpapparatuur die slechts door een bepaalde leverancier geleverd wordt, en het weigeren van produkten die training van werknemers noodzakelijk maken.

Hulp bij de kwalificatie van alternatieve bronnen. Het kan noodzakelijk zijn om alternatieve bronnen te stimuleren, zich ook op de markt te begeven door middel van ontwikkelingsovereenkomsten of contracten voor de koop van kleine hoeveelheden. Sommige kopers hebben daadwerkelijk geholpen bij de financiering van nieuwe bronnen of hebben buitenlandse bedrijven overgehaald om zich op de markt te begeven. Het kan voordelig zijn nieuwe bronnen te helpen bij het minimaliseren van de kosten om zich te kwalificeren. De middelen hiertoe lopen uiteen van zeer grote oplettendheid bij het zoeken naar nieuwe bronnen door de afdeling inkoop tot het bijdragen in de kosten van het uittesten van produkten van een nieuwe leverancier.

Stimuleren van standaardisatie. Alle bedrijven binnen een bedrijfstak kunnen er belang bij hebben om standaardisatie van de specificaties in de bedrijfstak, waar zij hun input kopen, te stimuleren. Hierdoor worden de produktdifferentiatie van de leverancier en diens mogelijkheden tot het inbouwen van overstapkosten beperkt.

Het creëren van een dreiging van achterwaartse integratie. Of een koper nu werkelijk de bedoeling heeft om achterwaarts in een produktlijn te integreren of niet, het bestaan van een geloofwaardige dreiging komt zijn onderhandelingspositie ten goede. Deze dreiging kan gecreëerd worden door verklaringen, het laten uitlekken van interne studies over de mogelijkheid hiertoe, het maken van plannen voor integratie met advi_ _ _s of technische bureaus, enzovoort.

Het gebruik van gematigde integratie. Als de gekochte hoeveelheden dit toelaten, kan een groot deel van de onderhandelingsmacht gewonnen worden door gematigde integratie of partiële integratie met betrekking tot een bepaald item, terwijl een deel of zelfs het overgrote deel van de input van leveranciers buitenshuis wordt gekocht. Deze methode is in het kort aan de orde geweest in hoofdstuk 1 en zal uitgebreid behandeld worden in hoofdstuk 14.

Het is duidelijk dat het doel van al deze benaderingen verlaging van de totale kosten van inkoop op lange termijn is. Nu is het zo dat toepassing van sommige van deze benaderingen in feite kunnen leiden tot verhoging van *enkele* aspecten van eng gedefinieerde inkoopkosten. Zo kan het handhaven van alternatieve bronnen of de strijd tegen overstapkosten uitgaven met zich meebrengen, die op de korte termijn vermeden zouden kunnen worden. Het uiteindelijke doel van deze uitgaven is echter om de onderhandelingspositie van het bedrijf en daarmee de kosten van de input op lange termijn te verbeteren.

Een aantal punten komt hiermee naar voren. Ten eerste is het belangrijk om niet in een situatie verzeild te raken, waarin door een te grote aandacht voor kostenverlaging op korte termijn potentieel gezonde inkoopstrategieën, zoals hierboven beschreven, worden ondermijnd. Ten tweede moeten de eventuele extra kosten van zo'n inkoopstrategie worden afgewogen tegen de 'lange termijn' voordelen van het verminderen van de onderhandelingsmacht van de leverancier. Tenslotte moet het bedrijf, aangezien de inkoopkosten per leverancier kunnen verschillen, van leveranciers met lage kosten kopen, tenzij er sprake is van compenserende voordelen in de vorm van onderhandelingsmacht op de lange termijn.

7
Structurele analyse binnen een bedrijfstak

De structurele analyse van een bedrijfstak in hoofdstuk 1 is gebaseerd op het vaststellen van de bronnen en de sterkte van de vijf algemene concurrentiekrachten die bepalend zijn voor de aard van de concurrentie binnen een bedrijfstak en het bijbehorende winstpotentieel. De aandacht bij de analyse is tot dusver uitgegaan naar de bedrijfstak als geheel, en op dit niveau brengt de analyse talloze implicaties voor concurrentiestrategie met zich mee. Sommige hiervan werden in voorgaande hoofdstukken besproken. Het is echter duidelijk dat structurele analyse van een bedrijfstak dieper kan gaan dan de bedrijfstak als geheel. In veel, zo niet de meeste bedrijfstakken volgen bedrijven concurrentiestrategieën, die verschillen in aspecten als produktlijn of -assortiment, mate van verticale integratie, enzovoort, en hebben ze een verschillend marktaandeel bereikt. Tevens is het zo dat sommige bedrijven voortdurend betere resultaten boeken dan andere voor wat betreft het winstpercentage op het geïnvesteerde kapitaal. IBM's winst is bijvoorbeeld voortdurend hoger geweest dan die van andere computerproducenten[1]. General Motors heeft voortdurend beter gepres-

---

[1] IBM's gemiddelde winst op het eigen vermogen was, ondanks een grote hoeveelheid ongebruikte fondsen, 19,4 procent over de periode 1970-1975, tegen Burroughs 13,7 procent, Honeywell 9,3 procent en Control Data 4,7 procent. Voor deze en andere winstvergelijkingen, zie de betreffende januarinummers van *Forbes*.

teerd dan Ford, Chrysler en AMC. In andere bedrijfstakken hebben kleinere bedrijven, zoals Crown Cork and Seal en National Can (blik) en Estee Lauder (kosmetica), beter gepresteerd dan grotere bedrijven.

De vijf algemene concurrentiekrachten leveren de context, waarbinnen alle bedrijven in een bedrijfstak concurreren. Wat nu verklaard dient te worden, is de reden waarom sommige bedrijven voortdurend betere resultaten boeken dan andere en in welk opzicht dit verband houdt met hun strategische opstelling. Tevens moeten we inzicht verkrijgen in de verschillende concurrentiemethoden van de bedrijven voor wat betreft marketing, kostenbeheersing, management, organisatie, enzovoort, en wat het verband hiervan is met hun strategische opstelling en hun uiteindelijke resultaten.

In dit hoofdstuk zullen de concepten van structurele analyse worden uitgebreid om de verschillende resultaten van bedrijven binnen eenzelfde bedrijfstak te verklaren, waarbij tevens een schema wordt gegeven dat moet helpen om tot een verantwoorde concurrentiestrategie te komen. Tevens zullen de begrippen van de algemene strategieën, zoals beschreven in hoofdstuk 2, worden uitgebouwd. Structurele analyse *binnen* bedrijfstakken, alsmede de toepassing ervan op de bedrijfstakken als geheel, zullen zeer nuttig blijken voor het formuleren van een strategie.

Dimensies van concurrentiestrategie

De concurrentiestrategieën binnen een bepaalde bedrijfstak kunnen zeer uiteenlopen. De verschillende mogelijkheden binnen een bepaalde bedrijfstak kunnen echter in het algemeen teruggevoerd worden op de volgende strategische dimensies:

- *specialisatie*: de mate waarin het bedrijf zijn aandacht concentreert in termen van de breedte van zijn produktassortiment, de doelgroepsegmenten en de geografische markten;
- *merkidentificatie*: de mate waarin het bedrijf concurreert op basis van merkidentificatie, meer dan op basis van prijs of andere variabelen. Merkidentificatie kan bereikt worden door reclame, verkoopafdelingen of een aantal andere methoden;
- *'push' versus 'pull' strategie*: de mate waarin het bedrijf direct merkidentificatie bij de uiteindelijke consument probeert te bewerkstelligen, dan wel door middel van ondersteuning van de verkoop door distributiekanalen;
- *kanaalkeuze*: de keuze van distributiekanalen, variërend van door het bedrijf gecontroleerde kanalen tot gespecialiseerde verkooppunten of brede verkoopkanalen;
- *produktkwaliteit*: het kwaliteitsniveau van het produkt in termen van ruwe grondstoffen, specificaties, toegestane afwijkingen, kenmerken, enzovoort;

- *technologische voorsprong*: de mate waarin gestreefd wordt naar technologische voorsprong in plaats van navolging of imitatie. Het is van belang om op te merken dat een bedrijf een technologische voorsprong kan hebben, maar opzettelijk niet het beste produkt op de markt brengt; kwaliteit en technologische voorsprong hoeven niet altijd samen te gaan;
- *verticale integratie*: de hoogte van de toegevoegde waarde, zoals weerspiegeld in de mate van doorgevoerde voorwaartse of achterwaartse integratie, waarbij ook gekeken wordt of het bedrijf een groots opgezet distributiesysteem, een detailhandelsnetwerk dat exclusief of in eigendom is, een intern servicenetwerk, enzovoort, heeft.
- *kostenpositie*: de mate waarin het bedrijf streeft naar een positie van lage kosten bij produktie en distributie door middel van investeringen in apparatuur en faciliteiten die de kosten minimaliseren;
- *service*: de mate waarin het bedrijf aanvullende diensten verleent in het kader van het produktassortiment, zoals technische hulp, een intern servicenetwerk, krediet, enzovoort. Deze dimensie van de strategie kan beschouwd worden als een onderdeel van verticale integratie, maar kan met het oog op de analyse het best apart behandeld worden;
- *prijsbeleid*: de relatieve prijspositie in de markt. De prijspositie hangt gewoonlijk samen met andere variabelen, zoals kostenpositie en produktkwaliteit, maar de prijs is een afzonderlijke strategische variabele en dient apart behandeld te worden;
- *'leverage'*: de grootte van de 'financial leverage' en de 'operating leverage' van het bedrijf, oftewel de hefboomwerking voortvloeiend uit de mate van gebruik van vreemd vermogen in de opbouw van het totale vermogen en de hefboomwerking voortvloeiend uit de mate van aanwezigheid van vaste kosten in de structuur van de totale kosten;
- *verhouding met het moederbedrijf*: vereisten met betrekking tot het gedrag van de bedrijfseenheid, gebaseerd op de verhouding tussen de eenheid (dochteronderneming) en de moedermaatschappij. Het bedrijf kan onderdeel zijn van een zeer gediversifieerd concern, een verticale keten van bedrijven, van een kluster van aanverwante bedrijven in een bepaalde sector, een dochteronderneming van een buitenlandse onderneming, enzovoort. De aard van de relatie met het moederbedrijf zal invloed hebben op de doelstellingen van het management en de beschikbare bedrijfsmiddelen en zal wellicht bepalend zijn voor werkzaamheden en functies die gedeeld worden met andere eenheden (met hieruit voortvloeiende gevolgen voor de kosten), zoals besproken in hoofdstuk 1;
- *verhouding tussen eigen en gastregering*: in internationale bedrijfstak-

ken is dit de verhouding, die het bedrijf tot stand heeft gebracht of waaraan het is onderworpen, met de regering van het moederland en met de regeringen van de andere vestigingslanden. Regeringen van het moederland kunnen het bedrijf behulpzaam zijn met bedrijfsmiddelen of andere zaken, maar kunnen ook een omgekeerde invloed uitoefenen door middel van regulering of andere beïnvloeding van de doelstellingen. Gastregeringen hebben vaak een soortgelijke rol.

Elk van deze strategische dimensies kunnen voor een bedrijf op verschillende niveaus van gedetailleerdheid beschreven worden en de analyse kan nog verder verfijnd worden door er nog andere dimensies bij te betrekken; waar het om gaat is dat deze dimensies een algemeen beeld geven van de positie van het bedrijf.

Het aantal strategische verschillen dat binnen een bepaalde dimensie van belang is, hangt uiteraard van de bedrijfstak af. In een bedrijfstak met nogal homogene goederen, zoals van ammoniumkunstmestprodukten, heeft geen enkel bedrijf een duidelijke merkidentificatie en is de kwaliteit van het produkt in wezen gelijk. Toch verschillen de bedrijven zeer in achterwaartse integratie, serviceverlening, voorwaartse integratie op het gebied van dealers, relatieve kostenpositie en verhouding met hun moederbedrijven.

De strategische dimensies hangen met elkaar samen. Een bedrijf met een relatief lage prijs (zoals Texas Instruments in halfgeleiders) heeft gewoonlijk een positie van lage kosten en een goede, hoewel niet superieure, produktkwaliteit. Om deze lage kosten te bereiken heeft zo'n bedrijf waarschijnlijk een hoge mate van verticale integratie. De strategische kenmerken van een bepaald bedrijf vormen gewoonlijk, evenals in dit voorbeeld, een samenhangende reeks. De bedrijven binnen eenzelfde bedrijfstak hebben meestal een aantal verschillende, doch intern samenhangende, combinaties van karakteristieken.

Strategische groepen

De eerste stap van een structurele analyse binnen bedrijfstakken is het karakteriseren van de strategieën van alle belangrijke concurrenten aan de hand van deze dimensies. Deze activiteit maakt het mogelijk om de bedrijfstak volgens *strategische groepen* in kaart te brengen. Een strategische groep is een groep van bedrijven binnen een bedrijfstak, die een strategie volgen, die volgens de strategische karakteristieken gelijk of soortgelijk is. Als alle bedrijven binnen een bedrijfstak een in wezen gelijke strategie zouden volgen, dan zou die bedrijfstak uit één strategische groep bestaan. Het andere uiterste wordt gevormd door die sector, waar elk bedrijf op zich een strategische groep vormt. Gewoonlijk echter heeft een bedrijfstak een klein aantal strategische groepen, die de voornaamste strategische verschillen tussen bedrijven binnen een bedrijfstak omvatten. In de bedrijfstak van zwaarder gereedschap bijvoorbeeld wordt een strategische groep (met General Electric als voornaamste representant) gekenmerkt door een breed produktassortiment, intensieve nationale reclame-ondersteuning, en zeer algemene distributie en service. Een andere groep bestaat uit gespecialiseerde producenten, zoals Maytag, die zich richten op het hoge kwaliteit-, hoge prijssegment met een selectieve distributie. Weer een andere groep (zoals Roper en Design and Manufacturing) produceert produkten voor huismerken, waarvoor geen reclame wordt gemaakt. Er zijn nog wel één of twee andere groepen te onderscheiden.

Opgemerkt dient te worden dat met het oog op het definiëren van strategische groepen, de verhouding van het bedrijf met zijn moedermaatschappij bij de strategische dimensies betrokken dient te worden. In de ammoniumkunstmestsector bijvoorbeeld zijn sommige bedrijven onderdelen van oliemaatschappijen, andere zijn dochterondernemingen van chemische concerns en weer andere van coöperatieve landbouwondernemingen, terwijl de rest onafhankelijk is. Deze bedrijven verschillen enigszins in de doelstellingen van hun management. De verhouding tot de moedermaatschappij laat zich vaak ook vertalen in verschillen betreffende de andere strategische dimensies - alle divisies van oliemaatschappijen volgen bijvoorbeeld eenzelfde strategie in de bedrijfstak van stikstofkunstmest -, aangezien deze verhouding nauw samenhangt met bedrijfsmiddelen en andere beschikbare bronnen voor het bedrijf en de filosofie, vanwaaruit wordt gewerkt. Soortgelijke argumenten zijn van toepassing op de verschillende relaties die bedrijven kunnen hebben met hun eigen regering of gastregeringen: deze verhoudingen moeten eveneens betrokken worden bij de definiëring van strategische groepen.

Strategische groepen verschillen vaak in hun benadering van produkt of marketing, maar dit hoeft niet altijd het geval te zijn. Soms, zoals bij graanverwerking en de produktie van chemicaliën en suiker, zijn de produkten van de groepen gelijk, maar verschillen de benaderingen inzake produktie, logistiek en verticale integratie. Het kan ook zijn dat bedrijven dezelfde strategieën volgen, maar verschillende relaties met hun moederbedrijven of gastregeringen hebben, waardoor hun doelstellingen beïnvloed worden. Strategische groepen zijn *niet* equivalent aan marktsegmenten of segmentatiestrategieën, maar worden gedefinieerd op basis van een breder concept van strategische opstelling.

Het bestaan van strategische groepen heeft zeer uiteenlopende oorzaken, zoals de initiële sterke en zwakke punten van een bedrijf, de verschillende tijdstippen van sectortoetreding en historische bijkomstigheden. (Verderop in dit hoofdstuk zal ik hier verder op ingaan.) Als de groepen zich echter eenmaal hebben gevormd, dan lijken de bedrijven van eenzelfde strategische groep behalve in hun brede strategieën over het algemeen ook

nog in veel andere opzichten op elkaar. Ze hebben veelal een gelijk marktaandeel en worden meestal op een zelfde wijze beïnvloed door externe
gebeurtenissen of concurrerende acties binnen de bedrijfstak en reageren
hier ook gelijk op, omdat hun strategieën gelijk zijn. Dit laatste kenmerk is
belangrijk bij het gebruik van een strategische groepenkaart als analytisch
instrument.

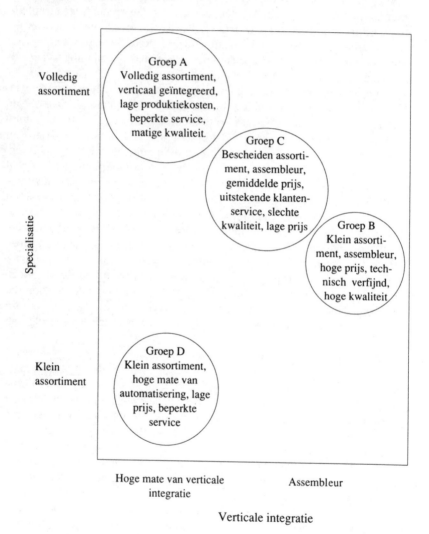

FIGUUR 7-1   **Strategische groepenkaart van een hypothetische**
bedrijfstak

De strategische groepen binnen een bedrijfstak kunnen op een kaart weergegeven worden, zoals in het voorbeeld van figuur 7-1. Het aantal assen wordt uiteraard beperkt door het tweedimensionale karakter van een gedrukte pagina, hetgeen inhoudt dat de analist enkele bijzonder belangrijke strategische dimensies moet uitkiezen volgens welke de kaart moet worden opgesteld.[2] Het verdient aanbeveling om het collectieve marktaandeel van de bedrijven in elke strategische groep weer te geven door de afmeting van de symbolen; dit voor latere analyse.

De strategische groep is een analytisch hulpmiddel dat ontworpen is voor structurele analyse. Het is een verbindingsschema tussen het beschouwen van een bedrijfstak als geheel en van elk bedrijf afzonderlijk. Uiteindelijk is elk bedrijf uniek en het classificeren van bedrijven in strategische groepen werpt onvermijdelijk de vraag op welke graad van strategisch verschil belangrijk is. De beoordeling hiervan houdt noodzakelijkerwijs verband met structurele analyse: bij het definiëren van strategische groepen zijn die verschillen in strategie tussen bedrijven belangrijk genoeg om op te merken, als ze duidelijk invloed hebben op de structurele positie van de bedrijven. Op deze praktische overwegingen bij het in kaart brengen van strategische groepen en het gebruik hiervan als analytische gereedschap zal ik later terugkomen.

In het zeldzame geval dat er slechts één strategische groep in een bedrijfstak bestaat, kan deze bedrijfstak volledig geanalyseerd worden met behulp van de technieken van structurele analyse, beschreven in hoofdstuk 1. In dat geval zullen alle bedrijven in die bedrijfstak hetzelfde niveau van duurzaam winstpotentieel kunnen bereiken. De werkelijke winstgevendheid van de afzonderlijke bedrijven in zo'n bedrijfstak verschillen op de lange termijn hooguit voor zover zij verschillen in de mogelijkheid om de algemene strategie *uit te voeren*. Als er binnen een bedrijfstak echter verscheidene strategische groepen zijn, dan wordt de analyse wat gecompliceerder. Het winstpotentieel van bedrijven uit de diverse strategische groepen is dan vaak verschillend, nog afgezien van hun mogelijkheden bij de uitvoering van een strategie, aangezien de vijf algemene concurrentiekrachten *geen gelijke invloed op de verschillende strategische groepen uitoefenen*.

STRATEGISCHE GROEPEN EN MOBILITEITSBARRIÈRES

Tot nog toe zijn toetredingsbarrières beschouwd als bedrijfstakkenmerken, die nieuwe bedrijven ervan weerhouden om tot die bedrijfstak toe te treden. De belangrijkste bronnen van toetredingsbarrières, die we hebben vastgesteld, zijn schaalvoordelen, produktdifferentiatie, overstapkosten, kostenvoordelen, toegang tot distributiekanalen, kapitaalvereisten en regeringsbeleid. Hoewel sommige bronnen van toetredingsbarrières alle bedrij-

---

[2] De hieronder besproken concepten zullen bij dit proces helpen.

ven in een bedrijfstak zullen beschermen, is het toch duidelijk dat *algemene toetredingsbarrières verschillen per strategische groep*. Het toetreden tot de gereedschapssector als bedrijf met nationale merken, een breed assortiment en verticale integratie zal veel moeilijker zijn dan als een assembleur van een klein assortiment merkloze goederen voor kleine huismerken. Strategieverschillen kunnen verschillen in produktdifferentiatie inhouden, verschillen in het bereiken van schaalvoordelen, verschillen in kapitaalvereisten en mogelijke verschillen in andere bronnen van toetredingsbarrières. Als er bijvoorbeeld sprake is van een toetredingsbarrière vanwege schaalvoordelen bij de produktie, dan zal de beschermende werking hiervan het meest gelden bij de strategische groep die bestaat uit bedrijven met grote vestigingen en een uitgebreide verticale integratie. In het geval van schaalvoordelen bij de distributie is er sprake van een toetredingsbarrière die de strategische groepen beschermt die over uitgebreide eigen distributie-organisaties beschikken. Indien kostenvoordelen ten gevolge van verworven ervaring een rol spelen in de bedrijfstak, zullen de hieruit voortvloeiende barrières dié groepen beschermen, die bestaan uit bedrijven met ervaring. Hetzelfde geldt voor de andere bronnen van toetredingsbarrières.

Verschillen in de verhoudingen van de bedrijven met hun moederfirma's kunnen ook invloed hebben op de toetredingsbarrières. Bijvoorbeeld de strategische groep, die bestaat uit bedrijven die in een verticale verhouding staan tot hun moedermaatschappijen, kan een betere toegang hebben tot grondstoffen of over meer financiële middelen beschikken om zich te weer te stellen tegen eventuele sectortoetreders dan een strategische groep, die bestaat uit onafhankelijke concurrenten. Bedrijven die distributiekanalen delen met andere divisies van de moedermaatschappij, kunnen schaalvoordelen realiseren, die voor de andere concurrenten onbereikbaar zullen blijven en die daardoor een afschrikeffect hebben.

Het standpunt dat toetredingsbarrières afhankelijk zijn van de strategische doelgroep heeft nog een andere belangrijke implicatie. Toetredingsbarrières beschermen niet alleen bedrijven in een bepaalde strategische groep tegen toetreding door bedrijven van buiten de bedrijfstak, maar zorgen tevens voor *barrières tegen het veranderen van de strategische positie van de ene strategische groep naar de andere*. Een voorbeeld: de al eerder beschreven klein gesorteerde merkloze assembleur van gereedschap zal voor een groot deel dezelfde moeilijkheden ondervinden bij het toetreden tot de strategische groep, die bestaat uit geïntegreerde bedrijven met een breed assortiment en nationale merken, als die welke een geheel nieuwe sectortoetreder zou ondervinden. Barrières opwerpende factoren, die het gevolg zijn van een bepaalde concurrentiestrategie - omdat ze van invloed zijn op schaalvoordelen, produktdifferentiatie, overstapkosten, kapitaalvereisten, absolute kostenvoordelen of toegang tot distributie -, verhogen de kosten die het toepassen van deze strategie tegenover andere bedrijven met zich mee zou brengen. De implementatiekosten van deze nieuwe strategie kunnen het verwachte gewin van deze verandering teniet doen.

Dezelfde onderliggende economische factoren die tot toetredingsbarrières leiden, kunnen dus meer algemeen gekenschetst worden als *mobiliteitsbarrières*, ofwel factoren die het verschuiven van bedrijven van de ene strategische positie naar de andere belemmeren. Het veranderen van een bedrijf van een positie buiten de bedrijfstak naar een strategische groep daarbinnen (toetreding) wordt één van de vele mogelijkheden binnen dit ruimere begrip van barrières.

Mobiliteitsbarrières verschaffen de eerste belangrijke reden waarom sommige bedrijven voortdurend betere resultaten boeken dan andere binnen die bedrijfstak. De verschillende strategische groepen impliceren verschillende niveaus van mobiliteitsbarrières, waardoor sommige bedrijven een consequent voordeel op andere hebben. Bedrijven in strategische groepen met hoge mobiliteitsbarrières zullen een groter winstpotentieel hebben dan die in groepen met lagere mobiliteitsbarrières. Deze barrières geven ook antwoord op de vraag waarom bedrijven blijven concurreren met verschillende strategieën ondanks het feit dat de ene strategie minder succesvol is dan de andere. Men zou zich kunnen afvragen waarom succesvolle strategieën niet snel nagevolgd worden. Zonder mobiliteitsbarrières zou dit ook zeker gebeuren en zou de winstgevendheid van de bedrijven naar elkaar toe groeien, met uitzondering van verschillen in hun mogelijkheden om de beste strategie in operationeel opzicht ten uitvoer te brengen. Als er geen afschrikkingsfactoren waren, zouden computerfabrikanten als Control Data en Honeywell Bull bijvoorbeeld onmiddellijk de kans aangrijpen om IBM's strategie over te nemen met diens lagere kosten en superieure service- en distributiesystemen. De aanwezigheid van mobiliteitsbarrières betekent dat sommige bedrijven, zoals IBM, systematische voordelen op andere hebben vanwege schaalvoordelen, absolute kostenvoordelen, enzovoort, die slechts overwonnen kunnen worden door strategische doorbraken die een structurele verandering in de bedrijfstak tot gevolg zouden hebben, en niet louter door een betere uitvoering. Tenslotte betekent het bestaan van mobiliteitsbarrières dat het marktaandeel van bedrijven in sommige strategische groepen zeer stabiel kan zijn, terwijl toch een snelle toetreding tot en uittreding uit (of overstap naar) andere strategische groepen van de bedrijfstak mogelijk is.

Evenals toetredingsbarrières kunnen mobiliteitsbarrières veranderen; en wanneer dit gebeurt (wanneer bijvoorbeeld het produktieproces kapitaalintensiever wordt), stappen bedrijven vaak uit een strategische groep om naar een andere over te stappen, zodat het patroon van de strategische groepen verandert. Mobiliteitsbarrières kunnen beïnvloed worden door de strategiekeuze van het bedrijf. Een bedrijf in een bedrijfstak met een ongedifferentieerd produkt kan bijvoorbeeld proberen een nieuwe strategische groep te creëren (met hogere mobiliteitsbarrières) door zwaar te investeren in reclame-activiteiten teneinde merkidentificatie te bewerkstelligen (zoals Perdue deed met verse kip). Een bedrijf kan ook proberen een nieuw produktieproces te introduceren met grotere schaalvoordelen (Castle & Cooke en Ralston Purina in de champignonkwekerij).[3] Investeringen in mobiliteitsbarrières zijn echter in het algemeen riskant en komen tot op zekere hoogte neer op het inruilen van winstgevendheid op korte termijn tegen winstgevendheid op lange termijn.

Afhankelijk van hun bestaande strategische positie en de tot hun beschikking staande vaardigheden en bedrijfsmiddelen hebben sommige bedrijven lagere kosten bij het overwinnen van bepaalde mobiliteitsbarrières dan andere. Gediversifieerde bedrijven kunnen ook de mogelijkheid hebben om mobiliteitsbarrières te verlagen, omdat ze mogelijkheden hebben tot het samenvoegen van werkzaamheden of taken. De implicaties van deze factoren bij de beslissing over het toetreden tot nieuwe bedrijfstakken zullen in hoofdstuk 16 worden besproken.

Als de strategische groepen binnen een bedrijfstak in kaart zijn gebracht, is de tweede stap van structurele analyse in een bedrijfstak het vaststellen van de hoogte en de samenstelling van de mobiliteitsbarrières die de afzonderlijke groepen beschermen.

MOBILITEITSBARRIÈRES EN GROEPSVORMING

Binnen een bedrijfstak vormen zich de strategische groepen en veranderen ze om een aantal redenen. Ten eerste beginnen de bedrijven vaak al met verschillende vaardigheden of bedrijfsmiddelen en anders ontwikkelen ze die, waardoor ze tot verschillende strategiekeuzen komen. De goed gepositioneerde bedrijven verslaan andere in de race naar strategische groepen, die beschermd worden door hoge mobiliteitsbarrières als de bedrijfstak zich ontwikkelt. Ten tweede verschilt de houding van bedrijven inzake doelstellingen en risico's. Sommige bedrijven kunnen meer geneigd zijn om riskante investeringen te doen in mobiliteitsbarrières dan andere. Dochterondernemingen ('business units') die verschillen in hun relatie tot het moederbedrijf (bijvoorbeeld verticale relatie, relatieve onafhankelijkheid, volledige zelfstandigheid) kunnen dusdanige verschillen in doelstellingen hebben, dat deze leiden tot verschillen in strategie, zoals ook internationale concurrenten te maken hebben met situaties in hun buitenlandse markten, die verschillen van die van nationale bedrijven.

De historische ontwikkeling van een bedrijfstak levert een andere verklaring op voor het verschijnsel dat bedrijven verschillende strategieën volgen. In sommige bedrijfstakken zijn er voor vroege sectortoetreders strategieën mogelijk die voor latere toetreders kostbaarder zijn. Mobiliteitsbarrières, voortvloeiende uit schaalvoordelen, produktdifferentiatie en andere kenmerken, kunnen eveneens veranderen, hetzij ten gevolge van investeringen van het bedrijf, hetzij door externe oorzaken. Verandering van mobi-

[3] Zie 'Mushroom Business', *Forbes*, 15 juli 1977.

liteitsbarrières kan betekenen dat vroege toetreders tot een bedrijfstak andere strategieën volgen dan latere, waarbij sommige strategiegieën niet voor de latere toetreders beschikbaar zullen zijn. De onherroepelijkheid van veel vormen van investeringsbesluiten sluit sommige strategieën soms uit voor de vroege toetreder, die latere toetreders, die over veel meer voorkennis kunnen beschikken, wel zullen volgen.

Een punt dat hiermee verband houdt, is het feit dat het historisch ontwikkelingsproces van een bedrijfstak een tendens te zien geeft van zelfselectie van verschillende soorten nieuwkomers op verschillende tijdstippen. Latere toetreders van een bedrijfstak kunnen bijvoorbeeld in het algemeen bedrijven zijn, die de beschikking hebben over ruime financiële middelen en het zich kunnen veroorloven om te wachten totdat bepaalde onzekerheden binnen een bedrijfstak zijn verdwenen. Bedrijven met weinig kapitaal daarentegen, kunnen gedwongen zijn geweest om in een vroeg stadium tot de bedrijfstak toe te treden, toen hiervoor nog weinig kapitaal vereist was.

Veranderingen in de structuur van een bedrijfstak kunnen ofwel de vorming van nieuwe strategische groepen vergemakkelijken, ofwel homogenisering van de groepen in de hand werken. Als bijvoorbeeld de totale omvang van een bedrijfstak toeneemt, dan zullen strategieën, gericht op verticale integratie, wijd vertakte distributiekanalen en fabrieksservice steeds makkelijker uitvoerbaar worden voor een agressief bedrijf, zodat vorming van nieuwe strategische groepen gestimuleerd wordt. Evenzo kunnen technologische veranderingen of veranderingen in het kopersgedrag verschuivingen teweegbrengen in de bedrijfstak, waarbij zich geheel nieuwe strategische groepen vormen.[4] Omgekeerd kunnen mobiliteitsbarrières die het gevolg zijn van bepaalde strategische kenmerken, verlaagd worden door de volwassenheid van een bedrijfstak, waardoor de behoefte van de klant aan service of de zekerheid die geboden wordt door een volledig assortiment van de producent, afneemt, hetgeen leidt tot een vermindering van het aantal strategische groepen. Als gevolg van al deze factoren valt te verwachten dat het aantal strategische groepen en de verdeling van de winst van bedrijven binnen een bepaalde bedrijfstak met de tijd veranderen.

STRATEGISCHE GROEPEN EN ONDERHANDELINGSMACHT

Zoals verschillende strategische groepen beschermd worden door verschillende mobiliteitsbarrières, zo verschilt ook hun onderhandelingspositie tegenover leveranciers of klanten. Als we de factoren onderzoeken die leiden tot een sterke of zwakke onderhandelingspositie, zoals besproken in hoofdstuk 1, dan is duidelijk dat deze tot op zekere hoogte verband houden met de strategie, die door de afzonderlijke bedrijven wordt gevolgd. Wat

---

[4] Veranderingen in de techniek of in het kopersgedrag kunnen gevolgen hebben voor de substitueerbaarheid van het produkt, en derhalve voor de bedrijfstak een grensverleggend effect hebben.

betreft bijvoorbeeld de onderhandelingspositie tegenover klanten (kopers) bevindt Hewlett-Packard (HP) zich op het gebied van de elektronische rekenmachientjes in een strategische groep, die de nadruk legt op hoge kwaliteit en technische voorsprong en waarvan de doelgroep de veeleisende gebruiker is. Hoewel door deze strategie HP's mogelijkheden wat betreft marktaandeel beperkt zijn, leidt het er wel toe dat HP te maken heeft met minder prijsgevoelige en machtiger klanten dan die bedrijven die met in wezen gestandaardiseerde produkten op de massamarkt concurreren, waar klanten weinig belangstelling hebben voor verfijnde produktkenmerken. Als we op dit voorbeeld nu de terminologie van hoofdstuk 1 toepassen, dan zijn HP's produkten gedifferentieerder dan die van de massamarktconcurrenten, zijn de klanten meer gericht op kwaliteit en zijn de kosten van de calculator in verhouding met het budget van de klant en de waarde van de diensten, die ervan worden verwacht, geringer. Een voorbeeld van de verschillen in onderhandelingsmacht van verschillende strategische groepen tegenover leveranciers is de veel grotere omvang van aankopen en de dreiging van achterwaartse integratie, die ketens van grote, nationale en breed gesorteerde warenhuizen als Sears tegenover leveranciers als pressiemiddel kunnen gebruiken in vergelijking met plaatselijke warenhuizen met slechts één vestiging.

De oorzaken van verschillen in macht van strategische groepen ten opzichte van leveranciers en klanten vallen uiteen in twee categorieën, die beide door de hierboven genoemde voorbeelden worden geïllustreerd: hun strategieën kunnen leiden tot een verschillende kwetsbaarheid ten opzichte van *gewone* leveranciers of klanten; of hun strategieën kunnen leiden tot het onderhandelen met *verschillende* leveranciers of klanten, met overeenkomstige verschillen inzake de onderhandelingspositie. De mate waarin de relatieve onderhandelingsmacht kan variëren, verschilt per bedrijfstak; in sommige bedrijfstakken is het mogelijk dat alle bedrijven in wezen in dezelfde onderhandelingspositie verkeren ten opzichte van leveranciers en klanten.

De derde stap bij structurele analyse binnen een bedrijfstak is derhalve het vaststellen van de relatieve onderhandelingsmacht van elke strategische groep in de bedrijfstak afzonderlijk ten opzichte van zijn leveranciers en klanten.

STRATEGISCHE GROEPEN EN DE DREIGING VAN SUBSTITUTEN

Strategische groepen kunnen ook in meerdere of mindere mate concurrentie ondervinden van substituten, wanneer ze zich op verschillende onderdelen van de produktlijn (produktassortiment) concentreren, aan verschillende klanten leveren, op verschillende niveaus opereren voor wat betreft kwaliteit en technologische verfijning, in verschillende kostenposiies verkeren, enzovoort. Dergelijke verschillen zijn van invloed op hun kwetsbaarheid voor substituten, ook al zitten de strategische groepen allemaal in dezelfde bedrijfstak.

Een voorbeeld: een bedrijf dat minicomputers produceert en zich concentreert op de afzet aan bedrijven, waarbij het hardware verkoopt compleet met software die de meest uiteenlopende functies kan vervullen, zal minder kwetsbaar zijn voor substitutie door microcomputers dan een bedrijf dat voornamelijk verkoopt aan industriële klanten, die ze gebruiken voor herhaalde controleprocedures. Evenzo zal een mijnbouwmaatschappij met een ertsbron met lage kosten minder kwetsbaar zijn voor substituutstoffen, waarvan de voordelen uitsluitend gebaseerd zijn op de prijs, dan een mijnbouwmaatschappij, wier ertsbron hoge kosten met zich meebrengt en die haar strategie heeft afgestemd op een hoog niveau van klantenservice.

De vierde stap van structurele analyse in een bedrijfstak is dan ook het vaststellen van de relatieve positie van elke strategische groep ten opzichte van substituten.

STRATEGISCHE GROEPEN EN ONDERLINGE CONCURRENTIE TUSSEN BEDRIJVEN

De aanwezigheid van meer dan één strategische groep in een bedrijfstak heeft gevolgen voor de onderlinge concurrentie in die bedrijfstak of voor concurrentie op het gebied van prijs, reclame, service en andere variabelen. Sommige structurele kenmerken die bepalend zijn voor de intensiteit van de concurrentie (hoofdstuk 1), kunnen van toepassing zijn op alle bedrijven binnen de bedrijfstak en zo zorgen voor de context, waarbinnen de strategische groepen onderling interacteren. In het algemeen betekent het bestaan van meerdere strategische groepen echter dat de concurrentiekrachten in een bedrijfstak niet op alle bedrijven hetzelfde effect hebben.

Het eerste punt dat aan de orde moet worden gesteld, is het feit dat het bestaan van verschillende strategische groepen vaak het algehele niveau van de concurrentie in de bedrijfstak zal beïnvloeden. Vaak neemt de concurrentie hierdoor in intensiteit toe, aangezien er sprake is van een grotere diversiteit of asymmetrie tussen de bedrijven in de bedrijfstak in de betekenis zoals die gedefinieerd is in hoofdstuk 1. Verschillen in strategie en externe omstandigheden houden in dat bedrijven verschillend aankijken tegen het nemen van risico's, de tijdshorizon, prijsniveaus, kwaliteitsniveaus, enzovoort. Deze verschillen maken het bedrijven moeilijker om inzicht te verkrijgen in elkaars bedoelingen en om hierop te reageren, hetgeen herhaalde concurrentie-oorlogen waarschijnlijk maakt. De bedrijfstak met een ingewikkelde strategische groepskaart, zal over het algemeen een intensievere concurrentie kennen dan een bedrijfstak met slechts een paar groepen. Onderzoek heeft deze veronderstelling in verschillende contexten gestaafd.[5]

---

[5] Zie Hunt (1972); Newman (1978); Porter (1976, hoofdstukken 4 en 7).

Niet alle strategieverschillen hebben echter een even belangrijke invloed op de concurrentie in een bedrijfstak en het proces van concurrentie is niet symmetrisch. Sommige bedrijven worden meer blootgesteld aan nadelige prijsverlagingen en andere vormen van concurrentie van de kant van andere strategische groepen dan andere bedrijven. De vier factoren die bepalen hoe sterk de wisselwerking tussen de strategische groepen zal zijn bij het dingen naar de gunst van de klanten, zijn:

- de onderlinge marktafhankelijkheid tussen de groepen of de mate waarin hun doelgroepen elkaar overlappen;
- de produktdifferentiatie die door de groepen bereikt is;
- het aantal strategische groepen en hun relatieve grootte;
- de strategische afstand tussen de groepen of de mate waarin hun strategieën uiteenlopen.

De grootste invloed ondergaat de concurrentie tussen de strategische groepen van hun onderlinge marktafhankelijkheid, oftewel de mate waarin de verschillende strategische groepen met elkaar concurreren om dezelfde klanten of om klanten in duidelijk verschillende marktsegmenten. Als de strategische groepen een hoge onderlinge marktafhankelijkheid vertonen, zal de concurrentie zeer intens zijn, zoals het geval is in de kunstmestsector, waar de klant (de boer) voor alle groepen gelijk is. Als de strategische groepen hun aandacht richten op zeer verschillende segmenten, dan is hun belangstelling voor en hun invloed op elkaar veel minder groot. Naarmate de klanten, aan wie ze verkopen, zich meer van elkaar onderscheiden, gaat de concurrentie meer (maar niet helemaal) lijken op die tussen groepen in verschillende bedrijfstakken.

De tweede sleutelfactor die de concurrentie beïnvloedt, is de mate van produktdifferentiatie, die is gecreëerd door de strategieën van de groepen. Als verschillende strategieën leiden tot duidelijk verschillende merkvoorkeuren van de klanten, dan zal de concurrentie tussen de groepen veel minder zijn dan wanneer de kwaliteiten van het produkt als inwisselbaar worden beschouwd.

Hoe talrijker en meer in omvang op elkaar gelijkend de strategische groepen zijn, des te meer zal, overige omstandigheden gelijk verondersteld, in het algemeen hun strategische asymmetrie een intensievere concurrentie tot gevolg hebben. Een groot aantal groepen impliceert een grotere diversiteit en een grote kans dat een groep een concurrentie-oorlog zal doen losbarsten door de positie van andere groepen aan te tasten door middel van prijsverlagingen of andere tactieken. Omgekeerd zullen de strategische verschillen tussen groepen waarschijnlijk weinig invloed hebben op hun concurrentieverhoudingen wanneer deze erg ongelijk in grootte zijn - bijvoorbeeld de ene strategische groep vertegenwoordigt een klein deel van de bedrijfstak en de ander een groot deel -, aangezien het vermogen van de kleine groep om de positie van de grote groepen door middel van concurrentietactieken aan te tasten waarschijnlijk beperkt is.

De laatste factor, strategische afstand, heeft betrekking op de mate waarin de strategieën van de verschillende groepen uiteenlopen in termen van sleutelvariabelen als merkidentificatie, kostenpositie en technologische voorsprong, alsmede voor wat betreft externe omstandigheden, zoals verhoudingen tot moederbedrijven of regeringen. Hoe groter de strategische afstand tussen de groepen is, des te scherper zullen, overige omstandigheden gelijk verondersteld, de concurrentieschermutselingen tussen de bedrijven zijn. Bedrijven met zeer verschillende strategische benaderingen hebben vaak totaal verschillende opvattingen over hoe ze moeten concurreren, waarbij ze elkaars gedrag soms moeilijk kunnen volgen en verkeerd geïnterpreteerde reacties en oplaaiende concurrentie-oorlogen moeilijk te vermijden zijn. Bijvoorbeeld in de ammoniumkunstmestsector hebben deelnemende oliemaatschappijen, chemische bedrijven, coöperatieve ondernemingen en onafhankelijke firma's allemaal zeer verschillende doelstellingen en beperkingen. Belastingvoordelen en andere ongebruikelijke motieven hebben coöperatieve ondernemingen er bijvoorbeeld toe gebracht om uit te breiden, ook al waren de algehele condities binnen de bedrijfstak ongunstig. In de jaren zestig deden oliemaatschappijen hetzelfde om andere redenen.

Al deze vier factoren bepalen gezamenlijk het patroon van de concurrentie tussen strategische groepen in een bedrijfstak. De meest explosieve situatie bijvoorbeeld, vaak geassocieerd met intensieve concurrentie, is die situatie, waarin meerdere gelijkwaardige strategische groepen - elk een wezenlijk verschillende strategie volgend - elkaar beconcurreren om de gunst van dezelfde basisklant. Omgekeerd doet zich een stabielere (en meer winstgevende) situatie voor, wanneer er maar enkele grote strategische groepen zijn, die zich alle richten op een verschillend klantensegment met strategieën, die slechts in een paar opzichten van elkaar afwijken. Een *bepaalde* strategische groep zal op basis van de zojuist besproken factoren concurrentie ondervinden van andere groepen. Ze zal het meest blootstaan aan concurrentie van andere strategische groepen, waarmee ze onderlinge marktafhankelijkheid deelt. De felheid van deze concurrentie zal afhangen van de andere hierboven vastgestelde voorwaarden. Een bepaalde groep zal bijvoorbeeld de meeste concurrentie van andere groepen ondervinden, als ze om hetzelfde marktsegment concurreren met produkten die als gelijkwaardig worden beschouwd, als ze in omvang ongeveer even groot zijn en als ze zeer verschillende strategische benaderingen volgen bij het op de markt brengen van een produkt (grote strategische afstand). Het bereiken van een stabiele situatie zal voor zo'n strategische groep bijzonder moeilijk zijn en het uitbreken van felle concurrentie-oorlogen is dan ook zeer waarschijnlijk. Echter, een strategische groep die een groot collectief marktaandeel heeft en/of haar aandacht richt op specifieke marktsegmenten, waaraan niet door andere strategische groepen wordt geleverd, en die een hoog niveau van produktdifferentiatie bereikt, is waarschijnlijk vrij immuun voor concurrentie tussen groepen onderling. De veilige strategische groepen die het minst van concurrentie te duchten hebben, zullen evenwel alleen dàn hun winsten kunnen handhaven, als ze tegen veranderingen in de strategische positie van andere bedrijven beschermd worden door mobiliteitsbarrières.

Strategische groepen beïnvloeden dus het concurrentiepatroon *binnen* de bedrijfstak. Dit proces wordt schematisch weergegeven in de strategische groepenkaart van figuur 7-2, dat gelijk is aan figuur 7-1, met uitzondering van de horizontale as, waarop het doelgroepsegment van de strategische groep afgezet is om de onderlinge marktafhankelijkheid te meten. De verticale as is een andere basisdimensie van strategie in de bedrijfstak. De geletterde symbolen zijn strategische groepen, waarbij hun omvang het gezamenlijke marktaandeel van de bedrijven in die groep voorstelt. De vorm van de groepen is gebruikt om hun algehele strategische configuratie voor te stellen, waarbij de verschillen in vorm de strategische afstand weergeven. Als we nu de hierboven uiteengezette analyse toepassen, dan is het duidelijk dat groep *D* minder te duchten zal hebben van bedrijfstakconcurrentie dan groep *A*. Groep *A* concurreert met de ongeveer even grote groepen *B* en *C*, die zeer verschillende strategieën volgen om hetzelfde basis-

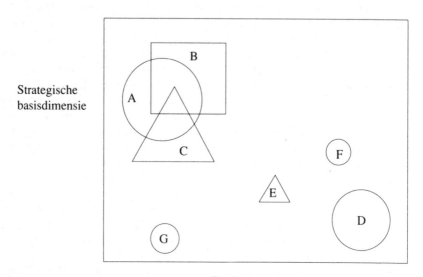

Doelgroepsegment

FIGUUR 7-2   Strategische groepenkaart en onderlinge concurrentie tussen groepen

segment van klanten te bereiken. Bedrijven in deze drie groepen zijn met elkaar in een voortdurende concurrentiestrijd verwikkeld. Groep *D* daarentegen is geïnteresseerd in een ander segment en heeft daarbij het meest te maken met de groepen *E* en *F*, die kleiner zijn en soortgelijke strategieën volgen (ze zouden beschouwd worden als 'gespecialiseerde' producenten die de 'ronde' strategie, of varianten hiervan, volgen).

De vijfde stap in structurele analyse binnen een bedrijfstak is dan het vaststellen van het patroon van onderlinge marktafhankelijkheid tussen strategische groepen en hun kwetsbaarheid voor een concurrentiestrijd, uitgelokt door andere groepen.

Strategische groepen en winstgevendheid van een bedrijf

We hebben gezien dat verschillende strategische groepen in verschillende situaties kunnen verkeren met betrekking tot alle concurrentiekrachten, die op de bedrijfstak werkzaam zijn. We zijn nu in de gelegenheid om de vraag te beantwoorden die eerder werd gesteld, namelijk: welke factoren bepalen de marktmacht en derhalve het winstpotentieel van individuele bedrijven in een bedrijfstak, en wat is het verband tussen deze factoren en de strategische keuzen van de bedrijven?

Uitgaande van de reeds eerder behandelde concepten zijn de factoren, die ten grondslag liggen aan de winstmarges van een bedrijf, de volgende:

Algemene kenmerken van de bedrijfstak

1. Algemene structuurelementen die de invloed van de vijf concurrentiekrachten bepalen en in even grote mate op alle bedrijven van toepassing zijn; deze elementen behelzen factoren als het groeipercentage van de vraag in de bedrijfstak, de algehele mogelijkheden voor produktdifferentiatie, de structuur van de bedrijfstakken van de leveranciers, technologische aspecten, enzovoort, en bepalen de algehele context van de concurrentie voor alle bedrijven binnen een bedrijfstak.

Kenmerken van een strategische groep

2. De hoogte van de *mobiliteitsbarrières*, die de strategische groep van het bedrijf beschermen.
3. De *onderhandelingsmacht* van de strategische groep van het bedrijf ten opzichte van klanten en leveranciers.
4. De kwetsbaarheid van de strategische groep van het bedrijf voor *substituten*.
5. De mate waarin de strategische groep van het bedrijf bloot staat aan *concurrentie* van andere groepen.

Positie van het bedrijf in de strategische groep

6. De mate van concurrentie *binnen* de strategische groep.
7. De *grootte* van het bedrijf in vergelijking met andere in de groep.
8. *Kosten van toetreding* tot de groep.
9. De mogelijkheid van het bedrijf om de gekozen strategie in operationele zin uit te voeren of *toe te passen*.

Algemene, voor de gehele bedrijfstak geldende kenmerken van marktstructuur vergroten of verkleinen de winstgevendheid van alle bedrijven binnen de bedrijfstak, maar dit geldt niet voor de diverse strategieën binnen een bedrijfstak. Hoe hoger de mobiliteitsbarrière is die de strategische groep beschermt, hoe sterker de onderhandelingspositie van die groep is tegenover leveranciers en klanten, hoe lager de kwetsbaarheid is voor substituten en hoe minder concurrentie de groep te duchten heeft van andere groepen, des te hoger zal het gemiddelde winstpotentieel van bedrijven in die groep zijn. Een tweede set van factoren, die kritiek zijn voor het succes van een bedrijf, is derhalve de positie van de betreffende strategische groep in de bedrijfstak, hetgeen al eerder uitgebreid aan de orde is gekomen.

De derde categorie van bepalende factoren voor de positie van een bedrijf - die tot nu toe nog niet behandeld werd - is de positie van het bedrijf *binnen* de strategische groep. Een aantal factoren is van doorslaggevende betekenis voor deze positie. Ten eerste is de mate van concurrentie binnen de groep belangrijk, omdat bedrijven in de groep de potentiële winsten weg kunnen concurreren. Dit komt vooral voor als er veel bedrijven in de strategische groep zitten.

Ten tweede is het niet noodzakelijkerwijs zo dat alle bedrijven die dezelfde strategie volgen, een structureel gelijke positie innemen. Om precies te zijn kan de structurele positie van een bedrijf beïnvloed worden door de relatieve *grootte* van het bedrijf. Als er sprake is van schaalvoordelen die groot genoeg zijn, zodat de kosten nog steeds omlaag gaan in het gebied, waarin de marktaandelen van de bedrijven zich bevinden, dan hebben bedrijven met een relatief kleiner marktaandeel een lager winstpotentieel. Een voorbeeld: hoewel Ford en General Motors soortgelijke strategieën volgen en in dezelfde strategische groep kunnen worden ingedeeld, stelt de grotere schaal van GM het bedrijf in staat om sommige strategiebepaalde schaalvoordelen te bereiken, die voor Ford onmogelijk zijn. Deze schaalvoordelen betreffen terreinen als onderzoek en ontwikkeling (O&O) en kosten van modelwijziging. Bedrijven als Ford hebben schaalgebonden mobiliteitsbarrières weten te overwinnen en zijn toegetreden tot de strategische groep, maar ze kampen nog steeds met sommige kostennadelen ten opzichte van grotere bedrijven binnen die groep.

De positie van een bedrijf in de strategische groep hangt ook af van de *kosten van toetreding* tot die groep. De vaardigheden en bedrijfsmiddelen, die het bedrijf bezit om tot een groep toe te treden kunnen het bedrijf een voor- of nadeel opleveren ten opzichte van andere bedrijven in de groep. Sommige van deze vaardigheden of bedrijfsmiddelen zijn gebaseerd op de positie van het bedrijf in andere bedrijfstakken of op eerdere successen in andere strategische groepen binnen dezelfde bedrijfstak. John Deere was bijvoorbeeld in staat om goedkoper dan de meeste andere bedrijven toe te treden tot elke strategische groep in de bedrijfstak van constructiewerktuigen vanwege zijn sterke positie in de landbouwwerktuigen. Procter and Gamble's Charmin kon goedkoper tot de groep van bekende toiletpapiermerken toetreden vanwege de combinatie van Charmins vroegere technologische prestaties en het distributienet van Procter and Gamble.

De kosten van toetreding tot een groep worden ook bepaald door het *tijdstip van toetreding*. In sommige bedrijfstakken kan het voor late toetreders tot een strategische groep duurder zijn om zich te vestigen (bijvoorbeeld: hogere kosten voor het vestigen van een gelijkwaardige merknaam; hogere kosten bij het zoeken naar goede distributiekanalen door de afsluiting van kanalen door andere bedrijven). Het omgekeerde kan ook het geval zijn, wanneer latere toetreders de nieuwste apparatuur kunnen kopen of nieuwe technieken kunnen gebruiken. Verschillen in het tijdstip van toetreding kunnen ook vertaald worden in verschillen in cumulatieve ervaring en dus kosten. Verschillen in het tijdstip van toetreding kunnen derhalve neerkomen op verschillen in duurzame winstgevendheid tussen de leden van dezelfde strategische groep.

De laatste factor die betrokken moet worden bij de analyse van de positie van een bedrijf in een strategische groep, is het uitvoeringsvermogen van het bedrijf. Niet alle bedrijven die dezelfde strategie volgen (en dus in dezelfde strategische groep zitten) zullen noodzakelijkerwijs dezelfde winstmarges hebben, ook al zijn alle andere hierboven beschreven voorwaarden gelijk. Sommige bedrijven zijn superieur wat betreft hun vermogen om werkzaamheden te organiseren en te managen, zijn met hetzelfde budget creatiever in hun reclamecampagnes, realiseren technologische doorbraken met hetzelfde budget voor O&O, enzovoort. Dergelijke vaardigheden zijn geen structurele voordelen van de soort, zoals die, die het gevolg zijn van mobiliteitsbarrières of andere hierboven besproken factoren, maar kunnen wel heel goed stabiele voordelen opleveren. Bedrijven met een superieur uitvoeringsvermogen zullen winstgevender zijn dan andere in de groep.

Al deze factoren gezamenlijk bepalen de verwachtingen ten aanzien van de winst en tegelijkertijd ten aanzien van het marktaandeel van het individuele bedrijf. Een bedrijf zal het meest winstgevend zijn, als het opereert in een gunstige bedrijfstak, als het opereert in een gunstige strategische groep binnen die bedrijfstak en als het binnen die groep een sterke positie heeft. De aantrekkelijkheid van een bedrijfstak wordt gewaarborgd door toetredingsbarrières; die van een strategische groep door mobiliteitsbarrières. De sterkte van de positie van een bedrijf in zo'n groep hangt samen met het verleden en de beschikbare vaardigheden en bedrijfsmiddelen.

Uit deze analyse blijkt duidelijk dat er *veel verschillende potentieel winstgevende strategieën zijn*. Succesvolle strategieën kunnen gebaseerd zijn op zeer uiteenlopende mobiliteitsbarrières of benaderingsmethoden van de concurrentiekrachten. De drie algemene strategieën, besproken in hoofdstuk 2, geven de grootste verschillen in benadering weer; hierop zijn veel variaties mogelijk. De laatste tijd is er veel nadruk gelegd op de kostenpositie als *de* bepalende factor voor de strategische positie. Hoewel kosten een belangrijke methode zijn om barrières op te bouwen, is het duidelijk dat er nog veel meer zijn.

Gezien de wisselwerking tussen factoren die de winst van een bedrijf bepalen, wordt het winstpotentieel van een bedrijf in hoge mate beïnvloed door de uiteindelijke concurrentiesituatie in die strategische groepen, die wat betreft de markt van elkaar afhankelijk zijn en hoge mobiliteitsbarrières hebben. De strategische groepen met hoge mobiliteitsbarrières hebben een beter winstpotentieel dan de minder beschermde groepen, mits de concurrentie *binnen* die groep niet al te intens is. Is dit om een bepaalde reden wel het geval en zijn de prijzen en winsten daardoor lager, dan kunnen hierdoor tevens de winsten van bedrijven in onderling afhankelijke groepen, die minder door mobiliteitsbarrières worden beschermd, dalen. Lagere prijzen (of hogere kosten door reclame-activiteiten en andere vormen van niet-prijsgebonden concurrentie) zorgen via de onderlinge marktafhankelijkheid voor een golfeffect, waardoor de minder beschermde groepen moeten reageren, met alle gevolgen van dien voor hun winsten. Bij het uitkiezen van een strategische groep moet men zich van dit risico bewust zijn.

Een duidelijk voorbeeld hiervan is te zien in de frisdrankenindustrie. Als Coca Cola en Pepsi een prijzen- of reclame-oorlog ontketenen, dalen hun winsten in veel geringere mate dan die van de plaatselijke en regionale merken, die hier uiteraard ook door beïnvloed worden, aangezien ze concurreren om dezelfde klantengroep. De concurrentie tussen Coke, Pepsi en de andere grote merken, die door aanzienlijke mobiliteitsbarrières beschermd worden, brengt het winstplafond voor de plaatselijke en regionale merken omlaag. Deze zien vaak niet alleen hun winsten kelderen, maar ook hun relatieve marktaandeel.

ZIJN GROTE BEDRIJVEN WINSTGEVENDER DAN KLEINE?

Er wordt de laatste tijd veel gediscussieerd over strategie, waarbij vaak beweerd wordt dat het bedrijf met het grootste marktaandeel het meest winstgevend is.[6] Uit bovenstaande analyse blijkt dat dit geheel afhangt van de omstandigheden. Als grote bedrijven in een bedrijfstak in strategische groepen concurreren die meer door mobiliteitsbarrières beschermd worden dan kleinere bedrijven, een sterkere onderhandelingspositie bezitten ten

---

[6] Zie bijvoorbeeld Buzzell e.a. (1975).

opzichte van klanten en leveranciers, minder concurrentie van andere groepen te duchten hebben, enzovoort, dan zullen grote bedrijven inderdaad hogere winstmarges hebben dan kleinere. In bedrijfstakken, zoals die van brouwerijen, toiletartikelen en televisietoestellen, waar zowel bij de produktie, distributie en serviceverlening van een volledig produktassortiment, als bij nationale reclamecampagnes aanzienlijke schaalvoordelen te realiseren zijn, zullen de grote bedrijven winstgevender blijken dan de kleinere. Als daarentegen de schaalvoordelen op deze gebieden niet zo groot zijn, zullen kleinere bedrijven, die een specialisatiestrategie volgen, in staat zijn om een betere produktdifferentiatie, een hogere graad van technische verfijning, of een betere service in hun specifieke produktgebied te bewerkstelligen dan grotere bedrijven. In dergelijke bedrijfstakken kunnen kleinere bedrijven heel goed winstgevender zijn dan grotere, breder georiënteerde bedrijven (zoals in dameskleding en vloerbedekking).

Soms wordt wel beweerd dat het feit dat bedrijven met een klein marktaandeel hogere winstmarges hebben dan die met een groot marktaandeel wijst op een verkeerde definitie van de bedrijfstak. Voorstanders van de dominante rol van het marktaandeel vinden dat het begrip markt in dat geval nauwer gedefinieerd zou moeten worden, waarbij 'kleine' bedrijven wel degelijk een groter aandeel in een gespecialiseerd segment zouden blijken hebben dan breed gesorteerde bedrijven. Als we deze enge marktdefinitie gebruiken, dan zouden we de markt ook eng moeten definiëren in bedrijfstakken, waar breed gesorteerde bedrijven het meest winstgevend blijken te zijn. In dat geval zou vaak blijken dat grote bedrijven niet persé ook het grootste aandeel in elk segment hebben, maar toch algemene schaalvoordelen weten te realiseren. Het toeschrijven van hogere winsten van kleinschalige gespecialiseerde bedrijven aan de gespecialiseerde marktdefinitie ontwijkt de vraag waar het hier om gaat, namelijk: onder welke omstandigheden kan een bedrijf voor een specialisatiestrategie (om maar eens een voorbeeld te noemen) kiezen, zonder kwetsbaar te zijn voor schaalvoordelen of produktdifferentiatie van breder gesorteerde firma's? Of onder welke omstandigheden is het totale marktaandeel in de bedrijfstak onbelangrijk? Het antwoord hierop zal per bedrijfstak verschillen en afhankelijk zijn van mobiliteitsbarrières en andere structurele en bedrijfsbepaalde kenmerken, die eerder zijn besproken.

Proefondervindelijk is aangetoond dat het verband tussen de winstgevendheid van een groot en een klein marktaandeel varieert per bedrijfstak. Schema 7-1 vergelijkt de winst op eigen vermogen (ROE) van de grootste bedrijven, die minstens dertig procent van de verkoop in de bedrijfstak voor hun rekening nemen (leiders), met die van middelgrote bedrijven in dezelfde bedrijfstakken (volgers). Bij deze berekening werden kleine bedrijven met activa van $ 500.000 en minder niet in aanmerking genomen. Hoewel sommige bedrijfstakken in dit staatje zeer breed zijn, is het opvallend dat in 15 van de 38 bedrijfstakken volgers duidelijk winstgevender waren dan leiders.

SCHEMA 7-1   Relatieve winstgevendheid van leiders en volgers in bedrijfstakken*

Winstpercentage van volgers **veel** hoger (4% of meer) dan dat van leiders	Winstpercentage van volgers 0,5% tot 4% hoger dan dat van leiders	Winstpercentage van leiders 2,5% tot 4% hoger dan dat van volgers	Winstpercentage van leiders **veel** hoger (4% of meer) dan dat van volgers
Vleesprodukten	Suiker	Zuivelprodukten	Wijn
Sterke drank	Tabak (behalve sigaretten)	Graanprodukten	Frisdranken
Tijdschriften	Breimateriaal	Bier	Wasmiddelen
Vloerbedekking	Dameskleding	Medicijnen	Kosmetica
Lederwaren	Herenkleding	Sieraden	Verf
Optische, medische en oftalmologische goederen	Schoeisel		Snijgereedschap, handgereedschap en algemene ijzerwaren
	Aardewerk en aanverwante produkten		Huishoudelijk artikelen
	Elektrische verlichtings-artikelen		Radio en televisie
	Speelgoed en sportartikelen		Foto-apparatuur

Bron: Porter (1979).

* Bevat 26 van een overzichtsverzameling van 38 bedrijfstakken van consumptie-artikelen over de periode 1963-1965. In de twaalf niet genoemde bedrijfstakken was het winstpercentage van de leiders over het algemeen hoger dan dat van de volgers (in een enkel geval gelijk).

In de bedrijfstakken, waarin de winstpercentages van de volgers hoger waren, blijken schaalvoordelen in het algemeen gering of niet aanwezig te zijn (kleding, schoeisel, aardewerk, vleesprodukten, vloerbedekking) en/of blijkt dat er een grote segmentatie heeft plaatsgevonden (optische, medische en oftalmologische goederen, sterke drank, tijdschriften, vloerbedekking, speelgoed en sportartikelen). De bedrijfstakken, waarin de winstpercentages van de leiders hoger liggen, zijn in het algemeen die, waar intensieve reclame noodzakelijk is (wasmiddelen, kosmetica, frisdrank, graanprodukten, snijgreedschap) en/of aanzienlijke onderzoekskosten en schaalvoordelen bij de produktie aanwezig zijn (radio en televisie, medicijnen, foto-apparatuur). Deze uitkomst viel te verwachten.

STRATEGISCHE GROEPEN EN KOSTENPOSITIE

Een ander verschijnsel bij de theorievorming over strategieformulering is de mening dat de kostenpositie de enige verdedigbare factor is als basis voor een concurrentiestrategie. Volgens deze redenering zal de firma met de laagste kosten altijd in een positie verkeren, waarin ze kan overstappen op andere strategieën, zoals differentiatie, technologie of service, waarop andere strategische groepen gebaseerd zijn.

Nog afgezien van het feit dat een lage kostenpositie zeker niet gemakkelijk te handhaven is, berust dit standpunt op een ernstige misvatting. Zoals uitgebreid wordt beschreven in hoofdstuk 2, is er in de meeste bedrijfstakken een aantal manieren om mobiliteitsbarrières te creëren of op een andere wijze een structureel solide positie op te bouwen. Deze verschillende strategieën zullen gewoonlijk verschillende en vaak *conflicterende* 'voorschriften' met zich meebrengen. Een bedrijf dat probeert een zo groot mogelijke effectiviteit te bereiken in één strategie, zal zelden tevens het meest effectief zijn in het voldoen aan de behoeften, waar andere bedrijven zich op richten. Het bereiken van een lage kostenpositie *binnen de strategische groep* kan heel belangrijk zijn, maar een algehele lage kostenpositie hoeft niet noodzakelijkerwijs belangrijk te zijn en is zeker niet de enige manier om te concurreren. Het bereiken van een algehele lage kostenpositie impliceert vaak het opofferen van voordelen op andere strategische terreinen, zoals differentiatie, technologie of service, waarop andere strategische groepen gebaseerd zijn.

Het is echter waar dat strategische groepen die concurreren op andere bases dan lage kosten, zich voortdurend bewust moeten zijn van het verschil tussen hun kosten en die van de strategische groepen met algehele lage kosten. Als dit verschil te groot wordt kunnen klanten geneigd zijn om over te stappen naar de 'lage kosten'groepen, ondanks de mindere kwaliteit, service, technische vooruitstrevendheid of andere nadelen. De relatieve kostenpositie tussen groepen onderling is in dit opzicht een strategische sleutelvariabele.

Implicaties voor strategieformulering

Het formuleren van een concurrentiestrategie in een bedrijfstak kan worden beschouwd als *de keuze van de strategische groep waarin het bedrijf wil
gaan concurreren.* Deze keuze kan neerkomen op het selecteren van een
bestaande groep, waar de verhouding tussen winstpotentieel en de kosten
van toetreding het gunstigst ligt, maar de keuze kan ook neerkomen op het
creëren van een geheel nieuwe strategische groep. Structurele analyse binnen een industrie levert de factoren op, die bepalend zijn voor het succes
van een bepaalde strategische positiekeuze van het bedrijf.

Zoals is beschreven in de inleiding, is de meest globale leidraad bij het
formuleren van een strategie het in overeenstemming brengen van de
sterke en zwakke punten van het bedrijf, in het bijzonder zijn kenmerkende
competentie, met de kansen en risico's in zijn omgeving. De principes van
structurele analyse binnen een bedrijfstak stellen ons in staat om veel con-
creter en specifieker te zijn over wat nu precies de sterke en zwakke punten
en de kenmerkende competentie van het bedrijf en de kansen en risico's
van de bedrijfstak zijn. Allereerst volgt een opsomming van de mogelijke
sterke en zwakke punten van een bedrijf:

Sterke punten	*Zwakke punten*
• factoren die mobiliteitsbarriè-res opwerpen, waardoor de strategische groep van het bedrijf beschermd wordt;	• factoren die de mobiliteitsbar-rières, die de strategische groep van het bedrijf bescher-men, verlagen;
• factoren die de onderhande-lingspositie van de groep ten opzichte van leveranciers en klanten versterken;	• factoren die de onderhande-lingspositie van de groep ten opzichte van leveranciers en klanten verzwakken;
• factoren die de groep tegen concurrentie van andere bedrijven beschermen;	• factoren die de groep bloot-stellen aan concurrentie van andere bedrijven;
• grotere schaal in vergelijking met de andere bedrijven in de strategische groep;	• kleinere schaal in vergelijking met andere bedrijven in de strategische groep;
• factoren waardoor de kosten van toetreding tot de strategi-sche groep lager zijn dan die van anderen;	• factoren waardoor toetreding tot de strategische groep het bedrijf meer kost dan andere bedrijven;
• in verhouding tot de concur-renten goede mogelijkheden om een bepaalde strategie te effectueren;	• in verhouding tot de concur-renten geringere mogelijkhe-den om een bepaalde strategie te effectueren;

- bedrijfsmiddelen en vaardigheden die het bedrijf in staat stellen om mobiliteitsbarrières te overwinnen en over te stappen naar strategisch nog voordeligere groepen.

- het ontbreken van de bedrijfsmiddelen of vaardigheden waardoor mobiliteitsbarrières zouden kunnen worden overwonnen en strategisch voordeligere groepen zouden kunnen worden bereikt.

Als de voornaamste mobiliteitsbarrières in de strategische groep van een bedrijf bijvoorbeeld gebaseerd zijn op een breed produktassortiment, het in eigendom hebben van technologie of absolute kostenvoordelen door ervaring, dan vormen deze bronnen van mobiliteitsbarrières enkele zeer voorname sterke punten van het bedrijf. Als de gunstigste strategische groep in de bedrijfstak van het bedrijf beschermd wordt door mobiliteitsbarrières, die berusten op bereikte schaalvoordelen of een eigen distributiesysteem en service-organisatie, dan is de afwezigheid van zulke factoren één van de voornaamste zwakke punten van het bedrijf. Structurele analyse geeft ons een methode voor het systematisch vaststellen van de voornaamste sterke en zwakke punten van een bedrijf in verhouding tot zijn concurrenten. Deze sterke en zwakke punten liggen zeker niet vast, maar kunnen veranderen als er verschuivingen optreden in de relatieve positie van strategische groepen ten gevolge van ontwikkelingen in de bedrijfstak of als bepaalde bedrijven innovaties doorvoeren of investeringen doen om hun structurele positie te veranderen.

Deze beoordelingsmethode voor de sterke en zwakke punten brengt twee fundamenteel verschillende soorten aan het licht: structurele en operationele. De structurele sterke en zwakke punten berusten op de onderliggende kenmerken van de bedrijfstakstructuur, zoals mobiliteitsbarrières, factoren die bepalend zijn voor de relatieve onderhandelingsmacht, enzovoort. Deze zijn als zodanig redelijk stabiel en moeilijk te overwinnen. Sterke en zwakke punten bij het operationeel maken van een strategie zijn gebaseerd op verschillen in capaciteiten van een bedrijf om strategieën uit te voeren en berusten op kwaliteit van personeel en management. Als zodanig kunnen ze van meer voorbijgaande aard zijn, hoewel dit niet altijd het geval hoeft te zijn. Hoe dan ook, het is belangrijk om bij een strategie-analyse deze twee soorten te onderscheiden.

De *strategische kansen* die het bedrijf in zijn bedrijfstak geboden worden, kunnen met behulp van deze concepten eveneens meer concreet gemaakt worden. De kansen kunnen in een aantal categorieën worden ingedeeld:

- creëren van een nieuwe strategische groep;
- overstappen naar een gunstiger strategische groep;

- versterken van de structurele positie van de bestaande groep of van de positie van het bedrijf binnen de groep;
- overstappen naar een nieuwe groep en de structurele positie daarvan versterken.

De meeste kans op succes biedt wellicht het creëren van een *nieuwe* strategische groep. Technologische veranderingen of ontwikkelingen in de structuur van de bedrijfstak bieden vaak mogelijkheden voor geheel nieuwe strategische groepen. Zelfs zonder dergelijke stimuli kan een vooruitziend bedrijf een nieuwe gunstige strategische groep herkennen, die door de concurrenten nog niet is opgemerkt. American Motors bijvoorbeeld ontdekte in het midden van de jaren vijftig een uniek gepositioneerd 'boodschappen-autootje', waardoor voor een tijdje ernstige nadelen ten opzichte van de Grote Drie konden worden overwonnen. Timex kwam met het nieuwe concept van een laag geprijsd, betrouwbaar horloge door nieuwe produktie-technieken te koppelen aan een nieuw distributie- en marketingsysteem. Een recenter voorbeeld is Hanes, dat een volkomen nieuwe groep creëerde in de sector herenondergoed met zijn L'eggs strategie. Hoewel een vooruitziende blik een schaars artikel is, kan structurele analyse van nut zijn bij het kiezen voor zo rendabel mogelijke veranderingen.

Een andere mogelijk kansrijke strategie is het zoeken naar een voordeligere strategische groep, waarnaar het bedrijf eventueel zou kunnen overstappen.

Een derde strategische kans is de mogelijkheid voor het bedrijf om te investeren of aanpassingen door te voeren teneinde de structurele positie van de bestaande strategische groep te verbeteren of de positie van het bedrijf binnen die groep, bijvoorbeeld door mobiliteitsbarrières te verhogen, de positie ten opzichte van substituten te verbeteren, de slagvaardigheid op het gebied van marketing te vergroten. Dergelijke investeringen en aanpassingen zouden ook als het creëren van een nieuwe en strategisch gunstigere groep kunnen worden beschouwd.

De laatste strategische kans is het toetreden tot andere strategische groepen en het verhogen van de mobiliteitsbarrières daarvan of het anderszins verbeteren van hun positie. Structurele evolutie binnen een bedrijfstak biedt vaak een goede gelegenheid om zulke veranderingen door te voeren en daarnaast ook de positie van het bedrijf in de bestaande groep te verbeteren.

Dezelfde basisconcepten liggen ten grondslag aan de *risico's* die een bedrijf loopt:

- risico's dat andere bedrijven toetreden tot de strategische groep, waartoe het bedrijf zelf behoort;
- het gevaar van factoren die een verlagend effect hebben op de mobiliteitsbarrières van de strategische groep, waardoor de onderhande-

lingspositie tegenover klanten en leveranciers wordt verzwakt, evenals de positie ten opzichte van substituten, of waardoor het bedrijf
bloot komt te staan aan fellere concurrentie;
- risico's van het investeren in positieverbetering van het bedrijf door
middel van verhoging van de mobiliteitsbarrières;
- risico's van pogingen om mobiliteitsbarrières te overwinnen die toetreding tot voordeligere strategische groepen of geheel nieuwe groepen bemoeilijken.

De eerste twee kunnen gezien worden als bedreigingen voor de
bestaande positie van het bedrijf of als risico's van passiviteit, terwijl de
laatste twee de risico's inhouden die het aangrijpen van bepaalde kansen
met zich meebrengt.

De strategiekeuze van een bedrijf, oftewel de keuze van de groep
waarin het bedrijf wil gaan concurreren, komt neer op het afwegen van al
deze factoren. Veel, zo niet de meeste strategische doorbraken worden op
gang gebracht door veranderingen in de structuur. Structurele analyse laat
zien hoe de bestaande strategische positie van een bedrijf, gekoppeld aan
de bestaande structuur van de bedrijfstak, vertaald kan worden in marktresultaten. Bij ongewijzigde structuur van de bedrijfstak kunnen de kosten
van het overwinnen van mobiliteitsbarrières van een andere strategische
groep, waarbinnen reeds andere bedrijven actief zijn, heel goed de voordelen teniet doen. Als het bedrijf echter een geheel nieuwe, structureel gunstige, strategische positie kan ontdekken of als het zijn positie kan veranderen
op een tijdstip waarop door ontwikkelingen binnen de bedrijfstak de kosten
van verschuivng gering zijn, dan kan een duidelijke verbetering van de
resultaten het gevolg zijn. De hier weergegeven methode maakt duidelijk
waar men bij zo'n herpositionering op moet letten.

De drie algemene strategieën, beschreven in hoofdstuk 2, geven de drie
algemene en consistente benaderingen weer voor het innemen van een
goede strategische positie. In de context van dit hoofdstuk zijn dat verschillende algemene strategische groepen die succesvol kunnen zijn, afhankelijk
van de economische structuur van de betreffende bedrijfstak. In dit hoofdstuk heeft de analyse van de algemene strategieën duidelijk meer gestalte
gekregen. Gebleken is dat de algemene strategieën berusten op het creëren
(op verschillende manieren) van mobiliteitsbarrières; een gunstige positie
ten opzichte van de klanten, leveranciers en substituten; en bescherming
tegen onderlinge concurrentie. Ons uitgebreide concept van structurele
analyse is niets anders dan een manier om de betekenis van de algemene
strategieën duidelijker en makkelijker hanteerbaar te maken.

De strategische groepenkaart als analytisch instrument

We kunnen nu terugkeren naar een behandeling van de strategische groepenkaart als analytisch instrument. Deze kaart is heel handig als grafische voorstelling van de concurrentie in een bedrijfstak en als weergave van wat de invloed van verschuivingen in de bedrijfstak of trends hierop zouden kunnen zijn. In plaats van prijs en volume is hier de 'strategische ruimte' in kaart gebracht.

Bij het in kaart brengen van strategische groepen moeten door de analist de strategische variabelen worden uitgezocht die als assen van de kaart

FIGUUR 7-3   **Voorbeeldkaart van de kettingzaagbranche in de V.S.**

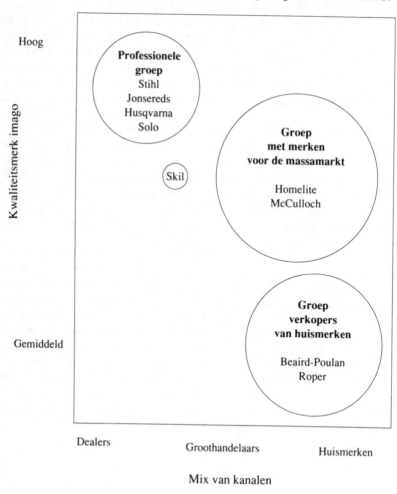

zullen dienen. Hierbij moet aan een aantal principes de hand worden gehouden. Ten eerste zijn de beste strategische variabelen die als assen kunnen dienen, die,welke *bepalend zijn voor de voornaamste mobiliteitsbarrières* in de bedrijfstak. In bijvoorbeeld de frisdrankindustrie zijn het de merkidentificatie en de distributiekanalen die bij een strategische groepenkaart goed als assen zouden kunnen dienen. Ten tweede is het bij het in kaart brengen van groepen belangrijk om als assen variabelen te kiezen, die niet samengaan. Als alle bedrijven met een hoge produktdifferentiatie bijvoorbeeld tevens een breed produktassortiment hebben, dan moeten deze beide variabelen niet als assen op de kaart dienen. In plaats hiervan zouden variabelen gekozen moeten worden, die een afspiegeling zijn van de diversiteit van strategische combinaties in de bedrijfstak. Ten derde hoeven de assen van de kaart niet gevormd te worden door continue, eentonige variabelen. De doelkanalen in de kettingzaagbranche bijvoorbeeld zijn de service-dealers, groothandelaren en verkopers van huismerken. Sommige bedrijven concentreren zich op één van deze kanalen, terwijl andere hun aandacht over meerdere kanalen verdelen. Service-dealers verschillen zeer van verkopers van huismerken wat betreft vereiste strategie; groothandelaren bevinden zich daar ergens tussenin. Het in kaart brengen van de bedrijfstak gebeurt waarschijnlijk het duidelijkst, als de bedrijven worden weergegeven zoals in figuur 7-3. De plaats van de bedrijven weerspiegelt hun gekozen mix van kanalen. Een laatste principe is het feit dat een bedrijfstak verschillende keren in kaart kan worden gebracht, waarbij gebruik kan worden gemaakt van verschillende strategische dimensies, om de analist te helpen bij het verkrijgen van inzicht in de voornaamste concurrentiethema's. Zulke kaarten helpen bij het diagnosticeren van concurrentieverhoudingen, en er is niet noodzakelijk één juiste benadering.

Nu we een strategische groepenkaart van een bedrijfstak hebben opgesteld, kan een aantal analytische stappen duidelijkheid verschaffen:

Vaststellen van mobiliteitsbarrières. De mobiliteitsbarrières, die elke groep beschermen tegen aanvallen van andere groepen, kunnen worden vastgesteld. Bijvoorbeeld, de voornaamste barrières, die de hoge kwaliteit-/dealergerichte groep in figuur 7-3 beschermen, zijn technologie, merkprestige en een gevestigd netwerk van service-dealers. De voornaamste barrières van de huismerkgroep daarentegen zijn schaalvoordelen, ervaring, en tot op zekere hoogte relaties met afnemers met een huismerk. Een dergelijk onderzoek kan zeer behulpzaam zijn bij het voorspellen van dreigingen voor de verschillende groepen en mogelijke positieverschuivingen tussen de bedrijven onderling.

Vaststellen van marginale groepen. Door een structurele analyse, gelijk aan die welke eerder in dit hoofdstuk werd beschreven, kan men vaststellen van welke groepen de positie zwak of marginaal is. Dit zijn kandidaten om te verdwijnen of over te stappen naar een andere groep.

Weergeven van de richting van strategische activiteit. Een zeer belangrijk doel van een strategische groepenkaart is het bepalen van de richting, waarin de strategieën van bedrijven bewegen en hoe deze zich wijzigen vanuit het oogpunt van de bedrijfstak als geheel. De gemakkelijkste methode hiertoe is het trekken van pijlen vanuit elke strategische groep in de richting, waarin die groep (of een bedrijf in die groep) zich door de strategische ruimte beweegt, zo hier althans sprake van is. Als men dit voor alle groepen doet, dan is het mogelijk dat men een beeld ziet van bedrijven die zich strategisch van elkaar verwijderen, hetgeen stabilisering van de bedrijfsconcurrentie betekent, met name als de doelmarktsegmenten hierdoor ook verder gescheiden worden. Het kan natuurlijk ook een beeld opleveren van bedrijven, waarvan de strategische posities convergeren, hetgeen tot een zeer explosieve situatie kan leiden.

Analyseren van trends. Het is belangrijk om voor de strategische groepskaart stil te staan bij de implicaties van elke trend in de bedrijfstak. Komen door de trend de bestaansmogelijkheden van bepaalde groepen in gevaar? In welke richting zullen de bedrijven in die groep verschuiven? Worden door deze trend de barrières, die sommige groepen beschermen, hoger? Zal door deze trend de mogelijkheid voor sommige groepen afnemen om zich in een bepaalde dimensie van elkaar te verwijderen? Al deze factoren kunnen helpen bij het doen van voorspellingen omtrent de ontwikkeling van de bedrijfstak.

Voorspellen van reacties. De kaart kan gebruikt worden om reacties van de bedrijfstak op een gebeurtenis te voorspellen. Gegeven de overeenkomst tussen hun strategieën zijn bedrijven van een groep geneigd om op dezelfde wijze op verstoringen of trends te reageren.

8
Bedrijfstakontwikkeling

Structurele analyse biedt ons een methode om inzicht te krijgen in de concurrentiekrachten in een bedrijfstak die van cruciaal belang zijn voor het ontwikkelen van een concurrentiestrategie. Het is echter duidelijk dat de structuur van bedrijfstakken vaak fundamentele wijzigingen ondergaat. De betekenis van toetredingsbarrières en marktconcentratie is bijvoorbeeld in de brouwerijsector van de V.S. enorm toegenomen, en door de dreiging van substituten zijn producenten van acetyleen zwaar onder druk gezet.

Ontwikkeling van de bedrijfstak is van cruciaal belang voor strategieformulering. De fundamentele aantrekkingskracht van de bedrijfstak als investeringsmogelijkheid kan hierdoor toe- of afnemen en het vereist vaak strategische aanpassingen van het bedrijf. Een goed inzicht in het ontwikkelingsproces van de bedrijfstak en het vermogen om veranderingen te voorspellen zijn belangrijk, omdat de kosten van een strategische reactie meestal toenemen naarmate de behoefte aan verandering duidelijker wordt en de voordelen van de beste strategie het grootst zijn voor het bedrijf dat die strategie als eerste volgt. Bijvoorbeeld in de sector van landbouwwerktuigen van vlak na de oorlog nam door een structurele verandering het belang toe van een sterk, exclusief dealernetwerk, gesteund door kredieten en hulp van bedrijven. De bedrijven die deze veranderingen het eerste in de gaten kregen, hadden de dealers voor het uitzoeken.

In dit hoofdstuk zullen analytische hulpmiddelen gegeven worden om het ontwikkelingsproces in de bedrijfstak te voorspellen en de betekenis daarvan voor het formuleren van een concurrentiestrategie te begrijpen. Het hoofdstuk begint met het beschrijven van enkele basisconcepten van de analyse van bedrijfstakontwikkeling. Vervolgens zal bekeken worden wat de stuwende krachten achter veranderingen in de bedrijfstak zijn. Tenslotte zullen enkele belangrijke economische verhoudingen binnen het ontwikkelingsproces beschreven en de strategische implicaties ervan verkend worden.

Basisconcepten van bedrijfstakontwikkeling

Het vertrekpunt voor de analyse van de ontwikkeling van een bedrijfstak is het schema van structurele analyse uit hoofdstuk 1. Veranderingen in een bedrijfstak hebben strategische betekenis, als de onderliggende bronnen van de vijf concurrentiekrachten erdoor beïnvloed zullen worden; in het andere geval hebben veranderingen slechts tactisch belang. De eenvoudigste benadering voor de analyse van zo'n ontwikkeling is het stellen van de volgende vraag: zijn er veranderingen gaande binnen de bedrijfstak, waardoor elk structuurelement zal worden beïnvloed? Zijn er bijvoorbeeld trends in de bedrijfstak, waardoor mobiliteitsbarrières hoger of lager worden? Een toename of vermindering van de relatieve macht van klanten of leveranciers? Als deze vraag op een gestructureerde manier wordt gesteld voor elke concurrentiekracht en de onderliggende economische oorzaken, dan zal daaruit een schets van de belangrijkste thema's met betrekking tot de ontwikkeling van een bedrijfstak resulteren.

Hoewel weliswaar begonnen moet worden met deze bedrijfstakspecifieke benadering, is deze op zich vaak onvoldoende, aangezien niet altijd duidelijk is welke veranderingen zich op dat moment in de bedrijfstak aan het voltrekken zijn, en zeker niet welke veranderingen zich in de toekomst voor zouden kunnen doen. Gezien het belang van het vermogen om de ontwikkeling te voorspellen is het wenselijk om over een paar analysetechnieken te beschikken, die behulpzaam zullen zijn bij het anticiperen op het patroon van te verwachten veranderingen in de bedrijfstak.

PRODUKTLEVENSCYCLUS

De stamvader van de concepten voor het voorspellen van het vermoedelijke ontwikkelingsproces van de bedrijfstak is de bekende levenscyclus van het produkt. Men gaat uit van de veronderstelling dat een bedrijfstak[1] een aantal fasen of stadia doorloopt - introductie, groei, volwassenheid en verval-, zoals weergegeven in figuur 8-1. Deze stadia worden gekenmerkt door krommingspunten in de groeilijn van de verkoopcijfers van de bedrijfstak. De groei van een bedrijfstak verloopt volgens een S-vormige curve

---

[1] Er bestaat verschil van mening over de vraag of de levenscyclus alleen van toepassing is op individuele produkten of op gehele bedrijfstakken. Hier wordt het standpunt dat het van toepassing is op bedrijfstakken kort samengevat.

vanwege het het proces van innovatie en verspreiding van een nieuw produkt.[2] De vlakke introductiefase van de groei van de bedrijfstak geeft de moeilijkheid weer van het overwinnen van de traagheid van de klant en het stimuleren tot het uitproberen van het nieuwe produkt. De snelle groei wordt veroorzaakt door het feit dat veel nieuwe kopers zich aanmelden als het produkt succesvol is gebleken. Na verloop van tijd is penetratie van de potentiële kopersgroep bereikt, waardoor de snelle groei stopt en afneemt tot een niveau gelijk aan het onderliggende groeipercentage van de relevante kopersgroep. Tenslotte zal er zich een daling inzetten, als er nieuwe substituten op de markt komen.

Gedurende de levenscyclus van de bedrijfstak zal de aard van de concurrentie daarin veranderen. In figuur 8-2 heb ik de meest gangbare voorspellingen aangegeven omtrent de wijzigingen die de bedrijfstak gedurende de levenscyclus zal ondergaan en wat het effect hiervan zou moeten zijn op een strategie.

De theorie van de levenscyclus van een produkt heeft enige gegronde kritiekpunten opgeroepen:

1. De duur van de stadia verschilt zeer van bedrijfstak tot bedrijfstak en vaak is het onduidelijk in welk stadium van de levenscyclus een bedrijfstak zich bevindt. Dit probleem maakt het concept minder bruikbaar als hulpmiddel bij planning.

2. De groei van de bedrijfstak verloopt niet altijd volgens het S-vormige patroon. Soms slaan bedrijfstakken het stadium van de volwassenheid over en gaan van groei gelijk over op verval. Soms kent de groei van een bedrijfstak weer een opleving na een periode van verval, zoals is gebeurd in de bedrijfstakken van motorfietsen en fietsen en in de radio-omroep business. Sommige bedrijfstakken lijken het stadium van de trage start in de introductiefase in zijn geheel over te slaan.

FIGUUR 8-1   Stadia van de levenscyclus

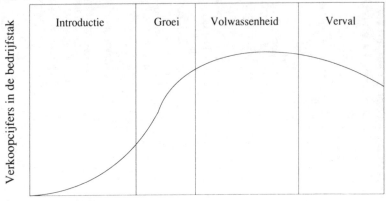

² Kotler (1972), blz. 432-433; zie verder Polli en Cook (1969), blz. 385-387.

FIGUUR 8-2 Voorspellingen van theorieën, gebaseerd op levenscyclus van een produkt, omtrent strategie, concurrentie en resultaten.

	Introductie	*Groei*	*Volwassenheid*	*Verval*
Kopers en koopgedrag	Hoog inkomen van de koper[i,k,l] Traagheid van de koper[a] Kopers moeten overgehaald worden het produkt te proberen[a,j]	Vergroten van de kopersgroep[j] Consument zal ongelijke kwaliteit aanvaarden[i]	Massamarkt[l] Verzadiging[a] Herhaalde aankoop[a,j] Kiezen tussen merken is gebruikelijk[a]	Klanten zijn goed geïnformeerde kopers van het produkt[l]
Produkt en produktverandering	Slechte kwaliteit[l] Produktontwerp en -ontwikkeling belangrijk[g] Veel verschillende produktvarianten; geen standaard[k] Regelmatige wijzigingen in het ontwerp[j,k] Standaard produktontwerpen[l]	Produkten vertonen technische verschillen en verschillen in prestatie[h] Betrouwbaarheid belangrijk voor ingewikkelde produkten[g] Concurrerende produktverbeteringen[j] Goede kwaliteit[l]	Superieure kwaliteit[l] Geringere produktdifferentiatie[b,f,i] Standaardisatie[f,k] Minder snelle produktveranderingen - meer kleine jaarlijkse modelwijzigingen[i,j] Inruil wordt belangrijk[j]	Weinig produktdifferentiatie[h,i] Wisselende produktkwaliteit[l]
Marketing	Zeer hoge reclame/verkoop-verhouding (r/v)[b,h] Afromende prijsstrategie[k] Hoge marketingkosten[j]	Intensieve reclame[b], maar lager percentage van de verkoop dan in introductieperiode[b,h] Intensieve promotie van slechts op recept verkrijgbare medicijnen[c] Reclame en distributie belangrijk voor niet-technische produkten[g]	Marktsegmentatie[a,j,l] Pogingen om levenscyclus te verlengen[d,i] Verbreden van het produktassortiment[j] Service en behandeling van de klant gaan zwaarder wegen[a,j] Verpakking wordt belangrijk[a] Reclameconcurrentie[a] Verminderde r/v[a,b]	Geringe r/v en andere marketingactiviteiten[b,j]

	Introductie	Groei	Volwassenheid	Verval
Produktie en distributie	Overcapaciteit[l] Korte produktie-termijnen[j,k] Hooggekwalificeerde arbeidskrachten[k] Hoge produktiekosten[j] Gespecialiseerde kanalen[l]	Ondercapaciteit[l] Verschuiving naar massaproduktie[j,k] Vechten om distributie[j] Massakanalen[l]	Enige overcapaciteit[a] Capaciteitsoptimum[l] Toegenomen stabiliteit van het produktieproces[e] Lager gekwalificeerde arbeidskrachten[k] Lange produktietermijnen met stabiele technieken[k] Distributiekanalen korten hun produktassortiment in om hun marges te verbeteren[j] Hoge fysieke distributie-kosten ten gevolge van breed produkt-assortiment[l] Massakanalen[l]	Aanzienlijke overcapaciteit[a,j] Massaproduktie[h] Specialisatiekanalen[l]
O&O	Veranderende produktie-technieken[k]			
Buitenlandse handel	Wat export[k]	Aanzienlijke export[k] Weinig import[k]	Dalende export[k] Belangrijke import[k]	Geen export[k] Belangrijke import[k]
Algehele strategie	Beste periode om markt-aandeel te vergroten[e] O&O en procesontwikkeling zijn sleutel-activiteiten[l]	Raadzaam om prijzen of kwaliteitsimago te veranderen[i] Marketing is sleutelfunctie[i]	Slechte tijd om markt-aandeel te vergroten[e] Vooral in geval van bedrijf met klein marktaandeel[e] Aanwezigheid van concurrerende kosten wordt belangrijk[j] Slechte tijd om prijzen of kwaliteitsimago te veranderen[i] Marketingeffectiviteit belangrijk[g]	Kostenbeheersing belangrijk[g,i]

FIGUUR 8-2 Vervolg

	Introductie	Groei	Volwassenheid	Verval
Concurrentie	Weinig bedrijven[a,j,k,l]	Toetreding[a] Veel concurrenten[a,d,j,l] Veel fusies en slachtoffers[l]	Prijsconcurrentie[a,i,j,k] Shake-out (reorganisatie)[j,k] Toename van eigen merken[d,e]	Uittreding van bedrijven[a] Minder concurrenten[j,l]
Risico	Hoog risico[a]	Risico's zijn verantwoord vanwege compensatie door groei[i]	Cycliciteit begint[i]	
Marges en winsten	Hoge prijzen en marges[b,j,l] Lage winsten[g,i] Prijselasticiteit naar de individuele verkoper minder dan bij volwassenheid[k]	Hoge winsten[b,j,l] Hoogste winsten[h] Vrij hoge prijzen[b] Lagere prijzen dan in de introductiefase[j] Recessiebestendig[j] Hoge koers/winst-verhoudingen[j] Gunstig klimaat voor overnames[j]	Dalende prijzen[b,i] Lagere winsten[l] Lagere marges[b,i] Lagere dealermarges[i,j] Toegenomen stabiliteit van marktaandelen en prijsstructuur[e] Slecht klimaat voor overnames - lastig om bedrijven te verkopen[j] Laagste prijzen en marges[l]	Lage prijzen en marges[a] Dalende prijzen[b,j] Laat in de vervalperiode kunnen de prijzen stijgen[j,l]

[a] Levitt (1965)
[b] Buzzell (1966)
[c] Cox (1967)
[d] Buzzell e.a. (1972)
[e] Catry en Chevalier (1974)
[f] Dean (1950)
[g] Clifford (1965)
[h] Forrester (1959)
[i] Patton (1959)
[j] Staudt, Taylor en Bowersox (1976)
[k] Wells (1972)
[l] Smallwood (1973)

3. Bedrijven kunnen de vorm van de groeicurve *beïnvloeden* door produktinnovatie en herpositionering, waarbij de curve op verschillende manieren verlengd kan worden.[3] Als een bedrijf de levenscyclus als een gegeven aanvaardt, wordt dit een ongewenste self-fulfilling prophecy.

4. De aard van de concurrentie, waarmee elk stadium van de levenscyclus gepaard gaat, *verschilt* per bedrijfstak. Sommige bedrijfstakken beginnen bijvoorbeeld zeer geconcentreerd en blijven dat. Andere, zoals geldautomaten van banken, zijn gedurende lange tijd geconcentreerd, maar worden dat gaandeweg minder. Weer andere beginnen zeer gefragmenteerd; sommige bedrijven consolideren (auto-industrie), andere niet (distributie van elektronische onderdelen). Dezelfde variërende patronen zijn van toepassing op reclame, uitgaven aan O&O, de intensiteit van prijsconcurrentie en de meeste andere kenmerken van de bedrijfstak. Vanwege deze verschillende patronen kan men vraagtekens plaatsen bij de strategische implicaties die aan de levenscyclus worden toegeschreven.

Het werkelijke probleem van de levenscyclus van een produkt als voorspeller van bedrijfstakontwikkeling is het feit dat hiermee wordt geprobeerd *één* bepaald ontwikkelingspatroon te beschrijven, dat altijd onveranderlijk zou moeten optreden. En met uitzondering van de groei van de bedrijfstak is er geen enkele onderliggende reden aan te wijzen waarom de concurrentieveranderingen zich zullen voordoen in samenhang met de levenscyclus. Aangezien de feitelijke ontwikkeling van een bedrijfstak volgens zulke verschillende paden loopt, is het patroon van de levenscyclus niet altijd daarin te herkennen, ook al is het een gangbaar, of zelfs het meest gangbare ontwikkelingspatroon. Niets in het concept stelt ons in staat om te voorspellen wanneer het patroon van de levenscyclus gevolgd zal worden en wanneer niet.

EEN METHODE VOOR ONTWIKKELINGSPROGNOSES

In plaats van te proberen de ontwikkeling van de bedrijfstak te beschrijven kan men beter de aandacht richten op de sturende factoren achter dit proces. Zoals bij elke ontwikkeling het geval is, ontwikkelt een bedrijfstak zich omdat er krachten werkzaam zijn die in mindere of meerdere mate aanzet geven tot veranderingen. Deze krachten kunnen *ontwikkelingsprocessen* genoemd worden.

Elke bedrijfstak begint met een beginstructuur - de toetredingsbarrières, de macht van klanten en leveranciers e.d., zoals die bestaan op het tijdstip van ontstaan van de bedrijfstak. Gewoonlijk (maar niet altijd) is deze structuur totaal verschillend van de samenstelling die de bedrijfstak later in zijn ontwikkeling zal krijgen. De beginstructuur is het resultaat van een combinatie van onderliggende economische en technische kenmerken van

---

[3] Voor een bespreking van deze methoden, zie Levitt (1965).

de bedrijfstak, de aanvankelijke beperkingen van een kleinschalige bedrijfstak en de capaciteiten en bedrijfsmiddelen van de bedrijven, die in een vroeg stadium tot de bedrijfstak toetreden. Zelfs een bedrijfstak als de auto-industrie, met zijn enorme mogelijkheden tot schaalvoordelen, is begonnen met arbeidsintensieve stuksgewijze produktiemethoden vanwege het kleine aantal auto's dat in de eerste jaren werd geproduceerd.

De ontwikkelingsprocessen duwen de bedrijfstak in de richting van zijn *potentiële structuur*, die zelden geheel bekend is als een bedrijfstak zich aan het ontwikkelen is. Echter, op grond van de onderliggende technologie, produktkenmerken en het soort huidige en potentiële klanten kunnen we een reeks van mogelijke structuren aangeven, die de bedrijfstak eventueel zou kunnen bereiken, afhankelijk van de richting en het succes van onderzoek en ontwikkeling, innovaties op het gebied van marketing en dergelijke.

Het is van belang om in te zien dat de instrumenten van bedrijfstakontwikkeling vaak gevormd worden door investeringsbeslissingen van zowel bestaande bedrijven binnen de bedrijfstak als toetreders. Als reactie op druk of stimulerende factoren van het ontwikkelingsproces gaan bedrijven over tot het doen van investeringen om voordeel te trekken uit mogelijkheden tot nieuwe marketingbenaderingen, nieuwe produktiefaciliteiten en dergelijke, waardoor toetredingsbarrières verschuiven, de relatieve macht tegenover leveranciers en klanten verandert, enzovoort. De ontwikkelingsweg die de bedrijfstak in werkelijkheid zal volgen, kan gevormd worden door geluk, capaciteiten, bedrijfsmiddelen en oriëntatie van de bedrijven in die bedrijfstak. Het is mogelijk dat in een bedrijfstak veranderingen achterwege blijven, ondanks het feit dat daar wel mogelijkheden toe bestaan, omdat geen enkel bedrijf een uitvoerbare nieuwe marketingbenadering ontdekt; tevens kunnen mogelijke schaalvoordelen onbenut blijven, omdat geen enkel bedrijf over de financiële middelen beschikt om een volledig geïntegreerde produktiefaciliteit op te zetten, of eenvoudigweg omdat geen enkel bedrijf geneigd is aan kosten te denken. Aangezien vernieuwing, technologische ontwikkelingen en de specifieke eigenschappen (en bedrijfsmiddelen) van hetzij de afzonderlijke bedrijven in de bedrijfstak, hetzij bedrijven die toetreding tot de bedrijfstak overwegen, zeer belangrijk zijn voor de ontwikkeling van de bedrijfstak, zal deze ontwikkeling niet alleen moeilijk met zekerheid te voorspellen zijn, maar kan die bedrijfstak zich ook op verschillende manieren ontwikkelen en in verschillende snelheden, afhankelijk van het succes van ontwikkelingen.

Ontwikkelingsprocessen

Hoewel beginstructuur, structureel potentiële en specifieke investeringsbeslissingen van bedrijven afhankelijk zijn van de bedrijfstak, kunnen de belangrijke ontwikkelingsprocessen wel gegeneraliseerd worden. Er zijn enkele voorspelbare (en elkaar wederzijds beïnvloedende) dynamische processen die zich in een of andere vorm in alle bedrijfstakken afspelen, hoewel snelheid en richting per bedrijfstak zullen verschillen:

- lange termijn veranderingen in de groei;
- veranderingen in koperssegment, waaraan geleverd wordt;
- toegenomen kennis van de kopers;
- vermindering van onzekerheid;
- ophoping van ervaring;
- opgezamelde ervaring;
- uitbreiding (of inkrimping) in schaal;
- veranderingen in inputkosten en wisselkoersen;
- produktvernieuwing;
- marketingvernieuwing;
- procesvernieuwing;
- structurele veranderingen in aangrenzende bedrijfstakken;
- wijzigingen in het regeringsbeleid;
- toe- en uittreding.

Elk ontwikkelingsproces zal beschreven worden, waarbij aandacht zal worden geschonken aan de bepalende factoren, de verhouding ten opzichte van andere processen en de strategische implicaties.

LANGE TERMIJN VERANDERINGEN IN DE GROEI

Waarschijnlijk de meest voorkomende kracht, die leidt tot structurele verandering, is een verandering in de lange termijn groeivoet van de bedrijfstak. De groei van de bedrijfstak is een sleutelvariabele bij het bepalen van de intensiteit van de concurrentie in de bedrijfstak en deze groei bepaalt de snelheid, waarmee moet worden uitgebreid om het marktaandeel te behouden, waardoor dus invloed wordt uitgeoefend op het evenwicht tussen vraag en aanbod en de aantrekkelijkheid van de bedrijfstak voor nieuwe toetreders.

Er zijn vijf belangrijke externe redenen waarom de groei op lange termijn van een bedrijfstak verandert:

Demografische factoren

Bij *consumptiegoederen* zijn demografische veranderingen in hoge mate bepalend voor de omvang van de kopersgroep met het oog op een produkt en daarmee voor de groei van de vraag. De potentiële kopersgroep voor een produkt kan even breed zijn als alle huishoudens, maar bestaat toch meestal uit klanten die gekenmerkt worden door bepaalde leeftijdsgroepen, inkomensniveaus, opleidingsniveaus of geografische locaties. Als de totale groei van de bevolking, de verdeling qua leeftijd, inkomensniveau en demografische factoren veranderen, leidt dit direct tot schommelingen in de vraag. Een zeer duidelijk voorbeeld hiervan is het nadelige effect van de dalende geboortecijfers in de V.S. op de verkoop van allerlei soorten baby-artikelen, terwijl de produkten die bestemd zijn voor de leeftijdsgroep tussen de 25 en de 35 jaar, nu uitstekend lopen als gevolg van de geboortegolf na de Tweede Wereldoorlog. Demografische factoren kunnen ook een probleem gaan vormen voor de platen- en zoetwarenindustrie, die van oudsher het meest verkochten aan de leeftijdsgroep beneden de twintig jaar, die momenteel aan het afnemen is.

Een deel van het effect van demografische veranderingen is het gevolg van *inkomenselasticiteit*, waarmee de verandering wordt bedoeld in de vraag van de koper naar een produkt, die optreedt wanneer zijn/haar inkomen stijgt. Voor sommige produkten (mink golfclubhoezen) zal de vraag met het stijgen van het inkomen onevenredig omhoog gaan, terwijl deze voor andere produkten minder dan evenredig omhoog zal gaan of zelfs zal dalen. Vanuit strategisch oogpunt is het belangrijk om vast te stellen waar het produkt van de bedrijfstak zich bevindt in dit spectrum, aangezien het van groot belang is om de groei op lange termijn te kunnen voorspellen, als het algemene inkomensniveau van de kopers zowel op de thuismarkt als op de potentiële internationale markten verandert. Soms kan een bedrijfstak produkten echter door middel van produktinnovatie omhoog of omlaag langs de schaal van inkomenselasticiteit verplaatsen, zodat het effect van de inkomenselasticiteit niet altijd een uitgemaakte zaak hoeft te zijn.

Wat betreft *industriële produkten* is het effect van demografische veranderingen op de vraag gebaseerd op de levenscyclus van de bedrijfstakken van de afnemers, die wel voor de consument produceren. Demografische factoren hebben invloed op de vraag van de consument naar eindprodukten, hetgeen weer zijn weerslag heeft op de bedrijfstakken die de input leveren voor die eindprodukten.

Bedrijven kunnen proberen de invloed van demografische factoren te beperken door de kopersgroep voor hun produkt te verbreden door middel van produktinnovaties, nieuwe marketingbenaderingen, extra service, enzovoort. Deze benaderingen kunnen op hun beurt de structuur van de bedrijfstak beïnvloeden door toename van de schaalvoordelen, het blootstellen van de bedrijfstak aan fundamenteel verschillende kopersgroepen met een andere onderhandelingspositie, enzovoort.

Trends in de behoeften

De vraag naar een produkt wordt mede bepaald door veranderingen in levensstijl, smaak, opvattingen en sociale omstandigheden van de kopersbevolking, waaraan elke maatschappij nu eenmaal onderhevig is. Bijvoorbeeld aan het eind van de jaren zestig en het begin van de jaren zeventig traden er in de V.S. veranderingen op als een terugkeer naar de 'natuur', meer vrije tijd, meer vrijetijdskleding en meer vraag naar nostalgische produkten. Door deze trend vloog de vraag naar rugzakken, blue jeans en andere produkten omhoog. De recente 'terug naar de basis'-beweging in het onderwijs creëert een nieuwe vraag naar gestandaardiseerde lees- en schrijftests, om een ander voorbeeld te noemen. We hebben ook met andere maatschappelijke trends te maken gehad, zoals de toename van de misdaad, de veranderde positie van de vrouw, de grotere zorg voor de eigen gezondheid, waardoor de vraag naar sommige produkten is gestegen (fietsen, kinderopvangcentra) en die naar andere is afgenomen.

Dergelijke trends in de behoeften hebben niet alleen een directe, maar ook een indirecte invloed op de vraag naar industriële produkten via tussenliggende bedrijfstakken. Trends in de behoeften beïnvloeden zowel de vraag in bepaalde bedrijfstaksegmenten als de totale vraag in de bedrijfstak. Door maatschappelijke trends kunnen behoeften gecreëerd of alleen maar versterkt worden. De inbraakcijfers zijn bijvoorbeeld de laatste dertig jaar dramatisch gestegen, waardoor de vraag naar bewakingspersoneel, sloten, kluizen en alarmsystemen enorm is toegenomen. De gestegen schadeverwachting als gevolg van diefstal rechtvaardigde grotere investeringen ter voorkoming daarvan.

Tenslotte kunnen veranderingen in overheidsregulering de behoefte aan een produkt doen stijgen of dalen. De vraag naar flipperkasten en fruitmachines is bijvoorbeeld gestegen als gevolg van op handen zijnde en doorgevoerde legalisering van kansspelen.[4]

Verandering in de relatieve positie van substituten

De vraag naar een produkt wordt beïnvloed door de kosten en kwaliteit, in brede zin, van substituten. Als de kosten van een substituutprodukt relatief gezien dalen of als de koper er meer satisfactie uit haalt, dan zal dit de groei van de bedrijfstak nadelig beïnvloeden (en omgekeerd). Voorbeelden hiervan zijn de aantasting door radio en televisie van de vraag naar live concerten door symfonie-orkesten of andere gezelschappen; de groei in de vraag naar reclameruimte in tijdschriften als gevolg van de stijgende prijzen van televisiereclames en de toenemende schaarste aan gunstige zendtijd; en het nadelige effect van prijsstijgingen op de vraag naar produkten als suikergoed en frisdranken in vergelijking met de substituten daarvan.

Voor het voorspellen van de groei op lange termijn moet een bedrijf zicht hebben op alle substituten, die afgestemd zijn op de behoefte die zijn eigen produkt bevredigt. Vervolgens moeten technologische en andere trends, die de kosten en kwaliteit van elk van deze substituten bepalen, in

---

[4] Zie *Dun's*, februari 1977.

kaart gebracht worden. Vergelijking hiervan met de analoge trends voor de bedrijfstak levert een prognose op voor de toekomstige groeicijfers van de bedrijfstak, toont aan welke substituten gevaarlijk terrein winnen en verschaft aldus een leidraad voor strategische actie.[5]

Verandering in de positie van complementaire produkten

De effectieve kosten en kwaliteit van veel produkten hangen voor de klant af van de kosten, de kwaliteit en de beschikbaarheid van complementaire produkten of produkten die samen met het relevante produkt gebruikt worden. In veel gebieden in de V.S. staan bijvoorbeeld campers voornamelijk in speciaal daarvoor ingerichte parken. Aan deze parken is de laatste jaren een chronisch tekort geweest, hetgeen de vraag naar campers beperkt heeft gehouden. Evenzo werd de vraag naar stereoplaten sterk bepaald door de beschikbaarheid van stereo-geluidsapparatuur, en de beschikbaarheid hiervan werd op zijn beurt beïnvloed door de kosten en de betrouwbaarheid van die apparatuur.

Evenals het belangrijk is om zicht te hebben op de substituten voor het produkt van een bedrijfstak, is het belangrijk om een overzicht te hebben van de complementaire produkten. Het begrip complementair produkt moet hier ruim worden opgevat. Een krediet tegen een gangbare rente is bijvoorbeeld een complementair produkt bij de aankoop van duurzame goederen. Gespecialiseerd personeel is een complementair produkt bij veel technische goederen (bijvoorbeeld computerprogrammeurs bij computers en mijningenieurs bij de kolenmijnbouw). Het in kaart brengen van kosten, beschikbaarheid en kwaliteit van complementaire produkten levert een prognose op omtrent de groei op lange termijn wat betreft het produkt van een bedrijfstak.

Penetratie van de afnemersgroep

De meeste zeer hoge groeicijfers zijn het gevolg van toenemende penetratie of van aankopen door nieuwe afnemers en niet alleen van herhalingsaankopen. Het is echter onvermijdelijk dat elke bedrijfstak uiteindelijk voor het grootste gedeelte penetratie verwezenlijkt. Vanaf dat moment worden de groeicijfers bepaald door de vervangingsvraag. Nieuwe perioden van klantenuitbreiding kunnen soms gestimuleerd worden door veranderingen in produkt of marketing, waardoor de basis van de klantenkring wordt uitgebreid of snelle vervanging wordt bevorderd. Aan alle hoge groeicijfers komt echter na verloop van tijd een einde.

Als penetratie eenmaal een feit is verkoopt de bedrijfstak voornamelijk

---

[5] Regeringsbeleid kan de positie van een produkt ten opzichte van substituten beïnvloeden op gebieden als veiligheidsvoorschriften (waardoor de kosten stijgen), subsidies, enzovoort.

aan herhalingskopers. Tussen het verkopen aan herhalings- en aan eerste kopers kunnen aanzienlijke verschillen bestaan, die belangrijke gevolgen hebben voor de structuur van de bedrijfstak. De sleutel tot het bereiken van groei bij de verkoop aan herhalingskopers ligt hetzij in het stimuleren van snelle vervanging van het produkt, hetzij in het verhogen van de consumptie per hoofd. Aangezien vervanging wordt bepaald door de fysieke, technologische of modelveroudering, in de ogen van de koper, zullen strategieën ter handhaving van de groei na penetratie nauw verband houden met deze factoren. De vervanging van kleding wordt bijvoorbeeld gestimuleerd door modeverschillen per jaar en zelfs per seizoen. En het klassieke verhaal van General Motors' overwicht op Ford is een voorbeeld van hoe de vraag opnieuw werd bevorderd, nadat de markt voor de basisauto (één kleur: zwart) verzadigd was geraakt.

Terwijl penetratie meestal betekent dat de vraag in een bedrijfstak zich stabiliseert, kan penetratie bij *duurzame goederen* leiden tot een abrupte terugval van de vraag. Als de meeste potentiële kopers het produkt gekocht hebben, houdt de duurzaamheid ervan in dat er voor een aantal jaren maar weinig vervangingsaankopen gedaan zullen worden. Als de penetratie snel heeft plaatsgevonden, kan dat een aantal magere jaren voor de bedrijfstak inhouden. De verkoop van sneeuwmobielen bijvoorbeeld, waarbij snel werd gepenetreerd, viel van 425.000 eenheden per jaar in het topjaar (1970-1971) terug tot 125.000/200.000 eenheden per jaar in 1976-1977.[6] Vrijetijdsvoertuigen hadden met een soortgelijke, hoewel niet zo dramatische terugval te kampen. Het verband tussen de groeicijfers na penetratie en voor penetratie is een functie van de snelheid, waarmee penetratie bereikt is en de gemiddelde vervangingstijd: dit cijfer kan berekend worden.

De verkoopterugval in de bedrijfstak van duurzame goederen betekent dat dientengevolge de produktie- en distributiecapaciteit de vraag zal overtreffen. Dit heeft meestal een ernstige daling van de winstmarges tot gevolg en sommige producenten trekken zich dan terug. Een ander kenmerk van de vraag naar duurzame goederen is dat groei door penetratie de cycliciteit kan overschaduwen, ondanks het feit dat het produkt op zichzelf gevoelig is voor de levenscyclus van de bedrijfstak. Een bedrijfstak die bijna penetratie heeft bereikt, zal dus zijn eerste dal in de cyclus beleven, hetgeen het probleem van overcapaciteit nog verergert.

Produktverandering

Bij de vijf externe oorzaken van groei van een bedrijfstak zijn we uitgegaan van een onveranderd produkt. Produktinnovatie door een bedrijfstak kan echter voorzien in nieuwe behoeften, de positie van de bedrijfstak ten

---

[6] 'A Smoother Trail for Snowmobile Makers,' *Business Week*, 13 December 1976.

opzichte van substituten verbeteren en de noodzaak van schaarse of kostbare complementaire produkten verminderen of elimineren. Produktinnovatie kan dus de situatie van een bedrijfstak ten opzichte van de vijf externe oorzaken van groei verbeteren en dus de groei stimuleren. Produktinnovaties hebben bijvoorbeeld een belangrijke rol gespeeld bij de snelle groei van motorfietsen, fietsen en kettingzagen.

VERANDERINGEN IN KOPERSSEGMENTEN

Het tweede belangrijke ontwikkelingsproces is de verandering in koperssegmenten waar de bedrijfstak aan levert. Elektronische rekenmachientjes werden bijvoorbeeld aanvankelijk verkocht aan wetenschappers en technici, en pas later aan studenten en boekhouders. Kleine vliegtuigen werden aanvankelijk aan het leger verkocht en pas later aan particulieren en commerciële gebruikers. Hieraan verwant is de mogelijkheid dat extra segmentatie van *bestaande* kopers plaats kan vinden door voor hen verschillende produkten (in brede zin) en marketingtechnieken te creëren. Een laatste mogelijkheid is dat aan een bepaald segment niet langer geleverd wordt.

De betekenis van nieuwe koperssegmenten voor de bedrijfstakontwikkeling is gelegen in het feit dat de voorwaarden voor het leveren aan deze nieuwe kopers (of het verdwijnen van de voorwaarden voor het leveren aan vroegere kopers) een fundamentele invloed kunnen hebben op de structuur van de bedrijfstak. Als bijvoorbeeld de eerste kopers van een produkt geen kredieten of service aan huis hebben geëist, betekent dat nog niet dat latere kopers dat evenmin zullen eisen. Als het verlenen van krediet en service aan huis mogelijke schaalvoordelen creëert en kapitaalvereisten verzwaart, dan zullen de toetredingsbarrières aanzienlijk hoger worden.

Een goed voorbeeld hiervan zijn de veranderingen die zich aan het eind van de jaren zeventig hebben voorgedaan in de bedrijfstak van de optische codelezing. In deze bedrijfstak en door zijn marktleider, Recognition Equipment, werden grote, dure optische scanmachines gefabriceerd voor het sorteren van checks, credit cards en post. Elke machine was op maat gemaakt en geproduceerd als een afzonderlijke opdracht. Inmiddels zijn er echter kleine staafjes ontwikkeld, die gebruikt worden in combinatie met terminals bij verkooppunten in de detailhandel. Behalve dat hiermee een uitgebreide potentiële markt wordt geopend, kunnen deze staafjes in grote hoeveelheden en gestandaardiseerd gefabriceerd worden en zullen ze in grote hoeveelheden door individuele kopers gekocht worden. Door deze ontwikkeling zullen er veranderingen optreden in schaalvoordelen, kapitaalvereisten, marketingmethoden en nog andere structurele aspecten van de bedrijfstak.

Analyse van bedrijfstakontwikkeling moet dus onder andere identificatie omvatten van alle potentiële nieuwe koperssegmenten en hun kenmerken.

TOEGENOMEN KENNIS VAN DE KOPERS

Door herhaalde aankopen verzamelen kopers kennis over een produkt, het gebruik ervan en de kenmerken van concurrerende merken. Produkten hebben de neiging om met het verstrijken van de tijd *meer als 'commodities'* te worden gezien, doordat kopers steeds beter op de hoogte raken en hun koopgedrag zich baseert op betere informatie. Er bestaat dus een natuurlijke kracht, waardoor de produktdifferentiatie in een bedrijfstak gaandeweg afneemt. De vermeerderde kennis van het produkt kan leiden tot hogere eisen van de kopers wat betreft garantiebescherming, service, betere prestaties, enzovoort.

Een voorbeeld hiervan is de spuitbusindustrie. Spuitbussen werden voor het eerst voor consumptiegoederen gebruikt in de jaren vijftig. De verpakking, een zeer belangrijk onderdeel van de marketing van veel consumptiegoederen, vormt vaak een belangrijke begrotingspost voor het bedrijf dat het produkt op de markt brengt. In de eerste jaren van spuitbusverpakkingen waren deze bedrijven niet bekend met de toepassingsmogelijkheden ervan, hoe de bussen werden gevuld en hoe deze produkten het best op de markt gebracht konden worden.Er ontstond toen een bedrijfstak van op contractbasis werkende spuitbusbedrijven die de spuitbussen assembleerden en vulden. Deze bedrijfstak speelde ook een belangrijke rol in het assisteren van consumptiegoederen producerende bedrijven bij het zoeken naar nieuwe toepassingsmogelijkheden, het oplossen van produktieproblemen, enzovoort. Na verloop van tijd leerden de consumptiegoederen producerende bedrijven echter steeds meer over spuitbussen en begonnen ze hun eigen toepassingen en marketingprogramma's te ontwikkelen, waarbij in sommige gevallen daadwerkelijk achterwaarts werd geïntegreerd. De vulbedrijven op contractbasis ondervonden steeds meer moeilijkheden bij het differentiëren van hun diensten en werden steeds meer in de rol gedrukt van spuitbusleveranciers. Hun winstmarges kwamen hierdoor zwaar onder druk te staan en velen trokken zich terug uit de bedrijfstak.

De snelheid, waarmee een koper kennis vergaart, verschilt per produkt en hangt af van het belang van de aankoop en de technische kennis van de koper. Als deze slim en geïnteresseerd is (omdat het een belangrijk produkt is), dan zal hij over het algemeen sneller leren.

De ervaring van de koper kan teniet worden gedaan door een verandering in het produkt of in de manier waarop het gebruikt of verkocht wordt, zoals nieuwe kenmerken, nieuwe toevoegingen (hexachlorofine), modelwijzigingen, nieuwe reclames en dergelijke. Zo'n ontwikkeling neutraliseert een gedeelte van de door de koper verzamelde kennis en vergroot daarmee de mogelijkheden tot voortgezette produktdifferentiatie. Hetzelfde wordt bereikt door uitbreiding van de klantenkring met nieuwe kopers die onbekend zijn met het produkt, en dan vooral klanten met koopgedrag dat een traag leerproces doet vermoeden.

VERMINDERING VAN ONZEKERHEID

Een ander soort leerproces dat de structuur van de bedrijfstak beïnvloedt, is vermindering van de onzekerheid. De meeste nieuwe bedrijfstakken worden in het begin gekenmerkt door een grote mate van onzekerheid omtrent de mogelijke marktomvang, optimale produktconfiguratie, het soort kopers en hoe deze het best bereikt kunnen worden, en omtrent de vraag of de technologische problemen overwonnen kunnen worden. Deze onzekerheid leidt er vaak toe dat bedrijven in hoge mate gaan experimenteren, waarbij verschillende strategieën worden gevolgd, die afgestemd zijn op verschillende toekomstscenario's. Snelle groei zorgt ervoor dat er voldoende speling is om deze verschillende strategieën geruime tijd naast elkaar te handhaven.

Met de tijd verdwijnen er echter steeds meer onzekerheden. Technologieën blijken geschikt of ongeschikt, de kopers staan vast en uit de groei van de bedrijfstak worden indicaties gehaald over de mogelijke omvang. Deze vermindering van de onzekerheid gaat gepaard met een proces van navolging van succesvolle strategieën en afzwering van de ongeschikte.

Verminderde onzekerheid kan ook *nieuwe soorten toetreders* tot de bedrijfstak aantrekken. Risicovermindering kan grotere, gevestigde bedrijven aantrekken, die een lager risicoprofiel hebben dan de pas opgerichte bedrijven, die zo veel voorkomen in opkomende bedrijfstakken. Als duidelijk wordt dat de bedrijfstak veel mogelijkheden biedt en dat technologische barrières overwonnen kunnen worden, dan kunnen grotere bedrijven het de moeite waard vinden om tot de markt toe te treden - hetgeen gebeurd is bij de vrijetijdsvoertuigen, videospelletjes, zonneverwarming en in nog veel meer bedrijfstakken. Door bepaalde gebeurtenissen kunnen natuurlijk nieuwe onzekerheden in de bedrijfstak ontstaan, maar evenals het leerproces van de koper, zal ook vermindering van de onzekerheid bestaande twijfels uit de weg ruimen.

Uit strategisch oogpunt bekeken laten verminderde onzekerheid en imitatie zien dat een firma voor bescherming tegen concurrentie en nieuwe toetreders niet erg lang op onzekerheid alleen kan vertrouwen. Afhankelijk van de mobiliteitsbarrières kan navolging van succesvolle strategieën eenvoudig of lastig zijn. Om de eigen positie te beschermen dient een bedrijf zich er strategisch op voor te bereiden om die positie tegen navolgers en nieuwe toetreders te verdedigen of dient het zijn benadering aan te passen, als de premissen over de juiste strategie verkeerd blijken te zijn.

VERSPREIDING VAN KENNIS IN EIGENDOM

Over het algemeen zijn produktie- en procestechnieken, die door bepaalde bedrijven (of leveranciers of andere partijen) zijn ontwikkeld, moeilijk in eigendom te houden. Met de tijd wordt een technologie meer algemeen en verspreidt de kennis erover zich meer en meer. Verspreiding vindt plaats door een aantal mechanismen. Ten eerste kunnen bedrijven leren van een fysieke inspectie van de produkten van een concurrent en van de informatie uit diverse bronnen omtrent omvang, locatie, organisatie en andere kenmerken van de activiteiten van de concurrent. Leveranciers, distributeurs en klanten zijn allemaal informatiedragers en hebben er vaak alle belang bij dat deze gegevens zich verspreiden (bijvoorbeeld omdat zo een andere sterke leverancier gecreëerd kan worden). Ten tweede raakt eigen kennis ook bekend, als het gestalte krijgt in kapitaalgoederen die door leveranciers van buitenaf worden geproduceerd. De techniek kan dan koopbaar worden voor de concurrentie, tenzij de bedrijven in de bedrijfstak hun eigen kapitaalgoederen maken of de informatie, die ze aan leveranciers geven, beschermen. Ten derde wordt het aantal mensen dat kennis heeft van technologie in eigendom door personeelswisselingen steeds groter en kan de informatie zo zelfs direct andere bedrijven bereiken. Zeer rendabele ondernemingen, opgericht door technisch personeel dat pionierende bedrijven heeft verlaten, komen vaak voor, evenals het wegkopen van personeel. Tenslotte komt gespecialiseerd personeel, dat expert is op het gebied van de bepaalde technologie, steeds vaker voor in adviesbureaus, bij leveranciers, klanten, technische universiteiten, enzovoort. Bij afwezigheid van patentbescherming zullen daarom eigendomsvoordelen gaandeweg verminderen, hoe moeilijk dit voor sommige bedrijven ook te accepteren is. Mobiliteitsbarrières die gebaseerd zijn op kennis in eigendom of gespecialiseerde technologie zullen dus ook gaandeweg uithollen, evenals die, die veroorzaakt worden door tekorten aan gekwalificeerd, gespecialiseerd personeel. Deze veranderingen maken het niet alleen voor nieuwe concurrenten gemakkelijker om een plaatsje te veroveren, maar vergemakkelijken tevens verticale integratie van klanten en leveranciers in de bedrijfstak.

Keren we terug naar het al eerder besproken voorbeeld van de spuitbussen, dan zien we dat de spuitbustechnologie gaandeweg meer gemeengoed werd. Aangezien het produktievolume dat nodig was voor het bereiken van een efficiënte schaal, relatief klein was, konden veel grote consumptiegoederen producerende bedrijven hun eigen vulactiviteiten voor hun rekening nemen. Door de verspreiding van kennis van de technologie en hierin gespecialiseerd personeel integreerden veel van deze bedrijven verticaal in de spuitbussector of konden ze hiermee dreigen. Hierdoor was er alleen nog maar plaats voor vulbedrijven op contractbasis als aannemers van spoedopdrachten, wat hun onderhandelingspositie niet ten goede kwam. Veel contractvullers reageerden hierop met investeringen in het verbeteren van de vultechnologie en met het zoeken naar nieuwe toepassingsmogelijkheden teneinde hun technologische voorsprong terug te winnen. Het bleek dat deze strategie steeds moeilijker was vol te houden; en de positie van vulbedrijven op contractbasis is gaandeweg verder verzwakt.

De snelheid, waarmee technologie in eigendom zich verspreidt, verschilt per bedrijfstak. Hoe complexer de technologie, hoe gespecialiseerder het vereiste technische personeel, hoe groter de vereiste hoeveelheid onderzoekers of hoe groter de schaalvoordelen in de onderzoeksfunctie, des te langzamer zal technologie in eigendom zich verspreiden. Als navolgers geconfronteerd worden met zware kapitaalvereisten en schaalvoordelen op het gebied van O&O, dan kan eigen technologie een duurzame mobiliteitsbarrière gaan vormen.

Een belangrijke kracht die verspreiding van kennis in eigendom tegengaat, is patentbescherming, waardoor verspreiding wettelijk verboden wordt. Voor het tegengaan van verspreiding is deze bescherming echter onvoldoende, aangezien patenten ontweken kunnen worden door uitvindingen die er op lijken. Een andere methode om verspreiding te belemmeren is de voortdurende creatie van nieuwe eigen technologie door middel van onderzoek en ontwikkeling. Nieuwe kennis zal de perioden, waarin bedrijven over eigendomsvoordelen beschikken, verlengen. Voortdurende innovatie is echter niet lonend, indien de verspreidingsperiode kort is en de loyaliteit van kopers jegens innoverende bedrijven gering is.

Twee mogelijke patronen van mobiliteitsbarrières, gebaseerd op technologie in eigendom, worden geïllustreerd in figuur 8-3. Aangezien de eerste, plotselinge baanbrekende innovaties, die tot het produkt leidden, door kleine groepen onderzoekers tot stand gebracht konden worden, waren de schaalvoordelen in het onderzoek in beide bedrijfstakken aanvankelijk klein. Deze situatie is zeker niet ongebruikelijk en heeft zich voorgedaan in bedrijfstakken als die van minicomputers, halfgeleiders en andere. Technologie in eigendom zorgde voor een bescheiden eerste mobiliteitsbarrière in zo'n bedrijfstak, maar deze werd al snel lager door verspreiding. In de ene bedrijfstak leidde de complexe technologie tot toenemende schaalvoordelen in de onderzoeksfunctie. In de andere bestond nauwelijks mogelijkheid tot verdere technologische innovatie en en er was om die reden dan ook weinig behoefte aan verder onderzoek op belangrijke schaal. In de eerste bedrijfstak stegen de mobiliteitsbarrières door eigen technologie daardoor weer snel tot een hoger niveau dan die van de beginbarrière. Na verloop van tijd zwakten deze wat af, toen de mogelijkheden tot verdere innovatie uitgeput raakten en het effect van verspreiding merkbaar werd. In de andere bedrijfstak daalden de mobiliteitsbarrières als gevolg van technologie in eigendom al snel tot een laag niveau. De ene bedrijfstak zou dus waarschijnlijk een winstgevende volwassenheidsfase doormaken, terwijl de andere voor het voorkomen van winstuitholling afhankelijk zou zijn van andere barrières. In het voorbeeld van de spuitbussen stond de aard van de technologie geen tweede verhoging van toetredingsbarrières toe.

Vanuit strategisch oogpunt houdt verspreiding van technologische kennis in dat voor het handhaven van de positie 1. bestaande know-how en gespecialiseerd personeel beschermd moeten worden, hetgeen in de praktijk moei-

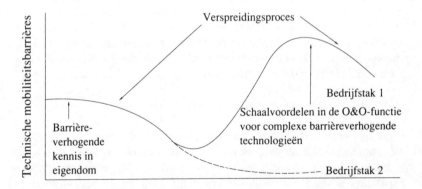

FIGUUR 8-3   Illustratief patroon van technologische barrières en bedrijfstakontwikkeling

lijk te realiseren is;[7] 2. technologische ontwikkeling plaats moet vinden om de voorsprong te behouden; of 3. de strategische positie op andere terreinen veilig gesteld moet worden. Het plannen van de verdediging van de strategische positie tegen verspreiding van technologie geniet hoge prioriteit bij een bedrijf, waarvan de bestaande positie in hoge mate afhankelijk is van technologische barrières.

ACCUMULATIE VAN ERVARING

In sommige bedrijfstakken, waarvan de kenmerken in hoofdstuk 1 werden besproken, dalen de kosten per eenheid met het toenemen van de ervaring in produktie, distributie en marketing van het produkt. De betekenis van de 'learning'curve voor de concurrentie in de bedrijfstak hangt af van de vraag of bedrijven met grotere ervaring een belangrijke en duurzame voorsprong kunnen nemen op andere. Voorwaarde voor handhaving van deze voordelen is dan dat de achterliggende bedrijven niet in staat zijn om hun achterstand in te lopen door de methoden van de leiders te imiteren, nieuwe en efficiëntere machines te kopen, die wellicht door de leiders zijn uitgevonden, enzovoort. Als achterliggende bedrijven 'haasje over kunnen springen', kunnen leiders het nadeel hebben dat zij de kosten hebben moeten dragen van het onderzoek, de experimenten en de introductie van de nieuwe methoden en apparatuur. Tot op zekere hoogte doet de neiging van technologie in eigendom om zich te verspreiden het effect van de 'learning'curve teniet.

---

[7] Sommige bedrijven hebben succes gehad met defensieve innovatie en patentering. Als een bedrijf de beste alternatieve technologieën, alsmede de door hen gebruikte kan ontwikkelen en er patent op aan kan vragen, dan vergroot dit de moeilijkheden voor een toetreder aanzienlijk. Dergelijke strategieën zijn gevolgd door Bulova met het Accutron-horloge en Xerox met Xerography.

Als ervaring in eigendom gehouden kan worden, kan dat een belangrijke motor zijn van verandering in een bedrijfstak. Het bedrijf dat zich niet het snelst ervaring eigen maakt, moet zich er strategisch op voorbereiden om ofwel snel te imiteren, ofwel op andere terreinen dan kosten strategische voordelen op te bouwen. Dit laatste houdt in dat het algemene strategieën van differentiatie of concentratie zal moeten volgen.

UITBREIDING (OF INKRIMPING) VAN SCHAAL

In een groeiende bedrijfstak neemt per definitie de totale schaal toe. Dit gaat gewoonlijk gepaard met een toename van de absolute omvang van de marktleiders; bedrijven, waarvan het marktaandeel toeneemt, moeten nog sneller groeien. Schaaluitbreiding van bedrijfstak en bedrijf heeft een aantal gevolgen voor de structuur van de bedrijfstak. Ten eerste creëert deze meestal een groter aantal beschikbare strategieën die veelal leiden tot grotere schaalvoordelen en hogere kapitaalvereisten in de bedrijfstak. Grotere bedrijven kunnen hierdoor bijvoorbeeld in staat zijn om arbeid door kapitaal te vervangen, produktiemethoden te gaan volgen die grotere schaalvoordelen opleveren, een eigen distributie- of servicenet op poten te zetten en nationaal reclame te gaan voeren. Schaaluitbreiding kan het ook voor een bedrijf van buitenaf mogelijk maken om tot de bedrijfstak toe te treden met belangrijke concurrentievoordelen, doordat het het eerste is dat inspeelt op deze veranderingen.[8]

De wijze waarop schaaluitbreiding de structuur van de bedrijfstak beïnvloedt, wordt geïllustreerd door de lichte vliegtuigindustrie in de zestiger en zeventiger jaren. In deze bedrijfstak was Cessna (de marktleider) door de groei in staat om met zijn produktieproces over te stappen van maatwerk tot bijna-massaproduktie. Deze verandering resulteerde in een kostenvoordeel voor Cessna, omdat deze met massaproduktie schaalvoordelen behaalde, die tot op heden voor de belangrijkste concurrenten niet haalbaar zijn gebleken. Als de twee belangrijkste concurrenten van Cessna ook de schaal bereiken, waarop met kapitaalintensievere massaproduktie kan worden begonnen, zullen de toetredingsbarrières tot de bedrijfstak voor bedrijven daarbuiten aanzienlijk stijgen.

Een ander gevolg van groei van een bedrijfstak zijn de grotere mogelijkheden voor strategieën van verticale integratie, hetgeen kan leiden tot verhoogde barrières. Schaaluitbreiding van de bedrijfstak betekent ook dat leveranciers meer goederen verkopen aan de bedrijfstak en de klanten van de bedrijfstak als groep meer kopen. Voor zover ook *individuele* leveranciers of klanten hun verkoop of inkoop zien toenemen kunnen ze geneigd zijn om te beginnen met voorwaartse of achterwaartse verticale integratie in de bedrijfstak. Ongeacht of dit werkelijk gebeurt zal de onderhandelingspositie van leveranciers of klanten er sterker door worden.

---

[8] Schaalinkrimping in de bedrijfstak heeft het omgekeerde effect.

Schaaluitbreiding van de bedrijfstak kan over het algemeen ook nieuwe toetreders aantrekken, die het de bestaande marktleiders moeilijker kunnen maken, vooral als de toetreders grote, gevestigde firma's zijn. Veel grote bedrijven zullen pas tot een markt toetreden, nadat deze een absolute omvang heeft bereikt die groot genoeg is (om de vaste toetredingskosten te rechtvaardigen en een wezenlijke bijdrage te leveren aan hun totale verkoopcijfers), ook al zijn ze waarschijnlijk vanaf het ontstaan van de bedrijfstak al potentiële toetreders geweest op grond van de vaardigheden en bedrijfsmiddelen die ze met hun bestaande activiteiten hebben opgebouwd. In de bedrijfstak van vrijetijdsvoertuigen bijvoorbeeld waren de eerste toetreders nieuwe bedrijven en relatief kleine diversifiërende producenten van campers, van wie het produktieproces overeenkomsten vertoonde met dat van vrijetijdsvoertuigen. Toen de bedrijfstak groot genoeg was geworden, begonnen grote landbouwmachinebedrijven en autoproducenten tot de markt toe te treden. Deze bedrijven beschikten over ruime bedrijfsmiddelen, verkregen uit hun bestaande activiteiten, om te concurreren op de markt voor vrijetijdsvoertuigen, maar lieten het aan de kleinere bedrijven over om de markt te ontwikkelen en te bewijzen dat deze voor hen groot genoeg was om ook mee te gaan doen.

VERANDERINGEN IN INPUTKOSTEN EN WISSELKOERSEN

In elke bedrijfstak worden voor het fabricage-, distributie- en marketingproces verschillende soorten inputprodukten gebruikt. Verandering in de kosten of kwaliteit van de input kan de structuur van de bedrijfstak beïnvloeden. De belangrijkste categorieën van inputkosten, die onderhevig zijn aan verandering, zijn de volgende:

- loonkosten (d.i. de volledige arbeidskosten);
- materiaalkosten;
- kapitaalkosten;
- communicatiekosten (inclusief media);
- transportkosten.

Het meest directe effect is verhoging of verlaging van de kosten (en prijs) van het produkt, waardoor de vraag wordt beïnvloed. De kosten van filmproducenten zijn bijvoorbeeld de laatste jaren opmerkelijk gestegen. Onafhankelijke producenten komen hierdoor ten opzichte van goed gefinancierde filmmaatschappijen in een moeilijke positie, vooral sinds de belastingvoordelen in deze branche door de belastingwetgeving van 1976 zijn beperkt. Door deze ontwikkeling is een belangrijke financieringsmogelijkheid voor de onafhankelijke producent afgesneden.

Veranderingen in de kosten van loon en kapitaal kunnen de vorm van de kostencurve in de bedrijfstak beïnvloeden, waarbij schaalvoordelen veranderen of de vervanging van arbeid door kapitaal gestimuleerd wordt. Stijgende loonkosten bij serviceverlening en aflevering oefenen een fundamentele invloed uit op de strategie in veel bedrijfstakken. Veranderingen in de communicatie- en transportkosten kunnen reorganisatie van de produktie noodzakelijk maken, hetgeen de toetredingsbarrières beïnvloedt. Veranderingen in de communicatiekosten kunnen leiden tot het overstappen op andere kosten-efficiënte verkoopmedia (en dus tot veranderingen in het niveau van produktdifferentiatie), andere distributieregelingen, enzovoort. Daar komt nog bij dat veranderingen in de transportkosten voor verschuivingen in de geografische grenzen van de markt kunnen zorgen, waardoor het effectieve aantal concurrenten in de bedrijfstak toe of af zal nemen.

Schommelingen in de wisselkoersen kunnen eveneens een aanzienlijk effect hebben op de concurrentie in de bedrijfstak. Bijvoorbeeld de devaluatie van de dollar ten opzichte van de yen en veel Europese munten heeft sinds 1971 in veel bedrijfstakken voor belangrijke positieverschuivingen gezorgd.

PRODUKTINNOVATIE

Veel structurele veranderingen in een bedrijfstak worden veroorzaakt door technologische vernieuwingen op allerlei uiteenlopende gebieden. Een belangrijk soort hiervan is produktinnovatie. Dit kan de markt vergroten, de groei van de bedrijfstak bevorderen en/of produktdifferentiatie stimuleren. Produktinnovatie kan ook indirect effect sorteren. Het proces van een snelle introductie van het produkt en de hiermee verband houdende noodzaak van hoge marketingkosten kunnen op zichzelf al mobiliteitsbarrières creëren. Innovaties kunnen nieuwe marketing-, distributie- of produktiemethoden vereisen, die de schaalvoordelen of andere mobiliteitsbarrières kunnen veranderen. Een belangrijke wijziging van een produkt kan ook de ervaring van een koper neutraliseren en aldus het koopgedrag beïnvloeden.

Produktinnovaties kunnen van buiten of van binnen de bedrijfstak komen. RCA - marktleider in zwart-wit TV's - verrichtte baanbrekend werk op het gebied van de kleuren-TV. Elektronische rekenmachientjes werden echter door elektronicabedrijven geïntroduceerd en niet door producenten van rekenliniaaltjes of mechanische rekenapparatuur. Het voorspellen van produktinnovaties vereist dus een onderzoek naar mogelijke externe bronnen. Veel innovaties stromen verticaal door en zijn op gang gebracht door leveranciers of klanten, waar de bedrijfstak een belangrijke klant of inputbron is.

Een voorbeeld van de structurele invloed van produktinnovatie is de introductie van het digitaalhorloge. De schaalvoordelen bij de produktie van digitaalhorloges zijn groter dan bij de meeste andere horlogesoorten. Concurrentie op het gebied van digitale horloges vereist dan ook veel kapitaalinvesteringen en een geheel nieuwe technologische basis. De mobiliteitsbarrières en andere structurele aspecten van de horloge-industrie veranderen dus snel.

MARKETINGINNOVATIE

Evenals produktinnovaties kunnen innovaties op het gebied van marketing de structuur van de bedrijfstak direct beïnvloeden door verhoging van de vraag. Door doorbraken in het gebruik van advertentiemedia, nieuwe marketingthema's of -kanalen enzovoort, kunnen nieuwe consumenten of een verminderde prijsgevoeligheid (verhoging van de produktdifferentiatie) bereikt worden. Filmmaatschappijen hebben de vraag bijvoorbeeld enorm opgedreven door op televisie reclame te maken voor films. De ontdekking van nieuwe distributiekanalen kan eveneens de vraag of de produktdifferentiatie doen toenemen; marketinginnovaties, die leiden tot grotere efficiëntie, kunnen de kosten van het produkt omlaag brengen.

Innovaties op het gebied van marketing en distributie kunnen ook invloed hebben op andere structurele elementen van de bedrijfstak. Nieuwe vormen van marketing kunnen onderhevig zijn aan grotere of kleinere schaalvoordelen en aldus invloed uitoefenen op de mobiliteitsbarrières. Bijvoorbeeld de verschuiving in de marketing van wijn van onbelangrijke tijdschriftjes naar televisieprogramma's heeft de mobiliteitsbarrières in de wijnbranche verhoogd. Ook de onderhandelingspositie tegenover de kopers kan door marketinginnovaties veranderen, evenals het evenwicht tussen vaste en variabele lasten en daarmee de felheid van de concurrentie.

PROCESINNOVATIE

De laatste soort innovatie, die de structuur van de bedrijfstak kan beïnvloeden, is het proces of de methoden van produktie. Innovaties kunnen dit proces meer of minder kapitaalintensief maken, de schaalvoordelen doen toe- of afnemen, het aandeel van de vaste lasten veranderen, verticale integratie doen toe- of afnemen, het proces van ervaringsverwerving beïnvloeden, enzovoort - hetgeen allemaal de structuur van de bedrijfstak beïnvloedt. Innovaties, waardoor de schaalvoordelen toenemen of die de 'learning'curve gunstiger maken dan die van de nationale markten, kunnen leiden tot mondialisering van de bedrijfstak (zie hoofdstuk 13).

Een voorbeeld van de manier waarop door wisselwerking tussen de ontwikkelingsprocessen produktieveranderingen tot stand kunnen komen, zijn de veranderingen die zich in 1977 bij de computer servicebureaus voordeden. Deze bureaus leveren rekentijd en programma's aan de meest uiteenlopende gebruikers, zoals zakenlieden, onderwijspersoneel en financiële instellingen. Vanuit hun achtergrond waren deze servicebureaus plaatselijke of regionale organisaties die voornamelijk aan kleinere bedrijven een-

voudige computerpakketten voor gebieden als boekhouding en loonadmin-
stratie leverden. Een substituut, de minicomputer, heeft echter ook voor
kleine organisaties goedkope rekentijd gemakkelijk toegankelijk gemaakt.
Als gevolg hiervan kwamen er grote regionale en nationale servicebureaus
op. Ten eerste worden er nu verfijndere programma's ontwikkeld om het
servicebureau vanwege de minicomputers te differentiëren, hetgeen flinke
investeringen noodzakelijk maakt. De besparingen van het spreiden van
zulke investeringen over een groot aantal gebruikers werken concentratie
in de hand. Ten tweede bevordert de druk om rekentijd tegen lage kosten
aan te bieden een doelmatig gebruik van de faciliteiten. Deze ontwikkeling
versterkt de drijfveer van nationale maatschappijen om te profiteren van
het verschil in tijd tussen de tijdszones door de flexibele inzet van capaciteit
uit een bepaalde zone in een andere zone. Ten derde wordt de computer-
technologie steeds complexer, waardoor in ieder geval op korte termijn
technologische toetredingsbarrières worden opgeworpen. Al deze krachten, die in het ontwikkelingsproces liggen besloten, hebben dus geleid tot
een verandering in het produktieproces van de leidende servicebureaus.

Structuurveranderende produktie-innovaties kunnen van buiten en van
binnen de bedrijfstak komen. Ontwikkelingen van computergestuurde
machines en andere produktie-apparatuur door de leveranciers, bijvoorbeeld, kunnen in een bedrijfstak tot grotere schaalvoordelen leiden bij de
produktie. De innovaties in de jaren vijftig door glasfiberproducenten, die
leidden tot het gebruik van glasfiber in boten, vergemakkelijkten het ontwerpen en bouwen van plezierjachten aanzienlijk. Deze verlaging van de
toetredingsbarrières had de toetreding tot gevolg van een groot aantal
nieuwe bedrijven, hetgeen rampzalige gevolgen had voor de winstmarges,
waardoor veel bedrijven tussen 1960 en 1962, toen er een reorganisatie
plaatsvond in de bedrijfstak, het loodje legden. In de metaalcontainerbran-
che investeerden de staalleveranciers aanzienlijk in de verdediging van stalen blik tegen de invasie van aluminium door middel van innovaties, die de
dikte van het plaatstaal verminderden, en van technieken voor de produktie van blik tegen lage kosten. Al deze voorbeelden tonen aan dat een
bedrijf zijn inzicht in technologische veranderingen niet alleen moet beperken tot de eigen bedrijfstak.

STRUCTURELE VERANDERINGEN IN AANGRENZENDE
BEDRIJFSTAKKEN

Aangezien de structuur van de bedrijfstakken van klanten en leveranciers hun onderhandelingspositie ten opzichte van een bedrijfstak beïnvloedt, kunnen veranderingen in die structuur mogelijk belangrijke gevolgen hebben voor de bedrijfstakontwikkeling. Er is bijvoorbeeld een belangrijke opkomst van winkelketens geweest in de detailhandel van kleding en
ijzerwaren in de jaren zestig en zeventig. Aangezien de structuur van de

detailhandel zich heeft geconcentreerd, is de onderhandelingspositie van de detailhandelaren ten opzichte van hun toeleveringssectoren sterker geworden. Kledingproducenten worden onder druk gezet door de detailhandel, die steeds korter voor het verkoopseizoen bestelt en ook nog andere concessies verlangt. De promotie- en marketingstrategieën van de fabrikanten hebben zich hieraan aan moeten passen en de concentratie in kledingbedrijven zal waarschijnlijk gaan toenemen. De massaverkooprevolutie in de detailhandel heeft in het algemeen op veel andere bedrijfstakken (horloges, licht gereedschap, toiletartikelen) een soortgelijke invloed gehad.

Hoewel veranderingen in de concentratie of verticale integratie in aangrenzende bedrijfstakken de meeste aandacht krijgen, kunnen meer subtiele veranderingen in de concurrentiemethoden in de aangrenzende bedrijfstakken vaak van even groot belang zijn voor de ontwikkeling. In de vijftiger en zestiger jaren bijvoorbeeld stapten platenwinkels af van hun beleid om consumenten de gelegenheid te geven om platen te beluisteren in de platenzaak. Voor de aangrenzende platenindustrie had dit ingrijpende gevolgen. Nu de consument niet langer de mogelijkheid had om platen in de platenzaak af te luisteren, werd het heel belangrijk voor de platenverkoop welke platen op de radio werden gedraaid. Aangezien de reclametarieven echter steeds nauwer gerelateerd werden aan de luistercijfers, schakelden de zenders over op de 'top 40'-formule, dat wil zeggen dat ze alleen herhaaldelijk de bekende nummers draaiden. Het werd bijzonder moeilijk om een nieuwe, onbekende plaat op de radio te krijgen. De verandering in de detailhandel vormde een krachtig nieuw element voor de platenindustrie - radiozenders -, dat de strategische vereisten voor succes veranderde. Tevens werd de platenindustrie gedwongen om reclametijd op de radio te kopen voor nieuw uitgebrachte platen als enige manier, waarop men zeker was van het draaien van de plaat. Hierdoor werden de toetredingsbarrières voor de platenindustrie hoger.

Het belang van veranderingen in de structuur van aangrenzende bedrijfstakken geeft de noodzaak aan om inzicht te krijgen in en zich voor te bereiden op structurele ontwikkelingen in toeleveringssectoren en kopende bedrijfstakken, alsmede in de eigen bedrijfstak.

WIJZIGINGEN IN HET REGERINGSBELEID

Regeringsmaatregelen kunnen een belangrijk en tastbaar effect hebben op structurele veranderingen in de bedrijfstak, het meest rechtstreeks door uitgebreide regelgeving inzake sleutelvariabelen, zoals toetreding tot de bedrijfstak, concurrentiepraktijken of winstgevendheid. Bijvoorbeeld de wetgeving in de V.S. inzake ziektekostenverzekering met terugbetaling van verhoogde kostprijs beïnvloedt het winstpotentieel in de sectoren van particuliere ziekenhuizen en klinische laboratoria in hoge mate. Licentievereisten, een middenweg van regelgeving door de overheid, beperkt gewoonlijk beperkt gewoonlijk de toetreding en voorziet zo in een toetredingsbarrière die de bestaande bedrijven beschermt. Veranderingen in het prijsbeleid van de overheid kunnen ook een fundamentele invloed hebben op de structuur van de bedrijfstak. Een voorbeeld hiervan zijn de ingrijpende gevolgen van de verandering van wettelijk vastgestelde commissies naar in onderhandeling bepaalde commissies bij aandelentransacties. Vaste commissies creëerden een prijsparaplu voor commissionairshuizen en verschoven het accent van de concurrentie van prijs naar service en onderzoek. Doordat hier een einde aan kwam, verschoof het accent weer naar de prijs en vond er een massale terugtrekking uit de bedrijfstak plaats, hetzij door faillissementen, hetzij door fusies. De mobiliteitsbarrières zijn in deze nieuwe omgeving dramatisch hoger geworden. Regeringsmaatregelen kunnen eveneens de mogelijkheden van internationale concurrentie aanzienlijk vergroten of beperken (zie hoofdstuk 13).

Minder directe vormen van invloed van de overheid op de structuur van een bedrijfstak worden gevormd door bepalingen omtrent veiligheid en kwaliteit van het produkt, milieu-eisen en bepalingen op het gebied van tarieven en buitenlandse investeringen. Het effect van veel nieuwe regels inzake produktkwaliteit en milieubescherming is (behalve dat er natuurlijk nuttige maatschappelijke doelstellingen mee worden bereikt) dat de kapitaalvereisten hoger worden, schaalvoordelen groter worden door extra onderzoek en tests, noodzakelijk voor de produktverbetering, en verder op andere manieren de positie van kleinere bedrijven in een bedrijfstak nadelig worden beïnvloed en de barrières voor nieuwe bedrijven hoger worden.

De bewakingsbranche in de V.S. levert een voorbeeld van de invloed van kwaliteitsvoorschriften. Er is kritiek gerezen over de gebrekkige training die de bedrijven hun personeel geven in het gebruik van wapens, arrestatietechnieken, enzovoort, en nu is er wetgeving die een opleiding van een bepaalde duur verplicht stelt. Hoewel grotere bedrijven geen moeite zullen hebben om aan deze eis te voldoen, kunnen de kleinere in ernstige moeilijkheden geraken door de verhoogde overheadkosten en de noodzaak om te concurreren voor beter opgeleid personeel.

TOE- EN UITTREDING

Toetreding heeft een duidelijk effect op de structuur van de bedrijfstak, vooral als hierbij sprake is van gevestigde bedrijven uit andere bedrijfstakken. Bedrijven treden tot een bedrijfstak toe, omdat ze menen dat deze kansen biedt op groei en winsten die de kosten van toetreding (of van het overwinnen van mobiliteitsbarrières) meer dan goed maken.[9] Als men zich baseert op 'casestudies' van veel bedrijfstakken, dan lijkt de groei van een bedrijfstak voor buitenstaanders het belangrijkste signaal te zijn dat daar winsten te maken zullen zijn, ook al is deze veronderstelling soms onjuist.

---

[9] De beslissing om tot een nieuwe bedrijfstak toe te treden wordt uitgebreid besproken in hoofdstuk 16.

Toetreding volgt soms ook op bepaalde duidelijke aanwijzingen voor groei in de toekomst, zoals veranderde bepalingen, produktinnovaties, enzovoort. Bijvoorbeeld de energiecrisis en het ingediende wetsvoorstel om overheidssubsidie te geven heeft een snelle toetreding tot de bedrijfstak van zonneverwarming tot gevolg gehad, ook al is de vraag naar deze produkten nog steeds vrij gering.

Toetreding tot een bedrijfstak (door overname of interne ontwikkeling) door een gevestigd bedrijf is vaak een belangrijke stuwende kracht achter structurele verandering van een bedrijfstak.[10] Gevestigde bedrijven brengen vaak van andere markten vaardigheden en bedrijfsmiddelen mee, die de concurrentie in de nieuwe bedrijfstak kunnen beïnvloeden; vaak is dit zelfs een belangrijke drijfveer achter hun beslissing tot toetreding. Deze vaardigheden en bedrijfsmiddelen verschillen vaak zeer van die van de bestaande bedrijven en de toepassing daarvan verandert in veel gevallen de structuur van de bedrijfstak. Bedrijven die actief zijn op andere markten, kunnen ook beter de kansen zien om de structuur van een bedrijfstak te veranderen dan bestaande firma's, omdat ze geen historische banden met bepaalde strategieën hebben en in een betere positie kunnen verkeren om technologische veranderingen buiten de bedrijfstak, die voor de concurrentie daarbinnen te gebruiken zijn, te onderkennen.

We zullen hier een voorbeeld van geven. In 1960 werd de wijnindustrie in de V.S. voornamelijk gevormd door kleine familiebedrijven, die dure wijnen produceerden en deze op de regionale markten verkochten. Men deed maar weinig aan reclame en promotie, weinig bedrijven hadden een nationale distributie en het zwaartepunt van de concurrentie tussen de meeste bedrijven lag duidelijk op de produktie van kwaliteitswijnen.[11] De winsten in de bedrijfstak waren bescheiden. In het midden van de jaren zestig echter traden enkele grote, consumptiegoederen producerende bedrijven (bijvoorbeeld Heublein, United Brands) tot de bedrijfstak toe door interne ontwikkeling of door het kopen van bestaande wijnproducenten. Deze begonnen veel te investeren in reclame- en promotie-activiteiten voor zowel goedkope als dure wijnen. Aangezien verscheidene van deze bedrijven een nationaal distributienet hadden via slijterijen, omdat ze daarvoor al andere alcoholische dranken produceerden, distribueerden ze al snel hun merken op nationale schaal. In de bedrijfstak werd frequente introductie van nieuwe merknamen al gauw heel gewoon en er werden veel nieuwe produkten geïntroduceerd, die zich onderaan het kwaliteitsspectrum bevonden en waar de vroegere bedrijven zich niet mee beziggehouden hadden, gericht als ze waren op het ontwikkelen van een reputatie voor Ameri-

---

[10] Toetreding tot de thuismarkt van buitenlandse bedrijven, die elders in de wereld al in de bedrijfstak zitten, kan ook belangrijke structurele gevolgen hebben: de concurrentienormen kunnen op buitenlandse markten zeer uiteenlopen, evenals de strategische benaderingen.

[11] De enige belangrijke uitzondering hierop was Gallo, die hierdoor dan ook een belangrijke rol in de bedrijfstak zou gaan spelen.

kaanse wijn. De winstgevendheid van de bedrijfstakleiders was uitstekend. De opkomst van een nieuw soort bedrijf in de Amerikaanse wijnindustrie heeft dus een belangrijke structurele verandering in de bedrijfstak tot gevolg gehad, of deze in ieder geval versneld. De vroegere familiebedrijven in de bedrijfstak hadden de vaardigheden, noch de bedrijfsmiddelen of de wil gehad om zulke veranderingen op gang te brengen.

Uittreding verandert de structuur van de bedrijfstak door het teruglopen van het aantal bedrijven en een mogelijk grotere overheersing van de leiders. Bedrijven trekken zich terug, omdat ze geen mogelijkheden meer zien om uit hun investeringen winsten te halen, die hoger zijn dan de kapitaalkosten. Het uittredingsproces wordt tegengegaan door uittredingsbarrières (hoofdstuk 1), waardoor de positie van de achterblijvende, gezondere bedrijven verslechtert en een prijzenoorlog of een andere vorm van oplaaiende concurrentiestrijd kan ontstaan. Ook verhoging van de concentratie en een eventuele vergroting van het winstpotentieel in een bedrijfstak als gevolg van structurele verschuivingen worden tegengewerkt door aanwezige uittredingsbarrières.

De ontwikkelingsprocessen zijn een hulpmiddel bij het voorspellen van veranderingen in een bedrijfstak. Elk ontwikkelingsproces staat aan de basis van een strategische kernvraag. Bijvoorbeeld de mogelijke invloed van een verandering in overheidsregulering betekent dat een bedrijf zich moet afvragen: 'Zijn er van de regering maatregelen te verwachten, die een structureel element van mijn bedrijfstak zullen beïnvloeden? Als dit zo is, wat is dan het effect daarvan op mijn relatieve strategische positie en hoe kan ik me daar nu het best op voorbereiden?' Voor elk van de hierboven besproken ontwikkelingsprocessen kan een soortgelijke vraag geformuleerd worden. De vragenlijst die hier het resultaat van is, moet op gezette tijden doorlopen worden en misschien zelfs formeel in het strategisch planningsproces betrokken worden.

Elk ontwikkelingsproces maakt bovendien een aantal belangrijke strategische *signalen* of belangrijke stukken strategische informatie, waar een bedrijf voortdurend zijn omgeving op moet afzoeken, duidelijk. Toetreding door een gevestigd bedrijf uit een andere bedrijfstak, een belangrijke ontwikkeling inzake een substituut, enzovoort, moet een rood lampje doen branden bij de directieleden die zorg dragen voor de strategische gezondheid van een onderneming. Dit rode lampje moet dan het analysewerk op gang brengen voor het voorspellen van de betekenis van de verandering voor de bedrijfstak en het passende antwoord hierop.

Tenslotte is het belangrijk om op te merken dat het proces van leren, opdoen van ervaring, marktvergroting en andere van de hierboven beschreven processen zich altijd voordoen, *ook wanneer er geen belangrijke en duidelijke gebeurtenissen zijn die deze signaleren*. Dit impliceert een regelmatige aandacht voor structurele veranderingen die het resultaat van deze verborgen processen kunnen zijn.

Elementaire verbanden in bedrijfstakontwikkeling

Hoe veranderen bedrijfstakken in de context van deze analyse? Ze veranderen niet onderdeel voor onderdeel, omdat een bedrijfstak een *onderling samenhangend systeem* is. Een verandering in één structureel element van een bedrijfstak leidt tot veranderingen op andere terreinen. Bijvoorbeeld een innovatie op het gebied van marketing kan een nieuw koperssegment ontwikkelen, en het leveren aan dat segment kan weer gevolgen hebben voor de produktiemethoden, waardoor de schaalvoordelen groter worden. De bedrijven die deze schaalvoordelen het eerst realiseren, zullen zo ook in een positie komen om achterwaarts te integreren, hetgeen gevolgen heeft voor de onderhandelingspositie ten opzichte van leveranciers enzovoort. Een verandering in een bedrijfstak heeft dus vaak een kettingreactie van veranderingen tot gevolg.

In dit hoofdstuk komt duidelijk naar voren dat er, omdat bedrijfstakontwikkeling continu in bijna iedere bedrijfstak plaatsvindt en een strategische respons nodig maakt, niet één bepaalde manier is, waarop een bedrijfstak zich ontwikkelt. Elk eenzijdig ontwikkelingsmodel, zoals de levenscyclus van een produkt, dient derhalve te worden verworpen. Er bestaan echter wel enkele bijzonder belangrijke verbanden in het ontwikkelingsproces, die in dit gedeelte onderzocht zullen worden.[12]

ZAL DE BEDRIJFSTAK ZICH CONSOLIDEREN?

Het lijkt een algemeen aanvaard feit dat bedrijfstakken zich na verloop van tijd consolideren, maar in zijn algemeenheid is dit niet waar. In een grote steekproef uit 151 Amerikaanse industriële bedrijfstakken met meer dan 1000 ondernemingen bleek bijvoorbeeld dat in de periode tussen 1963 en 1972 in 69 gevallen het concentratiegetal van de 4 grootste bedrijven met meer dan 2% was toegenomen, terwijl in 52 gevallen dit concentratiegetal in totaal met meer dan 2% was afgenomen. De vraag of een bedrijfstak zal consolideren of niet, heeft te maken met wellicht het belangrijkste structurele verbindingselement in de bedrijfstak - namelijk dat tussen concurrentie, mobiliteitsbarrières en uittredingsbarrières.

Concentratie in de bedrijfstak en mobiliteitsbarrières veranderen samen. Als de mobiliteitsbarrières hoog zijn, of vooral als ze hoger worden, neemt de concentratie bijna altijd toe. De concentratie in de Amerikaanse wijnindustrie is bijvoorbeeld toegenomen. In het marktsegment van de standaardkwaliteit, waar de grootste omzet wordt geboekt, hebben de eerder in dit hoofdstuk beschreven strategische veranderingen de mobiliteitsbarrières aanmerkelijk hoger gemaakt (hoge reclamekosten, nationale distributie,

---

[12] Bedrijfstakontwikkeling heeft gevolgen voor het bepalen van het optimale tijdstip van toetreding tot een bedrijfstak; dit wordt besproken in hoofdstuk 10.

snelle merkinnovatie, enz.). Als gevolg hiervan is de voorsprong van de grote bedrijven op de kleinere nog groter geworden en maar weinig nieuwe bedrijven hebben hen nog durven uitdagen.

Er vindt geen concentratie plaats als de mobiliteitsbarrières laag of dalende zijn. Als de barrières laag zijn, dan zullen niet-succesvolle bedrijven, die zich terugtrekken, vervangen worden door nieuwe bedrijven. Als er sprake is geweest van een golf van uittredingen vanwege economische slapte of tegenspoed van andere algemene aard, dan kan de concentratie in de bedrijfstak tijdelijk toenemen. Maar op de eerste tekenen dat de winsten en verkoopcijfers weer in de lift zitten, zullen zich weer nieuwe toetreders aandienen. Een shake-out (reorganisatie), wanneer een bedrijfstak volwassen wordt, hoeft dus niet persé te betekenen dat consolidatie op lange termijn zal plaatsvinden.

Uittredingsbarrières houden consolidatie tegen. Door uittredingsbarrières blijven er ook bedrijven in een bedrijfstak, hoewel ze buitengewoon slechte resultaten boeken. Zelfs in een bedrijfstak met relatief hoge mobiliteitsbarrières kunnen de leidende firma's niet rekenen op de voordelen van consolidatie, als hoge uittredingsbarrières slecht draaiende bedrijven op de markt houden.

Winstpotentieel op lange termijn hangt af van de toekomstige structuur. Tijdens de zeer snelle groei in de beginperiode van een bedrijfstak (vooral nadat produktacceptatie een feit is geworden) liggen de winsten meestal op een hoog niveau. Aan het eind van de jaren zestig bijvoorbeeld, was de groei in de verkoop van ski-uitrusting meer dan 20 procent per jaar en boekten bijna alle bedrijven in de bedrijfstak hoge winsten. Als echter aan de groei van een bedrijfstak een einde komt, breekt er een zeer onrustige tijd aan, waarin door de intense concurrentie de zwakke bedrijven weggezeefd worden. Tijdens zo'n aanpassingsperiode kunnen alle bedrijven onder financiële druk komen te staan. Of de overblijvende ondernemingen meer dan gemiddelde winsten zullen kunnen behalen, hangt af van de hoogte van de mobiliteitsbarrières en van andere structurele kenmerken van de bedrijfstak. Als de mobiliteitsbarrières hoog zijn of hoger zijn geworden naarmate de bedrijfstak meer volwassen werd, dan zullen de overblijvers goede financiële resultaten kunnen boeken, zelfs in de nieuwe periode van langzamere groei. Als de mobiliteitsbarrières echter laag zijn, betekent de tragere groei waarschijnlijk het einde van de bovengemiddelde winsten in de bedrijfstak. Volwassen bedrijfstakken kunnen dus al of niet net zo winstgevend zijn als in hun ontwikkelingsperiode.

VERANDERINGEN IN DE GRENSGEBIEDEN VAN DE BEDRIJFSTAK

Structurele verandering in een bedrijfstak gaat vaak vergezeld van veranderingen in de grenzen ervan. Zoals we in hoofdstuk 1 hebben gezien, worden de grensgebieden van een bedrijfstak aangegeven door de arbitraire stippellijn in figuur 8-4.

Bedrijfstakontwikkeling heeft gewoonlijk een verschuiving van deze grensgebieden tot gevolg. Innovaties in de bedrijfstak of met betrekking tot substituten kunnen een bedrijfstak feitelijk groter maken, doordat hierdoor meer bedrijven direct met elkaar concurreren. Bijvoorbeeld vermindering van de transportkosten in vergelijking met die van het kweken en kappen heeft de levering van timmerhout tot een wereldmarkt gemaakt, die niet door continenten beperkt wordt. Innovaties, waardoor de betrouwbaarheid van elektronische bewakingssystemen toeneemt en de kosten ervan lager worden, hebben ervoor gezorgd dat deze nu een ernstige bedreiging vormen voor persoonlijke bewakingsdiensten. Structurele veranderingen die het voor leveranciers makkelijker maken om voorwaarts in de bedrijfstak te integreren, kunnen betekenen dat de leveranciers daadwerkelijk concurrenten worden. Kopers die in grote hoeveelheden goederen voor het huismerk kopen en die voorwaarden stellen aan het produktontwerp, kunnen in werkelijkheid concurrenten in de produktiesector worden (Sears-Roebuck). De analyse van het strategisch belang van bedrijfstakontwikkeling is gedeeltelijk dus een analyse van hoe de grensgebieden van een bedrijfstak kunnen worden bewerkt.

FIGUUR 8-4 Grensgebieden van de bedrijfstak

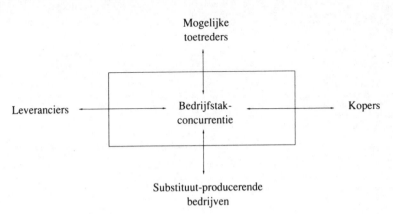

BEDRIJVEN KUNNEN DE STRUCTUUR VAN DE BEDRIJFSTAK BEÏNVLOEDEN

Wat reeds eerder in hoofdstuk 1 aan de orde is gekomen en waar we nu dieper op in zullen gaan, is het feit dat structurele verandering in een bedrijfstak beïnvloed kan worden door het strategisch gedrag van een bedrijf. Als een bedrijf het belang van een structurele verandering voor zijn positie inziet, dan kan het proberen om die verandering in een voor dat bedrijf gunstige richting om te zetten, hetzij via reacties op strategische veranderingen van de concurrenten, hetzij door zelf het initiatief hiertoe te nemen.

Een andere manier, waarop een bedrijf invloed kan uitoefenen op een structurele verandering, is om heel goed te letten op externe krachten langs welke de bedrijfstak zich kan ontwikkelen. Als men een voorsprong bij de start heeft is het vaak mogelijk om deze krachten in een voor het eigen bedrijf gunstige richting om te buigen. Zo kan bijvoorbeeld invloed worden uitgeoefend op de specifieke vorm van veranderingen in regelgeving; verspreiding van innovaties van buiten de bedrijfstak kan beïnvloed worden door de vorm van de licenties of andere overeenkomsten, die met de innoverende bedrijven gesloten worden; positieve actie kan worden ondernomen om de kosten of de toelevering van complementaire produkten te verbeteren door directe hulp te verlenen bij oprichten van handelsmaatschappijen of door hun zaak bij de overheid te bepleiten. Hetzelfde geldt voor de andere belangrijke krachten achter structurele veranderingen. Bedrijfstakontwikkeling moet niet gezien worden als een *voldongen feit*, waarop gereageerd moet worden, maar als een geboden kans.

II
Generieke bedrijfstak- omgevingen

Deel II bouwt voort op de grondbeginselen van de analysetechnieken voor het formuleren van een concurrentiestrategie (in deel I) teneinde de meer specifieke strategie-analyse in verschillende soorten bedrijfstakomgeving in ogenschouw te nemen. Bedrijfstakomgevingen verschillen het sterkst in hun fundamentele strategische implicaties met betrekking tot enkele basisdimensies:

- de concentratie in de bedrijfstak;
- de mate van volwassenheid van de bedrijfstak;
- de blootstelling aan internationale concurrentie.

In deel II kies ik op basis van deze dimensies een aantal generieke bedrijfstakomgevingen uit voor een diepgaande beschouwing. Voor elk van deze bedrijfstakomgevingen worden de vitale dimensies van de bedrijfstakstructuur, de belangrijkste strategische onderwerpen, de karakteristieke strategische alternatieven en de strategische valstrikken besproken.

Voor de uiteenzetting van deel II zijn vijf generieke bedrijfstakomgevingen uitgekozen. In hoofdstuk 9 wordt concurrentiestrategie onderzocht voor gefragmenteerde bedrijfstakken of bedrijfstakken, waar het niveau van bedrijfsconcentratie laag is. In de hoofdstukken 10, 11 en 12 wordt strategieformulering besproken voor bedrijfstakken in fundamenteel verschillende stadia van volwassenheid: in hoofdstuk 10 worden opkomende nieuwe bedrijfstakken besproken; in hoofdstuk 11 de bedrijfstak in de moeilijke overgangsfase van snelle groei naar volwassenheid; en in hoofdstuk 12 de unieke problemen van een bedrijfstak die in betekenis afneemt. Tenslotte wordt in hoofdstuk 13 strategieformulering besproken voor mondiale bedrijfstakken, een steeds vaker voorkomend verschijnsel in de jaren tachtig.

De omgevingen die in deel II onderzocht worden, zijn allemaal gebaseerd op *één* structurele basisdimensie van de bedrijfstak, en elk hoofdstuk gaat dan verder in op de gevolgen van dit basisdimensie voor de concurrentiestrategie. Hoewel in sommige van deze hoofdstukken omgevingen worden besproken, die elkaar wederzijds uitsluiten (een bedrijfstak kan bijvoorbeeld aan het opkomen zijn of in betekenis afnemen, maar niet allebei), geldt dit niet voor alle. Een mondiale bedrijfstak kan bijvoorbeeld tevens gefragmenteerd zijn of in de overgangsfase naar volwassenheid zitten.

De lezer dient allereerst de kenmerken vast te stellen van de omgeving van een bepaalde bedrijfstak aan de hand van het schema van deel II. In bedrijfstakken die zich in meer dan één van de onderzochte omgevingen bevinden, komt het uitstippelen van een concurrentiestrategie neer op het zoeken naar een evenwicht tussen de strategische gevolgen, die uit elk van deze belangrijke aspecten van de bedrijfstakstructuur voortvloeien.

9
Concurrentiestrategie in gefragmenteerde bedrijfstakken

Een belangrijke structurele omgeving, waarin veel bedrijven concurreren, is de gefragmenteerde bedrijfstak, dat wil zeggen een bedrijfstak, waarin geen enkel bedrijf een belangrijk marktaandeel heeft of de eindsituatie in de bedrijfstak belangrijk kan beïnvloeden. Gefragmenteerde bedrijfstakken bestaan gewoonlijk uit een groot aantal kleine of middelkleine bedrijven, vaak in particuliere handen. Er bestaat geen eenduidige kwantitatieve definitie van een gefragmenteerde bedrijfstak, en voor het bespreken van strategische kwesties van deze belangrijke omgeving is zo'n definitie waarschijnlijk ook overbodig. De essentie, waardoor deze bedrijfstakken een unieke concurrentie-omgeving vormen, is de afwezigheid van marktleiders die de macht hebben om de gang van zaken in de bedrijfstak te bepalen.

In veel gebieden van een economie treft men gefragmenteerde bedrijfstakken aan, of dit nu in de V.S. is of in andere landen, en dan met name in de volgende sectoren:

- dienstverlening;
- detailhandel;
- distributie;
- hout- en metaalproduktie;
- landbouwproduktie;
- de 'creatieve' sector.

Sommige gefragmenteerde bedrijfstakken, zoals computersoftware en het syndicaat van televisie-omroepen, worden gekarakteriseerd door gedifferentieerde produkten of diensten, terwijl het in andere, zoals transport door mammoettankers, de distributie van elektronische onderdelen en aluminiumhalffabrikaten, voornamelijk gaat om ongedifferentieerde produkten. Gefragmenteerde bedrijfstakken verschillen ook zeer in hun technologische verfijning, waarbij ze uiteenlopen van high tech business als zonneverwarming tot de handel in lompen en metalen of de drankendetailhandel. Figuur 9-1 geeft een opsomming van producerende bedrijfstakken in de V.S., waarin het gezamenlijke marktaandeel van de 4 grootste bedrijven in 1972 40 procent was of minder. Hoewel op deze lijst distributie, dienstverlening en nog veel meer bedrijfstakken die niet tot de producerende bedrijfstakken horen of die nog niet als officiële bedrijfstakken zijn aangemerkt, niet voorkomen, is deze toch illustratief voor het brede gebied dat door gefragmenteerde bedrijfstakken bestreken wordt.

In dit hoofdstuk zullen de speciale problemen van het formuleren van een concurrentiestrategie in gefragmenteerde bedrijfstakken, gezien als één belangrijke generieke bedrijfstakomgeving, worden besproken. Evenals de andere hoofdstukken van deel II is dit hoofdstuk niet bedoeld als een uitputtende handleiding voor concurrentie in welke gefragmenteerde bedrijfstak dan ook. Het volledige scala van analysetechnieken en concepten, dat elders in dit boek wordt weergegeven, dient gecombineerd te worden met de concepten in dit hoofdstuk teneinde gevolgtrekkingen te kunnen maken omtrent de concurrentiestrategie in een specifieke bedrijfstak.

FIGUUR 9-1   Illustratie van gefragmenteerde producerende bedrijfstakken in de V.S., 1972

Bedrijfstak (1000 bedrijven of meer)	Totale marktaandeel van de 4 grootste bedrijven (%)	Totale marktaandeel van de 8 grootste bedrijven (%)
Vleesverpakking	22	37
Worstjes en andere geprepareerde vleesprodukten	19	26
Geprepareerd pluimvee	17	26
Kippen en eieren	23	36
Gecondenseerde en gedroogde melk	39	58
IJs en diepvriesdessert	29	40
Vloeibare melk	18	26
Fruit en groente in blik	20	31
Gedroogd fruit, groente, soep	33	51
Diepvriesfruit en -groente	29	43
Bloem en andere graanprodukten	33	53

FIGUUR 9-1   vervolg

Bedrijfstak (1000 bedrijven of meer)	Totale marktaandeel van de 4 grootste bedrijven (%)	Totale marktaandeel van de 8 grootste bedrijven (%)
Brood, cake en aanverwante produkten	29	39
Confituren	32	42
Dierlijke en plantaardige vetten	28	37
Verse vis en diepvriesvis	20	32
Spinnerijen	20	31
Naai-ateliers voor bovenkleding	16	26
Afwerkingsateliers, katoen	27	41
Gestikte tapijten en kleden	20	33
Garenfabrieken, behalve wol	21	31
Kleedjes- en textielfabrieken	35	51
Borduurartikelen	34	51
Stoffering en bekleding	28	40
Touw- en vlechtwerk	36	56
Kostuums en overjassen voor jongens en heren	19	31
Idem shirts en nachtkleding	22	31
Idem sjaals en dassen	26	36
Idem broeken	29	41
Blouses voor meisjes en dames	18	26
Idem rokken	9	13
Mantelpakjes en mantels	13	18
Dames- en kinderondergoed	15	23
Kinderjurkjes en -blouses	17	26
Kinderjasjes en -pakjes	18	31
Bontartikelen	7	12
Avondkleding en japonnen	24	39
Regenkleding	31	40
Lederen en lamswollen kleding	19	32
Sierceintuurs	21	32
Gordijnen en linnengoed	35	43
Canvas en aanverwante produkten	23	29
Zaag- en schaafwerkplaatsen, algemeen	18	23
Houten keukenkastjes	12	19
Campers	26	37
Geprefabriceerde houten huisjes	33	40
Bekleed meubilair	14	23

FIGUUR 9-1   vervolg

Bedrijfstak (1000 bedrijven of meer)	Totale marktaandeel van de 4 grootste bedrijven (%)	Totale marktaandeel van de 8 grootste bedrijven (%)
Metalen meubilair	13	24
Matrassen en springveren	24	31
Houten kantoormeubilair	25	38
Kartonnen dozen	23	35
Golfkartonnen en sterke kunstofdozen	18	32
Kranten	26	38
Uitgeverij	19	31
Drukkerij	24	36
Commerciële drukkerij, letterpers	14	19
Commerciële drukkerij, lithografie	4	8
Zetterij	5	8
Fotogravure	13	19
Verf en aanverwante artikelen	22	34
Kunstmestprodukten	24	38
Plak- en verzegelmiddelen	19	31
Verhardingsmengsels en stenen	15	23
Smeeroliën en vetten	31	44
Leerlooierij	17	28
Leren (boks)handschoenen	35	50
Dameshandtasjes en koffertjes	14	23
Hydraulisch cement	26	46
Bakstenen en kleiplavuizen	17	26
Betonnen blokken en stenen	5	8
Voorgemengd beton	6	10
Staaldraad en aanverwante produkten	18	30
Stalen pijpen en buizen	23	40
Aluminiumgieterij	23	30
Tin-, brons- en kopersmelterijen	20	28
Loden leidingen en tingoederen	26	42
Verwarmingsinstallaties, behalve elektrische	22	31
Metalen halffabrikaten	10	14
Metalen deuren, schuiframen en sierstrippen	12	19
Voorgevormd plaatwerk (boilers)	29	35
plaatmetaal	9	15
Transportmachines	22	32

FIGUUR 9-1   vervolg

Bedrijfstak (1000 bedrijven of meer)	Totale marktaandeel van de 4 grootste bedrijven (%)	Totale marktaandeel van de 8 grootste bedrijven (%)
Machinegereedschap, metaalbewerking	18	33
Speciale verven, gereedschap, mallen en bevestigingen	7	10
Bouwkundig metaalwerk	14	21
Schroefmachine-artikelen	6	9
Sloten, moeren, klinknagels en pakkingen	16	25
Smeedwerk van ijzer en staal	29	40
Vergulding en polijsting	5	8
Metaalververij en aanverwante diensten	15	23
Uitlaatpijpen en pijpfittingen	11	21
Draadveren	26	38
Voorgevormde pijpen en fittingen	21	32
Machinebankwerk accessoires	19	30
Voedselproduktiemachines	18	27
Textielmachines	31	46
Machines voor de papierindustrie	32	46
Aanjagers en ventilatie	26	37
Pompen en pompmachines	17	27
Industriële fornuizen en ovens	30	43
Radio- en TV-apparatuur	19	33
Vrachtwagen- en buscarrosserieën	26	34
Scheepsbouw en -reparatie	14	23
Technische en wetenschappelijke instrumenten	22	33
Juwelen, kostbare metalen	21	26
Poppen	22	34
Spelletjes, speelgoed en driewielers	35	49
Sport- en atletiekartikelen N.E.C.	28	37
Draagsieraden	17	27
Kunstbloemen	33	44
Knopen	31	47
Reclameborden	6	10
Grafkisten	25	34

Bron: V.S. Bureau of the Census, *1972 Telling van Producenten*, 'Concentration Ratios in Manufacturing,' Tabel 5.

Dit hoofdstuk is verdeeld in een aantal paragrafen. Allereerst zal ik ingaan op de redenen waarom bedrijfstakken gefragmenteerd zijn, omdat inzicht hierin essentieel is voor strategieformulering. Vervolgens zullen enkele benaderingen besproken worden voor het stimuleren van structurele veranderingen, waarmee fragmentatie van de bedrijfstak overwonnen kan worden. Hierna zal ik enkele alternatieven behandelen om het hoofd te bieden aan een gefragmenteerde structuur, ingeval deze niet overwonnen kan worden. In verband hiermee zullen ook enkele valstrikken aan de orde komen, waar bedrijven vaak in terechtkomen, als ze concurreren in een gefragmenteerde bedrijfstak. Tenslotte zal ik een analytisch basisschema geven voor het formuleren van een concurrentiestrategie in gefragmenteerde bedrijfstakken, waarbij op de eerdere paragrafen van dit hoofdstuk zal worden teruggegrepen.

Wat maakt een bedrijfstak gefragmenteerd?

Bedrijfstakken zijn gefragmenteerd op grond van verschillende factoren, die ieder zeer verschillen in de gevolgen voor de concurrentie in zo'n bedrijfstak. Sommige bedrijfstakken zijn gefragmenteerd om historische redenen - vanwege de middelen of bekwaamheden van de bedrijven die zich daar van oudsher in bevinden -, hoewel er geen fundamentele economische basis is voor fragmentatie. In veel bedrijfstakken zijn er echter onderliggende economische oorzaken aan te wijzen, waarvan de volgende de voornaamste zijn:

Lage algemene toetredingsbarrières. Bijna alle gefragmenteerde bedrijfstakken hebben lage algemene toetredingsbarrières, aangezien ze anders niet door zoveel kleine bedrijven hadden kunnen worden bevolkt. Hoewel lage toetredingsbarrières een absolute vereiste zijn voor fragmentatie, zijn ze alleen gewoonlijk *onvoldoende* om fragmentatie te verklaren. Fragmentatie gaat bijna altijd vergezeld van één of meer van de hieronder besproken oorzaken.

Ontbreken van schaalvoordelen of 'learning' curve. De meeste gefragmenteerde bedrijfstakken worden gekenmerkt door het ontbreken van belangrijke schaalvoordelen of 'learning' curves op alle gebieden van de bedrijfsvoering, of dit nu fabricage, marketing, distributie of onderzoek is. Veel gefragmenteerde bedrijfstakken hebben produktieprocessen, die gekenmerkt worden door weinig of helemaal geen schaalvoordelen of kostenbeperkingen door ervaring, aangezien dit proces bestaat uit een simpele fabricage- of assemblagehandeling (glasfiber in polyurethaangietsels) of een opslaghandeling (distributie van elektronische componenten), onvermijdelijk zeer arbeidsintensief is (bewakingspersoneel), een hoge mate van persoonlijke service vraagt, of intrinsiek moeilijk te mechaniseren of tot een routinehandeling terug te brengen is. In de kreeftenvisserij bijvoorbeeld, is de produktie-eenheid de individuele boot. Het bezitten van meerdere boten draagt weinig bij tot het verlagen van de viskosten, omdat alle boten voornamelijk in dezelfde wateren vissen met dezelfde kans op een goede vangst. Dus zijn er talloze kleine bedrijven, die over het algemeen gelijke onkosten hebben. Champignonkwekerijen waren even ongevoelig voor kostenbesparingen door schaalvoordelen of leerprocessen. De tere champignons zijn in grotten gekweekt door kleine kwekers die de 'zwarte kunst' meester zijn. In deze situatie is echter verandering gekomen, zoals we later zullen zien.

Hoge transportkosten. Hoge transportkosten leggen beperkingen op aan de grootte van een efficiënte fabriek of produktielocatie, ondanks de aanwezigheid van schaalvoordelen. De afweging van de transportkosten tegen de schaalvoordelen is bepalend voor de omvang, waarmee een fabriek nog winstgevend kan draaien. In bedrijfstakken, zoals die van cement, dagmelk en zeer bijtende chemicaliën, zijn de transportkosten zeer hoog. Ze zijn in feite hoog in dienstverlenende bedrijfstakken, omdat de dienst 'geproduceerd' wordt op het gebied van de klant of de klant moet naar de plaats komen, waar de dienst geproduceerd wordt.

Hoge voorraadkosten of grote schommelingen in de verkoopcijfers. Hoewel er intrinsieke schaalvoordelen in het produktieproces kunnen zitten, kan het zijn dat ze niet gerealiseerd kunnen worden, als de voorraadkosten hoog zijn en de verkoop sterk fluctueert. Hier moet de produktie op- en afgebouwd worden, hetgeen een belemmerend effect heeft op het opzetten van grootschalige, kapitaalintensieve faciliteiten en het voortdurend gebruik ervan. Evenzo, als de verkoop aan sterke schommelingen onderhevig is, heeft het bedrijf met grootschalige faciliteiten toch geen voordelen boven een kleiner, wendbaar bedrijf, ook al zijn de produktie-activiteiten van het grotere bedrijf bij volledig gebruik veel efficiënter. Kleinschalige, minder gespecialiseerde faciliteiten of distributiesystemen zijn in het algemeen flexibeler bij het opvangen van schommelingen in de output dan grote, gespecialiseerde, ook al zijn de bedrijfskosten bij een constant produktieniveau hoger.

Geen voordelen van omvang in het onderhandelen met leveranciers en kopers. De structuur van de kopersgroepen en toeleveringsbedrijfstakken is zodanig, dat de onderhandelingspositie van een groot bedrijf ten opzichte van deze aangrenzende bedrijfstakken niet persé beter hoeft te zijn dan die van een klein bedrijf. Kopers kunnen bijvoorbeeld zo groot zijn, dat zelfs een groot bedrijf in een bedrijfstak slechts een marginaal betere onderhandelingspositie heeft dan een kleiner bedrijf. Soms zullen kopers of leveranciers krachtig genoeg zijn om de bedrijven in een bedrijfstak ook daadwerkelijk klein te houden door middel van opzettelijke spreiding van hun handel of het stimuleren van toetreding.

Schaalnadelen op een belangrijk onderdeel. Schaalnadelen kunnen hun oorzaak hebben in verschillende factoren. Snelle veranderingen in produkt of vormgeving vergen een snelle reactie en een uitstekende coördinatie tussen de diverse functies. Als frequente nieuwe produktintroducties en vormwijzigingen voor de concurrent, waarbij alleen korte produktietijden zijn toegestaan, essentieel zijn, dan is het mogelijk dat een groot bedrijf minder efficiënt werkt dan een klein - hetgeen bijvoorbeeld geldt voor dameskleding, waarin stijl een belangrijke rol in de concurrentie speelt.

Als het handhaven van *lage overheadkosten* een voorwaarde voor succes is, kan dit in het voordeel werken van een klein bedrijf, geleid door de strenge hand van een eigenaar-directeur, die niet gehinderd wordt door pensioenplannen en andere bedrijfsvoorzieningen en die minder door overheidsambtenaren op de vingers wordt gekeken dan grote bedrijven.

Een *groot produktassortiment*, dat produktie op maat vereist, maakt een intensieve communicatie tussen gebruiker en producent over kleine hoeveelheden noodzakelijk en kan in het voordeel werken van een klein bedrijf. De bedrijfsformulierenbranche is een voorbeeld van een bedrijfstak, waarin een dergelijke produktdiversiteit heeft geleid tot fragmentatie. De twee leidende Noordamerikaanse producenten van bedrijfsformulieren hebben slechts 35 procent van de markt.

Hoewel er uitzonderingen bestaan, is het vaak moeilijk om de produktiviteit van het creatieve personeel in een heel groot bedrijf te handhaven, als een *hoge mate van creativiteit* vereist is. In bedrijfstakken als reclame en interieurontwerp zijn er geen dominerende bedrijven.

Als een *nauwgezette controle ter plaatse* en supervisie over de activiteiten noodzakelijk zijn voor succes, dan heeft een kleiner bedrijf een streepje voor. In sommige bedrijfstakken, vooral dienstverlenende, zoals nachtclubs en restaurants, lijkt een hoge mate van nauwgezette, directe supervisie noodzakelijk. In het algemeen werkt 'absentee' management hier minder effectief dan een eigenaar-manager die controle uitoefent over een relatief kleine operatie.[1]

Kleinere bedrijven zijn vaak efficiënter als *persoonlijke service* een belangrijke rol speelt. De kwaliteit van deze service en de waarneming van de klant, dat er individuele en adequate service wordt verleend, zijn meestal omgekeerd evenredig met de omvang van het bedrijf, als er eenmaal een bepaalde barrière bereikt is. Dit verschijnsel leidt tot fragmentatie in bedrijfstakken als huidverzorging en adviesbureaus.

Als *plaatselijke reputatie en plaatselijke contacten* belangrijk zijn in een bedrijfstak, kan een groot bedrijf in het nadeel zijn. In bedrijfstakken, zoals aluminiumhalffabrikaten, bouwvoorraden en veel distributie-ondernemingen, is locale aanwezigheid zeer belangrijk voor succes. Intensieve bedrijfs-

---

[1] Een soortgelijke situatie doet zich voor in een bedrijfstak, waar lange of onregelmatige diensten worden gedraaid, zoals dealers van toeleveringsprodukten aan de landbouw, die een groot percentage van hun jaaromzet van produkten als kunstmest en zaden in enkele waanzinnig drukke weken verkopen. Het is moeilijk om een andere persoon dan een eigenaar-manager te vinden, die zich de benodigde opofferingen wil getroosten.

ontwikkeling, het opbouwen van contacten en een verkoopafdeling op plaatselijk niveau zijn nodig om te kunnen concurreren. In zulke bedrijfstakken boekt een plaatselijk of regionaal bedrijf vaak betere resultaten dan een groot bedrijf, mits het eerste tenminste geen aanzienlijke kostennadelen ondervindt.

Uiteenlopende marktbehoeften. In sommige bedrijfstakken zijn de voorkeuren van de kopers gefragmenteerd, waarbij de verschillende kopers elk een speciale variant van een produkt willen en bereid (en in staat) zijn om hier extra voor te betalen in plaats van dat ze een meer gestandaardiseerde versie accepteren. Voor elke produktvariant afzonderlijk is de vraag dus vrij klein en leidt tot onvoldoende hoeveelheden om produktie-, marketing- of distributiestrategieën te volgen, die een groot bedrijf de meeste voordelen zouden opleveren. Soms zijn de gefragmenteerde voorkeuren van de kopers terug te brengen tot regionale of locale verschillen in de marktbehoeften, zoals in de brandweerauto-industrie het geval is. Elke plaatselijke brandweer wil zijn eigen, op maat gemaakte brandweerauto met veel dure toeters, bellen en andere opties. Dus bijna elke brandweerauto is een uniek produkt. De produktie is maatwerk en vrijwel geheel bestaande uit assemblage. Er zijn dan ook letterlijk dozijnen brandweerautofabrikanten, die geen van allen een groot marktaandeel hebben.

Hoge produktdifferentiatie, met name indien gebaseerd op imago. Als produktdifferentiatie hoog is en gebaseerd is op imago, kan dit beperkingen stellen aan de omvang van een bedrijf en voor een 'paraplu' zorgen, waardoor inefficiënte bedrijven kunnen overleven. Een grote omvang kan onverenigbaar zijn met dit imago van exclusiviteit of met de wens van de koper om een geheel eigen merk te hebben. Nauw gerelateerd aan deze situatie is die, waarin de belangrijkste leveranciers van de bedrijfstak prijs stellen op exclusiviteit of een bepaald imago in het kanaal voor hun produkten of diensten. Optredende artiesten bijvoorbeeld, kunnen liever zaken willen doen met kleine theateragentschappen of platenmaatschappijen, die in overeenstemming zijn met het imago dat ze in stand willen houden.

Uittredingsbarrières. Als er sprake is van uittredingsbarrières, zullen marginale bedrijven zich in de bedrijfstak willen handhaven en aldus consolidatie verhinderen. Behalve economische uittredingsbarrières blijken in gefragmenteerde bedrijfstakken ook vaak persoonlijke uittredingsbarrières bij het management te bestaan. Er kunnen concurrenten zijn, van wie de doelstellingen niet noodzakelijkerwijs winstgericht zijn. Sommige bedrijfstakken kunnen appelleren aan romantische of avontuurlijke ideeën, waardoor concurrenten daarin actief willen zijn, ondanks het feit dat de winstgevendheid gering of zelfs niet aanwezig is. Deze factor speelt vooral een rol in bedrijfstakken als de visserij en talentenjagers.

Plaatselijke verordeningen. Plaatselijke verordeningen, waardoor een bedrijf gedwongen wordt te voldoen aan richtlijnen die particularistisch kunnen zijn of die afgestemd kunnen zijn op de plaatselijke politieke machtsverhoudingen, kunnen een belangrijke bron zijn voor fragmentatie in een bedrijfstak, ook al zijn de andere voorwaarden hier niet van toepassing. Plaatselijke verordeningen hebben waarschijnlijk in belangrijke mate bijgedragen tot fragmentatie in bedrijfstakken als de drankendetailhandel en persoonlijke servicebedrijven, zoals dry-cleaning en fijn-oculairglazen.

Regeringsverbod of concentratie. Wettelijke beperkingen kunnen consolidatie verhinderen in bedrijfstakken als elektriciteit en televisie- en radiostations, en de McFadden Act beperkingen met betrekking tot bankfilialen over de staatsgrenzen verhinderen consolidatie van elektronische systemen van geldovermaking.

Nieuwheid. Een bedrijfstak kan gefragmenteerd zijn, omdat hij nieuw is en er nog geen bedrijven zijn die de vaardigheden en middelen hebben ontwikkeld om een belangrijk marktaandeel in de wacht te slepen, ook al zijn er verder geen andere belemmeringen voor consolidatie. Zonneverwarming en optische fiberprodukten zouden in 1979 heel goed in dit stadium verkeerd kunnen hebben.

Het bestaan van slechts één van deze kenmerken is al voldoende om consolidatie van een bedrijfstak te verhinderen. Als er sprake is van een gefragmenteerde bedrijfstak, waar geen van deze kenmerken zich voordoen, dan is dit een belangrijke conclusie, zoals we hieronder zullen zien.

Het overwinnen van fragmentatie

Het overwinnen van fragmentatie kan een zeer belangrijke strategische gelegenheid zijn. De beloning voor consolidatie in een gefragmenteerde bedrijfstak kan hoog zijn, omdat de toetredingskosten per definitie laag zijn en er gewoonlijk slechts kleine en relatief zwakke concurrenten zijn, die nauwelijks een dreiging vormen in de zin van tegenmaatregelen.

Eerder in dit boek heb ik al benadrukt dat een bedrijfstak beschouwd moet worden als een onderling samenhangend systeem, hetgeen eveneens geldt voor gefragmenteerde bedrijfstakken. Een bedrijfstak kan gefragmenteerd zijn op grond van slechts één van de in het voorgaande deel besproken factoren. Als deze fundamentele barrrière voor consolidatie op de een of andere wijze overwonnen kan worden, heeft dat meestal een proces tot gevolg, waardoor de gehele structuur van de bedrijfstak verandert.

De bedrijfstak van slachtvee is een duidelijk voorbeeld van hoe de structuur van een gefragmenteerde bedrijfstak kan veranderen. Deze bedrijfstak wordt van oudsher gekenmerkt door een groot aantal kleine veehouders, die het vee op de weiden laten grazen en naar een vleesverwerkingsbedrijf transporteren. Het houden van vee bracht traditioneel nooit veel schaalvoordelen met zich mee; er kon integendeel wel eens sprake zijn van schaalnadelen bij het controleren van een zeer grote kudde en het drijven hiervan van streek naar streek. Technologische ontwikkelingen hebben echter geleid tot een groter gebruik van weidegrond als een alternatief proces voor het vetmesten van vee. Onder nauwkeurig gecontroleerde omstandigheden is de weidegrond een veel goedkopere methode gebleken om de dieren vet te mesten. Het aanleggen van weidegronden vergt echter forse kapitaaluitgaven en het werken hiermee lijkt belangrijke schaalvoordelen op te leveren. Als gevolg hiervan zijn enkele grote veehouders, zoals Iowa Beef en Monfort, snel opgekomen en is de bedrijfstak bezig zich te concentreren. Deze grote veehouders zijn langzamerhand groot genoeg geworden om achterwaarts te integreren in voedermethoden en voorwaarts in vleesverwerking en distributie. Dit laatste heeft geleid tot de ontwikkeling van merknamen. In deze bedrijfstak was de voornaamste oorzaak voor fragmentatie de produktietechnologie, die werd gebruikt voor het vetmesten van het vee. Toen deze barrière voor consolidatie eenmaal verwijderd was, kwam er een structurele verandering op gang die niet alleen de weidegronden betrof, maar ook veel andere structurele elementen van de bedrijfstak.

ALGEMENE BENADERINGEN VAN CONSOLIDATIE

Het overwinnen van fragmentatie moet komen van veranderingen die de fundamentele economische factoren, die leiden tot de gefragmenteerde structuur, wegnemen. Enkele algemene benaderingen voor het overwinnen van fragmentatie zijn de volgende:

Creëren van schaalvoordelen of 'learning' curve. Net als in de slachtveebranche kan consolidatie plaatsvinden, wanneer technologische veranderingen tot schaalvoordelen of een belangrijke 'learning' curve leiden. Schaalvoordelen, behaald in het ene deel van de bedrijfstak, kunnen soms schaalnadelen in een andere sector compenseren.

Innovaties in het produktieproces, die mechanisatie en grotere kapitaalintensiviteit tot gevolg hadden, hebben geleid tot consolidatie in de toeleveringsbedrijfstak van proefdieren voor medisch onderzoek en in de reeds eerder in dit hoofdstuk vermelde champignonkwekerij. In laboratoriumdieren heeft Charles River Breeding Laboratories baanbrekend werk verricht op het gebied van grote, kostbare fokfaciliteiten, waar de sanitaire omstandigheden en alle aspecten van omgeving en dieet van de dieren zorgvuldig worden gecontroleerd. Deze faciliteiten leveren een beter proefdier op en nemen tevens de voornaamste oorzaak van fragmentatie in de bedrijfstak weg. In de champignonkwekerij zijn een paar grote bedrijven tot de bedrijfstak toegetreden en hebben onderzoek verricht op het gebied van procestechnieken voor gecontroleerde champignonkweek met behulp van transportbanden, klimatisering en andere middelen, die de arbeidskosten terugdringen en de produktie vergroten. Deze processen brengen belangrijke schaalvoordelen met zich mee, vereisen kapitaaluitgaven en technologische verfijning en zorgen voor een basis voor consolidatie in de bedrijfstak.

Innovaties, die schaalvoordelen creëren op het gebied van marketing, kunnen ook leiden tot consolidatie in de bedrijfstak. Bijvoorbeeld het algemeen verbreide gebruik van televisie als voornaamste middel van marketing is vergezeld gegaan van een belangrijke consolidatie van de bedrijfstak. Het ontstaan van exclusieve dealers met een volledig produktassortiment, die financieringsmogelijkheden en service bieden, bracht consolidatie teweeg in de bedrijfstak van grondverplaatsingsmachines, waarvan Caterpillar Tractor het meest profiteerde.

Dezelfde basisargumenten zijn van toepassing op het creëren van schaalvoordelen in andere functies, zoals distributie, service en andere.

Standaardiseren van uiteenlopende marktbehoeften. Produkt- of marketinginnovaties kunnen tot nu toe uiteenlopende marktbehoeften standaardiseren. De creatie van een nieuw produkt kan bijvoorbeeld de voorkeuren van de kopers samenvoegen; een verandering in het ontwerp kan de kosten van een standaardvariant ingrijpend verlagen, wat ertoe kan leiden dat de kopers het gestandaardiseerde produkt een hogere waarde toekennen dan de dure, op maat gemaakte variant. Door modularisering van een produkt kunnen componenten in grote hoeveelheden geproduceerd worden en zo in aanmerking komen voor schaalvoordelen of kostenvermindering door ervaring, terwijl de heterogeniteit van de eindprodukten gewaarborgd blijft. De mogelijkheden tot dergelijke innovaties worden duidelijk beperkt door de onderliggende economische kenmerken van de bedrijfstak, maar in veel bedrijfstakken lijkt de beperkende factor voor consolidatie het gebrek aan ingeniositeit en creativiteit geweest te zijn bij het zoeken naar manieren om deze oorzaken van fragmentatie het hoofd te bieden.

Neutraliseren of afsplitsen van die aspecten, die het meest verantwoordelijk zijn voor fragmentatie. Soms liggen de oorzaken voor bedrijfstakfragmentatie op een of twee gebieden, zoals schaalnadelen bij de produktie of gefragmenteerde voorkeur van de kopers. Een strategie voor het overwinnen van fragmentatie is deze aspecten op de een of andere manier te scheiden van de rest van de business. Twee duidelijke voorbeelden hiervan zijn kampeerterreinen en snacks. Beide bedrijfstakken vergen een strakke plaatselijke controle en een goede service. Ze moeten noodzakelijkerwijs ook bestaan uit kleine individuele locaties, omdat mogelijke schaalvoordelen in kampeerterreinen of snackbars gecompenseerd worden doordat ze gevestigd moeten zijn in de buurt van klanten of bij snelwegen en vakantieplaatsen. Zowel de bedrijfstak van kampeerterreinen als die van snacks zijn van oudsher gefragmenteerd, met vele duizenden kleine door de eigenaar beheerde bedrijfjes. Toch zijn er bij inkoop en marketing in beide bedrijfstakken belangrijke schaalvoordelen te behalen, vooral als nationale verzadiging bereikt kan worden, zodat nationale reclamemedia gebruikt kunnen worden. In beide bedrijfstakken werd fragmentatie tegengegaan door de individuele vestigingen in franchise te geven aan eigenaar-bedrijfsleiders, die werkten onder de mantel van een nationale organisatie, die de marketing van de merknaam verrichtte en voor de centrale inkoop en andere diensten zorgde. Nauwgezette controle en handhaving van de service blijven gewaarborgd, evenals de hierdoor ontstane schaalvoordelen. Dit concept heeft giganten opgeleverd als KOA in kampeerterreinen en McDonald, Pizza Hut en anderen in de snackindustrie. Een andere bedrijfstak, waarin door een systeem van franchise fragmentatie is overwonnen, is de onroerend goed makelarij. Century 21 breidt zijn marktaandeel momenteel snel uit in deze zeer gefragmenteerde bedrijfstak door plaatselijke firma's in franchise te geven, waardoor ze onder hun eigen naam en zelfstandig verder kunnen opereren, maar dan wel onder de paraplu van de nationaal geadverteerde naam van Century 21.

Als de oorzaken van fragmentatie te maken hebben met het produktie- of serviceverleningsproces, zoals in de hierboven beschreven voorbeelden, dan is voor het overwinnen van de fragmentatie de loskoppeling van de produktie van de rest van de bedrijfstak noodzakelijk. Als er zeer veel koperssegmenten zijn of als een extreme produktdifferentiatie leidt tot voorkeuren voor exclusiviteit, dan kan het mogelijk zijn - door middel van veelvoudige, zorgvuldig gescheiden gehouden merknamen en verpakkingsstijlen - om de beperkingen wat betreft marktaandeel te overwinnen. Een ander geval doet zich voor, wanneer een artiest of een andere klant of leverancier met een kleinere, meer persoonlijke organisatie met een bepaalde reputatie of een bepaald imago in zee wil gaan. In de platenindustrie heeft men deze wens opgevangen door het gebruik van verschillende huislabels, die allemaal van dezelfde platenpersen gebruik maken en van dezelfde marketing-, distributie- en promotie-organisatie. Elk label is onafhankelijk opgericht en bedoeld om de persoonlijke noot voor elke artiest te vormen. Toch kan het totale marktaandeel van de moedermaatschappij aanzienlijk zijn, zoals het geval is met CBS en Warner Brothers, die elk zo'n twintig procent van de markt in bezit hebben.

Bij deze basisbenadering van het overwinnen van fragmentatie wordt ervan uitgegaan dat de kernoorzaak van de fragmentatie niet veranderd kan worden. De strategie is er daarom meer op gericht om die onderdelen van de bedrijfstak, die onderhevig zijn aan fragmentatie, te neutraliseren teneinde van voordelen van een marktaandeel in andere aspecten te kunnen profiteren.

Bereiken van een kritische massa door overname. In sommige bedrijfstakken kunnen er uiteindelijk toch voordelen verbonden zijn aan een belangrijk marktaandeel, maar het is zeer moeilijk om langzaam maar zeker een marktaandeel op te bouwen juist vanwege de oorzaken van fragmentatie. Een voorbeeld: als plaatselijke contacten belangrijk zijn voor de verkoop, dan is het moeilijk om het territorium van een ander bedrijf binnen te dringen met de bedoeling om uit te breiden. Als een bedrijf echter een drempelaandeel kan opbouwen, dan kunnen de schaalvoordelen de moeite waard worden. In dergelijke gevallen kan een strategie van veel overnames van plaatselijke bedrijven vruchtbaar blijken, mits deze overgenomen bedrijven goed geïntegreerd en geleid kunnen worden.

Tijdig herkennen van trends in de bedrijfstak. Soms consolideren bedrijfstakken uit zichzelf als ze volwassen worden, met name als nieuwheid de voornaamste bron van fragmentatie was; het kan ook voorkomen dat exogene trends in de bedrijfstak tot consolidatie leiden, doordat ze de oorzaken van fragmentatie veranderen. Computer servicebureaus ondervonden bijvoorbeeld steeds meer concurrentie van minicomputers en microcomputers. Deze nieuwe technologie betekende dat zelfs het midden- en kleinbedrijf zich een eigen computer kon permitteren. Zo moesten servicebureaus steeds meer leveren aan grote bedrijven met meerdere vestigingen om hun groei voort te zetten en/of behalve computertijd ook uitgedokterde programma's en andere diensten aan te bieden. Deze ontwikkeling heeft de schaalvoordelen in de bedrijfstak van servicebureaus doen toenemen en ging leiden tot consolidatie.

In het voorbeeld van het servicebureau had de dreiging van substituten consolidatie tot gevolg, doordat de behoeften van de kopers veranderden, hetgeen bevorderend werkte voor veranderingen in de dienstverlening, waarbij grotere schaalvoordelen te behalen waren. In veel andere bedrijfstakken kunnen veranderingen in de voorkeur van de kopers, veranderingen in de structuur van de distributiekanalen en nog veel meer trends in de bedrijfstak direct of indirect de oorzaken van fragmentatie beïnvloeden. Veranderingen in overheidsbepalingen of reglementering kunnen consolidatie afdwingen, doordat ze de normen voor het produkt of voor het produktieproces strenger stellen en zo het bestaan van kleinere bedrijven onmogelijk maken door het creëren van schaalvoordelen. Het herkennen van het uiteindelijke effect van zulke trends en het manoeuvreren van de firma in een positie, waarin deze daaruit voordeel kan trekken, kunnen een belangrijke methode zijn om fragmentatie te overwinnen.

BEDRIJFSTAKKEN DIE 'VAST' ZITTEN

Tot nu toe hebben we ons geconcentreerd op bedrijfstakken, waarvan de fragmentatie is geworteld in de economische bedrijfstakstructuur, en op manieren om die fragmentatie te overwinnen door iets aan de oorzaken te doen. Toch is het vanuit strategisch oogpunt belangrijk om in te zien dat veel bedrijfstakken niet gefragmenteerd zijn om fundamentele economische redenen, maar omdat ze in een gefragmenteerde staat 'vast' zijn blijven zitten. Hiervoor kunnen verschillende redenen bestaan.

Het ontbreekt bestaande bedrijven aan middelen of vaardigheden. Soms is het duidelijk welke stappen ondernomen zouden moeten worden om fragmentatie te overwinnen, maar ontbreekt het de bestaande bedrijven aan de middelen om de noodzakelijke strategische investeringen te doen. Er kunnen bijvoorbeeld bij de produktie schaalvoordelen te behalen zijn, maar het bedrijf heeft niet het kapitaal of de kennis om grootschalige faciliteiten te ontwikkelen of om de noodzakelijke investeringen in verticale integratie te doen. Bedrijven kan het ook ontbreken aan de middelen of vaardigheden om eigen distributiekanalen, eigen service-organisaties, gespecialiseerde logistieke faciliteiten of consumentenmerklicenties, die consolidatie in de bedrijfstak zouden bevorderen, te ontwikkelen.

Bestaande bedrijven zijn kortzichtig of zelfingenomen. Ook al beschikken bedrijven over de middelen om consolidatie te bevorderen, ze kunnen emotioneel gebonden zijn aan traditionele praktijken in de bedrijfstak, die de fragmenteerde structuur in de hand werken, of ze kunnen op andere wijze niet in staat zijn om de gelegenheden tot verandering op te merken. Dit verschijnsel, mogelijk in combinatie met een gebrek aan hulpmiddelen, kan een gedeeltelijke verklaring vormen voor de historische fragmentatie in de Amerikaanse wijnindustrie. Producenten zijn zeer lang gericht geweest op de produktie en hebben ogenschijnlijk weinig pogingen gedaan een nationaal distributiesysteem op te zetten of merkbekendheid bij de consument te bewerkstelligen. Een aantal grote consumptiegoederen en dranken producerende maatschappijen hebben zich in het midden van de jaren zestig in de bedrijfstak ingekocht en deze oriëntatie veranderd.

Gebrek aan aandacht door bedrijven van buitenaf. Als de twee voorgaande omstandigheden zich voordoen, blijven sommige bedrijfstakken langdurig gefragmenteerd, ondanks het feit dat ze rijp zijn voor consolidatie, omdat ze door bedrijven daarbuiten niet worden opgemerkt. Er zijn geen bedrijven van buitenaf die er een goede kans in zien om hier middelen in te steken en er een nieuw perspectief in te brengen ter bevordering van consolidatie. Bedrijfstakken die aan de aandacht ontsnappen (terwijl ze goede toetredingsvooruitzichten bieden), bevinden zich gewoonlijk in de wat ongebruikelijker sectoren (etiketproducenten, champignonkwekerijen) of spreken weinig tot de verbeelding (vervaardiging van lucht- en oliefilters). Ze kunnen ook te nieuw of te klein zijn om voor de grotere gevestigde bedrijven, die de middelen hebben om fragmentatie te overwinnen, interessant te zijn.

Als een bedrijf een bedrijfstak kan ontdekken, waarin de gefragmenteerde structuur *niet* de onderliggende economische concurrentiestructuur weerspiegelt, dan kan deze een heel belangrijke strategische gelegenheid bieden. Een bedrijf kan op goedkope wijze tot zo'n bedrijfstak toetreden vanwege diens beginstructuur. Aangezien er geen onderliggende economische oorzaken van fragmentatie zijn, hoeven er geen investeringen gedaan of riskante innovaties doorgevoerd te worden om de onderliggende economische structuur te veranderen.

Het tegengaan van fragmentatie

In veel situaties is fragmentatie van de bedrijfstak wel degelijk het gevolg van de onderliggende economische bedrijfstakstructuur, die niet veranderd kan worden. Gefragmenteerde bedrijfstakken worden niet alleen gekenmerkt door veel concurrenten, maar tevens door een in het algemeen zwakke onderhandelingspositie ten opzichte van leveranciers en kopers. Kleine winstmarges kunnen hiervan het gevolg zijn. In zo'n omgeving is *strategische positionering* van bijzonder groot belang. De strategische uitdaging wordt gevormd door de opgave om de fragmentatie het hoofd te bieden door één van de meest succesvolle bedrijven te worden, ondanks het bescheiden marktaandeel.

Omdat elke bedrijfstak nu eenmaal weer anders is, bestaat er geen algemeen geldende methode om het best te concurreren in een gefragmenteerde bedrijfstak. Er is echter wel een aantal strategische alternatieven, waarmee de gefragmenteerde structuur kan worden tegengegaan. In elke specifieke situatie dienen deze alternatieven onderzocht te worden. Deze zijn specifieke benaderingen, die voortborduren op de lage kosten-, differentiatie- en focusstrategie, die in hoofdstuk 2 zijn besproken, nu meer toegespitst op de speciale omgeving van de gefragmenteerde bedrijfstak. Elk van deze strategieën is erop gericht om de strategische positionering van het bedrijf met betrekking tot de bijzondere aard van de concurrentie in gefragmenteerde bedrijfstakken te verbeteren of om de sterke concurrentiekrachten, die daarin gewoonlijk werkzaam zijn, te neutraliseren.

Strak geregelde decentralisatie. Aangezien gefragmenteerde bedrijfstakken doorgaans gekenmerkt worden door de noodzaak van nauwe coördinatie, een gerichtheid op locaal management, een uitstekende persoonlijke service en nauwkeurige controle, is strak geregelde decentralisatie een belangrijk alternatief voor concurrentie. In plaats van een verhoging van de bedrijfsschaal op één of meerdere plaatsen is deze strategie er juist op gericht om de individuele operaties zo klein en autonoom mogelijk te houden. Belangrijk bij deze benadering is een strakke centrale controle en een systeem van beloning naar prestatie voor de plaatselijke managers. Deze strategie wordt met veel succes gevolgd door Indal, in de aluminiumindustrie in Canada, door verschillende opkomende ketens van kleine en middelgrote kranten die de laatste twintig jaar in de V.S. zijn ontstaan, en door de zeer succesvolle Dillon Companies in de levensmiddelendetailhandel, om maar eens enkele voorbeelden te noemen. De strategie van Dillon bijvoorbeeld, berust op het overnemen van een groep van kleine regionale kruideniersketens zonder dat de zelfstandigheid ervan wordt aangetast en met behoud van de eigen naam, koopgroep, enzovoort. Pijler van dit systeem is een centrale controle en een zeer strak intern promotiebeleid. Door deze strategie is homogenisering van de individuele onderdelen en daarmee de ongevoeligheid voor plaatselijke omstandigheden, waar sommige levensmiddelenketens mee te kampen hebben, vermeden en is bovendien de invloed van de vakbonden gering.

Essentieel voor zo'n strategie is het onderkennen van en inspelen op de oorzaken van fragmentatie, waarbij echter een mate van professionalisme wordt toegevoegd aan de wijze waarop locale managers handelen.

'Standaard'voorzieningen. Een tweede alternatief, dat samenhangt met het voorgaande, is het beschouwen van de opbouw van efficiënte 'lage kosten'-voorzieningen op meerdere plaatsen als een strategische sleutelvariabele in de business. Deze strategie omvat het ontwerpen van een standaardvoorziening, of het nu een fabriek is of een dienstverleningscentrum, waarbij vervolgens nauwgezet wordt gezocht naar een manier waarop deze voorziening met een minimum aan kosten geconstrueerd en in werking gezet kan worden. Op deze wijze verlaagt het bedrijf zijn investeringskosten in vergelijking met de concurrenten en/of zorgt voor een efficiëntere of aantrekkelijker locatie, vanwaaruit geopereerd kan worden. Sommige van de meest succesvolle producenten van kampeerauto's, zoals Fleetwood Inc., hebben deze strategie gevolgd.

Verhoging van de toegevoegde waarde. Veel gefragmenteerde bedrijfstakken produceren produkten of diensten, die handelsartikelen of anderszins moeilijk te differentiëren zijn; veel distributiebedrijven bijvoorbeeld, hebben soortgelijke, zo niet precies dezelfde produktassortimenten in voorraad als hun concurrenten. In dergelijke gevallen kan het verhogen van de toegevoegde waarde in de bedrijfstak door meer service bij de verkoop te verlenen, door het eindprodukt op enigerlei wijze aan te passen (zoals het op maat zagen of het boren van gaten) of door subassemblage of assemblage te verrichten van de componenten voor ze aan de klanten worden verkocht. Door dergelijke activiteiten kunnen produktdifferentiatie en daarmee de hogere marges, die met de basisprodukten of dienstverlening niet gerealiseerd kunnen worden, verwezenlijkt worden. Dit concept is met succes uitgevoerd door een aantal metaalgroothandels die zich een positie hebben verworven als 'metal service centers', waar eenvoudige fabricagewerkzaamheden worden verricht en de klant uitgebreid wordt geadviseerd in wat vroeger altijd een zuiver intermediaire bedrijfstak was. Ook enkele groothandels in elektronische onderdelen zijn op soortgelijke wijze succesvol geweest met de subassemblage van connectoren van afzonderlijke onderdelen of bouwpakketten.

Toegevoegde waarde kan soms ook bereikt worden door voorwaartse integratie van produktie naar distributie of detailhandel. Door deze stap kan de macht van de kopers geneutraliseerd of een grotere produktdifferentiatie bereikt worden door een grotere invloed op de verkoopvoorwaarden.

Specialisatie door produktsoort of produktsegment. Als fragmentatie van de bedrijfstak het gevolg is van of gepaard gaat met veelsoortigheid van het produktassortiment, dan kan specialisatie in een kleine groep produkten een efficiënte strategie zijn voor het behalen van meer dan gemiddelde resultaten. Deze benadering is een variant van de focusstrategie, besproken in hoofdstuk 2. Deze kan het bedrijf de mogelijkheid geven om meer invloed bij onderhandelingen met leveranciers uit te oefenen door meer van hen te kopen. Ook kan hierdoor de produktdifferentiatie met de klant toenemen als gevolg van de als specialiteit gewaardeerde expertise en reputatie in dat bepaalde produktgebied. De focusstrategie stelt het bedrijf in staat om beter geïnformeerd te zijn inzake het produktgebied en mogelijk ook om te investeren in het vermogen om de klanten te 'onderwijzen' en service op dit specifieke gebied te verlenen. De kosten van zo'n specialisatiestrategie kunnen weliswaar een beperking vormen voor de groeivooruitzichten van het bedrijf.

Een interessant voorbeeld van produktspecialisatie, gekoppeld aan vergroting van de toegevoegde waarde, levert Ethan Allan, die met zeer veel succes opereert in de gefragmenteerde meubelindustrie. Ethan Allan heeft zich gespecialiseerd in Oudamerikaanse meubels en biedt daarin een assortiment aan, waarin de klant een keuze kan maken uit individuele artikelen om zo tot professioneel ingerichte kamers te komen:

Wij verkopen wat je met het produkt kan doen, niet het produkt zelf. Wij bieden de middenklasse een dienst die voorheen alleen de rijken zich konden permitteren.[2]

Dankzij dit geïntegreerde concept kan Ethan Allan tot 20 procent extra vragen voor zijn produkten, die door intensieve TV-reclame ondersteund worden. Het bedrijf verkoopt bovendien via een uniek netwerk van onafhankelijke, exclusieve detailhandelsvestigingen, waardoor differentiatie versterkt wordt en moeizame onderhandelingen met warenhuizen en discountwinkels vermeden worden. Hoewel het marktaandeel van het bedrijf slechts ongeveer 3 procent is, liggen de winsten ruim boven het gemiddelde.

[2] 'Nat Ancell's Unique Selling Proposition', *Forbes*, 25 December, 1978.

Specialisatie door maatwerk. Als de concurrentie door de gefragmenteerde structuur zeer intens is, kan een bedrijf mogelijk baat hebben bij specialisatie in een specifieke klantencategorie in de bedrijfstak - misschien de klanten met de zwakste onderhandelingspositie, omdat ze jaarlijks kleine hoeveelheden kopen of omdat ze absoluut gezien klein zijn. Een andere mogelijkheid voor het bedrijf is dat het zich toelegt op de minst prijsgevoelige kopers[3] of die kopers, die het meest behoefte hebben aan de toegevoegde waarde die het bedrijf naast het basisprodukt of de basisdienst levert. Evenals produktspecialisatie kan klantenspecialisatie de groeimogelijkheden van een bedrijf beperken, waar dan echter hogere winsten tegenover staan.

Specialisatie in een bepaald type order. Los van de klant kan een bedrijf zich specialiseren in een bepaald soort order om de druk van de concurrentie in een gefragmenteerde bedrijfstak het hoofd te bieden. Een voorbeeld hiervan is het uitvoeren van alleen kleine orders, waarbij de klant onmiddellijke levering wil en minder prijsgevoelig is. Een andere mogelijkheid is dat een bedrijf alleen orders op maat aanneemt om te kunnen profiteren van een verminderde prijsgevoeligheid of om overstapkosten in te bouwen. Ook hier weer kunnen de kosten van zo'n specialisatie beperkingen stellen aan de omvang.

Focus op een geografisch gebied. Hoewel een belangrijk marktaandeel binnen de gehele bedrijfstak buiten bereik ligt en er evenmin nationale schaalvoordelen te behalen zijn (en er zelfs wellicht sprake is van schaalnadelen), kunnen er toch belangrijke voordelen te behalen zijn bij het richten van alle aandacht op een bepaald geografisch gebied door daar faciliteiten en marketing- en verkoopactiviteiten op te concentreren. Door dit beleid kan bespaard worden op het gebruik van de verkoopafdeling, kan er efficiënter geadverteerd worden, wordt één enkel distributiecentrum mogelijk, enzovoort. Als men daarentegen delen van de onderneming over verschillende gebieden verspreid heeft, worden de problemen van concurreren in een gefragmenteerde bedrijfstak alleen maar groter. Deze strategie van 'volledige bedekking' is zeer doeltreffend gebleken in de levensmiddelenbedrijfstak, die ondanks het bestaan van enkele nationale ketens gefragmenteerd is gebleven.

Soberheid. Gezien de intensiteit van de concurrentie en de lage marges in veel gefragmenteerde bedrijfstakken kan het nauwlettend handhaven van sober concurrentiegedrag een eenvoudig, maar doeltreffend strategisch alternatief zijn - dat wil zeggen: lage overheadkosten, laag opgeleid personeel, nauwkeurige kostenbewaking en oog voor het detail. Door een derge-

[3] Zie voor een bespreking van de kenmerken die de onderhandelingspositie van de kopers en hun prijsgevoeligheid beïnvloeden de hoofdstukken 1 en 6.

lijk beleid kan een bedrijf goed concurreren in prijs en toch nog een meer dan gemiddeld resultaat boeken.

Achterwaartse integratie. Hoewel door de oorzaken van fragmentatie een groot marktaandeel uitgesloten kan zijn, kunnen door een selectieve achterwaartse integratie toch de kosten omlaag gebracht worden en de concurrenten die zich zo'n integratie niet kunnen veroorloven, onder druk gezet worden. De beslissing om te integreren dient uiteraard pas te worden genomen na een volledige analyse, die in hoofdstuk 14 wordt besproken.

Potentiële strategische valkuilen

De unieke structurele omgeving van een gefragmenteerde bedrijfstak brengt een aantal kenmerkende strategische valkuilen met zich mee. Enkele veel voorkomende gevaren, die als een rode vlag moeten dienen bij de analyse van strategische alternatieven in elke gefragmenteerde bedrijfstak, zijn de volgende:

Streven naar overheersing. De onderliggende structuur van een gefragmenteerde bedrijfstak maakt het zinloos om een overheersende positie na te streven, tenzij die structuur fundamenteel gewijzigd kan worden. Behoudens dit is de poging van het bedrijf om een dominerend marktaandeel te verwerven tot mislukken gedoemd. De onderliggende economische oorzaken van de fragmentatie hebben gewoonlijk tot gevolg dat het bedrijf zichzelf onderwerpt aan inefficiënte werkwijzen, verlies aan produktdifferentiatie en de grillen van leveranciers en klanten, naarmate het marktaandeel toeneemt. Door te proberen aan alle wensen van alle mensen tegemoet te komen wordt het bedrijf in het algemeen zeer kwetsbaar voor de concurrentiekrachten in de gefragmenteerde bedrijfstak, ook al kan het voor andere bedrijfstakken een uiterst doeltreffende strategie zijn, omdat door grootschaligheid kostenvoordelen en andere besparingen worden gerealiseerd.

Een voorbeeld van een bedrijf dat door schade en schande wijs is geworden, is Prelude Corporation, dat niet onder stoelen of banken stak dat het ernaar streefde de 'General Motors' van de kreeftenvisserijhandel te zijn.[4] Het bouwde een grote vloot van dure, zeer modern uitgeruste kreeftenvissersboten, zorgde voor eigen onderhoudswerkplaatsen en dokken en integreerde verticaal in vrachtvervoer en restaurants. De besparingen waren echter helaas niet van dien aard dat de schepen belangrijk meer kreeft vingen dan de andere vissersboten en de hoge overheadstructuur en de zware vaste lasten maakten het bedrijf zeer kwetsbaar voor de onvermij-

---

[4] Zie voor een uitgebreide beschrijving van Prelude *Prelude Corporation*, Harvard Business School, ICCH #4-373-052, 1968.

delijke schommelingen in de vangstcijfers. De hoge vaste lasten leidden ook tot prijsverlagingen door de kleine vissers, die hun bedrijfsresultaten niet afmaten tegen de winsten van Prelude en met een veel lagere opbrengst tevreden leken. Het resultaat was een financiële crisis en de uiteindelijke sluiting van het bedrijf. Geen enkel onderdeel van de strategie van Prelude speelde in op de oorzaken van de fragmentatie in de bedrijfstak en het streven naar overheersing was dus zinloos.

Gebrek aan strategische discipline. Voor slagvaardige concurrentie in een gefragmenteerde bedrijfstak is vaak een zeer strakke strategische discipline vereist. Als de oorzaken van de fragmentatie niet overwonnen kunnen worden, vereist de concurrentiestructuur van zo'n bedrijfstak in het algemeen gerichtheid op of specialisatie in een of ander duidelijk omlijnd strategisch concept, zoals beschreven in het voorafgaande. Voor de uitvoering hiervan kan de moed nodig zijn om zowel bepaalde onderdelen af te stoten als om tegen de gevestigde opvattingen over hoe de zaken in de bedrijfstak in het algemeen geregeld worden in te gaan. Een ongedisciplineerde of opportunistische strategie kan op korte termijn wel effect hebben, maar heeft gewoonlijk wel tot gevolg dat het bedrijf op de lange duur aan de intensieve concurrentiekrachten, die in gefragmenteerde bedrijfstakken voorkomen, komt bloot te staan.

Overcentralisatie. In veel gefragmenteerde bedrijfstakken zijn persoonlijke service, locale contacten, strakke controle op de operaties, vermogen om op schommelingen of stijlveranderingen te reageren, enzovoort van essentieel belang om te kunnen concurreren. Een gecentraliseerde organisatiestructuur werkt in de meeste gevallen inefficiënt, omdat dit de responstijd vertraagt, het initiatief van het plaatselijk personeel afremt en capabele personen, noodzakelijk voor het verrichten van veel persoonlijke diensten, af kan schrikken. Terwijl gecentraliseerde controle vaak handig en zelfs essentieel is voor de bedrijfsvoering van vertakte ondernemingen in een gefragmenteerde bedrijfstak, kan een gecentraliseerde structuur een ramp zijn.

Evenzo is de economische structuur van een gefragmenteerde bedrijfstak vaak zodanig, dat een gecentraliseerde produktie- of marketingorganisatie geen schaalvoordelen oplevert, maar eerder nadelen. Door centralisatie op deze gebieden wordt een bedrijf dus eerder verzwakt dan versterkt.

Veronderstelling dat concurrenten dezelfde overhead en doelstellingen hebben. Kenmerkend voor gefragmenteerde bedrijfstakken is vaak dat er veel kleine privébedrijven in opereren. Eigenaar-managers kunnen bovendien andere dan economische redenen hebben om in de bedrijfstak zitten. Dit in aanmerking genomen, is de veronderstelling dat zulke concurrenten de overheadstructuur of de doelstellingen van een grote onderneming hebben, een ernstige vergissing. Het zijn vaak huisbedrijven, die familieleden in dienst hebben en waar administratiekosten en de noodzaak van aantrekkelijke arbeidsvoorwaarden vermeden worden. Het feit dat zulke concurrenten 'inefficiënt' zijn, betekent nog niet dat hun kosten in verhouding tot een grote onderneming in dezelfde bedrijfstak hoog zijn. Zulke concurrenten kunnen eveneens heel goed tevreden zijn met een ander (en lager) winstniveau dan het grote bedrijf en ze kunnen veel meer geïnteresseerd zijn in het handhaven van de omzet en de werkgelegenheid dan in louter winst. Hun reacties op prijsveranderingen en andere gebeurtenissen in de bedrijfstak kunnen dus zeer verschillen van die van het 'normale' bedrijf.

Overreacties op nieuwe produkten. In een gefragmenteerde bedrijfstak zorgt het grote aantal concurrenten er bijna altijd voor dat de koper in een sterke onderhandelingspositie verkeert en in staat is om de ene concurrent tegen de andere uit te spelen. Tegen deze achtergrond kunnen nieuwe produkten vaak als een redder in de nood worden beschouwd van een anders zeer explosieve concurrentiesituatie. Bij een snel groeiende vraag en met kopers, die doorgaans onbekend zijn met het nieuwe produkt, kan de prijsconcurrentie mild zijn en zullen de kopers roepen om meer informatie en service van het bedrijf. Dit is zo'n welkome opluchting voor de gefragmenteerde bedrijfstak dat de bedrijven belangrijke investeringen doen om zich hieraan aan te passen. Bij de eerste tekenen van volwassenheid echter, haalt de gefragmenteerde structuur de vraag in en verdwijnen de marges, waaruit deze investeringen teruggewonnen zouden worden. Er bestaat dus een risico van overreactie op nieuwe produkten, waardoor de kosten en de overhead zullen stijgen en waardoor het bedrijf een nadeel zal ondervinden in de prijsconcurrentie dat nu eenmaal inherent is aan veel gefragmenteerde bedrijfstakken. Hoewel de reactie op nieuwe produkten een moeilijk probleem is in alle bedrijfstakken, geldt dit in hoge mate voor gefragmenteerde bedrijfstakken.

Het formuleren van een strategie

Als we het tot nu toe besprokene eens op een rijtje zetten, dan kunnen we een algemeen analyseschema opstellen voor het formuleren van een concurrentiestrategie in gefragmenteerde bedrijfstakken (zie figuur 9-2). *De eerste stap* is het uitvoeren van een volledige bedrijfstak- en concurrentie-analyse om de bronnen van de concurrentiekrachten in de bedrijfstak, de structuur binnen die bedrijfstak en de posities van de belangrijkste concurrenten te identificeren. Met deze analyse als achtergrond is *stap twee* het vaststellen van de oorzaken van fragmentatie in de bedrijfstak. Het is belangrijk dat het overzicht van de oorzaken compleet is en dat het verband met de economische structuur van de bedrijfstak vastgesteld wordt. Als er geen onderliggende economische basis is voor de fragmentatie, dan is dat, zoals we al eerder zagen, een belangrijke conclusie.

De derde stap bestaat uit een afzonderlijk onderzoek naar de oorzaken van fragmentatie van de bedrijfstak in de context van de bedrijfstak- en concurrentie-analyse van stap één. Kan een van deze bronnen van fragmentatie door innovatie of strategische veranderingen overwonnen worden? Is daar slechts het inpompen van bedrijfsmiddelen (resources) of een nieuw standpunt voor nodig? Zijn er oorzaken van fragmentatie, die direct of indirect door trends in de bedrijfstak veranderd zullen worden?

Stap vier hangt af van een positief antwoord op een van de voorgaande vragen. Als de fragmentatie overwonnen kan worden, moet het bedrijf bepalen of de eventuele toekomstige structuur van de bedrijfstak goede resultaten zal opleveren. Om deze vraag te beantwoorden moet het bedrijf het nieuwe structurele evenwicht in de bedrijfstak voorspellen, nadat consolidatie heeft plaatsgevonden, en vervolgens opnieuw een structurele analyse toepassen. Als de geconsolideerde bedrijfstak goede winsten belooft is de laatste vraag: wat is de beste, verdedigbare positie voor het bedrijf om te profiteren van deze bedrijfstakconsolidatie?

Als de kansen op het overwinnen van de fragmentatie, geanalyseerd in stap vier, ongunstig liggen, bestaat *stap vijf* uit het kiezen van het beste alternatief voor de bedrijfsvoering onder die omstandigheden. Deze stap zal een beschouwing van de globale alternatieven omvatten, die hierboven beschreven staan, benevens andere, die met het oog op de specifieke vaardigheden en middelen van het bedrijf wellicht voor een bepaalde bedrijfstak geschikt zijn.

Behalve dat deze stappen een methode geven voor een reeks analyseprocessen die periodiek doorlopen dienen te worden, richten ze tevens de aandacht op de meest vitale gegevens voor het analyseren van gefragmenteerde bedrijfstakken en voor het concurreren hierin. Voor het nauwkeurig onderzoeken van de omgeving en het voorspellen van technologische ont-

FIGUUR 9-2   Stappen voor het formuleren van een concurrentiestrategie in gefragmenteerde bedrijfstakken

Stap één   Hoe ziet de structuur van de bedrijfstak eruit en wat zijn de posities van de concurrenten?

Stap twee   Waarom is de bedrijfstak gefragmenteerd?

Stap drie   Kan de fragmentatie overwonnen worden? Hoe?

Stap vier   Is het rendabel om de fragmentatie te overwinnen? Vanuit welke positie kan het bedrijf dit het beste doen?

Stap vijf   Als aan fragmentatie niet te ontkomen is, wat is dan de beste manier om hierin te opereren?

wikkelingen zijn de oorzaken van fragmentatie, voorspellingen van de effecten van innovatie op deze oorzaken en het onderkennen van trends in de bedrijfstak die deze oorzaken zouden kunnen veranderen, van essentieel belang.

10
Concurrentiestrategie in opkomende bedrijfstakken

Opkomende bedrijfstakken zijn nieuw gevormde of hervormde bedrijfstakken, die ontstaan zijn door technologische innovaties, verschuivingen in de relatieve kostenverhoudingen, het ontstaan van nieuwe behoeften bij de consument of andere economische of sociologische veranderingen die een nieuw produkt of een nieuwe dienst tot het niveau stuwen van mogelijk profijtelijke handel. Nieuwe bedrijfstakken ontstaan voortdurend; voorbeelden van in de jaren zeventig ontstane bedrijfstakken zijn zonneverwarming, videospelletjes, optische apparatuur van glasfiber, tekstverwerking, personal computers en brandalarm. Vanuit strategisch oogpunt doen de problemen van een opkomende bedrijfstak zich ook voor, als een oude bedrijfstak een fundamentele verandering ondergaat wat betreft de concurrentieregels en een toename van de schaal door grotere orders, veroorzaakt door de zojuist genoemde omgevingsveranderingen. Gebotteld bronwater bestaat bijvoorbeeld al vele jaren, maar de dominerende positie van Perrier is symptomatisch voor de groei en de fundamentele herdefiniëring van de bedrijfstak. Als zich een dergelijke groei en herdefiniëring heeft voorgedaan, heeft een bedrijfstak te maken met strategische kwesties, die niet wezenlijk verschillen van die van een pas ontstane bedrijfstak.

Het essentiële kenmerk van een opkomende bedrijfstak, gezien vanuit het oogpunt van strategieformulering, is het feit dat er nog geen spelregels bestaan. Het concurrentieprobleem van een opkomende bedrijfstak ligt in het feit dat al die regels op zodanige wijze opgesteld moeten worden, dat een bedrijf er met goed resultaat mee kan werken. Het ontbreken van regels is zowel een risico als een waar te nemen gelegenheid; in ieder geval dient die situatie te worden beheerst.

In dit hoofdstuk zullen de problemen onderzocht worden van een concurrentiestrategie in deze belangrijke structurele omgeving, waarbij zal worden voortgebouwd op de analytische basis van deel I. Allereerst zullen de structurele en concurrentiekenmerken van opkomende bedrijfstakken worden geschetst om het concurrentieklimaat tegen deze achtergrond te belichten. Vervolgens zal ik de karakteristieke problemen vaststellen, die men bij de ontwikkeling van een nieuwe bedrijfstak tegenkomt, die de groei beperken en die een belangrijke rol spelen bij het verwerven van een gunstige positie tussen de concurrenten. Ook zullen de factoren vastgesteld worden, die bepalend zijn voor de kopers of kopersegmenten, oftewel de 'eerste kopers' van het nieuwe produkt. Dit laatste is niet alleen van cruciaal belang voor het formuleren van een concurrentiestrategie, maar ook voor het doen van voorspellingen omtrent de ontwikkeling van de bedrijfstak, aangezien de eerste kopers een belangrijke invloed kunnen hebben op de vormgeving, de produktie, de levering en de marketing van het produkt.

Nadat enkele sleutelaspecten van de omgeving binnen opkomende bedrijfstakken zijn behandeld, zal ik ingaan op enige belangrijke strategische keuzes, waarvoor bedrijven in die bedrijfstak gesteld worden, en enkele strategische alternatieven die kansen op een goede oplossing bieden. Tenslotte zullen enige analytische instrumenten voor het voorspellen van de toekomst van de opkomende bedrijfstak de revue passeren, samen met richtlijnen voor het selecteren van opkomende bedrijfstakken die potentiële toetreders gunstige vooruitzichten bieden.

De structurele omgeving

Hoewel opkomende bedrijfstakken erg van structuur kunnen verschillen, zijn er wel enkele gemeenschappelijke factoren die veel bedrijfstakken in dat stadium lijken te karakteriseren. De meeste hebben te maken met het ontbreken van gevestigde concurrentiebases, of met andere spelregels, of met de aanvankelijk kleine omvang en nieuwheid van de bedrijfstak.

ALGEMENE STRUCTURELE KENMERKEN

Technologische onzekerheid. In een opkomende bedrijfstak zijn er gewoonlijk grote technologische onzekerheden: welke produktconfiguratie zal uiteindelijk de beste blijken te zijn? Welke produktietechniek zal het meest efficiënt blijken te zijn? In brandalarmsystemen bestaat er bijvoorbeeld nog steeds onzekerheid over de vraag wat nu beter gebruikt kan worden: foto-elektrische of ioniseringsdetectoren; momenteel worden beide systemen door verschillende bedrijven geproduceerd.[1] De methodes van Philips en RCA met betrekking tot de technologie van videodisks liggen in de race om als standaard te worden aangenomen, evenals alternatieve methodes in de televisie-industrie dit deden in de jaren veertig. Er kunnen ook alternatieve produktietechnieken bestaan, die nog niet op grote schaal zijn uitgeprobeerd. Bij de fabricage van optische fibermaterialen bijvoorbeeld worden door de diverse bedrijven in die bedrijfstak minstens vijf verschillende processen toegepast.

Strategische onzekerheid. Verband houdend met technologische onzekerheid, maar dieper geworteld, is het brede scala van strategische methodes, die vaak door de bedrijven wordt uitgeprobeerd. Er is nog geen 'juiste' strategie gevonden en de diverse bedrijven proberen verschillende methodes uit voor produkt-/marktpositionering, marketing, service, enzovoort en tevens houden ze het op verschillende produktconfiguraties of produktietechnieken. Firma's in zonneverwarming bijvoorbeeld nemen zeer verschillende posities in met betrekking tot het leveren van onderdelen versus systemen, marktsegmentatie en distributiekanalen. Nauw verwant met dit probleem is het feit dat de bedrijven vaak slecht geïnformeerd zijn over de concurrenten, de eigenschappen van de klanten en de situatie in de bedrijfstak in de fase van opkomst. Niemand weet wie alle concurrenten zijn en betrouwbare gegevens over de verkoop binnen de bedrijfstak en de marktaandelen zijn bijvoorbeeld vaak eenvoudig niet te verkrijgen.

Hoge initiële kosten, maar sterke kostendaling. Het kleine produktievolume en de nieuwheid hebben in de opkomende bedrijfstak meestal kosten tot gevolg die hoog zijn in vergelijking met wat de uiteindelijk kosten kunnen zijn. Zelfs voor technologieën, waar de 'learning'curve zich spoedig zal stabiliseren, is er aanvankelijk doorgaans een zeer steile 'learning'curve. Nieuwe ideeën volgen elkaar snel op in termen van verbeterde procedures, fabrieksinrichting, enzovoort en het personeel begint steeds produktiever te worden naarmate de vertrouwdheid met het werk toeneemt. Groei van de verkoopcijfers draagt bij tot de schaal en de totale hoeveelheid output, geproduceerd door de bedrijven. Deze factoren worden nog benadrukt, indien, zoals gebruikelijk is, de technologie in de opkomende fase van de bedrijfstak arbeidsintensiever is dan deze uiteindelijk zal worden.

Het resultaat van een steile 'learning'curve is dat de aanvankelijk hoge kosten proportioneel zeer snel afnemen. Als het voordeel van het 'learning'-effect gecombineerd wordt met verruiming van de mogelijkheden om schaalvoordelen te bereiken naarmate de bedrijfstak groeit, dan zullen de kosten nog sneller dalen.

---

[1] Door Abernathy wordt dit in de regel aangeduid als het ontbreken van een 'overheersend ontwerp' voor het produkt of de dienst. Zie Abernathy (1978).

Beginnende bedrijven en 'spin-offs'. Een bedrijfstak in de opkomende fase gaat meestal vergezeld met de aanwezigheid van het grootste aantal nieuw opgerichte bedrijven (die onderscheiden dienen te worden van nieuw opgerichte eenheden van gevestigde ondernemingen) dan deze in zijn verdere bestaan ooit zal meemaken. Voorbeelden hiervan zijn de vele nieuwe bedrijven die hedendaagse, opkomende bedrijfstakken als personal computers en zonneverwarming bevolken, zoals dat ook het geval was in de eerste jaren van de auto-industrie (Packard, Hudson, Nash en nog tientallen anderen) en van de minicomputerindustrie (bijvoorbeeld Digital Equipment, Data General, Computer Automation). Als er geen gevestigde spelregels of schaalvoordelen als afschrikkingsfactoren aanwezig zijn, kunnen nieuw gevormde bedrijven in staat zijn om zich in een opkomende bedrijfstak een positie te verwerven (deze situatie zal verderop besproken worden).

Verwant met de nieuw gevormde bedrijven zijn de vele 'spin-off' bedrijven, oftewel bedrijven die zijn opgericht door personeelsleden van bedrijven in die bedrijfstak, die voor zichzelf willen beginnen. In de sector van minicomputers sponnen zich uit Digital Equipment een aantal spin-offs (bijvoorbeeld Data General), evenals uit Varian Associates (bijvoorbeeld General Automation) en Honeywell, en we zouden nog veel meer bedrijfstakken kunnen opnoemen, waar spin-off bedrijven een normaal verschijnsel zijn. Het verschijnsel van spin-offs hangt samen met een aantal factoren. Ten eerste kunnen in een klimaat van snelle groei en vele onmiskenbare mogelijkheden de voordelen van aandelenparticipatie aantrekkelijker lijken dan een salaris bij een gevestigde firma. Ten tweede zijn werknemers van gevestigde bedrijven vanwege de technologische en strategische onzekerheden in de opkomstfase vaak in een goede positie om nieuwe en betere ideeën te bedenken, waarbij ze gebruik maken van het feit dat ze dicht bij het vuur zitten. Soms vertrekken mensen om hun inkomen te verbeteren, maar vaak ontstaan er spin-offs, omdat een werknemer bij zijn werkgever op verzet stuit bij het uitproberen van zijn nieuwe idee, misschien omdat dit veel van de investeringen van het bedrijf in het verleden zou ondermijnen. Waarnemers van de bedrijfstak zeggen dat Data General werd opgericht, toen Edson de Castro en een handvol andere werknemers van Digital Equipment dit bedrijf niet warm konden krijgen voor een nieuw produkt dat volgens hen veel mogelijkheden bood. Als de structuur van de bedrijfstak geen substantiële toetredingsbarrières voor nieuw gevormde bedrijven opwerpt, kunnen spin-off bedrijven in opkomende bedrijfstakken een veel voorkomend verschijnsel worden.

Kopers voor de eerste keer. Kopers van produkten of diensten van een opkomende bedrijfstak zijn per definitie kopers voor de eerste keer. De marketingtaak bestaat dus uit het stimuleren van substitutie of uit het overhalen van de koper om het nieuwe produkt of de nieuwe dienst te kopen in plaats van iets anders. De koper moet geïnformeerd worden over de basiskenmerken en de functies van het nieuwe produkt, hij moet ervan overtuigd worden dat het deze functies ook daadwerkelijk kan uitvoeren en tenslotte tot het inzicht gebracht worden dat het mogelijke profijt opweegt tegen de risico's van aankoop. Op dit moment bijvoorbeeld zijn zonneverwarmingsbedrijven bezig huiseigenaren en kopers van huizen ervan te overtuigen dat de kostenbesparingen van zonneverwarming reëel zijn, dat de systemen betrouwbaar zijn en dat ze niet op nog meer belastingvoordelen van de regering hoeven te wachten om deze nieuwe technologie hun vertrouwen te geven. Ik zal verderop nog uitgebreid ingaan op de factoren, die kopers ertoe verleiden om in een vroeg stadium met een nieuw produkt in zee te gaan.

Korte tijdshorizon. In veel opkomende bedrijfstakken is de druk om klanten te verwerven of produkten te produceren teneinde aan de vraag te voldoen zo groot, dat met bottlenecks en problemen eerder opportunistisch wordt omgegaan dan als een resultaat van een analyse van toekomstige condities. Daarnaast ontstaan afspraken binnen de bedrijfstak vaak uit puur toeval: bijvoorbeeld geconfronteerd met de noodzaak om een prijsschema vast te stellen, stelt een bedrijf een maximum- en minimumprijs vast, die de marketingmanager in zijn vorige bedrijf ook gebruikte, en volgen de andere bedrijven daarin bij gebrek aan een alternatief. Op deze beide manieren ontstaat de 'conventionele wijsheid' die al in hoofdstuk 3 werd besproken.

Subsidie. In veel opkomende bedrijfstakken, vooral die waarin een radicaal nieuwe technologie wordt toegepast of waarmee een maatschappelijk belang is gemoeid, komt het voor dat vroege toetreders gesubsidieerd worden. Subsidie kan afkomstig zijn van uiteenlopende overheidsinstanties en andere instellingen; in het oog springende voorbeelden aan het begin van de tachtiger jaren zijn de forse subsidies aan zonneënergie en de omzetting van fossiele brandstoffen in gas. Subsidies kunnen rechtstreeks aan bedrijven worden toegekend in de vorm van geldbedragen of indirect via belastingvoordelen, het subsidiëren van kopers, enzovoort. Subsidies zorgen vaak voor een hoge mate van instabiliteit in een bedrijfstak, die daardoor afhankelijk wordt gemaakt van politieke beslissingen die weer snel ongedaan gemaakt of veranderd kunnen worden. Hoewel subsidie uiteraard in bepaalde opzichten zeer bevorderlijk werkt voor de ontwikkeling van de bedrijfstak, heeft het vaak een bemoeienis van overheidsinstanties met het bedrijfsleven tot gevolg, die zeker ook zijn keerzijde heeft. Om de moeilijkheden bij de start te kunnen overwinnen probeert men echter in veel opkomende bedrijfstakken toch subsidies los te krijgen; de aquacultuur is daarvoor in 1980 actief aan het lobbyen geweest.

VROEGE MOBILITEITSBARRIÈRES

In een opkomende bedrijfstak verschillen de mobiliteitsbarrières vaak voorspelbaar van die, die de bedrijfstak in een later ontwikkelingsstadium zullen kenmerken. De volgende barrières zijn in het begin gebruikelijk:

- technologie in eigendom;
- toegang tot distributiekanalen;
- toegang tot grondstoffen en andere input (geschoolde arbeid) van goede kwaliteit en tegen gunstige prijzen;
- kostenvoordelen als gevolg van ervaring, in belang toenemend door onzekerheden rond technologie en concurrentie;
- risico, dat de effectieve kapitaalkosten doet stijgen en daarmee effectieve barrières voor het aantrekken van kapitaal opwerpt.

Zoals we in hoofdstuk 8 hebben gezien, hebben sommige van deze barrières - zoals technologie in eigendom, toegang tot distributiekanalen, leereffecten en risico - sterk de neiging om in betekenis af te nemen naarmate de bedrijfstak zich verder ontwikkelt. Hoewel er uitzonderingen zijn, bestaan vroege mobiliteitsbarrières doorgaans *niet* uit merkidentificatie (het is allemaal nog nieuw), schaalvoordelen (daarvoor is de bedrijfstak nog te klein) of kapitaal (de grote bedrijven van tegenwoordig kunnen enorme hoeveelheden kapitaal vrijmaken voor een investering met een laag risico).

Het karakter van vroege barrières is een belangrijke reden om nieuw gevormde bedrijven in opkomende bedrijfstakken te bestuderen. De meest kenmerkende vroege barrières worden minder veroorzaakt door de behoefte aan omvangrijke middelen dan door het vermogen om risico's te dragen, technologisch creatief te zijn en met vooruitziende blik beslissingen te nemen inzake de toelevering van input en distributiekanalen. Dezelfde barrières vormen ook de verklaring voor het feit dat gevestigde bedrijven vaak niet de eerste bedrijven in een nieuwe bedrijfstak zijn, ook al hebben ze vaak overduidelijk een sterke positie, maar pas later hun intrede doen. Gevestigde bedrijven kunnen over de mogelijkheid beschikken om kapitaal te investeren, maar ze zijn er vaak slecht op voorbereid om de technologische en produktrisico's te nemen die noodzakelijk zijn in het beginstadium van bedrijfstakontwikkeling. Speelgoedbedrijven zijn bijvoorbeeld pas in een relatief laat stadium tot de bedrijfstak van videospelletjes toegetreden ondanks enkele duidelijk sterke punten, zoals klantenkennis, merknamen en distributievoorzieningen. De stormachtige technologische veranderingen lijken iets te overweldigend geweest te zijn. Evenzo waren de traditionele elektronenbuisbedrijven late toetreders tot de bedrijfstak van halfgeleiders en werden de producenten van elektrische koffiepercolators in de elektrische koffiezetapparaten verslagen door nieuwe bedrijven als Mr. Coffee. Aan late toetreding zijn echter enkele voordelen verbonden die verderop besproken zullen worden.

Problemen die bedrijfstakontwikkeling beperken

Opkomende bedrijfstakken hebben meestal te maken met grenzen of problemen van variërende impact, als ze de bedrijfstak van de grond willen trekken. Deze worden veroorzaakt door de nieuwheid van de bedrijfstak, door het feit dat de groei afhankelijk is van andere externe economische grootheden en door externe factoren in de ontwikkeling die het gevolg zijn van de noodzaak om substitutie door de kopers met het eigen produkt te stimuleren.

Onvermogen om grondstoffen en componenten te verkrijgen. De ontwikkeling van een opkomende bedrijfstak vereist dat er nieuwe leveranciers bijkomen of dat de gevestigde leveranciers hun output opvoeren en/of hun grondstoffen en componenten aanpassen aan de behoeften van de bedrijfstak. In de praktijk zijn ernstige tekorten aan grondstoffen en componenten zeer gewoon in opkomende bedrijfstakken. Een acuut tekort aan kleurenbuizen was in de jaren zestig bijvoorbeeld een belangrijke strategische factor voor de deelnemende bedrijven. Chips voor videospelletjes, vooral die voor 'single-chip'-spelletjes die door General Instrument ontwikkeld waren, waren zeer schaars en nauwelijks te verkrijgen voor nieuwe toetreders gedurende ruim een jaar, nadat ze op de markt waren gebracht.

Periode van snelle escalatie van grondstoffenprijzen. Door de pijlsnelle stijging van de vraag naar grondstoffen en de onvoldoende toelevering schieten de prijzen daarvan in de eerste fase van de opkomende bedrijfstak vaak omhoog. Deze situatie wordt deels veroorzaakt door de simpele economie van vraag en aanbod en deels doordat de leveranciers zich ervan bewust worden dat de bedrijfstak enorm om hun produkten verlegen zit. Als de leveranciers echter uitbreiden (of als de bedrijven in de bedrijfstak gaan integreren om bottlenecks te doen afnemen) kunnen de grondstoffenprijzen weer even hard kelderen. Deze keldering zal niet plaatsvinden, als de grondstoffenvoorraad niet makkelijk verruimd kan worden, zoals bij mineraalhoudende stukken grond of geschoolde arbeidskrachten.

Ontbreken van een infrastructuur. Opkomende bedrijfstakken worden vaak geconfronteerd met moeilijkheden als die van materiaalbevoorrading door het ontbreken van een goede infrastructuur: distributiekanalen, servicefaciliteiten, goed opgeleide mecaniciëns, complementaire produkten (bijvoorbeeld geschikte kampeerterreinen voor sportfietsen; koolaanvoer voor koolvergassingstechnologie) en dergelijke.

Ontbreken van een produkt- of technologische standaardisatie. Onenigheid over de standaardisering van produkt of techniek benadrukt de problemen in de toevoer van grondstoffen of complementaire produkten en kan een kostenverbetering in de weg staan. Onenigheid wordt meestal veroorzaakt door de hoge mate van onzekerheid over het produkt of de technologie, die nog in de opkomende bedrijfstak heerst.

Waargenomen waarschijnlijkheid van 'veroudering'. De groei van een opkomende bedrijfstak zal belemmerd worden, als kopers opmerken dat door technologieën van de tweede of derde generatie de huidige beschikbare produkten in onbruik zullen raken. Kopers zullen wachten, totdat het tempo van de technologische vooruitgang en de snelheid waarmee de kosten dalen afnemen. Dit verschijnsel doet zich voor in bedrijfstakken als digitale horloges en elektronische rekenmachientjes.

Verwarring bij de klant. Opkomende bedrijfstakken worden vaak geplaagd door verwarring bij de klant als gevolg van het veelvoud aan produktaanpak, technische varianten en elkaar tegensprekende beweringen door de concurrenten. Dit is allemaal symptomatisch voor de technologische onzekerheid en het daaruit voortvloeiende gebrek aan standaardisering en algemene technische overeenstemming door de bedrijven. Doordat het risico van aankoop in de ogen van de kopers toeneemt, kan deze verwarring de verkoopcijfers van de bedrijfstak beperken. De tegenstrijdige beweringen van producenten van ioniserings- versus foto-elektrische brandalarmsystemen worden bijvoorbeeld door sommigen als oorzaak gezien van het feit dat kopers hun aankoop uitstellen. In een artikel wordt een soortgelijk probleem in de bedrijfstak van zonneverwarming in 1979 samengevat:

> 'Maar wat ook belangrijk is voor de toekomstige gezondheid van de bedrijfstak, is de vraag in hoeverre de prestaties van de apparatuur met succes tot op het verwachtingsniveau van de klant kunnen worden gebracht. 'Te groot enthousiasme, onwetendheid en eigenbelang kunnen een gevaar betekenen voor het succes, waarmee een machtige energiebron voor Amerikaanse behoeften kan worden gebruikt,' zei Loff op de conferentie over zonneënergie in Denver. Terwijl Loff er de nadruk op legde dat het gebrek aan reactie op de belastingvoordelen één van de belangrijkste oorzaken was voor de malaise in de bedrijfstak, bekritiseerde hij ook zonne-messiassen, problemen met en gebreken aan zonneverwarmingssystemen in gebouwen, en... onverantwoordelijke beweringen van de leveranciers.'[2]

Veranderlijke produktkwaliteit. Met de vele nieuw gevestigde bedrijven, het ontbreken van enige standaard en de technologische onzekerheid is de kwaliteit van het produkt in opkomende bedrijfstakken vaak onvoorspelbaar.

---

[2] 'The Coming Boom in Solar Energy', *Business Week*, 9 oktober, 1978.

Deze veranderlijke kwaliteit kan het imago en de geloofwaardigheid van de *gehele bedrijfstak* aantasten, ook al wordt die veroorzaakt door slechts een paar bedrijven. Gebreken aan videospelletjes, zoals het doorbranden van beeldbuizen, hebben de groei in het eerste stadium op dezelfde wijze belemmerd als het gebrekkig functioneren van digitale horloges (en van nieuw gevestigde centra op concessiebasis voor het afstellen van auto's).

Imago en geloofwaardigheid bij de financiële gemeenschap. Als gevolg van de nieuwheid, de hoge mate van onzekerheid, de verwarring bij de klant en de wisselvallige kwaliteit kan het imago en de geloofwaardigheid van de opkomende bedrijfstak in de financiële wereld aangetast worden. Het gevolg hiervan is dat niet alleen de bedrijven moeite kunnen hebben om tegen lage kosten hun financiering rond te krijgen, maar ook dat de kopers moeilijker krediet kunnen krijgen. Hoewel financieringsmoeilijkheden zeer gebruikelijk zijn, lijken sommige bedrijfstakken (meestal high tech of 'concept'-bedrijven) hierop een uitzondering te vormen. In bedrijfstakken als die van minicomputers en datatransmissie hebben zelfs nieuw opgerichte bedrijven de status gekregen van lievelingetjes van Wall Street met zeer hoge noteringen en goedkoop geld.[3]

Officiële goedkeuring. Opkomende bedrijfstakken hebben vaak te kampen met vertragingen en bureaucratie voor ze erkend en goedgekeurd worden door officiële instanties, als ze nieuwe methodes bieden voor het vervullen van behoeften, die op dat moment vervuld worden door andere middelen die aan voorschriften zijn gebonden. Gestandaardiseerde woningbouw ondervond bijvoorbeeld ernstige hinder van de starre bouwvoorschriften en nieuwe medische produkten hebben te maken met lange periodes van verplichte precertificatietests. Aan de andere kant kan de politiek een opkomende bedrijfstak in een mum van tijd vaste grond onder de voeten geven, zoals is gebeurd toen de politiek zich ontfermde over de brandalarmsystemen.

Als de opkomende bedrijfstak zich buiten de sfeer van traditionele regelgeving bevindt, kunnen voorschriften soms plotseling opgelegd worden, hetgeen de progressie van de bedrijfstak vertraagt. Bronwater viel bijvoorbeeld van oudsher buiten alle regelgeving, totdat deze bedrijfstak zich in het midden van de jaren zeventig sterk uitbreidde. Nu deze een belangrijke omvang heeft bereikt, dreigen de producenten van mineraalwater echter te verdrinken in voorschriften met betrekking tot etiketten en gezondheid.[4] Hetzelfde verschijnsel heeft zich voorgedaan bij fietsen en kettingzagen; toen er een enorme groei van de bedrijfstak had plaatsgevonden, kregen de ambtenaren belangstelling.

---

[3] Zie voor andere voorbeelden Fruhan (1979).
[4] 'Mineral Water Could Drown in Regulation', *Business Week*, 11 juni 1979.

Hoge kosten. Door de vele eerder beschreven structurele omstandighe-den heeft de opkomende bedrijfstak vaak te maken met veel hogere kosten per eenheid dan de kosten, waarvan de bedrijven weten wat die uiteindelijk zullen zijn. Door deze situatie worden bedrijven soms gedwongen om hun prijs beneden de kosten te stellen of om de ontwikkeling van de bedrijfstak ernstig te beperken. Het probleem zit hem in het starten van de cyclus van kosten/volume.

Reactie van bedreigde partijen. Er is altijd wel een partij, waarvoor de opkomende bedrijfstak een dreiging vormt. Dit kan de bedrijfstak zijn waar een substituut geproduceerd wordt, een vakbond, distributiekanalen die banden hebben met het oude produkt en de zekerheid van het zaken doen met dat produkt prefereren, enzovoort. De meeste producenten van elek-trische gebruiksvoorwerpen zijn bijvoorbeeld aan het lobbyen tegen subsi-dies voor zonneënergie, omdat ze geloven dat de behoefte aan elektrische hoogspanning hierdoor niet zal afnemen. Bouwvakbonden hebben verbit-terd gestreden tegen gestandaardiseerde woningbouw.

De bedreigde partij kan een opkomende bedrijfstak op een aantal manieren bestrijden. Eén daarvan is de gereguleerde of politieke arena; een andere is de gezamenlijke onderhandelingstafel. Wanneer een bedrijfs-tak wordt bedreigd door substitutie, kan de reactie inhouden dat vooruit wordt gelopen op de winsten door de prijzen te verlagen (of dat kosten van

FIGUUR 10-1   Reactie van bedreigde bedrijfstak op substitutie

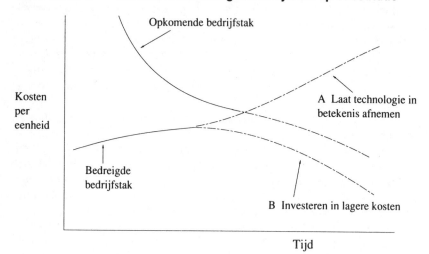

bijvoorbeeld marketing worden opgeschroefd) of dat er O&O-investeringen worden gedaan, die erop gericht zijn het bedreigde produkt of de bedreigde dienst concurrerender te maken. Figuur 10-1 illustreert deze laatste keus.[5] Als de bedreigde bedrijfstak ervoor kiest te investeren in pogingen om de kwaliteitsbepaalde kosten te verlagen, is het duidelijk dat het doel, waarop 'learning' en schaalverwante kostenbeperkingen zich moeten richten, veranderlijk is.

De geneigdheid van de bedreigde bedrijkfstak om in de prijszetting op de winsten te anticiperen of agressief in kostenbeperking te investeren teneinde de produktomvang te handhaven is direct afhankelijk van de *uittredingsbarrières* (zie hoofdstukken 1 en 12) in de bedreigde bedrijfstak. Als deze hoog zijn vanwege gespecialiseerde activa, het hoge strategische belang, emotionele bindingen of andere oorzaken, kan de opkomende bedrijfstak te maken krijgen met vastberaden en zelfs wanhopige pogingen van de bedreigde bedrijfstak om de groei ervan af te remmen.

Vroege en late markten[6]

Eén van de belangrijkste kwesties met betrekking tot strategische doeleinden in een opkomende bedrijfstak is vaak de bepaling van welke markten zich in een vroeg stadium voor het produkt van de nieuwe bedrijfstak zullen openstellen en welke markten later. Het antwoord hierop zal niet alleen helpen bij het bepalen van de richting van produktontwikkeling en marketing, maar is ook van wezenlijk belang voor het voorspellen van de structurele ontwikkeling, aangezien de vroege markten vaak in belangrijke mate de wijze bepalen waarop een bedrijfstak zich zal ontwikkelen.

Markten, marktsegmenten en zelfs individuele kopers binnen marktsegmenten kunnen zeer verschillend tegen een nieuw produkt aankijken. Een aantal criteria, waarvan sommige door bedrijven in de opkomende bedrijfstak beïnvloed of overwonnen kunnen worden, lijken van doorslaggevend belang te zijn voor het oordeel over een produkt.[7]

Aard van het voordeel. Misschien de enige belangrijkste beslissende factor voor de ontvankelijkheid van de koper ten aanzien van een nieuw produkt of een nieuwe dienst is de aard van het verwachte voordeel. We kunnen ons een continuum van voordelen voorstellen dat loopt van een nieuw produkt, dat een *prestatie*voordeel biedt dat met geen enkel ander middel te bereiken is, naar een produkt dat slechts een *kosten*voordeel te bieden

[5] Het idee van dit diagram is afkomstig van John Forbus van McKinsey & Company.
[6] De ideeën in dit deel zijn grotendeels ontleend aan het werk van Margaret O. Lawrence, indertijd onderzoeksassistent bij Bedrijfskunde aan de Harvard Business School.
[7] Deze criteria kunnen ook gebruikt worden bij het voorspellen van vroege markten voor een nieuwe produktvariant in een gevestigde bedrijfstak.

heeft. De tussenliggende gevallen zijn die, waarin een prestatievoordeel geboden wordt dat door andere middelen geëvenaard zou kunnen worden, maar dan tegen hogere kosten.

De vroegste markten die het nieuwe produkt kopen, overige omstandigheden gelijk verondersteld, zijn gewoonlijk die, waar het voordeel de prestatie betreft. Deze situatie doet zich voor, omdat het bereiken van een kostenvoordeel *in de praktijk* vaak met argusogen bekeken wordt door de kopers in verband met de nieuwheid, de onzekerheid, de vaak wisselvallige prestaties in een opkomende bedrijfstak en nog andere, later te bespreken factoren. Ongeacht of het nieuwe produkt nu een kostenvoordeel of een prestatievoordeel biedt, hangt het oordeel van de koper echter af van een aantal andere aspecten van het soort voordeel dat het produkt biedt:

Prestatievoordeel

- Hoe groot is het prestatievoordeel voor de individuele kopers? De kopers zullen in dit opzicht van elkaar verschillen door de verschillen in hun situaties.
- Hoe duidelijk is het voordeel?
- Hoe dringend is de noodzaak voor de koper om op een dimensie, waarin het produkt voorziet, te verbeteren?
- Verbetert de concurrentiepositie van de koper zich door het prestatievoordeel?
- Hoe groot is de druk van de concurrentie om op het nieuwe produkt over te stappen? Prestatievoordelen, waardoor een dreiging ten opzichte van het bedrijf van de koper kan worden afgeweerd of die een defensief karakter hebben, maken de overstap meestal aantrekkelijker dan voordelen die een mogelijkheid tot verbetering van de concurrentiepositie bieden op offensieve basis.
- Hoe prijs- en/of kostengevoelig is de koper als de betere prestatie hogere kosten met zich meebrengt?

Kostenvoordeel

- Hoe groot is het kostenvoordeel voor de individuele koper?
- Hoe duidelijk is het voordeel?
- Kan er een duurzaam concurrentievoordeel worden verkregen door de verlaagde kosten?
- Hoe groot is de druk van de concurrenten om op het nieuwe produkt over te stappen?
- Hoe belangrijk is de kostenfactor in de bedrijfsstrategie van de toekomstige koper?

In sommige gevallen worden kopers door voorschriften (of door een voorwaarde van andere partijen, zoals polisvoorwaarden van verzekerings-maatschappijen) gedwongen om een nieuw produkt te kopen dat een bepaald doel dient. In dergelijke gevallen zullen de kopers meestal het goedkoopste alternatief kopen, dat voldoet aan de technische vereisten.

Stand van zaken ('state of the art') die vereist is om belangrijke voordelen op te leveren. Een tweede sleutelfactor voor de vraag of kopers al in een vroeg stadium tot aankoop van het nieuwe produkt over zullen gaan, is de technologische prestatie die ze van het produkt eisen. Sommige kopers kunnen al voldoende profijt hebben van de rudimentaire versies van het nieuwe produkt, terwijl andere verfijndere varianten nodig zullen hebben. Wetenschappers waren bijvoorbeeld voor hun laboratoriumonderzoek tevreden met relatief dure en trage minicomputers - waar nog geen werke-lijke alternatieven voor bestonden - voor de oplossing van problemen op het gebied van gegevensverwerking. Voor toepassingen op het gebied van boekhouden en controle waren daarentegen goedkope en verfijndere ver-sies nodig; deze kwamen daarmee pas later aan bod.

Kosten bij gebreken aan het produkt. Kopers, die geconfronteerd wor-den met relatief hoge kosten bij gebreken aan het produkt, zullen gewoon-lijk minder snel tot aankoop overgaan dan kopers die minder risico lopen. Kopers die het nieuwe produkt nodig hebben als onderdeel van een geïnte-greerd systeem, hebben in geval van gebreken vaak te maken met zeer hoge kosten, evenals kopers die zeer hoge boetes moeten betalen, indien het produkt om de een of andere reden uitvalt. De kosten bij gebreken hangen ook af van de middelen van de kopers. Rijke mensen bekommeren zich waarschijnlijk minder om de vraag of hun pas gekochte skimotor het goed zal doen dan mensen voor wie de aankoop ervan inhoudt dat ze zich andere vrijetijdsartikelen zullen moeten ontzeggen.

Introductie- of overstapkosten. De kosten, verbonden aan het introdu-ceren van een nieuw produkt of het vervangen van een bestaand produkt door een nieuw, zullen van koper tot koper verschillen. De kosten zijn dezelfde als de in hoofdstuk 1 en 6 besproken overstapkosten en omvatten:

- omscholingskosten;
- aanschafkosten van nieuwe aanvullende apparatuur;
- verliezen als gevolg van nog niet afgeschreven investeringen (netto dagwaarde) in verouderde technologie;
- kapitaalvereisten voor de overstap;
- technische of O&O-overstapkosten;
- kosten van het wijzigen van onderling verbonden produktiefases of verwante aspecten van de onderneming.

Overstapkosten kunnen subtiel zijn. Als een toekomstige koper bijvoorbeeld wil overstappen op de nieuwe kolenvergassingstechniek in plaats van gas te kopen van het energiebedrijf, zal hij rekening moeten houden met veranderingen in de chemische samenstelling van het gas. Voor sommige kopers wordt hierdoor het rendement van het gas in hun produktie-operaties beïnvloed en maakt dat investeringen in veranderingen op dat gebied noodzakelijk.

Overstapkosten worden vaak beïnvloed door de snelheid, waarmee men op het nieuwe produkt overstapt, wanneer deze snelheid naar eigen goeddunken is, en ook door factoren als

- of het nieuwe produkt ontworpen is voor het vervullen van een *nieuwe functie* of dat het een bestaand produkt vervangt? Vervanging brengt vaak extra omscholingskosten, investeringen die nog niet afgeschreven zijn, enzovoort met zich mee;
- lengte van cycli voor het opnieuw ontwerpen; het is meestal gemakkelijker om iets door een nieuw produkt te laten vervangen gedurende een periode van normale herconstructie dan wanneer de substitutie een niet ingecalculeerde herconstructie noodzakelijk maakt.

Onderhoudsdiensten. Nauw verwant met de overstapkosten wat betreft de beïnvloeding van het moment van overstap zijn de vereisten voor onderhoudsdiensten (bijvoorbeeld technici, reparateurs), waaraan de koper moet voldoen om met het produkt te kunnen werken. Deze zijn afhankelijk van de vaardigheden van de koper. Als voor het nieuwe produkt bijvoorbeeld geschoolde operators of onderhoudstechnici nodig zijn, dan zal het waarschijnlijk het eerst gekocht worden door kopers die ofwel reeds over deze hulpmiddelen beschikken, ofwel ervaring hebben in het omgaan daarmee.

Kosten van 'veroudering'. De mate waarin de eerste versies van een produkt door de opeenvolgende technologische generaties in de opkomende bedrijfstak in onbruik zullen raken, verschilt per koper. Sommige kopers kunnen al het voordeel dat ze eigenlijk wensen, uit de eerste generatie halen, terwijl anderen gedwongen zullen zijn de volgende generaties van het nieuwe produkt te kopen om concurrerend te blijven. De geneigdheid om reeds in een vroeg stadium te kopen zal voor deze laatste kopers afhangen van hun (hierboven besproken) overstapkosten.

Asymmetrische barrières door overheid, regulering of arbeid. De mate waarin er gereguleerde barrières bestaan voor aankoop van het nieuwe produkt, kan voor de diverse kopers verschillen. Producenten van levensmiddelen en farmaceutica worden bijvoorbeeld nauwlettend gecontroleerd bij elke verandering in hun produktie-operaties, terwijl bedrijven in veel andere bedrijfstakken daarin geheel vrij worden gelaten. Dezelfde asymmetrie kan van toepassing zijn op belemmeringen als gevolg van arbeidsovereenkomsten.

Middelen tot verandering. Kopers zullen verschillen wat betreft de middelen, waaronder kapitaal, techniek en O&O-personeel, die tot hun beschikking staan om op het nieuwe produkt over te stappen.

Perceptie van technologische verandering. Kopers kunnen verschillen in hun tevredenheid over en ervaring met een technologische verandering. In bedrijven die gekenmerkt worden door snelle technologische vooruitgang en een zeer hoge mate van technologische verfijning, kan een nieuw produkt als een veel geringere dreiging ervaren worden dan in een zeer stabiele, 'low technology' bedrijfstak. In verband hiermee wordt technologische verandering in sommige bedrijfstakken gezien als een kans op verbetering van de strategische positie, terwijl het in andere altijd een dreiging heeft gevormd. De kans dat de eerste groep tot de vroege kopers zal behoren, is groter dan dat de tweede groep hiertoe zal behoren.

Persoonlijk risico voor de beslisser. Kopers zullen het langst aarzelen om op het nieuwe produkt over te stappen, als de verantwoordelijke beslisser het meeste risico loopt, indien het besluit tot omschakeling op korte of middellange termijn onjuist blijkt te zijn. Deze beoordeling van het persoonlijk risico kan zeer verschillend zijn, afhankelijk van wie de eigenaar is of van de machtsstructuur van de koper.

Strategische keuzes

Bij strategieformulering in opkomende bedrijfstakken moet het hoofd worden geboden aan de onzekerheid en risico's in deze fase van bedrijfstakontwikkeling. De regels van het concurrentiespel staan nog absoluut niet vast, de structuur van de bedrijfstak is instabiel en waarschijnlijk aan het veranderen en concurrenten zijn moeilijk in te schatten. Toch hebben al deze factoren ook een keerzijde - de fase van opkomst van een bedrijfstak is waarschijnlijk de periode, wanneer de strategische vrijheid het grootst is en wanneer het hefboomeffect ('leverage') vanwege juiste strategische keuzes in termen van resultaten het sterkst is.

Vorming van de bedrijfstakstructuur. De strategische kwestie, die van doorslaggevend belang is in opkomende bedrijfstakken, is de mogelijkheid van het bedrijf om de structuur van de bedrijfstak te vormen. Door het maken van bepaalde keuzes kan een bedrijf proberen de spelregels te bepalen op terreinen als produktbeleid, marketingbenadering en prijsstrategie. Binnen de beperkingen, inherent aan de economische basisstructuur van de bedrijfstak en de eigen middelen, moet het bedrijf de spelregels binnen de bedrijfstak op zodanige wijze zien vast te leggen, dat op lange termijn een zo sterk mogelijke positie wordt verkregen.

Externe factoren bij bedrijfstakontwikkeling. In een opkomende bedrijfstak is het evenwicht dat het bedrijf zoekt tussen de belangen van de bedrijfstak in het algemeen en het strikte eigenbelang, een zeer belangrijke strategische kwestie. Vanwege de mogelijke problemen wat betreft de beeldvorming rond de bedrijfstak, de geloofwaardigheid en de verwarring van de kopers (uiteengezet in de tweede paragraaf van dit hoofdstuk) is een bedrijf in de opkomstfase wat betreft de resultaten voor een deel afhankelijk van de andere bedrijven in de bedrijfstak. Het overheersende probleem voor de bedrijfstak is het propageren van substitutie en het aantrekken van eerste kopers en gewoonlijk is het in het belang van elk bedrijf om gedurende deze periode standaardisering te helpen bevorderen, op te treden tegen kwaliteit beneden deze standaard en tegen onbetrouwbare producenten, en een gemeenschappelijk beleid te voeren ten opzichte van leveranciers, klanten, de regering en de financiële gemeenschap. Bedrijfstakconferenties en vakverenigingen kunnen in dit opzicht hun vruchten afwerpen, evenals het vermijden van strategieën die de concurrenten schade toebrengen. In het ziekenhuismanagement bijvoorbeeld, een bedrijfstak die zich sinds 1970 heeft ontwikkeld, zijn alle participanten in zeer hoge mate van elkaar afhankelijk wat betreft het imago van professionalisme van de bedrijfstak en de geloofwaardigheid ervan naar geldschieters. Bedrijven in deze bedrijfstak hebben een tijdlang daadwerkelijk vol lof gesproken over de bedrijfstak en hun concurrenten.

De noodzaak tot samenwerking binnen de bedrijfstak in de fase van opkomst lijkt meestal tot een intern dilemma te leiden voor ondernemingen die gedreven worden door de wens hun eigen marktpositie na te streven, vaak ten nadele van de bedrijfstakontwikkeling. Een bedrijf kan zich verzetten tegen standaardisering van produkten, noodzakelijk om reparatie te vergemakkelijken en het vertrouwen van de koper te winnen, omdat het de uniekheid van het eigen produkt wil handhaven of omdat het de eigen produktvariant als standaard aangenomen wil zien teneinde de voordelen hiervan te kunnen uitbuiten. Het vereist een subtiele beoordeling om te bepalen of een dergelijke aanpak op de lange termijn de beste is. Sommige ondernemingen in brandalarmsystemen bijvoorbeeld maken zich sterk voor bedrijfstakstandaarden die andere bedrijven zullen schaden. Tegelijkertijd duurt de verwarring onder de kopers omtrent de vraag welk soort alarm nu het beste is voort. De vraag is of de bedrijfstak al zover ontwikkeld is dat deze verwarring een belangrijk probleem zal zijn voor de groei van de bedrijfstak in de toekomst.

Het is waarschijnlijk een valide generalisering dat de balans tussen de vooruitzichten van bedrijfstak en bedrijf naar het bedrijf moet doorslaan, als de bedrijfstak een belangrijke penetratie begint te bereiken. Soms zien bedrijven die zich, zeer tot voordeel van henzelf en van de bedrijfstak, hebben geprofileerd als voornaamste woordvoerders binnen de bedrijfstak, niet in dat ze zich anders moeten gaan oriënteren. Het gevolg kan zijn dat ze achterblijven, wanneer de bedrijfstak volwassen wordt.

Een ander voorbeeld van externe factoren bij de bedrijfstakontwikkeling is de mogelijkheid dat een bedrijf in het begin moet concurreren met een strategie die het uiteindelijk niet wil blijven volgen, of zich in marktsegmenten moet bewegen die het op lange termijn van plan is te schrappen. Deze 'tijdelijke' acties kunnen noodzakelijk zijn om de bedrijfstak te ontwikkelen, maar als de ontwikkeling eenmaal voltooid is, is het bedrijf vrij om te zoeken naar zijn optimale positie. Corning Glass Works werd bijvoorbeeld gedwongen om te investeren in onderzoek op het gebied van connectoren, lastechnieken en lichtbronnen voor optische toepassingen van fibermaterialen, ook al lijkt het erop dat Corning op lange termijn alleen een leverancier van fibermateriaal en kabels wil zijn - omdat de kwaliteit van de beschikbare apparatuur en technieken de ontwikkeling van optische fibermaterialen in het algemeen in de weg heeft gestaan. Zulke investeringen, die niet het streven van de onderneming op lange termijn dienen, horen bij de kosten van het voorbereidende werk op weg naar volwassenheid.

Veranderende rol van leveranciers en kanalen. In een opkomende bedrijfstak dient een bedrijf strategisch voorbereid te zijn op een mogelijke verschuiving in de oriëntatie van zijn leveranciers en distributiekanalen naarmate de bedrijfstak in omvang toeneemt en levensvatbaar blijkt. Leveranciers kunnen steeds meer geneigd zijn (of gedwongen worden) om tegemoet te komen aan de specifieke behoeften van de bedrijfstak in termen van varianten, service en levering. Evenzo kunnen distributiekanalen meer open gaan staan voor investeringen in bepaalde faciliteiten, reclame, enzovoort in samenwerking met de bedrijven. Vroege uitbuiting van deze oriëntatieveranderingen kunnen de onderneming een strategische macht ('leverage') bezorgen.

Verschuivende mobiliteitsbarrières. Zoals reeds eerder in dit hoofdstuk werd gezegd, kunnen vroege mobiliteitsbarrières in een opkomende bedrijfstak snel afslijten, vaak om dan plaats te maken voor heel andere barrières, wanneer de bedrijfstak in omvang toeneemt en de technologie volwassen wordt. Dit heeft een aantal gevolgen. Het duidelijkste gevolg is het feit dat het bedrijf erop voorbereid moet zijn de eigen positie te verdedigen en niet uitsluitend op zaken moet vertrouwen als technologie in eigendom en een unieke produktvariant, waarmee in het verleden succes is geboekt. Het inspelen op verschuivende mobiliteitsbarrières zou in kunnen houden dat kapitaalverplichtingen moeten worden aangegaan, die ver uitstijgen boven die, die in de beginperiode van de bedrijfstak noodzakelijk zijn geweest.

Een ander gevolg is het feit dat het *soort toetreders* in de bedrijfstak meer en meer neigt naarde meer gevestigde ondernemingen, die worden aangetrokken door de grotere en in toenemende mate bewezen (risicobestendige) bedrijfstak en die vaak concurreren opbasis van de nieuwe mobiliteitsbarrières, zoals vereisten op het gebied van schaal en marketing. Een bedrijf in een opkomende bedrijfstak moet de aard van de potentiële toetreders voorspellen op basis van vaststelling van de huidige en toekomstige barrières, gekoppeld aan de aantrekkingskracht die de bedrijfstak op de diverse types ondernemingen zal uitoefenen, en hun vaardigheid om de barrières goedkoop te overwinnen.

Een ander gevolg dat voortvloeit uit de toenemende omvang van de bedrijfstak en de technologische volwassenheid, is het verschijnsel dat klanten of leveranciers in de bedrijfstak kunnen *integreren* - hetgeen gebeurd is in bedrijfstakken als drijfgasverpakkingen, vrijetijdsvoertuigen en elektronische rekenmachines. Bedrijven moeten klaar staan om hun bevoorrading en markten veilig te stellen, als integratie plaatsvindt, of ze moeten door hun wijze van concurreren integratiestappen tegenhouden.

TIJDSTIP VAN TOETREDING

Een strategische keus van cruciaal belang voor het concurreren in opkomende bedrijfstakken is het kiezen van het juiste tijdstip van toetreding. Vroege toetreding (pionieren) brengt hoge risico's met zich mee, maar heeft aan de andere kant het voordeel van lage toetredingsbarrières en de kans op hoge winsten. Vroege toetreding is raadzaam onder de volgende algemene omstandigheden:

- Imago en reputatie zijn voor de koper belangrijk en het bedrijf kan een dergelijke reputatie opbouwen door te pionieren.
- Vroege toetreding kan het begin zijn van het leerproces in een bedrijfstak, waarin de 'learning'curve een belangrijke rol speelt, ervaring moeilijk na te doen is en het effect van de 'learning'curve niet door opeenvolgende technologische generaties wordt geneutraliseerd.
- Loyaliteit van de klanten zal groot zijn, waardoor de inkomsten van de onderneming die het eerst aan de klant verkoopt zullen toenemen.
- Door in een vroeg stadium verplichtingen aan te gaan wat betreft leveranties van grondstoffen, distributiekanalen, enzovoort kunnen absolute kostenvoordelen gerealiseerd worden.

Vroege toetreding is vooral riskant onder de volgende omstandigheden:

- Vroege concurrentie en marktsegmentatie hebben een andere basis dan die welke in een later stadium van de bedrijfstakontwikkeling belangrijk zullen zijn. Het bedrijf bouwt daardoor verkeerde vaardigheden op en kan te maken krijgen met hoge overstapkosten.

- De kosten van het openen van de markt, inclusief zaken als klanten-informatie, het voldoen aan diverse voorschriften en technologisch pionierswerk, zijn hoog en de daaraan verbonden voordelen kunnen niet tot eigendom van het bedrijf gemaakt worden.
- Vroege concurrentie met kleine, pas opgerichte bedrijven zal kostbaar zijn, maar deze bedrijven zullen later door nog geduchtere concurrentie vervangen worden.
- Vroege investeringen zullen door technologische veranderingen in onbruik raken, waardoor latere toetreders de voordelen zullen hebben van de nieuwste produkten en processen.

Tactische maatregelen. Met betrekking tot de problemen die de ontwikkeling van een opkomende bedrijfstak beperken, zijn er enkele tactische maatregelen die de strategische positie van een bedrijf kunnen verbeteren:

- Vroege verplichtingen op het gebied van leveranties van grondstoffen zullen een voorrangspositie opleveren in tijden van tekorten.
- Bij het kiezen van het tijdstip van financiering kan eventueel geprofiteerd worden van een flirt van Wall Street met de betreffende bedrijfstak, ook al loopt de financiering vooruit op de werkelijke behoeften. Deze stap verlaagt de kapitaalkosten van het bedrijf.

HET HOOFD BIEDEN AAN CONCURRENTEN

In een opkomende bedrijfstak kan het moeilijk zijn om de concurrentie het hoofd te bieden, in het bijzonder voor bedrijven die het baanbrekende werk hebben verricht (pionieren) en grote marktaandelen hebben bezeten. De snelle toename van het aantal nieuw opgerichte toetreders en spin-offs kan wrok veroorzaken en het bedrijf moet de eerder besproken externe factoren onder ogen zien die het voor wat betreft de ontwikkeling van de bedrijfstak gedeeltelijk afhankelijk maken van de concurrenten.

Een algemeen voorkomend probleem in opkomende bedrijfstakken is het feit dat pioniersbedrijven buitensporig veel middelen besteden aan het verdedigen van hun hoge marktaandelen en het reageren op concurrenten die wellicht weinig kans maken om op lange termijn een belangrijke rol te gaan spelen. Dit kan voor een deel een emotionele reactie zijn. Hoewel het soms goed kan zijn om in de fase van opkomst krachtig op te treden tegen concurrenten, is het toch waarschijnlijker dat een bedrijf er het best aan doet zijn inspanningen te richten op het opbouwen van zijn eigen sterke punten en op de ontwikkeling van de bedrijfstak. Soms kan het zelfs nuttig zijn om de komst van bepaalde concurrenten *aan te moedigen*, misschien door licentie of andere middelen. Gezien de kenmerken van de opkomst-fase heeft een bedrijf er vaak baat bij, als andere bedrijven het produkt van de bedrijfstak agressief verkopen en helpen bij de technologische ontwikkeling. Het bedrijf kan ook een voorkeur hebben voor concurrenten die bekend zijn, in plaats van een groot aandeel voor zichzelf te reserveren, maar toch toetreding door grote gevestigde bedrijven uit te lokken als de bedrijfstak volwassen wordt. Het is moeilijk te generaliseren over de juiste strategie, maar het zal slechts bij uitzondering haalbaar en winstgevend zijn om een bijna monopolistisch marktaandeel te verdedigen, als de bedrijfstak snel groeit, ook wanneer het bedrijf dit aanvankelijk wel bezit.

Technieken om te voorspellen

Het belangrijkste aspect van opkomende bedrijfstakken is grote onzekerheid, gekoppeld aan de zekerheid dat er veranderingen zullen optreden. Er kan geen strategie geformuleerd worden zonder een expliciete of impliciete voorspelling van hoe de structuur van de bedrijfstak zich zal ontwikkelen. Het aantal variabelen bij een dergelijke voorspelling is echter vaak duizelingwekkend. Daarom is het ook zeer wenselijk een methode te vinden, waardoor de complexiteit van het voorspellingsproces afneemt.

Het ontwerpen van *scenario's* is een bijzonder handig instrument in opkomende bedrijfstakken. Scenario's zijn afzonderlijke, intern consistente opvattingen over hoe de wereld er in de toekomst uit zal zien en die geselecteerd kunnen worden om het scala van waarschijnlijke uitkomsten te begrenzen. Scenario's kunnen voor het voorspellingsproces in opkomende bedrijfstakken gebruikt worden op de wijze die in figuur 10-2 getoond wordt. Het startpunt voor het voorspellen is de schatting van de toekomstige ontwikkeling van produkt en technologie in termen van kosten, produktvarianten en prestatie. De analist moet een klein aantal intern consistente produkt/technologiescenario's selecteren, die het volledige scala van mogelijke uitkomsten omvatten. Vervolgens ontwerpt de analist voor elk van deze scenario's een scenario voor de vraag welke markten er zich voor zullen openen en wat de omvang en de kenmerken hiervan zullen zijn. Hier doet zich de eerste feedbacklus voor, aangezien het karakter van de markten die zich in een vroeg stadium zullen openen, bepalend kan zijn voor de richting waarin de produkten en de technologie zich zullen ontwikkelen. De analist moet proberen om deze interactie op iteratieve wijze in de scenario's in te bouwen.

De volgende stap bestaat uit het ontwikkelen van de gevolgen voor de concurrentie voor elk produkt/technologie/marktscenario en het daarna voorspellen van de kans op succes voor de verschillende concurrenten. Het voorspellen van toetreding door nieuwe bedrijven kan onderdeel uitmaken van dit proces en voor de voltooiing ervan zullen verdere feedbacks nodig zijn, omdat de eigenschappen en middelen van de concurrenten de richting, waarin de bedrijfstak zich zal ontwikkelen, kan beïnvloeden.

Wanneer de scenario's op deze wijze zijn ontwikkeld, is het bedrijf in

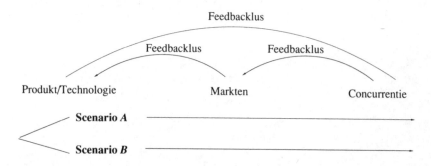

FIGUUR 10-2   Voorspellen in een opkomende bedrijfstak

staat om de eigen positie te onderzoeken, waarbij het wil bepalen op welk scenario het zal 'gokken' of hoe het zich strategisch zal opstellen, als elk scenario ook daadwerkelijk in werking treedt. Een bedrijf kan besluiten te proberen om het gunstigste scenario te *veroorzaken*, indien het daartoe de middelen heeft; het kan ook zijn dat een bedrijf gedwongen wordt om zich flexibel te blijven opstellen, omdat de middelen beperkt zijn of de onzekerheid erg groot is. Voor het opstellen van een agenda voor de strategische planning en doorlichting van de technologie zal een bedrijf hoe dan ook profijt hebben van een expliciete vaststelling van de *belangrijkste gebeurtenissen*, die erop wijzen dat een bepaald scenario ook daadwerkelijk in werking treedt.

Welke opkomende bedrijfstakken komen in aanmerking voor toetreding

De keuze van een opkomende bedrijfstak, tot welke men wil toetreden, hangt af van de uitkomst van een voorspellingsproces, zoals hierboven beschreven. Een opkomende bedrijfstak is aantrekkelijk, als haar uiteindelijke structuur (niet de *initiële*) winsten garanderen die boven het gemiddelde liggen en als het bedrijf in de bedrijfstak een positie op kan bouwen die op de lange termijn verdedigbaar is. Dit laatste zal afhankelijk zijn van de middelen met betrekking tot de mobiliteitsbarrières die zullen ontstaan.

Bedrijven treden te vaak toe tot opkomende bedrijfstakken, omdat deze snel groeien, omdat de ondernemingen in die bedrijfstak op dat moment zeer winstgevend zijn of omdat de uiteindelijke omvang van de bedrijfstak groot belooft te zijn. Hoewel deze overwegingen wel een rol mogen spelen, dient het besluit om tot de bedrijfstak toe te treden uiteindelijk genomen te worden op grond van een structurele analyse. In hoofdstuk 16 van deel III wordt de beslissing tot toetreding tot een bedrijfstak aanzienlijk gedetailleerder besproken.

11
Overgang naar volwassenheid van de bedrijfstak

Veel bedrijfstakken gaan als onderdeel van hun evolutieproces over van perioden van snelle groei tot de bescheidener groei van wat in het algemeen de volwassenheid van de bedrijfstak wordt genoemd. Skimotoren, zakrekenmachientjes, tennisbanen, tennisuitrusting en geïntegreerde circuits zijn slechts enkele voorbeelden van bedrijfstakken die in het midden en aan het eind van de jaren zeventig zo'n proces doormaakten. Zoals reeds in hoofdstuk 8 werd besproken, wordt volwassenheid niet op een bepaald vast punt in de bedrijfstakontwikkeling bereikt en kan het uitgesteld worden door innovaties of andere gebeurtenissen, die zorgen voor voortgezette groei van de ondernemers in de bedrijfstak. Bovendien kunnen volwassen bedrijfstakken als gevolg van strategische doorbraken hun snelle groei herwinnen en aldus meer dan één overgang naar volwassenheid doormaken. Laten we ons echter eens, met deze belangrijke restricties in het achterhoofd, buigen over het geval, waarin overgang naar volwassenheid plaatsvindt en de mogelijkheden voor het verhinderen hiervan zijn uitgeput.

De overgang naar volwassenheid is voor de bedrijven in een bedrijfstak bijna altijd een kritische periode. Gedurende deze periode voltrekken zich in de concurrentie-omgeving van de bedrijven vaak fundamentele veranderingen, die moeilijk te bepalen strategische reacties vereisen. Soms nemen bedrijven deze fundamentele omgevingsveranderingen maar moeilijk waar; en zelfs al worden ze gesignaleerd, dan kunnen voor de reactie hierop veranderingen in strategie noodzakelijk zijn, waar bedrijven voor terugdeinzen. Bovendien is het effect van overgang naar volwassenheid niet alleen van strategische aard, maar heeft het ook gevolgen voor de organisatiestructuur van het bedrijf en de rol van het leiderschap ervan. Deze bestuurlijke implicaties vormen de kern van enkele moeilijkheden bij het verrichten van de noodzakelijke strategische aanpassingen.

In dit hoofdstuk zullen enkele van deze punten onderzocht worden, waarbij zal worden voortgebouwd op de analytische basis van deel I van dit boek. De aandacht zal gericht worden op het vaststellen van de strategische en bestuurlijke problemen die veroorzaakt worden door de overgang, en niet op de analyse van het overgangsproces zelf. Bedrijfstakontwikkeling zelf is in hoofdstuk 8 diepgaand behandeld.

Verandering in de bedrijfstak tijdens de overgangsfase

Overgang naar volwassenheid heeft vaak een aantal belangrijke veranderingen in de concurrentie-omgeving van de bedrijfstak tot gevolg. De volgende veranderingstendenzen kunnen zich voordoen:

1. *Tragere groei betekent grotere concurrentie om marktaandeel.* Als de bedrijven niet langer in staat zijn om hun groeicijfers uit het verleden te handhaven door alleen hun marktaandeel te behouden, zal de concurrentie-aandacht zich richten op het aanvallen van de marktaandelen van anderen. In 1978 deed deze situatie zich voor in de verzadigd geraakte bedrijfstak van vaatwasmachines, toen GE en Maytag beiden Hobart begonnen aan te vallen in de duurdere marktsegmenten. De toegenomen concurrentie met betrekking tot marktaandeel vereist een fundamentele heroriëntatie op de standpunten van een bedrijf en een geheel nieuwe reeks veronderstellingen over hoe de concurrenten zich zullen gedragen en hoe ze zullen reageren. Een concurrentie-analyse, zoals in de hoofdstukken 3 en 4 beschreven is, zal moeten worden herhaald. Gegevens uit het verleden over de kenmerken van de concurrenten en hun reacties moeten bijgesteld of misschien zelfs terzijde gelegd worden. Niet alleen zullen de concurrenten zich agressiever opstellen, maar tevens is er een grote kans op misvattingen en 'irrationele' tegenmaatregelen. Het uitbreken van een prijzen-, service- of reclame-oorlog is tijdens de overgang naar volwassenheid niet ongebruikelijk.

2. *De bedrijven in de bedrijfstak verkopen in toenemende mate aan ervaren kopers.* Het produkt is niet langer nieuw, maar een gevestigd, algemeen aanvaard artikel. Kopers krijgen vaak steeds meer ervaring en kennis, omdat ze het produkt al eens eerder, en soms herhaalde malen, hebben gekocht. De aandacht van de koper verschuift van al of niet besluiten tot de aankoop van het produkt naar de keuze tussen verschillende merken. Het benaderen van deze verschillend georiënteerde kopers vereist een fundamentele bijstelling van de strategie.

3. *De nadruk van de concurrentie komt vaak te liggen op kosten en service.* Als gevolg van de tragere groei, de toegenomen kennis van de kopers en de gewoonlijk grotere technologische volgroeidheid verschuift de concurrentie meer naar de sectoren van kosten en service. Door deze ontwikkeling veranderen de noodzakelijke voorwaarden voor succes in de bedrijfstak en kan een ingrijpende heroriëntatie van de werkwijze in een bedrijf, dat gewend was op grond van andere factoren te concurreren, nodig zijn. De verhoogde druk op de kosten kan ook de kapitaalvereisten zwaarder maken, doordat het bedrijf gedwongen wordt zich de modernste faciliteiten en apparatuur aan te schaffen.

4. *Door het toevoegen van capaciteit en personeel aan de bedrijfstak ontstaat een probleem van topzwaarte.* Wanneer de bedrijfstak zich aan de tragere groei aanpast, moet de snelheid, waarmee de capaciteit in de bedrijfstak zich uitbreidt, eveneens worden teruggebracht, aangezien anders overcapaciteit het gevolg is. De gerichtheid van bedrijven op verruiming van hun capaciteit dient derhalve fundamenteel te veranderen en losgekoppeld te worden van de euforie van het verleden. Een bedrijf wordt geconfronteerd met de noodzaak de capaciteitsuitbreidingen van de concurrenten nauwlettend te controleren en de eigen capaciteitsuitbreidingen zorgvuldig te 'timen'. Snelle groei zal niet langer vergissingen gauw gladstrijken door het elimineren van overcapaciteit.

Deze verschuivingen in het perspectief komen in volwassen wordende bedrijfstakken zelden voor; het te ver opvoeren van de capaciteit in de bedrijfstak in verhouding tot de vraag komt algemeen voor. Het doorschieten leidt tot een periode van overcapaciteit, waardoor de tendens tot prijzenoorlogen in de overgangsfase nog benadrukt wordt. Hoe groter de omvang van de effectieve capaciteitsaanwas in de bedrijfstak is, des te moeilijker wordt het probleem van de topzwaarte. Dit probleem wordt ook lastiger als het extra aan te nemen personeel zeer goed opgeleid dient te zijn en lange inwerkperiodes nodig heeft.

5. *Methoden van produktie, marketing, distributie, verkoop en onderzoek zijn vaak aan verandering onderhevig.* Deze veranderingen worden veroorzaakt door toegenomen concurrentie om marktaandeel, technologische volwassenheid en kennis van de koper. (Enkele van de mogelijke veranderingen zijn in hoofdstuk 8 besproken.) Het bedrijf wordt geconfronteerd met de noodzaak van ofwel een fundamentele heroriëntatie op de functionele beleidslijnen ofwel een strategische actie die heroriëntatie onnodig maakt. Als het bedrijf op zulke veranderingen in het functionele beleid moet reageren, zijn bijna altijd kapitaalmiddelen en nieuwe vaardigheden noodzakelijk. Door het overschakelen op nieuwe produktiemethoden kunnen de hierboven besproken problemen van overcapaciteit geaccentueerd worden.

6. *Nieuwe produkten en toepassingen zijn moeilijker te vinden.* Waar de groeifase gekenmerkt werd door snelle ontdekking van nieuwe produkten

en toepassingen, worden de mogelijkheden om de produktveranderingen te continueren steeds beperkter of nemen kosten en risico's sterk toe naarmate de bedrijfstak volwassener wordt. Deze verandering vereist onder andere een nieuwe houding ten opzichte van onderzoek en nieuwe produktontwikkeling.

7. *Internationale concurrentie neemt toe.* Als gevolg van de technologische volwassenheid, die vaak gepaard gaat met standaardisering van het produkt en toenemende nadruk op de kosten, wordt de overgangsfase vaak gekenmerkt door toenemende internationale concurrentie. De krachten die leiden tot internationalisatie van een bedrijfstak, worden in hoofdstuk 13 in detail besproken, evenals enkele van de belangrijkste implicaties van mondiale concurrentie. Internationale concurrenten hebben vaak verschillende kostenstructuren en verschillende doelstellingen dan binnenlandse bedrijven en een thuismarkt, vanwaaruit ze kunnen opereren. Belangrijke export of buitenlandse investeringen door bedrijven uit het eigen land is in een grote markt als die van de Verenigde Staten meestal een voorbode van volwassenheid.

8. *Winsten in de bedrijfstak dalen vaak tijdens de overgangsperiode, soms tijdelijk, soms permanent.* Tragere groei, deskundigere kopers, grotere nadruk op marktaandeel en de onzekerheden en moeilijkheden van de vereiste strategische veranderingen betekenen meestal dat de winsten in de bedrijfstak op de korte termijn beneden het niveau van de groeifase vóór de overgangsperiode zullen dalen. Sommige bedrijven zullen hier meer last van hebben dan andere, bedrijven met een klein marktaandeel hebben er gewoonlijk het meest onder te lijden. Door dalende winsten vermindert soms de cashflow in een periode, waar daar juist dringend behoefte aan kan zijn. Een ander verschijnsel is dat de aandelenkoersen voor genoteerde bedrijven omlaag tuimelen en de moeilijkheid van financiering door vreemd vermogen aan te trekken toeneemt. Of de winsten zich weer zullen herstellen, hangt af van het niveau van de mobiliteitsbarrières en andere elementen van de bedrijfstakstructuur, die in deel I behandeld zijn.

9. *De marges van de dealers dalen, maar hun macht neemt toe.* Om dezelfde reden waarom de winsten in de bedrijfstak vaak dalen, kunnen de marges van de dealers kleiner worden en kunnen veel dealers zich terugtrekken - vaak *voordat* het effect op de winsten van de producent merkbaar is. Dit verschijnsel heeft men onlangs kunnen waarnemen bij handelaren in TV's en vrijetijdsvoertuigen. Dergelijke trends versterken de concurrentie tussen de bedrijven in de bedrijfstak om dealers, die gemakkelijk gevonden en vastgehouden konden worden in de groeifase, maar niet in het stadium van volwassenheid. De macht van de dealers kan dus belangrijk toenemen.

Enige strategische implicaties van de overgangsfase

De veranderingen, waarmee de overgang naar volwassenheid vaak gepaard gaat, betreffen mogelijk veranderingen in de basisstructuur van de bedrijfstak. Vaak verandert elk belangrijk element van de bedrijfstakstructuur: algemene mobiliteitsbarrières, de relatieve betekenis van diverse barrières, de intensiteit van de concurrentie (die doorgaans toeneemt), enzovoort. Een structurele verandering betekent bijna altijd dat bedrijven hierop strategisch moeten reageren, omdat het fundamentele karakter van de concurrentie in de bedrijfstak dienovereenkomstig verandert.

Gedurende de overgangsfase komen doorgaans enige kenmerkende strategische kwesties aan de orde. Deze worden voorgesteld als te onderzoeken kwesties en niet als generalisaties die op alle bedrijfstakken van toepassing zijn; net als mensen worden ook bedrijfstakken op verschillende manieren volwassen. Veel van deze methodes kunnen een basis zijn voor de toetreding van nieuwe bedrijven tot de bedrijfstak, ook al is deze al volwassen.

ALGEHEEL KOSTLEIDERSCHAP VERSUS DIFFERENTIATIE VERSUS FOCUS - HET DOOR VOLWASSENHEID ACUUT GEWORDEN STRATEGISCH DILEMMA

Door snelle groei worden strategische fouten nog al eens gemaskeerd en zijn veel, zo niet alle bedrijven in staat om het hoofd boven water te houden en financieel zelfs goed te draaien. Er wordt strategisch veel geëxperimenteerd en er kan een coëxistentie zijn van zeer uiteenlopende strategieën. Als een bedrijfstak echter volwassen is geworden, heeft strategische onachtzaamheid over het algemeen wel gevolgen. Door volwassenheid kunnen bedrijven, vaak voor het eerst, geconfronteerd worden met de noodzaak te kiezen uit de drie generieke strategieën, beschreven in hoofdstuk 2. Het wordt een kwestie van overleven.

NAUWKEURIGE KOSTENANALYSE

Kostenanalyse wordt bij volwassenheid steeds belangrijker voor (1) rationalisatie van het produktassortiment en (2) correcte prijsstelling.

Rationalisatie van het produktassortiment

Hoewel een breed produktassortiment en een frequente introductie van nieuwe varianten en mogelijkheden tijdens de groeifase mogelijk kunnen zijn geweest en tevens vaak noodzakelijk en wenselijk voor de bedrijfstakontwikkeling, is het mogelijk dat deze situatie in de context van volwassenheid niet langer in stand te houden is. Als gevolg hiervan is een belangrijke verfijning in de analyse van de kosten van het produkt noodzakelijk om niet-winstgevende artikelen uit het assortiment te kunnen schrappen en de aandacht vooral te richten op artikelen, die duidelijke voorbeelden bieden (technologie, kosten, reputatie, enz.) of waarvan de kopers 'goede' kopers zijn.[1] Gemiddelde kostenraming voor produktgroepen of het doorberekenen van de gemiddelde overhead in de kostencalculaties is niet langer geschikt voor het evalueren van het produktassortiment en eventuele toevoegingen daaraan. De noodzaak om het produktassortiment te rationaliseren brengt soms de noodzaak met zich mee om een geautomatiseerd systeem van kostenraming in te voeren dat in de ontwikkelingsjaren van de bedrijfstak niet erg hoog op de prioriteitenlijst stond. Een dergelijke besnoeiing op het assortiment is bijvoorbeeld van cruciaal belang geweest voor het succes van RCA met Hertz.

Correcte prijsstelling

Verwant met de rationalisatie van het produktassortiment is de verandering in de wijze van prijsstelling, die in de volwassenheidsfase vaak noodzakelijk is. Hoewel prijsstelling naar gemiddelde kosten of prijsstelling van het assortiment als geheel in plaats van als individuele artikelen in de groeifase voldoende kan zijn geweest,[2] vereist volwassenheid vaak een grotere vaardigheid om de kosten van de artikelen afzonderlijk te taxeren en er dienovereenkomstig een prijs voor vast te stellen. Impliciete kruissubsidiëring binnen het produktassortiment door middel van prijsstelling naar gemiddelde kosten camoufleert die produkten, waarvan de markten de werkelijke kosten niet kunnen dekken, en laat winsten glippen in die situaties, waarin de kopers niet prijsgevoelig zijn. Kruiselingse subsidiëring nodigt ook uit tot prijsverlagingen of introducties van nieuwe produkten door concurrenten, gericht tegen de artikelen die kunstmatig hooggeprijsd zijn. Concurrenten die niet over de kostenprecisering beschikken om hun produkten redelijk te prijzen en dus achterblijven met de aanpassing van de prijzen van irreëel laaggeprijsde artikelen komen in volwassen bedrijfstakken soms in de problemen.

Soms kunnen en moeten bij volwassenheid andere aspecten van de prijsstrategie veranderen. Mark Controls heeft bijvoorbeeld in de moeilijke bedrijfstak van kleppen veel succes gehad met het elimineren van onrendabele produktielijnen en ook met het herzien van de koperscontracten door er doorberekeningsclausules in op te nemen voor inflatie. Contracten waren in de bedrijfstak van oudsher neergekomen op vaste prijzen en inflatie-aanpassingen waren voor het verhogen van de prijzen in de groeifase niet van kritiek belang; geen enkel ander bedrijf had ooit moeten onderhandelen over doorberekeningsclausules. In de fase van volwassenheid, toen het handhaven van prijsverhogingen steeds moeilijker werd, zijn ze echter zeer profijtelijk gebleken.

---

[1] Zie hoofdstuk 6.
[2] Prijsstelling naar de gemiddelde kosten kan wenselijk geweest zijn om een volledig produktassortiment te ontwikkelen en een marktpositie te verwerven.

We zouden dit en andere punten van dit betoog kunnen samenvatten door te zeggen dat naast een aantal andere zaken een versterking van het 'financiële bewustzijn' in de volwassenheidsfase vaak noodzakelijk is, terwijl in de ontwikkelingsperiode van de bedrijfstak terreinen als nieuwe produkten en onderzoek centraal dienen te staan. De moeilijkheid van het verhogen van het financiële bewustzijn in de bedrijfstak hangt af van de gerichtheid van de training en de belangstelling van het management. In het geval van bijvoorbeeld Mark Controls was er een financieel georiënteerde 'outsider' voor nodig om een begin te maken met financiële innovaties in een bedrijfstak, die door gevestigde familiebedrijven gedomineerd werd.

PROCESINNOVATIE EN PRODUKTIE-ONTWERP

Het belang van procesinnovaties neemt in de volwassenheidsfase verhoudingsgewijs toe, evenals het rendement van een produktontwerp en leveringssysteem dat produktie en controle tegen lagere kosten mogelijk maakt.[3] De Japanse industrie heeft op deze factor zeer de nadruk gelegd en velen schrijven haar succes in bedrijfstakken als die van TV-toestellen hieraan toe. Produktie-ontwerp is ook de sleutel geweest voor de positieverbetering van Canteen Corporation in de volwassen wordende bedrijfstak van bedrijfskantinevoedsel. Canteen stapte over van een beleid, waarbij de plaatselijke koks enige vrijheid werd geboden bij het bereiden van de maaltijden, op algemeen geldende landelijke receptformules. Deze verandering heeft geleid tot een verbetering van de kwaliteitsconsistentie van de maaltijden, gemakkelijker te realiseren standplaatsverwisselingen tussen de koks, eenvoudigere controles over de operaties, kostenbesparingen en produktiviteitsverbeteringen.[4]

INTENSIVERING VAN DE AANKOPEN

Het verhogen van het aantal aankopen van bestaande kopers kan wenselijker zijn dan het zoeken van nieuwe kopers. Toenemende verkoop aan bestaande klanten kan soms gerealiseerd worden door levering van randapparatuur en service, verbetering of verruiming van het assortiment, enzovoort. Door een dergelijke strategie kan een bedrijf buiten de eigenlijke bedrijfstak treden en in aanverwante bedrijfstakken terechtkomen. Deze strategie is vaak minder kostbaar dan het vinden van nieuwe klanten. In een volwassen bedrijfstak gaat het winnen van nieuwe klanten gewoonlijk gepaard met een concurrentiestrijd om marktaandeel, hetgeen het een kostbare aangelegenheid maakt.

---

[3] Voor een intrigerende studie over deze situatie, zie Abernathy (1978).
[4] Voor een korte beschrijving, zie *Business Week*, 15 augustus 1977.

Deze strategie is in het verleden of wordt nog steeds toegepast door bedrijven als Southland Corporation (7-Eleven Ketens), Household Finance Corporation (HFC) en Gerber Products. Southland is bezig het produktassortiment van zijn winkels uit te breiden met fast food, zelfbedieningspompstations, flipperkasten en andere produkten om een groter deel van het budget van zijn klanten in de wacht te slepen, impulsieve aankopen te bevorderen en de kosten van nieuwe vestigingen te vermijden. Evenzo is HFC bezig nieuwe diensten aan zijn pakket toe te voegen, zoals verzorging van de belastingaangifte, grotere leningen en zelfs bankdiensten, teneinde het produktassortiment dat aan de zeer brede klantenbasis verkocht kan worden te verruimen. Gerbers strategie van 'more bucks per baby' is een andere variant van dezelfde aanpak. Gerber heeft aan zijn dominante assortiment van babyvoedsel kinderkleding en andere kinderprodukten toegevoegd.

GOEDKOPE BEDRIJFSMIDDELEN KOPEN

Als gevolg van het slecht functioneren van sommige bedrijven door de overgang naar volwassenheid kunnen bedrijfsmiddelen vaak zeer goedkoop gekocht worden. Een strategie van overname van noodlijdende bedrijven of het opkopen van geliquideerde bedrijfsmiddelen kan leiden tot verbetering van de marges en het creëren van een lage kostenpositie, als de snelheid van technologische verandering niet al te groot is. Deze strategie is met succes in de bierbrouwerij toegepast door het vrij onbekende Heilman. Ondanks een toenemende concentratie in de top van de bedrijfstak groeide Heilman met 18 procent per jaar van 1972-1976 (tot een omzet van 300 miljoen dollar in 1976), met een rendement op het actief vermogen van meer dan 20 procent, door regionale brouwerijen en gebruikte uitrusting tegen afgedongen prijzen over te nemen. Door de antitrustwetgeving kunnen marktleiders deze strategie niet volgen, waardoor ze gedwongen zijn om tegen de geldende prijzen grote nieuwe fabrieken te bouwen. White Consolidated gebruikt eveneens een variant van deze strategie. Het specialiseert zich in het opkopen van noodlijdende bedrijven, zoals Sundstrands bedrijf van machinewerktuigen en Westinghouse's gereedschapsfabriek, tegen prijzen beneden de boekwaarde en in het vervolgens verlagen van de overhead. In veel gevallen leidt deze strategie tot een renderend concern.

SELECTIE VAN KOPERS

Als de kopers meer kennis krijgen en de concurrentiedruk in de volwassenheidsfase toeneemt, kan selectie van kopers soms leiden tot handhaving van de winst. Kopers, die in het verleden geen gebruik hebben gemaakt van hun sterke onderhandelingspositie of die over minder macht beschikten vanwege beperkte beschikbaarheid van het produkt, zullen in de volwassenheidsfase doorgaans minder terughoudend zijn in dit opzicht. Het onderkennen van 'goede' kopers en het vastleggen hiervan, zoals besproken in hoofdstuk 6, wordt dan heel belangrijk.

VERSCHILLENDE KOSTENCURVES

Vaak is er in een bedrijfstak meer dan één kostencurve mogelijk. Het bedrijf, dat *niet* de algehele kostenleider op de volgroeide markt is, kan soms nieuwe kostencurves vinden, waardoor het voor bepaalde soorten kopers, produktvarianten of ordergrootten daadwerkelijk een producent tegen lagere kosten wordt. Deze stap is belangrijk voor het uitvoeren van de generieke focusstrategie, beschreven in hoofdstuk 2. Laten we het voorbeeld van figuur 11-1 eens bekijken:

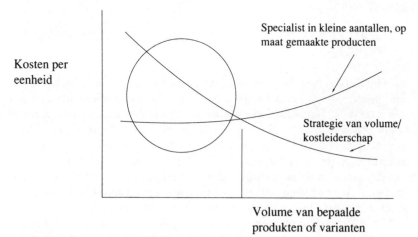

FIGUUR 11-1   Alternatieve kostencurves

Een bedrijf dat zijn produktieproces expliciet afstelt op flexibiliteit, snelle fabricage en kleine aantallen (bijvoorbeeld computergestuurde, voor algemene doeleinden geschikte machines), kan een kostenvoordeel hebben op producenten met een grote omzet bij het uitvoeren van orders op maat of voor kleine aantallen. Een passende strategie in zo'n situatie is het focussen op orders, die liggen op het terrein dat in figuur 11-1 omcirkeld is. Verschillen in kostencurves, die een dergelijke strategie mogelijk maken, kunnen gebaseerd zijn op kleine orders, orders op maat, bepaalde kleine aantallen produktvarianten en dergelijke. Wickham Skinner heeft in zijn concept van de 'gespecialiseerde fabriek' beschreven hoe dergelijke produktiestrategieën uitgevoerd kunnen worden.[5]

---

[5] Skinner (1974).

INTERNATIONAAL CONCURREREN

Een bedrijf kan aan volwassenheid ontsnappen door internationaal te concurreren, waar de bedrijfstak een gunstiger structuur heeft. Deze rechtlijnige methode is bijvoorbeeld toegepast door Crown Cork and Seal in blikken en kroonkurken en Massey-Ferguson in landbouwapparaten. Soms kan apparatuur, die op de eigen markt in onbruik is geraakt, zeer effectief ingezet worden op internationale markten, hetgeen de kosten van penetratie daarvan aanzienlijk drukt. Het kan ook zijn dat de bedrijfstakstructuur internationaal veel gunstiger is, met minder goed geïnformeerde en machtige kopers, minder concurrenten en dergelijke. De keerzijde van deze strategie bestaat uit de bekende risico's van internationale concurrentie en het feit dat daardoor volwassenheid eerder alleen uitgesteld dan dat eraan gewerkt wordt.

MOET EEN OVERGANG EIGENLIJK WEL GEPROBEERD WORDEN?

Het feit dat misschien nieuwe bedrijfsmiddelen en vaardigheden vereist zijn, hoeft nog niet per definitie te betekenen dat altijd gestreefd moet worden naar de strategische verschuivingen, die noodzakelijk zijn om met succes in een volwassen bedrijfstak te concurreren. De keus hangt niet alleen af van de bedrijfsmiddelen, maar ook van het aantal andere bedrijven die in staat zijn een rol te blijven spelen in de bedrijfstak, de verwachte duur van de onrust in de bedrijfstak tijdens de aanpassingen aan de volwassenheid en de toekomstige vooruitzichten op winst in de bedrijfstak (die afhankelijk zijn van de toekomstige structuur van de bedrijfstak).

Voor sommige ondernemingen is een strategie van afbouw - zoals Dean Food die heeft gevolgd in vloeibare melk - misschien beter dan een strategie van voortgezette investering met een twijfelachtig rendement. Bij Dean heeft de nadruk gelegen op besnoeiing op de kosten en uiterst selectieve investeringen in kostenbesparende apparatuur en niet op expansie van de marktpositie.

Marktleiders kunnen al dan niet in de beste positie verkeren om de aanpassingen door te voeren, die noodzakelijk zijn voor overgang, als ze belangrijke vertragende factoren in hun strategieën hebben ingebouwd en sterke bindingen hebben met de strategische vereisten van de groeifase in de ontwikkeling van de bedrijfstak. De flexibiliteit van een kleiner bedrijf kan in de overgangsfase voordelen opleveren, mits de voor de aanpassingen noodzakelijke bedrijfsmiddelen beschikbaar zijn. Het kleine bedrijf kan ook gemakkelijker in staat zijn de markt te segmenteren. Evenzo is een nieuw bedrijf, dat in de overgangsfase tot de bedrijfstak toetreedt en over financiële en andere middelen beschikt maar geen bindingen met het verleden heeft, vaak in staat een sterke positie in te nemen. De met overgang gepaard gaande onrust biedt de potentiële toetreder kansen, indien de structuur van de bedrijfstak op lange termijn er gunstig uitziet.

Strategische valkuilen bij de overgang

Behalve dat men soms in gebreke blijft bij het onderkennen van de hierboven beschreven strategische implicaties van overgang, vallen bedrijven vaak ook in enkele kenmerkende valkuilen:

1. *Zelfperceptie van een bedrijf en zijn perceptie van de bedrijfstak.* Bedrijven ontwikkelen percepties of beelden over zichzelf en hun relatieve kwaliteiten ('wij leveren de beste kwaliteit', 'wij geven de klant de beste service'), die hun neerslag vinden in de impliciete veronderstellingen die de basis van hun strategieën vormen (zie hoofdstuk 3). Deze zelfpercepties kunnen onnauwkeuriger worden naarmate de overgang vordert, prioriteiten van de kopers anders komen te liggen en de concurrenten gaan reageren op de nieuwe omstandigheden in de bedrijfstak. Evenzo kunnen de percepties van bedrijven over de bedrijfstak, de concurrenten, kopers en leveranciers door de overgang achterhaald worden. Desalniettemin is het wijzigen van deze percepties, die stoelen op feitelijke ervaringen in het verleden, soms een moeilijk proces.

2. *Tussen wal en schip.* Het in hoofdstuk 2 beschreven probleem van het bedrijf dat tussen wal en schip valt, wordt bijzonder acuut bij de overgang naar volwassenheid. Door overgang verdwijnt vaak de speling die deze strategie van 'op twee gedachten hinken' in het verleden mogelijk maakte.

3. *De geldval - investeringen in de opbouw van marktaandeel op een volgroeide markt.* Men dient alleen dan geld te investeren in een bedrijf, als de verwachting bestaat dat het er later weer aan onttrokken kan worden. In een volwassen, langzaam groeiende bedrijfstak zijn de verwachtingen, die investering van nieuw geld in de opbouw van marktaandeel zouden kunnen rechtvaardigen, vaak tamelijk stoutmoedig. Volwassenheid van de bedrijfstak bemoeilijkt een toename of handhaving van de marges, die lang genoeg duurt om de investeringen aan het eind van de rit terug te winnen. Bedrijven in de volwassenheidsfase kunnen dus geldvallen zijn, vooral wanneer het bedrijf geen sterke marktpositie heeft, maar niettemin op de zich volledig ontwikkelende markt een groot marktaandeel probeert op te bouwen. De omstandigheden werken hier tegen.

Een hiermee verband houdende valkuil is het besteden van veel aandacht aan opbrensten op de zich ontwikkelende markt in plaats van aan rendabiliteit. Deze strategie kan in de groeifase wenselijk zijn geweest, maar leidt in de volwassenheidsfase doorgaans tot teruglopende winsten. Waarschijnlijk heeft Hertz aan het eind van de zestiger jaren met dit probleem te kampen gehad, waardoor RCA ruim de gelegenheid werd geboden tot het realiseren van een ommezwaai in de winst in het midden van de jaren zeventig.

4. *Te gemakkelijk opgeven van marktaandeel ten gunste van korte termijnwinst.* Doordat de winsten tijdens de overgang onder druk staan, blijken sommige bedrijven de neiging te hebben om te proberen de winstgevendheid uit het verleden te handhaven - hetgeen wordt gedaan ten koste van het marktaandeel of door voorafgaande noodzakelijke investeringen in marketing, O&O en andere gebieden, waardoor de marktpositie in de toekomst wordt geschaad. De weigering om gedurende de overgang lagere winsten te accepteren kan zeer kortzichtig zijn, als in de volwassen bedrijfstak schaalvoordelen belangrijk zullen worden. Een periode van lagere winsten is misschien onvermijdelijk, als rationalisatie van de bedrijfstak plaatsvindt en men moet het hoofd koel houden om overreacties te vermijden.

5. *Verbolgenheid en irrationele reactie op prijsconcurrentie ('wij gaan geen prijsconcurrentie aan').* Vaak vinden bedrijven de noodzaak van prijsconcurrentie moeilijk te accepteren na een periode, waarin dit niet noodzakelijk was en waarin het wellicht een gulden regel was om dit te vermijden. Sommige managers beschouwen prijsconcurrentie zelfs als onbetamelijk en beneden hun waardigheid. Dit kan een gevaarlijke reactie op overgang zijn, wanneer een bedrijf, dat bereid is tot een agressieve prijsstelling, misschien in staat is een marktaandeel te veroveren dat op de lange termijn doorslaggevend zal blijken te zijn voor het vestigen van een lage kostenpositie.

6. *Verbolgenheid en irrationele reactie op veranderingen in de praktijken binnen de bedrijfstak ('ze schaden de bedrijfstak').* Veranderingen in de praktijken binnen de bedrijfstak, zoals marketingtechnieken, produktiemethoden en het soort distributiecontracten maken soms onvermijdelijk deel uit van de overgang. Ze kunnen belangrijk zijn voor het potentieel van de bedrijfstak op lange termijn, maar vaak bestaat er verzet tegen. Men verzet zich tegen de substitutie van handwerk door machinale produktie, zoals is gebeurd in sommige sectoren van sportartikelen, en bedrijven zijn niet bereid om te beginnen met een agressieve marketing van hun produkten ('aan marketing heb je in deze bedrijfstak niets', 'de klant moet persoonlijk benaderd worden'). Enzovoort. Door zich hiertegen te verzetten kan een bedrijf ernstig achterop raken in zijn aanpassing aan de nieuwe concurrentie-omgeving.

7. *Te grote nadruk op 'creatieve', 'nieuwe' produkten in plaats van het verbeteren en agressief verkopen van de bestaande produkten.* Hoewel het succes in de eerste ontwikkelingsstadia van een bedrijfstak gebaseerd kan zijn geweest op onderzoek en nieuwe produkten, betekent het begin van volwassenheid vaak dat nieuwe produkten en toepassingen moeilijker te vinden zijn. Het is meestal verstandig om de aandacht van innoverende activiteiten te verschuiven naar standaardisering. Toch is dit voor sommige bedrijven een onbevredigende ontwikkeling, waartegen ze zich verzetten.

8. *Vasthouden aan 'hogere kwaliteit' als excuus om niet even agressieve prijs- of marketingmaatregelen te treffen als de concurrenten.* Hoge kwaliteit kan zeer belangrijk zijn voor de kracht van een onderneming, maar ver-

schillen in kwaliteit vlakken doorgaans af naarmate een bedrijfstak volwassener wordt (zie hoofdstuk 8). Zelfs als ze blijven, zullen kopers met kennis van zaken bereid zijn om de kwaliteit in te ruilen tegen lagere prijzen in een volwassen bedrijfstak,waar ze de produkten al eens eerder hebben gekocht. Toch is het voor veel bedrijven moeilijk te accepteren dat ze niet het produkt van de hoogste kwaliteit leveren of dat de kwaliteit van hun produkt onnodig hoog is.

9. *Overcapaciteit.* Als gevolg van het feit dat de capaciteit de vraag overtreft of onvermijdelijk toeneemt door de modernisering van fabrieken, een vereiste voor de concurrentie in de volwassen bedrijfstak, kunnen sommige bedrijven te maken krijgen met overcapaciteit. Alleen het bestaan daarvan al oefent subtiele en minder subtiele druk op het bedrijf uit om er gebruik van te maken. Dit kan gebeuren op een wijze, die de strategie van het bedrijf ondermijnt. Door overcapaciteit kan een bedrijf bijvoorbeeld tussen de wal en het schip geraken, in de termen van hoofdstuk 2, doordat een meer gerichte aanpak niet langer gehandhaafd wordt. Het kan ook leiden tot druk op het management om in de geldval te lopen. Vaak is het aan te raden om overcapaciteit te verkopen of te schrappen en het niet te houden. Het zal echter duidelijk zijn dat het niet verkocht moet worden aan iemand, die het in dezelfde bedrijfstak zal gebruiken.

Organisatorische implicaties van volwassenheid

Meestal denken we aan de noodzaak van organisatorische verandering als gevolg van belangrijke verschuivingen in strategie en van ontwikkelingen in de omvang en diversifiëring van een onderneming. De noodzaak van afstemming van de organisatiestructuur op de bedrijfsstrategie geldt ook voor de volwassen bedrijfstak en de overgang naar volwassenheid kan één van de kritische punten zijn in de ontwikkeling van organisatiestructuur en -systemen. Vooral op het gebied van controle- en motivatiesystemen zijn enkele subtiele aanpassingen noodzakelijk.

Op het strategische niveau hebben we besproken hoe een bedrijf zich moet voorbereiden op aanpassing van zijn belangrijkste concurrentieprioriteiten aan de vaak verschillende eisen van volwassenheid van de bedrijfstak. Het is misschien noodzakelijk meer aandacht te schenken aan kosten, klantenservice en daadwerkelijke marketing (tegenover verkopen). Verminderde aandacht voor introductie van nieuwe produkten ten gunste van de verfijning van oude kan eveneens wenselijk zijn. Voorts is er in een volwassen bedrijfstak vaak behoefte aan minder 'creativiteit' en meer aandacht voor het detail en pragmatisme.

Deze verschuivingen in de concurrentie-aandacht vereisen ter ondersteuning uiteraard veranderingen in de organisatiestructuur en -systemen. Er zijn systemen nodig die accenten leggen op en controle uitoefenen over verschillende werkterreinen van het bedrijf. Strakkere budgettering en controle en nieuwe prestatiepremiesystemen, alle formeler dan de hiervoor gebruikte, kunnen in een volwassen bedrijf noodzakelijk zijn.[6] Controle over financiële middelen, zoals voorraad en inbare rekeningen, kan belangrijker worden. Al dit soort veranderingen zijn de kern geweest voor succesvolle koersveranderingen van bedrijven in bedrijfstakken als verpleegtehuizen en recreatievoertuigen, die onlangs overgegaan zijn naar volwassenheid.

Vaak moet er een betere coördinatie komen, dwars door functies heen en tussen produktievoorzieningen, wil het bedrijf kostenconcurrerend zijn. Volwassenheid van de bedrijfstak betekent bijvoorbeeld dat regionale fabrieken die hiervóór onafhankelijk opereerden, samengevoegd en beter gecoördineerd moeten worden, waardoor niet alleen nieuwe systemen en procedures nodig zijn, maar tevens belangrijke veranderingen in de taken van de afdelingsmanagers.

Soms kan er verzet rijzen tegen dergelijke veranderingen. Een bedrijf dat trots is op zijn baanbrekende werk en hoogwaardige produkt, heeft misschien de grootste moeite om zichzelf tot 'stuitende' prijsconcurrentie en agressieve marketing te verlagen, zoals we reeds eerder zagen. Concurrentie op deze punten wordt door de organisatie van een bedrijf, van verkoopafdeling tot winkel, vaak heimelijk verafschuwd. Het opofferen van kwaliteit aan kosten en kostenbewaking ondervindt veel weerstand. Bovendien worden nieuwe rapporteringseisen, controlesystemen, organisatorische banden en andere veranderingen soms gezien als een verlies aan persoonlijke zelfstandigheid en als een dreiging. Een bedrijf moet erop voorbereid zijn het personeel in alle geledingen opnieuw te scholen en te motiveren, wanneer het in de volwassenheidsfase belandt.

Het general management moet ook oppassen voor subtiele veranderingen in het motivatieklimaat binnen de onderneming, waarmee de overgang naar volwassenheid van de bedrijfstak gepaard kan gaan. In de groeiperiode voorafgaand aan overgang waren de kansen op (be)vordering vaak groot, was het werk voor iedereen in de snelgroeiende onderneming boeiend en waren er door de intrinsieke arbeidssatisfactie maar weinig formele interne mechanismen nodig om loyaliteit bij de werknemers te kweken. Echter, in een volwassener concurrentie-omgeving is de groei minder, is er minder avontuur en opwinding en verbleekt de pioniersgeest gewoonlijk enigszins. Deze ontwikkeling stelt het general management voor een aantal bijzonder lastige problemen.

[6] Bij de overgang van management door de ondernemer naar een professioneler geleid bedrijf moeten organisatie en systemen op een formele en onpersoonlijke wijze gerationaliseerd worden. Hoewel deze overgang op zichzelf al moeilijk genoeg is, is het bovendien belangrijk om op te merken dat als gevolg van veranderingen in de concurrentie-omgeving, veroorzaakt door de volwassenheid, de organisatorische overschakeling, die noodzakelijk is om in te spelen op de volwassenheid van de bedrijfstak, ook een *andere* structuur en *andere* focuspunten kan inhouden voor de belangrijkste managementsystemen. Als deze twee overgangen gelijktijdig in een onderneming moeten plaatsvinden, kan dat voor ernstige problemen zorgen.

1. *Lagere verwachtingen van financiële prestaties.* De maatstaven voor aanvaardbare groei en winsten moeten door de managers vaak teruggeschroefd worden. Als ze aan de oude maatstaven trachten te voldoen, nemen ze misschien maatregelen die op lange termijn bijzonder ongunstig uitwerken voor de gezondheid van het bedrijf in de volwassen bedrijfstak, tenzij het een uitzonderlijk sterke marktpositie heeft. Het bijstellen van de verwachtingen is misschien moeilijk vanwege het feit dat de organisatie door successen in het verleden een traditie van goede financiële resultaten heeft gevestigd. Ik haast me eraan toe te voegen dat het general management van de organisatie dezelfde problemen heeft bij het bijstellen van de eigen verwachtingen.

2. *Grotere discipline binnen de organisatie.* Door al de hierboven beschreven omgevingsveranderingen in een volwassen bedrijfstak ontstaat er minder ruimte voor speling en wordt een grotere discipline van de organisatie geëist bij de uitvoering van de gekozen strategie. De noodzaak hiertoe heeft betrekking op alle lagen van de organisatie.

3. *Bescheidener promotieverwachtingen.* Het vroegere tempo van personeelspromotie is in een volwassener omgeving waarschijnlijk niet haalbaar. Toch hebben managers misschien niet afgeleerd om succes af te meten aan de vroegere snelheid van promotie. Veel managers gaan om deze redenen tijdens het overgangsproces weg en de druk die door de organisatie op de general manager wordt gelegd is soms groot. De uitdaging voor het general management bestaat erin nieuwe wegen te vinden om het personeel te motiveren en te belonen. De druk in de overgangsfase op dit terrein leidt er soms toe dat bedrijven gaan diversifiëren om de groei en de vorderingen uit het verleden te handhaven. Diversifiëren *uitsluitend* met dit doel voor ogen kan een ernstige vergissing zijn.

4. *Meer aandacht voor het menselijke aspect.* Gedurende de aanpassing aan het nieuwe klimaat in de volwassen bedrijfstak en de bijbehorende verschuivingen van de strategische prioriteiten, zal er doorgaans meer behoefte bestaan aan wat meer interne aandacht voor de menselijke aspecten. Er zijn organisatorische middelen nodig om een grotere mate van identificatie met het bedrijf en loyaliteit te bewerkstelligen en er moeten subtielere motivatiemethoden ontwikkeld worden dan die methoden, die gedurende de snelle groeifase voldoende waren. Interne steun en aanmoediging zijn noodzakelijk om externe stimulansen en beloningen uit het verleden te vervangen en om voor opvang te zorgen bij de moeilijke interne aanpassingen in het organisatorische klimaat, die misschien nodig zijn.

5. *Recentralisatie.* De druk die door volwassenheid van de bedrijfstak op kostenbeheersing gelegd wordt, kan soms maatregelen vergen tot het creëren van zelfstandige winstcentra, op vestigingsniveau of elders, die omgekeerd zijn aan maatregelen in het verleden. Dit geldt vooral als de organisatie van het winstcentrum gericht was op het mogelijk maken van toevoeging van nieuwe produkten of het openbreken van nieuwe markten, toen de bedrijfstak zich ontwikkelde.

Door terug te grijpen naar een functionelere organisatie neemt centrale controle toe, kan aanzienlijke overhead vermeden worden en nemen de mogelijkheden van coördinatie van eenheden toe. In volwassen bedrijfstakken kan coördinatie belangrijker worden dan ondernemerschap. Crown Cork and Seal slaagde er door deze benadering in een indrukwekkende koerswijziging te realiseren, in textiel wordt dit momenteel geprobeerd door een bezorgde Texfi[7], en Burger King maakt hiervan gebruik om terrein te winnen op McDonald's.

Bedrijfstakovergang en de general manager

De overgang van een bedrijfstak naar volwassenheid luidt binnen een onderneming vaak een nieuwe 'way of life' in, vooral wanneer hier veel van de hierboven vermelde strategische aanpassingen voor nodig zijn. De opwinding van de snelle groei en het pionierswerk maken plaats voor de noodzaak van kostenbeheersing, prijsconcurrentie, agressieve marketing, enzovoort. Deze verandering in de gang van zaken heeft belangrijke gevolgen voor de general manager.

De *sfeer* binnen het bedrijf verandert misschien op een voor de general manager ongewenste wijze. Hij of zij kan het personeel niet meer zoveel kansen en vooruitgang bieden en moet steeds nauwlettender de prestaties in de gaten gaan houden door middel van gedetailleerde en formele systemen. De informele sfeer en persoonlijke vriendschappen uit vroeger dagen gedijen in een dergelijke omgeving heel wat minder. Samen met de belangrijkste organisatorische vereisten verschuiven ook de vereiste *vaardigheden* van de general manager. Strakke kostenbeheersing, coördinatie over en door de functies heen, marketing enzovoort zijn misschien wel heel andere vaardigheden dan die welke nodig waren voor de opbouw van de organisatie in een snelgroeiende bedrijfstak. Deze nieuwe vaardigheden liggen zowel op strategisch als bestuurlijk terrein, hetgeen aanpassing dus dubbel zo moeilijk maakt.[8] Tenslotte kan het zijn dat de *gemoedstoestand*, of het gevoel van opwinding en de pioniersgeest, die de general manager in het verleden heeft gevoeld, plaats heeft gemaakt voor een toenemende druk om niet achterop te raken en de zorg om te overleven.

Overgang naar volwassenheid is voor de general manager dus vaak een moeilijke periode. Dit geldt vooral, maar niet uitsluitend, voor de oprichter/ondernemer. Enkele betreurenswaardige, maar veel voorkomende resultaten zijn:

• Ontkenning van de overgang: de general manager is niet in staat de

---

[7] *Business Week*, 15 augustus 1977.
[8] In de klassieke overgang van management door de ondernemer naar een professioneel geleid bedrijf, liggen de noodzakelijke aanpassingen in de vaardigheden van de lijnmanager voornamelijk op het organisatorische en administratieve vlak.

noodzakelijke veranderingen in te zien of te aanvaarden of mist de vaardigheden hiertoe. Het gevolg is dat de oude strategie en organisatorische regelingen koppig voortgezet worden. Een dergelijke starheid als reactie op strategische moeilijkheden ziet men vaak niet alleen tijdens de overgang, maar ook in andere situaties, waarin het bedrijf met tegenspoed heeft te kampen.[9]

- Terugtrekking uit het actieve management: in het besef dat de nieuwe gang van zaken in het bedrijf niet langer bevredigend is of dat zijn of haar managerskwaliteiten voor deze nieuwe omgeving te kort schieten, maakt de general manager plaats voor een ander.

In de gevolgen van bedrijfstakovergang voor de general manager ligt een belangrijke boodschap besloten, niet alleen voor de general manager zelf, maar ook voor het overkoepelend management van gediversifieerde bedrijven. Als een onderneming volwassen wordt, moeten de maatstaven voor de beoordeling van managers van bedrijfsafdelingen doorgaans gewijzigd worden, evenals de vaardigheden en de oriëntatie van de general manager. Op grond hiervan kan het raadzaam zijn om managers van plaats te laten verwisselen, als een divisie volgroeid is geraakt. In gediversifieerde maatschappijen bestaat de neiging om voor divisiemanagers dezelfde maatstaven aan te leggen, ongeacht de fundamenteel verschillende situaties waarin zij verkeren, en van hen bedrevenheid te verwachten op de meest uiteenlopende terreinen. Eén van de manieren om moeilijkheden te voorkomen is aandacht schenken aan de gevolgen van overgang naar volwassenheid voor het management.

[9] Zie Porter (1976b).

12
Concurrentiestrategie in in betekenis afnemende bedrijfstakken

Voor de strategische analyse worden in betekenis afnemende bedrijfstakken hier beschouwd als bedrijfstakken die gedurende een langere periode een absolute daling van de 'unit sales'-afzet hebben gekend.[1] Zo kan de achteruitgang niet worden toegeschreven aan de conjunctuurcyclus of andere discontinuïteiten op korte termijn zoals stakingen of materiaaltekorten, maar geeft het een werkelijke situatie weer, waarin eindspelstrategieën ontwikkeld moeten worden. In betekenis afnemende bedrijfstakken zijn er altijd geweest, maar deze moeilijke structurele omgeving is waarschijnlijk wel gangbaarder geworden door de tragere groei van de wereldeconomie, produktsubstitutie ten gevolge van snelle kosteninflatie en voortgezette technologische verandering op gebieden als elektronica, computers en chemicaliën.

Hoewel ze helaas maar al te bekend zijn als fase van de produktlevenscyclus hebben in betekenis afnemende bedrijfstakken betrekkelijk weinig aandacht gekregen. De neergangsfase van een onderneming wordt in het model van de levenscyclus gekenmerkt door slinkende marges, besnoeiingen op produktassortimenten, het omlaagschroeven van O&O en reclame en een dalend aantal concurrenten. Het algemeen aanvaarde strategisch

[1] Dit hoofdstuk is voor een groot deel gebaseerd op het werk van Kathryn Rudie Harrigan, mijn student aan Harvard en nu wetenschappelijk medewerkster in Bedrijfskunde aan de University of Texas, Dallas.

recept voor de neergangsperiode is een strategie van 'oogsten', dat is het nalaten van investeringen en het maximaliseren van de cash flow uit de onderneming, uiteindelijk gevolgd door afbouw. De produktportfoliomodellen, die tegenwoordig algemeen gebruikt worden voor planning, geven voor in betekenis afnemende bedrijfstakken hetzelfde advies: investeer niet in langzame of negatieve groei en ongunstige markten, maar haal er geld vandaan.

Een grondige studie van een breed spectrum van in betekenis afnemende bedrijfstakken doet echter vermoeden dat zowel de aard van de concurrentie tijdens de neergang als de beschikbare strategische alternatieven voor de bedrijven om die situatie het hoofd te bieden heel wat ingewikkelder zijn. Bedrijfstakken verschillen zeer in de wijze waarop concurrentie op neergang reageert; sommige bedrijfstakken worden met waardigheid oud, terwijl andere worden gekenmerkt door verbitterde strijd, een geprolongeerd capaciteitsoverschot en zware bedrijfsverliezen. Succesvolle strategieën verschillen al evenzeer. Sommige ondernemingen hebben hoge winsten binnengehaald door strategieën, waarbij juist zwaar geherinvesteerd werd in een neergaande bedrijfstak, waardoor hun zaken later betere 'cash cows' worden. Andere hebben verliezen, die daarna door hun concurrenten geleden werden, vermeden door uit de bedrijfstak te treden en helemaal niet te oogsten, voordat de neergang algemeen werd erkend.

In dit hoofdstuk zal gebruik gemaakt worden van de analytische instrumenten uit deel I voor de specifieke omgeving van in betekenis afnemende bedrijfstakken in gevallen, waar de neergang zelf buiten de controle van de deelnemende bedrijven valt.[2] Allereerst zal ik een beschrijving geven van de structurele voorwaarden die bepalend zijn voor de aard van concurrentie gedurende de neergangsfase en de gastvrijheid, die de bedrijfstak de achterblijvende bedrijven biedt. Vervolgens zal ik vrij gedetailleerd de generieke strategische alternatieven (eindspelstrategieën) aangeven, die voor een neergaand bedrijf beschikbaar zijn. Het hoofdstuk zal besloten worden met enige principes voor het kiezen van een strategie.

Structurele determinanten van concurrentie in de neergangsfase

In de context van de analyse in hoofdstuk 1 speelt een aantal structurele factoren een belangrijke rol bij het bepalen van de aard van concurrentie in de neergangsfase van de bedrijfstak. Afnemende bedrijfstakverkopen maken deze fase potentieel onzeker. De mate waarin de beginnende competitieve druk winstgevendheid uitholt, hangt echter af van enige basis-

---

[2] Neergang kan soms een halt worden toegeroepen door innovaties, kostenvermindering en verschuivingen in andere omstandigheden. Sommige benaderingen om neergang tijdelijk af te wenden worden in hoofdstuk 8 besproken. In dit hoofdstuk concentreren we ons op die bedrijfstakken, waar alle beschikbare middelen zijn uitgeput en waar het strategisch probleem dus gevormd wordt door de vraag hoe het hoofd te bieden aan neergang.

voorwaarden, die invloed hebben op hoe gemakkelijk capaciteit de bedrijfstak zal verlaten en hoe verwoed de overblijvende bedrijven zullen proberen het tij van hun eigen afnemende verkopen te doen keren.

VRAAGVOORWAARDEN

Het proces, waardoor de vraag afneemt, en de kenmerken van de marktsegmenten die overblijven, beïnvloeden in belangrijke mate de concurrentie in de neergangsfase.

Onzekerheid

De mate van onzekerheid, zoals die door concurrenten wordt waargenomen (redelijk of niet) of de vraag verder zal afnemen, is één van de belangrijkste factoren van invloed op eindspelconcurrentie. Als de bedrijven geloven dat de vraag weer zal opleven of zal stabiliseren, zullen ze waarschijnlijk proberen hun positie te handhaven en zullen ze in de bedrijfstak blijven. Hun pogingen om hun positie ondanks dalende verkopen te handhaven zal hoogstwaarschijnlijk leiden tot een verbitterde concurrentiestrijd. Deze situatie heeft zich voorgedaan in de kunstzijde-industrie, waar men voortdurend, en waarschijnlijk terecht, de hoop heeft gekoesterd dat de verliezen van kunstzijde aan nylon en staal op de markt van bindmaterialen en verliezen aan andere kunststoffen op de textielmarkt ongedaan gemaakt zouden kunnen worden. Als daarentegen alle bedrijven ervan overtuigd zijn dat de vraag in de bedrijfstak zal blijven dalen, zal het proces, waarmee capaciteit aan de markt onttrokken zal worden, op ordelijke wijze verlopen. In de bedrijfstak van acetyleen bijvoorbeeld werd het al snel duidelijk dat de omhoogschietende prijzen van aardgas ethyleen tot een goedkoop substituut zouden maken voor veel chemische processen, waarbij acetyleen gebruikt wordt. Hier begonnen de minst efficiënt draaiende bedrijven in een vroeg stadium met de ontwikkeling van strategieën voor terugtrekking.

Bedrijven kunnen heel goed *verschillende* opvattingen hebben over toekomstige vraag; sommige ondernemingen voorzien wellicht een hogere waarschijnlijkheid voor opleving en zullen daarom geneigd zijn vol te houden. Bovendien zijn er in 'case histories' van in betekenis afnemende bedrijfstakken aanwijzingen te vinden dat de opvattingen van een bedrijf over de waarschijnlijkheid van toekomstige achteruitgang beïnvloed wordt door de positie, die het in de bedrijfstak inneemt, en de uittredingsbarrières. Hoe sterker deze positie is of hoe hoger de uittredingsbarrières zijn, des te optimistischer zal het toekomstbeeld van het bedrijf zijn.

Snelheid en patroon van de neergang

Hoe trager het neergangsproces voortgaat, des te meer kan het in de analyses van de posities van ondernemingen gemaskeerd worden door korte termijnfactoren en des te groter is doorgaans de onzekerheid over toekomstige achteruitgang. Door onzekerheid neemt de labiliteit van deze fase erg toe. Als de vraag geweldig daalt, zullen de bedrijven echter hun optimistische toekomstvisie moeilijk kunnen rechtvaardigen. Daar komt nog bij dat door een sterke daling van de verkopen de kans dat hele fabrieken aan hun lot worden overgelaten of hele divisies worden ontmanteld toeneemt, waardoor de capaciteit in de bedrijfstak snel naar beneden toe kan worden bijgesteld. De gelijkmatigheid van het neergangsproces speelt bij de onzekerheid ook een rol. Als de verkopen in de bedrijfstak uit de aard der zaak zeer grillig zijn, zoals in kunstzijde en acetaat, kan het moeilijk zijn om de neergaande trend in de verkopen te onderscheiden van de verwarring die veroorzaakt wordt door periodieke schommelingen.

De snelheid van het neergangsproces is deels een functie van het patroon, waarin bedrijven daadwerkelijk besluiten om capaciteit aan de business te onttrekken. In de industriële bedrijfswereld, waarvan het produkt een belangrijke input is voor de klanten, kan de vraag zeer snel dalen als één of twee van de grootste producenten besluiten zich terug te trekken. Klanten vrezen dan de continue beschikbaarheid van een sleutelinput en zijn geneigd om sneller dan anders over te stappen op een substituut. Bedrijven die in een vroeg stadium hun uittreden aankondigen, kunnen dus de snelheid van het neergangsproces sterk beïnvloeden. De snelheid neemt over het algemeen ook toe als de neergang zich voortzet, omdat door het geslonken volume de kosten en misschien de prijzen stijgen.

Structuur van de overblijvende vraaggebieden

Als de vraag afneemt, speelt de aard van de overblijvende vraaggebieden een belangrijke rol bij de bepaling van de winstgevendheid voor de overblijvende concurrenten. Op basis van een volledige structurele analyse, zoals beschreven in hoofdstuk 1, kunnen de vooruitzichten hierop redelijk gunstig of ongunstig zijn. Bijvoorbeeld één van de belangrijkste overgebleven vraaggebieden in de sigarenindustrie is het exclusieve segment. Dit segment is vrij immuun voor substitutie, heeft niet-prijsgevoelige kopers en leent zich voor het creëren van een hoog niveau van produktdifferentiatie. De bedrijven die zich in dit segment kunnen handhaven, hebben een goede positie om meer dan gemiddelde opbrengsten te boeken, zelfs al neemt de bedrijfstak in betekenis af, omdat ze hún positie kunnen beschermen tegen de concurrentiekrachten. In de lederwarenbranche is leer voor bekleding een overlevend gebied geweest, waarin technologie en differentiatie hetzelfde effect hebben. In de acetyleen daarentegen worden de marktsegmenten, waar acetyleen niet door ethyleen is vervangen, bedreigd door nog andere substituten en in die markten is acetyleen als gebruiksartikel het voorwerp van een prijzenoorlog door de hoge vaste produktiekosten. Het winstpotentieel in de overblijvende gebieden is dus vrij klein.

In het algemeen kan een eindspel voordelig zijn voor de overlevenden, als de overgebleven vraaggebieden prijsongevoelige kopers betreffen of kopers met een zwakke onderhandelingspositie, omdat ze hoge overstapkosten of andere van de in hoofdstuk 6 besproken kenmerken hebben. Over het algemeen zijn de overblijvende vraagsegmenten niet-prijsgevoelig, wanneer het vervangingsvraag betreft en wanneer de vraag van de producenten van de originele apparatuur verdwenen is. De winstgevendheid van het eindspel hangt ook af van de kwetsbaarheid van de overblijvende vraaggebieden voor substituten en machtige leveranciers en van de aanwezigheid van mobiliteitsbarrières, die bedrijven, die aan de overblijvende segmenten leveren, beschermen tegen aanvallen van bedrijven die proberen om verkoopverliezen in de verdwijnende segmenten te compenseren.

Oorzaken van neergang

Daling van de vraag in een bedrijfstak heeft een aantal verschillende redenen, die gevolgen hebben voor de concurrentie gedurende de neergangsfase:

Technologische substitutie. Eén van de bronnen van neergang zijn substituten, die het gevolg zijn van technologische innovatie (elektronische rekenmachientjes in plaats van rekenlinialen) of die in zwang zijn gekomen door verschuivingen in de relatieve kosten en kwaliteit (synthetisch materiaal in plaats van leer). Deze bron kan een bedreiging vormen voor de winsten in een bedrijfstak, omdat door toenemende substitutie gewoonlijk zowel de winsten als de verkopen tegelijkertijd zakken. Dit negatieve effect op de winsten kan verzacht worden, als er in de bedrijfstak vraaggebieden zijn, die immuun zijn voor of bestand zijn tegen het substituut en die in voornoemde zin gunstige kenmerken hebben. Of substitutie gepaard zal gaan met onzekerheid over de vraag in de toekomst, is afhankelijk van de bedrijfstak.

Demografische factoren. Een andere bron van neergang is inkrimping van de grootte van de klantengroep die het produkt koopt. In de industriële bedrijfswereld veroorzaken demografische factoren neergang door een teruglopende vraag in bedrijfstakken, waar een eindprodukt gefabriceerd wordt. Demografische factoren als bron van neergang gaan niet vergezeld van competitieve druk van een substituut. Op deze wijze kunnen overlevende bedrijven, indien op ordelijke wijze capaciteit aan de door demografische invloeden aangetaste bedrijfstak kan worden onttrokken, winstverwachtingen koesteren die vergelijkbaar zijn met die van vóór de neergang. Demografische verschuivingen zijn vaak echter voorwerp van grote onzekerheid, hetgeen destabiliserend werkt op de concurrentie in de neergangsperiode, zoals eerder werd besproken.

Verschuivingen in het behoeftenpatroon. De vraag kan dalen om sociologische of andere redenen die het behoeftenpatroon of de voorkeur van de kopers veranderen. De consumptie van sigaren is bijvoorbeeld grotendeels afgenomen vanwege de snel verminderde sociale aanvaardbaarheid van de sigaar. Net als demografische factoren leiden verschuivingen in het behoeftenpatroon niet noodzakelijkerwijs tot een toenemende druk van substituten voor het overblijvende afzetgebied. Ook verschuivingen in het behoeftenpatroon kunnen echter gepaard gaan met grote onzekerheden, die in de sigarenindustrie ertoe geleid hebben dat veel bedrijven vasthielden aan hun voorspelling dat de vraag weer zou opleven. Deze situatie vormt een grote bedreiging voor de winstgevendheid in de neergangsfase.

De oorzaak van de neergang levert dus zowel aanwijzingen op voor de waarschijnlijke mate van onzekerheid, zoals de bedrijven die waarnemen omtrent de toekomstige vraag, als voor de winstgevendheid bij het leveren aan de overblijvende segmenten.

UITTREDINGSBARRIÈRES

Van cruciaal belang voor concurrentie in neergaande bedrijfstakken is de wijze, waarop capaciteit aan de markt onttrokken wordt. Net als toetredingsbarrières zijn er echter ook *uittredingsbarrières*, waardoor bedrijven blijven concurreren in neergaande bedrijfstakken ook al liggen de winsten op investeringen beneden normaal. Hoe hoger de uittredingsbarrières zijn, des te lastiger zal het voor de overblijvende bedrijven zijn om zich gedurende de neergangsfase in de bedrijfstak te handhaven.

Uittredingsbarrières hebben een aantal fundamentele oorzaken:

Duurzame en specialistische bedrijfsmiddelen

Als de bedrijfsmiddelen van een onderneming, hetzij het vaste kapitaal, hetzij het werkkapitaal, hetzij beide, in hoge mate specialistisch zijn voor de specifieke onderneming, firma of locatie, waarin zij worden gebruikt, creëert dit uittredingsbarrières door de verminderde liquidatiewaarde van de investeringen van het bedrijf in de bedrijfstak. Specialistische bedrijfsmiddelen moeten verkocht worden aan iemand, die van plan is ze in dezelfde bedrijfstak te gebruiken (en, indien ze voldoende specialistisch zijn, op dezelfde locatie), omdat ze anders sterk in waarde verminderen en vaak als waardeloos beschouwd kunnen worden. Het aantal kopers dat de bedrijfsmiddelen wenst te gebruiken voor dezelfde bedrijfstak is doorgaans gering, omdat dezelfde redenen waarom het bedrijf zijn bedrijfsmiddelen in een neergaande bedrijfstak wil verkopen vaak ook potentiële kopers zullen afschrikken. Een acetyleenfabriek of een kunstzijdefabriek bijvoorbeeld is met dermate specialistische apparatuur uitgerust, dat die alleen aan een ander verkocht kan worden voor hetzelfde gebruik en anders waardeloos is. Bovendien is een acetyleenfabriek zo moeilijk te ontmantelen en te transporteren dat de kosten hiervan gelijk kunnen zijn aan of nog hoger kunnen zijn dan de dagwaarde. Toen de bedrijfstakken van acetyleen en kunstzijde in betekenis begonnen af te nemen, waren er nauwelijks potentiële kopers te vinden, die de te koop aangeboden fabrieken draaiende wilden houden; de fabrieken, die werden verkocht, werden verkocht met enorme kortingen op de boekwaarde en vaak aan speculanten en wanhopige werknemersgroeperingen. Voorraad in een neergaande bedrijfstak kan ook heel weinig waard zijn, vooral als die normaal gesproken maar langzaam wordt omgezet.

Als de liquidatiewaarde van de bedrijfsmiddelen van een onderneming laag is, is het voor het bedrijf economisch het beste om in de onderneming te blijven, ook al is de verwachte korting op cash flow in de toekomst laag. Als de bedrijfsmiddelen duurzaam zijn, kan de boekwaarde beduidend hoger liggen dan de liquidatiewaarde. Het is dus mogelijk dat een bedrijf boekverlies lijdt, maar er economisch gezien toch goed aan doet om in de bedrijfstak te blijven, omdat de gekorte cash flows hoger zijn dan de kapitaalkosten ('opportunity cost of capital') over de investering, die vrij zouden komen als het bedrijf zou worden afgebouwd. Het afbouwen van een bedrijf in elke situatie, waarin de boekwaarde hoger ligt dan de liquidatiewaarde, leidt eveneens tot afschrijving. Het afschrikeffect op uittreding, dat hiervan uitgaat, zal later aan de orde komen.

Bij het vaststellen van uittredingsbarrières, veroorzaakt door specialisatie van de bedrijfsmiddelen in een bepaald bedrijf, is het de vraag of er markten zijn voor deze bedrijfsmiddelen als draaiend bedrijf of als een deel daarvan. Soms kunnen de bedrijfsmiddelen aan buitenlandse markten verkocht worden, die in een ander economisch ontwikkelingsstadium zitten, zelfs ondanks dat ze in het eigen land nog maar weinig waarde hebben. Een dergelijke maatregel verhoogt de liquidatiewaarde en verlaagt de uittredingsbarrières. Ongeacht echter of er nu buitenlandse markten zijn of niet zal de waarde van de specialistische bedrijfsmiddelen gewoonlijk toch verminderen naarmate het duidelijker wordt dat de bedrijfstak in betekenis aan het afnemen is. Raytheon bijvoorbeeld, dat zijn produktiemiddelen voor het maken van beeldbuizen aan het begin van de jaren zestig, toen de vraag naar beeldbuizen voor kleuren-TV's hoog was, verkocht, kreeg een veel hogere liquidatiewaarde dan bedrijven die dezelfde bedrijfsmiddelen aan het begin van de jaren zeventig, toen de bedrijfstak al duidelijk op zijn retour was, probeerden te verkopen. Er waren nog maar nauwelijks producenten in de Verenigde Staten te vinden, die op dat late tijdstip nog in aankoop geïnteresseerd waren, en buitenlandse bedrijven die beeldbuizen aan minder geavanceerde economieën leverden, waren ofwel al in het bezit van de produktiemiddelen, ofwel ze bevonden zich in een veel sterkere onderhandelingspositie, toen de neergang in de Verenigde Staten eenmaal duidelijk was.

Vaste kosten van uittreding

Vaak worden door de aanzienlijke vaste kosten van uittreding barrières gevormd, doordat de effectieve liquidatiewaarde van een bedrijf vermindert. Een bedrijf heeft vaak te maken met aanzienlijke kosten van arbeidsovereenkomsten; in landen als Italië zijn de vaste kosten van uittreding zelfs enorm, omdat de regering geen verlies aan arbeidsplaatsen tolereert. De kostbare full-time inspanningen van een aantal vakbekwame managers, advocaten en accountants zullen doorgaans voor een aanzienlijke periode betaald moeten worden, wanneer een bedrijf wordt afgebouwd. Soms moeten er na uittreding voorzieningen worden getroffen voor het beschikbaar houden van reserve-onderdelen voor vroegere klanten; deze eis betekent een verlies dat een vast in te calculeren last wordt bij uittreding. Management en werknemers moeten wellicht opnieuw geplaatst worden en/of opnieuw opgeleid worden. Het opzeggen van langlopende contracten voor het kopen van input of verkopen van produkten kan, zo dit zelfs maar mogelijk is, aanzienlijke boetes tot gevolg hebben. In veel gevallen moet het bedrijf de kosten betalen, die nodig zijn om de contracten door een ander bedrijf te laten nakomen.

Vaak zijn er ook verborgen uittredingskosten. Als de beslissing om te gaan afbouwen bekend wordt, is de produktiviteit van werknemers wellicht geneigd tot afnemen en kunnen de financiële resultaten verslechteren. Klanten trekken hun zaken er snel uit terug en leveranciers zijn minder geneigd toezeggingen na te komen. Dergelijke problemen, evenals later te bespreken problemen bij het uitvoeren van een oogststrategie, kunnen de verliezen in de laatste maanden doen toenemen en uiteindelijk belangrijke uittredingskosten gaan vormen.

Aan de andere kant kan een bedrijf door uit te treden vaste investeringen vermijden, die het anders zou hebben moeten doen. Zo kan bijvoorbeeld de noodzaak van investeringen om te voldoen aan milieuvoorschriften vermeden worden, evenals andere herinvestringen die nodig zijn om alleen al in de bedrijfstak te blijven. De noodzaak van zulke investeringen *bevordert* uittreding, tenzij het doen ervan een navenante of grotere toename van de verdisconteerde liquidatiewaarde van het bedrijf oplevert, aangezien ze de investeringen in het bedrijf verhogen zonder de winsten te doen stijgen.

Strategische uittredingsbarrières

Ook al kent een gediversifieerde onderneming geen uittredingsbarrières op grond van economische overwegingen, die uitsluitend op de specifieke handel betrekking hebben, toch kan ze te maken krijgen met barrières, als de handel vanuit algeheel strategisch oogpunt belangrijk is voor de onderneming:

Onderlinge verbondenheid. De handel kan deel uitmaken van de totale strategie voor een groep handelsgebieden en door uittreding zou het effect van die strategie verminderen. De handel kan van centraal belang zijn voor de identiteit of het imago van de onderneming. Uittreding kan verstoring betekenen van de verhouding tussen het bedrijf en de belangrijkste distributiekanalen of kan algehele invloed op het kopen verminderen. Uittreding kan gedeeld gebruik van faciliteiten of andere bedrijfsmiddelen onmogelijk maken, indien het bedrijf er geen alternatieve aanwending voor heeft of indien ze niet op de vrije markt verhuurd kunnen worden. Een bedrijf dat een einde maakt aan een enkele leveranciersverhouding met een klant, kan daardoor niet alleen die klant ertoe brengen om ook andere produkten van dat bedrijf niet meer te kopen, maar kan ook de eigen kansen in andere zaken, waarin het op de toevoer van essentiële grondstoffen of componenten is aangewezen, nadelig beïnvloeden. Belangrijk voor de hoogte van barrières door onderlinge verbondenheid is het vermogen van de onderneming om uit de neergaande zaken vrijgekomen bedrijfsmiddelen naar nieuwe markten over te hevelen.

Toegang tot de geldmarkten. Door uittreding kan het vertrouwen van de kapitaalmarkten in het bedrijf afnemen of het vermogen van het bedrijf om kandidaten voor overname (of kopers) aan te trekken verminderen. Als het afgebouwde onderdeel relatief belangrijk was voor het geheel, kan deze afbouw de financiële geloofwaardigheid van het bedrijf sterk verminderen. Ook al is afschrijving economisch gerechtvaardigd vanuit het oogpunt van de zaken zelf, toch kan het de groei van de inkomsten negatief beïnvloeden of anderszins de kapitaalkosten verhogen.[3] Vanuit dit standpunt kunnen kleine bedrijfsverliezen over een periode van een paar jaar de voorkeur verdienen boven één enkel groot verlies. De omvang van de afschrijvingen hangt uiteraard af van de waardevermindering van de bedrijfsmiddelen in de zaken ten opzichte van hun liquidatiewaarde en van het vermogen van het bedrijf om het onderdeel stap voor stap af te bouwen in plaats van een definitief besluit te moeten nemen.

Verticale integratie. Als de zaken in verticaal verband staan met andere zaken binnen de onderneming, hangt het effect op uittredingsbarrières af van de vraag of de oorzaak van de neergang betrekking heeft op de gehele verticale keten of slechts een schakel daarin. In het geval van acetyleen veroorzaakte de veroudering hiervan tevens een veroudering van de chemisch-synthetische business, waarin acetyleen als grondstof werd gebruikt. Als een bedrijf zich zowel met acetyleen bezighield als met één of meer van

---

[3] Het kan zijn dat een gediversifieerde onderneming in staat is om gebruik te maken van het belastingverlies ten gevolge van een dergelijke afschrijving, waardoor de negatieve invloed van de beslissing tot uittreding op de cash flow wordt verzacht. Niettemin kan de afschrijving invloed hebben op de geldmarkten.

deze stroomafwaartse processen, hield het sluiten van de acetyleenfabriek tevens sluiting van de stroomafwaartse faciliteiten in of werd het bedrijf gedwongen een leverancier van buitenaf te vinden. Hoewel het bedrijf van een leverancier van buitenaf een gunstige prijs zou kunnen bedingen in verband met de afnemende vraag naar acetyleen, zou het bedrijf zich uiteindelijk ook uit de stroomafwaartse operaties terug moeten trekken. Hier zou de beslissing tot uittreding betrekking hebben op de gehele keten.

Als daarentegen echter een stroomopwaarts bedrijfsonderdeel aan een stroomafwaartse eenheid een input zou verkopen, die door een substituut verouderd was geraakt, dan zou de stroomafwaartse eenheid haar uiterste best doen om een leverancier van buitenaf te vinden, waarvan zij de substitutie-input zou kunnen kopen teneinde verslechtering van de eigen concurrentiepositie te vermijden. Zo zou het feit dat het bedrijf voorwaarts geïntegreerd is de beslissing tot uittreding kunnen bespoedigen, omdat de zaken niet langer van strategisch belang zijn, maar veeleer een strategisch blok aan het been voor de gehele onderneming is geworden.

Informatiebarrières

Hoe groter de onderlinge samenhang tussen onderdelen binnen een onderneming is, met name wat betreft het delen van bedrijfsmiddelen of een koper-verkoper relatie, des te moeilijker kan het zijn om duidelijke gegevens te krijgen over de werkelijke prestaties van een bedrijf. Zaken die slecht draaien, kunnen onzichtbaar blijven door het succes van aanverwante zaken en de onderneming kan daardoor in gebreke blijven door het zelfs niet in overweging nemen van economisch verantwoorde beslissingen tot uittreding.

Managementafhankelijke of emotionele barrières

Hoewel de hierboven beschreven uittredingsbarrières gebaseerd zijn op rationele economische berekeningen (of het onvermogen deze uit te voeren door gebrek aan gegevens), lijkt de moeilijkheid om uit de zaken te stappen niet alleen van zuiver economische aard te zijn.[4] Een verschijnsel dat bij veel casestudies telkens weer opduikt, is dat van emotionele gehechtheid aan en betrokkenheid bij de zaken van de kant van het management, gekoppeld aan trots op hun vaardigheden en bereikte resultaten en angst voor hun eigen toekomst.

In een onderneming, die zaken doet op één bepaald gebied, betekent

---

[4] Hierbij wordt ervan uitgegaan dat het management voldoende effectieve controle over de gang van zaken heeft om niet in het beste belang van de aandeelhouders op te treden. In het extreme geval, waarin de managers zelf aandeelhouders zijn, zijn de mogelijkheden voor en waarschijnlijkheid van emotionele uittredingsbarrières het grootst.

uittreding dat managers hun banen verliezen, hetgeen vanuit persoonlijk standpunt enkele zeer onplezierige gevolgen heeft:

- Gekrenkte trots en de smet van een 'nederlaag'
- Mogelijk langdurige verbreking van de identificatie met de zaken, die gedaan werden
- Een bewijs van falen voor de buitenwereld, waardoor de kansen op een andere baan kleiner worden

Hoe verder de geschiedenis en traditie van de onderneming teruggaan in de tijd en hoe geringer de mobiliteit van het hoger management naar andere ondernemingen en carrières is, des te zwaarder zullen deze overwegingen gaan wegen bij de beslissing tot uittreding.

Er zijn vele aanwijzingen voor te vinden dat persoonlijke en emotionele barrières ook een rol spelen bij het topmanagement van gediversifieerde ondernemingen. De positie van managers van een kwijnende divisie lijkt erg op die van de onderneming, die zaken doet op één bepaald gebied. Het valt hen moeilijk om een voorstel te doen tot afbouw en de last van de beslissing ingeval van uittreding wordt dus meestal door het topmanagement gedragen. Ook op het niveau van het topmanagement kan echter de identificatie met bepaalde zaken nog groot zijn, vooral als dit zaken zijn die allang gedaan worden of eerste onderdelen van het bedrijf zijn, deel uitmaken van de historische kern van de onderneming, of gestart of overgenomen werden, waarbij de beslisser direct betrokken was. De beslissing van bijvoorbeeld General Mills om zijn oorspronkelijke activiteiten (meelbloem) af te bouwen was zeker geen gemakkelijke en werd dan ook pas na jarenlang beraad genomen.

Evenals identificatie tot in het topmanagement van een gediversifieerde onderneming een rol kan spelen, is dit het geval met trots en bezorgdheid over het imago naar de buitenwereld. Dit is wederom vooral het geval als het topmanagement van de gediversifieerde onderneming persoonlijk betrokken was bij het bedrijf dat op de nominatie staat om afgebouwd te worden. Bovendien kunnen gediversifieerde bedrijven, in tegenstelling tot ondernemingen die zaken doen op één bepaald gebied, het zich permitteren om slecht draaiende zaken met winstgevende te ondersteunen en zijn ze soms in staat om onthulling van slechte resultaten in een noodlijdende divisie te vermijden. Hierdoor kan het mogelijk zijn dat bij de beslissingen tot afbouw in gediversifieerde ondernemingen emotionele factoren sluipen, terwijl ironisch genoeg een objectievere, rationelere kijk op afbouw juist één van de voordelen van diversifiëring heet te zijn.

Uittredingsbarrières kunnen voor het management zo hoog zijn dat, zoals bestudering van een aantal 'case histories' over afbouw aantoont, afbouw pas plaatsvindt, als er een verschuiving in het topmanagement is, ook al hebben de slechte resultaten een chronisch karakter.[5] Hoewel dit misschien een extreme situatie is, lijkt bijna iedereen het erover eens te zijn dat afbouw waarschijnlijk de meest onaangename beslissing is, die het management moet nemen.[6]

Ervaring met uittreding kan voor het management barrièreverlagend werken. Barrières zijn bijvoorbeeld minder duidelijk aanwezig in bedrijven die actief zijn op het brede terrein van chemicaliën, waar technologische mislukking en produktsubstitutie veel voorkomen; bedrijven in sectoren, waar het produkt van oudsher een kort leven beschoren is; of high tech ondernemingen, die meer gericht zijn op het zoeken naar mogelijkheden voor nieuwe zaken ter vervanging van neergaande zaken.

Overheids- en sociale barrières

In sommige situaties, vooral in het buitenland, behoort het sluiten van een bedrijfsafdeling bijna tot de onmogelijkheden vanwege de bezorgdheid van de regering voor de werkgelegenheid en de gevolgen voor de plaatselijke gemeenschap. De prijs die voor afbouw betaald moet worden, kan inhouden dat er concessies gedaan moeten worden bij andere afdelingen in de onderneming of andere belemmerende voorwaarden. Zelfs daar waar de overheid zich niet formeel met de gang van zaken bemoeit, kan de druk van de gemeenschap en de informele politiek om niet uit te treden zeer groot zijn, afhankelijk van de situatie waarin de onderneming zich bevindt.

Nauw verwant hiermee is de bezorgdheid van veel bedrijfsleidingen voor het sociaal welzijn van hun werknemers en de plaatselijke gemeenschap, die weliswaar niet in klinkende munt omgezet kan worden, maar niettemin zeer reëel is. Afbouw betekent vaak dat mensen zonder werk komen te zitten en soms ontwrichting van de locale economie. Dergelijke zorgen spelen vaak een rol in de emotionele barrières tegen uittreding. In Quebec bijvoorbeeld staan er enorme maatschappelijke belangen op het spel bij het sluiten van pulpmalerijen in de kwijnende Canadese pulpoplossingenbranche, omdat veel van deze malerijen het enige bedrijf in een stad zijn. Directieleden worden gekweld door bezorgdheid voor de gemeenschap en krijgen bovendien nog te maken met formele en informele druk van de overheid.[7]

Vanwege één of meerdere van dergelijke uittredingsbarrières kan een bedrijf de concurrentie in een bedrijfstak voortzetten, ook al liggen de financiële resultaten beneden het normale peil. Ook al neemt de bedrijfstak in betekenis af, er wordt geen capaciteit aan onttrokken en de concurrenten

[5] Zie bijvoorbeeld Gilmour (1973).

[6] Zie Porter (1976) voor een bespreking van de manieren waarop aan barrières voor het management het hoofd kan worden geboden.

[7] Zie Mehta (1978) voor een diepgaande bespreking van de rol van de overheid in deze neergaande bedrijfstak.

vechten onderling een grimmige overlevingsstrijd uit. In een neergaande bedrijfstak met hoge uittredingsbarrières is het zelfs voor de sterkste en gezondste bedrijven moeilijk om het neergangsproces ongeschonden te doorstaan.

Mechanisme voor afstoting van bedrijfsmiddelen

De manier waarop bedrijven zich van hun bedrijfsmiddelen ontdoen, kan de potentiële winstgevendheid in een neergaande bedrijfstak sterk beïnvloeden. In de Canadese pulpoplossingenindustrie werd bijvoorbeeld een vrij grote vestiging niet gesloten, maar tegen een prijs die aanzienlijk beneden de boekwaarde lag, verkocht aan een groep ondernemers. Door de lagere investeringsbasis konden managers van de nieuwe eenheid beslissingen nemen op het gebied van prijzen en andere strategische aspecten die voor hen redelijk waren, maar de overblijvende bedrijvende zware schade toebrachten. Het verkopen van de bedrijfsmiddelen aan de werknemers tegen een lage prijs kan hetzelfde effect hebben. Als dus bedrijfsmiddelen in een neergaande bedrijfstak worden afgestoten *binnen de bedrijfstak* en hier dus niet aan worden onttrokken, is het hierna voor de concurrenten nog moeilijker dan wanneer de oorspronkelijke eigenaren van het bedrijfstak de zaken hadden voortgezet.

De situatie, waarin zieltogende bedrijven in neergaande bedrijfstakken door overheidssubsidies op de been worden gehouden, is bijna even slecht. Niet alleen wordt er geen capaciteit aan de markt onttrokken, maar tevens kan het ondersteunde bedrijf het winstpotentieel nog verder drukken, omdat het zijn beslissingen op een andere economische basis neemt.

WISSELVALLIGHEID VAN DE CONCURRENTIE

Door de dalende afzet is in de neergangsfase van een bedrijfstak de kans op een hevige prijzenoorlog tussen de concurrenten bijzonder hoog. De voorwaarden die bepalend zijn voor de wisselvalligheid van de concurrentie en die beschreven zijn in hoofdstuk 1 spelen dus een zeer belangrijke rol bij het beïnvloeden van de winstgevendheid in een neergaande bedrijfstak. De concurrentieslag tussen de overblijvende bedrijven zal tijdens de neergangsfase het intensiefst zijn in de volgende situaties:

- het produkt wordt beschouwd als gebruiksartikel;
- de vaste kosten zijn hoog;
- veel bedrijven worden door barrières verhinderd uit de bedrijfstak te treden;
- een aantal bedrijven acht het strategisch zeer belangrijk om de positie in de bedrijfstak te handhaven;
- de krachtsverhoudingen tussen de overblijvende bedrijven zijn min

of meer in evenwicht, zodat de concurrentiestrijd niet door één of enkele bedrijven gemakkelijk kan worden gewonnen;
• de bedrijven verkeren in onzekerheid over hun relatieve concurrentiekracht en vele doen tot mislukken gedoemde pogingen om hun positie te veranderen.

De wisselvalligheid van de concurrentie in de neergangsfase kan door leveranciers en distributiekanalen nog benadrukt worden. De bedrijfstak wordt een minder belangrijke klant voor leveranciers naarmate deze in betekenis afneemt, hetgeen prijzen en service kan beïnvloeden.[8] Evenzo zal de macht van distributiekanalen in de neergangsfase toenemen, indien deze meerdere bedrijven vertegenwoordigen, de indeling en positie van de schappen zelf bepalen of de uiteindelijke aankoopbeslissing van de klant kunnen beïnvloeden. In de sigarenindustrie bijvoorbeeld is de opstelling van de schappen zeer belangrijk, omdat sigaren immers een impulsartikel zijn. De macht van distributiekanalen voor sigaren is in de neergangsfase aanmerkelijk toegenomen en de marges van de verkopers zijn dienovereenkomstig gedaald.

De misschien slechtst denkbare situatie vanuit het standpunt van bedrijfstakconcurrentie gedurende de neergangsfase is die, waarin één of twee bedrijven een relatief zwakke strategische positie in de bedrijfstak hebben, maar over belangrijke middelen van de totale onderneming beschikken en een sterke strategische verplichting hebben om in de onderneming te blijven. Door hun zwakte worden ze gedwongen hun positie te verbeteren met wanhoopsmaatregelen als prijsverlagingen, waardoor de gehele bedrijfstak in gevaar komt. Door hun kracht om te blijven worden andere bedrijven gedwongen te reageren.

Strategische alternatieven bij neergang

Besprekingen van een strategie in de neergangsfase draaien meestal om de vraag of er gedesinvesteerd dan wel geoogst dient te worden. Er bestaat evenwel een *scala* aan strategische alternatieven - hoewel ze niet noodzakelijkerwijs in elke bedrijfstak uitvoerbaar zijn. Het scala aan strategieën kan gemakkelijk tot uitdrukking worden gebracht in vier basisbenaderingen (getoond in figuur 12-1) voor concurrentie tijdens neergang, die door een bedrijf apart of in sommige gevallen achtereenvolgens kunnen worden toegepast. In de praktijk is het onderscheid tussen deze strategieën vaak nogal vaag, maar het is toch nuttig om de doelstellingen en gevolgen ervan apart te bespreken. Deze strategieën lopen erg uiteen, niet alleen wat betreft de doelstellingen die ze nastreven, maar ook wat betreft de gevolgen op het

---

[8] Als de bedrijfstak echter een belangrijke klant van leveranciers is, kunnen deze helpen de neergang te bestrijden.

gebied van investeringen. In oogst- en afbouwstrategieën is het beleid van het management gericht op desinvestering, de klassieke doelstelling van neergangsstrategieën. Bij leiderschaps- of nestelingsstrategieën kan het echter zijn dat het bedrijf wil investeren in positieversterking binnen de neergaande bedrijfstak.

We zullen ons nu eerst gaan buigen over de motieven voor elk strategisch alternatief en de gebruikelijke tactische stappen bij de toepassing ervan. In de volgende paragraaf zullen we dan de benaderingen bespreken voor het kiezen van een strategie, die is afgestemd op de bedrijfstak en het individuele bedrijf.

FIGUUR 12-1 **Alternatieve strategieën**

Leiderschap	*Nesteling*	*Oogst*	*Snelle afbouw*
Zoek leiderschapspositie in termen van marktaandeel	Creëer of verdedig een sterke positie in een bepaald segment	Desinvesteer op bewuste wijze en maak gebruik van sterke punten	Liquideer de investering in een zo vroeg mogelijk stadium van de neergangsfase

LEIDERSCHAP

De leiderschapsstrategie is erop gericht om voordeel te halen uit een in betekenis afnemende bedrijfstak, waarvan de structuur zodanig is dat de overblijvende bedrijven de mogelijkheid hebben om meer dan gemiddelde winsten te halen en waar leiderschap ten opzichte van de concurrenten realiseerbaar is. Het bedrijf stelt zich tot doel ofwel het enige bedrijf, ofwel één van de weinige overgebleven bedrijven in de bedrijfstak te worden. Als die positie eenmaal bereikt is, stapt het bedrijf over op een strategie van positieconsolidatie of beheerste oogst, afhankelijk van het latere patroon van de verkoop in de bedrijfstak.[9] De onderliggende vooronderstelling van deze strategie is dat door het bereiken van leiderschap het bedrijf in een betere positie is om de positie te handhaven of om te oogsten dan anders het geval zou zijn geweest (rekening houdend met de vereiste investering).

Tactische stappen, die kunnen helpen bij de uitvoering van de leiderschapsstrategie, zijn de volgende:

● investeren in agressieve concurrerende acties op het gebied van prijzen, marketing of andere gebieden, die zich lenen voor het opbou-

---

[9] Investering in een traag of negatief groeiende markt is in het algemeen riskant, aangezien kapitaal wellicht wordt bevroren en zich niet door winsten of liquidatie laat herwinnen. Het uitgangspunt van een leiderschapsstrategie is dat de positie van een bedrijf en de structuur van de bedrijfstak meer opleveren dan alleen terugwinning van de herinvestering, ook al gebeurt dit pas in een laat stadium van de ontwikkeling van de bedrijfstak.

wen van marktaandeel en die leiden tot snelle onttrekking van capaciteit aan de bedrijfstak door andere bedrijven;

- kopen van marktaandeel door het overnemen van concurrenten of hun produktassortimenten tegen prijzen, die gunstig liggen in verhouding tot wat ze er bij verkoop elders voor kunnen krijgen; het effect hiervan is dus verlaging van de uittredingsbarrières voor de concurrenten;
- kopen en wegnemen van capaciteit van de concurrenten, waardoor wederom hun uittredingsbarrières verlaagd worden en waardoor bereikt wordt dat hun capaciteit niet binnen de bedrijfstak wordt verkocht; om deze reden biedt een marktleider in de mechanische sensorbranche herhaaldelijk aan de bedrijfsmiddelen van zijn zwakste concurrenten te kopen;
- op andere manieren verlagen van de uittredingsbarrières van de concurrenten, bijvoorbeeld door bereid te zijn reserve-onderdelen voor hun produkten te fabriceren, langlopende contracten over te nemen, goederen onder hun eigen merk te produceren, zodat ze hun fabricageprocessen stop kunnen zetten;
- blijk geven van vastbeslotenheid om in de onderneming te blijven door openbare verklaringen en handelingen;
- blijk geven van een duidelijk grotere kracht door middel van concurrerende acties, die erop gericht zijn de concurrent bij voorbaat te ontmoedigen;
- verzamelen en onthullen van geloofwaardige informatie, die onzekerheid over de neergang in de toekomst vermindert - waardoor de waarschijnlijkheid dat concurrenten de werkelijke vooruitzichten voor de bedrijfstak zullen overschatten, vermindert en ze in de bedrijfstak blijven;
- de inzet voor andere concurrenten om in de bedrijfstak te blijven verhogen door de noodzaak van herinvestering in nieuwe produkten of procesverbeteringen te versnellen.

NESTELING

Doel van deze strategie is het vaststellen van een segment (of vraaggebied) van de neergaande bedrijfstak, waar niet alleen de vraag stabiel zal blijven of slechts langzaam zal dalen, maar dat tevens structurele kenmerken heeft, die hoge winsten mogelijk maken. Het bedrijf investeert dan in het opbouwen van haar positie in dit segment. Een bedrijf kan het wenselijk vinden om één van de acties te ondernemen, die hierboven zijn opgesomd onder de leiderschapsstrategie, teneinde de uittredingsbarrières voor concurrenten te verlagen of de onzekerheid omtrent dit segment te verminderen. Uiteindelijk kan het bedrijf overgaan tot een oogst- of afbouwstrategie.

OOGST

Bij de oogststrategie probeert een onderneming de cash flow uit de zaken te optimaliseren. Dit gebeurt door middel van de scherpe beknotting op nieuwe investering, besnoeiing op het onderhoud van produktievoorzieningen en het profijt trekken van alle overgebleven sterke punten van het bedrijf om de prijzen te verhogen of voordeel te halen uit goodwill uit het verleden door voortzetting van de verkoop, ook al is er bezuinigd op reclame- en onderzoekskosten. Andere gangbare oogsttactieken zijn:

- terugbrengen van het aantal modellen;
- terugbrengen van het aantal gebruikte kanalen;
- kleine klanten laten vallen;
- uithollen van de service in termen van leveringstijd (voorraad), snelheid van reparatie of verkoopbegeleiding.

Uiteindelijk wordt het bedrijfsonderdeel verkocht of geliquideerd.

Niet in alle bedrijven kan zonder meer geoogst worden. De oogststrategie gaat uit van enkele werkelijk sterke punten in het verleden waarop het bedrijf kan teren, alsmede een bedrijfstakomgeving die in de neergangsfase niet uitmondt in een verbitterde concurrentiestrijd. Zonder enige sterke punten zullen prijsverhogingen, kwaliteitsvermindering, stopzetting van reclame of andere tactieken tot een ernstige daling van de verkoopcijfers leiden. Als de structuur van de bedrijfstak leidt tot grote wisselvalligheid in de neergangsfase, zullen de concurrenten van het gebrek aan investeringen van het bedrijf profiteren om marktaandeel te veroveren of prijzen te verlagen, waardoor de voordelen van uitgavenverlaging voor het bedrijf door middel van oogst teniet worden gedaan. Tevens valt in sommige zaken moeilijk te oogsten, omdat er maar weinig mogelijkheden zijn om de uitgaven stapsgewijs verder terug te dringen; een extreem voorbeeld hiervan is een fabriek, die heel snel stil komt te liggen als er geen onderhoudswerkzaamheden worden uitgevoerd.

Een wezenlijk onderscheid bij oogststrategieën is dat tussen acties die voor de klant *zichtbaar* zijn (bijvoorbeeld prijsverhogingen, minder reclame) en acties, die onzichtbaar blijven (bijvoorbeeld uitstel van onderhoud, het laten vallen van marginale klanten). Een bedrijf zonder relatief sterke punten zal zich waarschijnlijk moeten beperken tot onzichtbare acties, waarbij het al dan niet belangrijk toenemen van de cash flow van de aard van de zaken afhangt.

Van alle strategische alternatieven in de neergangsfase stelt de oogststrategie in bestuurlijk opzicht misschien de scherpste eisen, ook al zijn deze in de literatuur nauwelijks onderzocht. In de praktijk is een gecontroleerde liquidatie zeer moeilijk te volbrengen vanwege de problemen met het moreel en de tegenwerking van personeel, het vertrouwen van leveranciers en klanten en de motivatie van directieleden. Het classificeren van een onderneming als een renpaard dat zijn beste tijd heeft gehad (dog (BCG)), op basis van portfolioplanningstechnieken als beschreven in hoofdstuk 3, werkt evenmin echt motiverend. Hoewel er in ondernemingen als General Electric en Mead Corporation pogingen zijn gedaan om de prikkels voor het management aan te passen aan de speciale oogstvoorwaarden, zijn de resultaten hiervan nog geenszins duidelijk en blijven de andere bestuurlijke problemen bij oogst desondanks bestaan.

SNELLE AFBOUW

Bij deze strategie gaat men ervan uit dat de onderneming de hoogste netto investeringsopbrengsten uit het bedrijf kan halen door het in een vroeg stadium van de neergang te verkopen in plaats van eerst te oogsten en het daarna pas te verkopen of één van de andere strategieën te volgen. Door het bedrijf in een vroeg stadium te verkopen krijgt de onderneming er meestal de maximaal haalbare prijs voor, omdat hoe vroeger het bedrijf wordt verkocht, des te groter de onzekerheid is over de kwestie of de vraag inderdaad verder zal blijven dalen en des te kleiner de kans is dat andere markten voor de bedrijfsmiddelen, zoals het buitenland, verzadigd zijn.

In sommige situaties verdient het de voorkeur het bedrijf af te bouwen, vóórdat de neergang zich inzet, oftewel in de volwassenheidsfase. Als de neergang eenmaal duidelijk is, zullen kopers voor de bedrijfsmiddelen van binnen en van buiten de bedrijfstak een sterkere onderhandelingspositie hebben. Aan de andere kant brengt vroege verkoop het risico met zich mee, dat de toekomstvoorspelling van de onderneming incorrect zal blijken te zijn.

Door snelle afbouw kan de onderneming te maken krijgen met uittredingsbarrières als imago en onderlinge verbondenheid, alhoewel deze factoren doorgaans een geringe rol spelen als de onderneming er vroeg bij is. De onderneming kan een strategie van eigen merk volgen of produktassortimenten aan de concurrenten verkopen om deze problemen wat te vergemakkelijken.

Strategiekeuze voor neergang

De voorgaande bespreking levert een serie analytische stappen op om de positie van het bedrijf in een neergaande bedrijfstak te bepalen:

- Maakt de structuur van de bedrijfstak een milde (mogelijk winstgevende) neergangsfase waarschijnlijk, indien men zich baseert op de voorwaarden in de eerste paragraaf?
- Wat zijn de uittredingsbarrières voor alle concurrenten die van enig belang zijn? Wie zal snel uittreden en wie zal blijven?

- Wat zijn de relatief sterke punten van de overblijvende bedrijven voor concurrentie in de resterende vraaggebieden in de bedrijfstak? Hoe erg moet hun positie, gezien hun uittredingsbarrières, uitgehold worden voordat ze zullen uittreden?
- Wat zijn de uittredingsbarrières voor het bedrijf?
- Wat zijn de relatief sterke punten van het bedrijf ten opzichte van de resterende vraaggebieden?

Het proces van strategiekeuze voor neergang komt neer op het in overeenstemming brengen van de wenselijkheid om in de bedrijfstak te blijven met de relatieve positie van de onderneming. Bij het vaststellen van de relatieve positie van het bedrijf zijn de belangrijkste sterke en zwakke punten niet noodzakelijkerwijs dezelfde als die welke in een eerder stadium van de bedrijfstakontwikkeling golden; ze hebben in plaats daarvan betrekking op de vraaggebieden die over zullen blijven, en de bijzondere omstandigheden van de neergangsfase wat betreft de aard van de concurrentie. Wat verder centraal staat bij leiderschaps- of nestelingsstrategieën is de geloofwaardigheid bij het aansturen op uittreding van concurrenten. Verschillend gesitueerde bedrijven zullen uiteenlopende optimale strategieën hebben voor neergang.

Een ruw overzichtsschema voor de strategiekeuzes van bedrijven wordt getoond in figuur 12-2.

FIGUUR 12-2

	Heeft sterke punten in vergelijking met concurrenten voor resterende vraaggebieden	Mist sterke punten in vergelijking met concurrenten voor resterende vraaggebieden
Bedrijfstak-structuur gunstig voor neergang	**Leiderschap of nesteling**	**Oogst of snelle afbouw**
Bedrijfstak-structuur ongunstig voor neergang	**Nesteling of oogst**	**Snelle afbouw**

Strategische noodzaak van de onderneming om in de bedrijfstak te blijven

Als de structuur van de bedrijfstak leidt tot een milde neergangsfase van-wege lage onzekerheid, lage uittredingsbarrières, enzovoort, zal een bedrijf met sterke punten ofwel leiderschap nastreven, ofwel het eigen territorium verdedigen, afhankelijk van de structurele wenselijkheid om te concurreren in de meeste resterende segmenten of om één of twee bepaalde segmenten uit te kiezen. Een bedrijf met sterke punten heeft de mogelijkheid om een leidende positie te bereiken - concurrenten die de strijd verliezen, zullen uittreden - en de structuur van de bedrijfstak maakt dat zo'n positie, een-maal bereikt, lonend is. Als een bedrijf niet bepaalde sterke punten heeft, is het onwaarschijnlijk dat leiderschap in de gehele bedrijfstak of in een bepaald gebied bereikt kan worden, maar het kan wel van de gunstige omstandigheden in de bedrijfstak profiteren door winstgevend te oogsten. Het kan ervoor kiezen om in een vroeg stadium af te bouwen, afhankelijk van de haalbaarheid van oogst en de reële kansen op verkoop van het bedrijf (bepaalde zaken).

Als de bedrijfstak ongunstige neergangskenmerken heeft door grote onzekerheid, hoge uittredingsbarrières voor concurrenten en/of omstandig-heden, die leiden tot wisselvalligheid van de eindspelconcurrentie, zijn investeringen in pogingen om leiderschap te verwerven waarschijnlijk niet lonend, evenmin als nesteling in een bepaald vraaggebied. Als een bedrijf een relatief sterke positie inneemt, doet het er meestal beter aan hiervan te profiteren door zich te nestelen in een beschermd gebied en/of te oogsten. Als een bedrijf niet bepaalde sterke punten heeft, doet het er goed aan om zich zo snel als de uittredingsbarrières dit toelaten uit te treden, omdat andere bedrijven, die door hoge barrières aan de bedrijfstak vastzitten, waarschijnlijk spoedig en met succes zijn positie zullen gaan aanvallen.

Er zit nog een derde aspect aan dit eenvoudige schema en dat is de stra-tegische noodzaak voor de onderneming om in de bedrijfstak te blijven. Strategische noodzaak van cash flow bijvoorbeeld kan leiden tot een ombui-ging van de beslissing in de richting van oogst of vroege verkoop, ook al wij-zen de andere factoren naar leiderschap. Operationeel gezien moet het bedrijf de aard van de strategische behoeften vaststellen en die vervolgens afwegen tegen de andere neergangsomstandigheden om de juiste strategie te bepalen.

Als een bedrijf zich *vroeg vastlegt* op een bepaalde neergangsstrategie, kan dit voordelen bieden. Een vroeg streven naar leiderschap kan de signa-len geven, die noodzakelijk zijn om concurrenten tot uittreding te bewegen en het noodzakelijk tijdsvoordeel opleveren om leiderschap te bereiken. Een vroeg streven naar afbouw levert de hiervoor besproken voordelen op. Uitstel van keuze van neergangsstrategie leidt doorgaans tot eliminatie van de uiterste mogelijkheden en dwingt het bedrijf in de richting van nesteling of oogst.

Een sleutelonderdeel van strategie in neergaande bedrijfstakken, vooral van agressieve strategieën, is het vinden van wegen om bepaalde concurrenten ertoe over te halen de bedrijfstak te verlaten. Enkele manieren hiertoe zijn al eerder onder het kopje leiderschap besproken. Soms kan de daadwerkelijke uittreding van een concurrent met een groot marktaandeel noodzakelijk zijn, voordat een agressieve neergangsstrategie vruchten af kan werpen. In dergelijke gevallen kan het bedrijf zijn tijd afwachten en oogsten, totdat de belangrijke concurrent de knoop doorhakt omtrent uittreding of niet. Als de leider besluit uit te treden kan het bedrijf zich op investeringen voorbereiden en als de leider blijft kan het bedrijf doorgaan met oogsten of onmiddellijk afbouwen.

Valkuilen bij neergang

Het bepalen van de positie van een bedrijf in figuur 12-2 vereist veel subtiel analysewerk en veel bedrijven doen de fundamentele consistentie tussen bedrijfstakstructuur en de in het schema vervatte strategiekeuze geweld aan. Bestudering van neergaande bedrijfstakken brengt ook een aantal andere mogelijke valkuilen aan het licht.

Falen bij het onderkennen van neergang. Het is natuurlijk gemakkelijk om bedrijven achteraf te kapittelen, omdat ze te optimistisch zijn geweest over de vooruitzichten op een opleving in hun neergaande bedrijfstakken. Toch schijnt men, onverkort de legitieme onzekerheid over de toekomst, in sommige ondernemingen niet objectief over de vooruitzichten van neergang te denken, hetzij door langdurige persoonlijke betrokkenheid bij de bedrijfstak, hetzij door een al te eenzijdige beoordeling van substituten. De aanwezigheid van hoge uittredingsbarrières kan ook een subtiele invloed hebben op hoe managers hun omgeving waarnemen; ze speuren liever naar lichtpunten dan naar pessimistische tekenen. Uit mijn onderzoek naar veel neergaande bedrijfstakken blijkt dat de ondernemingen die het objectiefst zijn in hun oordeel over hoe op het neergangsproces gereageerd dient te worden, tevens actief zijn in de bedrijfstak van substituten. Ze hebben een helderder inzicht in de vooruitzichten van het substituut en de dreiging van neergang.

Een uitputtingsslag. Strijd tussen concurrenten die hoge uittredingsbarrières hebben, heeft gewoonlijk rampzalige gevolgen. Ze zijn gedwongen om krachtdadig op elkaars maatregelen te reageren en zullen hun positie niet opgeven zonder een aanzienlijke investering.

Oogsten zonder duidelijk sterke punten. Oogststrategieën van bedrijven die geen duidelijke sterke punten hebben, zullen doorgaans tot mislukken gedoemd zijn, tenzij de structuur van de bedrijfstak zeer gunstig is voor de neergangsfase. Klanten brengen hun belangen snel ergens anders onder, wanneer de marketing of service achteruitgaat of de prijzen stijgen. Tijdens het oogstproces kan de wederverkoopwaarde van het bedrijf ook verminderen. Met het oog op de competitieve en bestuurlijke risico's moet er een duidelijke rechtvaardiging bestaan voor het volgen van een oogststrategie.

Voorbereiding op neergang

Als een onderneming de situatie in de bedrijfstak in de neergangsfase kan voorspellen, is ze ook in staat de eigen positie te verbeteren door het ondernemen van stappen gedurende de fase van volwassenheid, die de positie voor neergang sterk verbeteren; soms vergen deze maatregelen maar weinig van de strategische positie tijdens de volwassenheid.

- Het minimaliseren van investeringen of andere maatregelen die zullen leiden tot verhoging van welke van de in dit hoofdstuk besproken uittredingsbarrières dan ook.
- Het leggen van strategische nadruk op marktsegmenten die zich onder neergangsomstandigheden gunstig zullen gedragen.
- Het creëren van overstapkosten in deze segmenten.

13
Concurrentie in mondiale bedrijfstakken

Een mondiale bedrijfstak is een bedrijfstak, waarin de strategische posities van de concurrenten in belangrijke geografische of nationale markten fundamenteel beïnvloed worden door hun algehele positie in de wereld.[1] De strategische positie van IBM in de concurrentie om computerverkopen in Frankrijk en Duitsland bijvoorbeeld is belangrijk verbeterd door technologie en marketingvaardigheden die elders in de onderneming werden ontwikkeld, gecombineerd met een wereldwijd gecoördineerd produktiesysteem. Om de concurrentie in een mondiale bedrijfstak te analyseren is het noodzakelijk de economisch structuur daarvan en de concurrenten in de verschillende geografische en nationale markten gezamenlijk en niet individueel te onderzoeken.

Mondiale bedrijfstakken noodzaken een bedrijf om te concurreren op een wereldwijde, gecoördineerde basis of om strategische nadelen onder ogen te zien. Sommige bedrijfstakken, die internationaal zijn in die zin dat multinationale ondernemingen erin opereren, missen de essentiële kenmerken van een mondiale bedrijfstak. In veel voorverpakte voedselprodukten hebben bijvoorbeeld multinationale ondernemingen als Nestlé, Pet en CPC vestigingen in talloze landen. Afgezien van een beperkte mate van produkt-

---

[1] Aan dit hoofdstuk hebben meegewerkt Thomas Hout, Eileen Rudden en Eric Vogt van de Boston Consulting Group, alsmede Neal Bhadkamkar, onderzoeksassistent en bedrijfskundige (MBA), 1979.

ontwikkeling, echter, zijn de dochterondernemingen zelfstandig en wordt per land een competitief evenwicht bereikt. Een onderneming hoeft niet internationaal te concurreren om succesvol te zijn. Bedrijfstakken met multinationale concurrenten zijn dus niet per se mondiale bedrijfstakken. Het valt echter niet te ontkennen dat 'wereldomvattendheid' een kwestie van gradatie is, aangezien de strategische voordelen van internationaal concurrerende bedrijven per bedrijfstak aanzienlijk kunnen verschillen.

In de jaren zeventig zijn steeds meer bedrijfstakken uitgegroeid tot mondiale bedrijfstakken en het valt te verwachten dat deze belangrijke structurele achtergrond nog belangrijker zal worden. In ieder geval zijn handel en buitenlandse investeringen aanzienlijk gegroeid en de verschuivingen in strategische positie, waarmee de evolutie van de bedrijfstak tot mondiale bedrijfstak gepaard is gegaan, vonden snel plaats en waren zeer ingrijpend. TV-toestellen, motorfietsen, naaimachines en auto's zijn hier enkele zeer duidelijke en kenmerkende voorbeelden van. Het opschuiven naar wereldomvattendheid kan vergeleken worden met de verschuiving van bedrijfstakken in de V.S. van regionale naar nationale concurrentie van 1890 tot 1930; zoals we zullen aantonen, komen veel van de fundamentele oorzaken overeen. Bovendien zou de verschuiving naar mondiale concurrentie wel eens net zo verstrekkend kunnen zijn. In bijna elke bedrijfstak moeten managers rekening houden met de mogelijkheid van mondiale concurrentie, als die al niet realiteit is geworden.

Er zijn veel verschillen tussen nationaal en internationaal concurreren en bij de ontwikkeling van een internationale concurrentiestrategie komen deze ook doorgaans duidelijk tot uitdrukking.

- verschillen in produktiekosten tussen landen;
- verschillende omstandigheden op buitenlandse markten;
- verschillende rollen van buitenlandse overheden;
- verschillen in doelstellingen, middelen en vermogen om buitenlandse concurrenten kritisch te volgen.

Echter, de *structurele factoren en de marktmechanismen in de mondiale bedrijfstakken zijn dezelfde*, als die welke in de binnenlandse bedrijfstakken werkzaam zijn. Bij structurele analyse van mondiale bedrijfstakken moet rekening gehouden worden met buitenlandse concurrenten, een bredere groep van potentiële toetreders, een breder scala van mogelijke substituten en een grotere kans dat doelstellingen en persoonlijke karakters binnen de onderneming uiteen zullen lopen, evenals de meningen over wat van strategisch belang is. Maar verder zijn dezelfde concurrentiekrachten, die in hoofdstuk 1 werden beschreven, ook hier werkzaam en dezelfde onderliggende structurele factoren bepalen de invloed hiervan. Zoals we zullen zien, zijn de meest succesvolle mondiale strategieën gebaseerd op de herkenning van deze marktmechanismen in hun enigszins andere (of ingewikkelder) context.

In dit hoofdstuk zal worden voortgebouwd op de basisconcepten van deel I om enige specifieke economische en competitieve aspecten te onderzoeken, die in mondiale bedrijfstakken aan de orde zijn. De belangrijkste kwestie die onderzocht moet worden, kan zowel positief als negatief geformuleerd worden. Levert het voor de onderneming een strategisch voordeel op, als in de bedrijfstak op mondiale basis geconcurreerd wordt? Hoe ernstig zal de onderneming door de internationale concurrentie bedreigd worden? Bij het onderzoek hiernaar zal ik eerst de structurele voorwaarden uiteenzetten die concurrentie op wereldbasis bevorderen, alsmede die voorwaarden die deze belemmeren. Deze analyse is een essentiële bouwsteen voor het begrip van de ontwikkeling van bedrijfstakken tot mondiale bedrijfstakken, met inbegrip van de omgevingsveranderingen en strategische innovaties van ondernemingen, die kunnen leiden tot mondiale concurrentie. Binnen deze context zal ik enkele belangrijke strategische onderwerpen behandelen met betrekking tot concurrentie in mondiale bedrijfstakken, alsmede alternatieve strategieën om toe te passen. Tenslotte zullen enkele trends besproken worden, die van invloed zijn op mondiale concurrentie, met inbegrip van een beschouwing van de omstandigheden die bevorderend of belemmerend werken voor concurrentie van ondernemingen in pas ontwikkelde landen (POL's) als Korea en Singapore, die zich in mondiale bedrijfstakken steeds nadrukkelijker manifesteren.

Bronnen en belemmeringen voor mondiale concurrentie

Ondernemingen kunnen aan internationale activiteiten deelnemen door middel van drie basismechanismen: licentie geven, export of directe investering in het buitenland. Doorgaans bestaan de eerste stappen van een onderneming in het buitenland uit export of licentie geven en pas nadat er enige internationale ervaring is opgedaan, zal directe investering in het buitenland overwogen worden. Export of directe investering in het buitenland vindt plaats in bedrijfstakken, waar concurrentie werkelijk mondiaal is. Intensieve exportstromen tussen veel landen zijn een zeker teken van mondiale concurrentie, maar rechtstreekse investeringen in een buitenlandse bedrijfstak hoeven dit niet te zijn. Deze investeringen kunnen een in wezen onafhankelijke dochteronderneming in het buitenland betreffen, waarbij de concurrentiepositie van elke dochter in belangrijke mate afhangt van de eigen bedrijfsmiddelen en de specifieke omstandigheden in het land van vestiging.

In wezen wordt een bedrijfstak een mondiale bedrijfstak, omdat er economische (of andere) voordelen te behalen zijn voor een onderneming dat op gecoördineerde wijze in veel nationale markten concurreert. Er is een aantal verschillende factoren die het behalen van een dergelijk mondiaal strategisch voordeel mogelijk maken dan wel verhinderen.[2] De taak van de analist is het vaststellen van deze aspecten voor de specifiek te bestuderen bedrijfstak, waarbij hetzij begrepen moet worden waarom de bedrijfstak niet mondiaal is, hetzij welke mondiale voordelen zwaarder hebben gewogen dan de belemmerende factoren.

BRONNEN VAN MONDIAAL CONCURRENTIEVOORDEEL

De bronnen van mondiaal voordeel kunnen globaal gezien hun oorsprong hebben in vier factoren: conventioneel comparatief voordeel, schaalvoordelen of 'learning'curves die verder gaan dan de schaal of het cumulatief volume dat in individuele nationale markten haalbaar zou zijn, voordelen door produktdifferentiatie en het openbare karakter van marktgegevens en technologie:[3]

Comparatief voordeel. Het bestaan van comparatief voordeel is een klassieke determinant van mondiale concurrentie. Als een land of meerdere landen aanzienlijke voordelen te bieden heeft of hebben op het gebied van kosten of kwaliteit van de produktie, zal in deze landen de produktie plaatsvinden en van daaruit een exportstroom naar andere delen in de wereld. In dergelijke bedrijfstakken is de strategische positie van de mondiale onderneming in de landen, waar deze een comparatief voordeel heeft, van cruciaal belang voor de positie in de wereld.

Schaalvoordelen bij produktie. Als er schaalvoordelen zijn bij produktie (of dienstverlening), die verder gaan dan de omvang van belangrijke nationale markten, kan een onderneming een kostenvoordeel bereiken door middel van gecentraliseerde produktie en mondiale concurrentie. De minimaal efficiënte schaal van bijvoorbeeld moderne 'high-speed' staalwalserijen bedraagt ongeveer 40 procent van de wereldvraag. Soms zijn de voordelen van verticale integratie de sleutel tot het bereiken van mondiale produktievoordelen, omdat de efficiënte schaal van het verticaal geïntegreerde systeem groter is dan de omvang van nationale markten. Het bereiken van produktievoordelen impliceert onvermijdelijk exportbewegingen tussen landen.

Mondiale ervaring. Bij technologieën, die onderhevig zijn aan aanzienlijke kostenverlagingen dankzij particuliere bekwaamheid, kan het vermogen om gelijke produktvariëteiten op meerdere nationale markten uit te brengen voordelen opleveren. De cumulatieve hoeveelheid per model is groter, als het model in meedere nationale markten verkocht wordt, en dit

---

[2] Deze lopen, zij het op een ander niveau, parallel met de oorzaken voor bedrijfstakfragmentatie en de methoden voor het overwinnen daarvan, besproken in hoofdstuk 9.

[3] Een publiek goed, zoals technologische innovatie, is iets dat herhaalde malen zonder kosten gebruikt kan worden, als de begininvestering eenmaal gemaakt is.

leidt tot een kostenvoordeel voor de mondiale concurrent. Deze situatie heeft zich waarschijnlijk voorgedaan in de produktie van lichte heftrucks, waar Toyota een dominerende positie heeft verworven. Door mondiale concurrentie kan het leerproces *sneller* verlopen, ook al stijgt de 'learning'curve steeds minder bij cumulatieve hoeveelheden die uiteindelijk te bereiken zijn door te concurreren op een individuele geografische markt. Aangezien een onderneming mogelijk bekwaamheid kan verhogen door bepaalde verbeteringen in alle fabrieken in te voeren, kan eventueel een kostenvoordeel bereikt worden door mondiale concurrentie, zelfs wanneer de produktie niet gecentraliseerd is, maar plaatsvindt op de afzonderlijke nationale markten.

Logistieke schaalvoordelen. Als een internationaal logistiek systeem vaste lasten met zich meebrengt, die gespreid kunnen worden door aan veel nationale markten te leveren, heeft de mondiale concurrent een potentieel kostenvoordeel. Door mondiale concurrentie kunnen ook logistieke schaalvoordelen bereikt worden, die voortkomen uit de mogelijkheden om meer gespecialiseerde systemen, zoals speciale vrachtschepen, te gebruiken. Japanse ondernemingen hebben bijvoorbeeld belangrijke kostenbesparingen gerealiseerd door speciale carriers te gebruiken voor het transport van grondstoffen en eindprodukten in de staal- en auto-industrie. Door op wereldschaal actief te zijn, kan men komen tot volledige herbezinning op logistieke regelingen.

Schaalvoordelen in marketing. Hoewel veel aspecten van de marketing inherent aan de functie op elke nationale markt afzonderlijk moeten worden uitgevoerd, kunnen toch ook hier schaalvoordelen bereikt worden, die uitstijgen boven de omvang van de nationale markten in sommige bedrijfstakken. Het duidelijkst zijn deze in bedrijfstakken, waarin een gemeenschappelijke verkoopgroep wereldwijd wordt ingezet. Bijvoorbeeld in de zware bouw en de produktie van vliegtuigen of turbinegeneratoren is de taak van de verkoopgroep zeer ingewikkeld en wordt deze in onregelmatige contacten met relatief weinig kopers uitgevoerd. Zo kan een mondiale onderneming de vaste lasten van een groep zeer goed opgeleide en dure verkopers over veel nationale markten spreiden.

Er kunnen ook marketingvoordelen worden behaald door middel van particuliere marketingtechnieken. Aangezien de kennis, die op één markt is verkregen, kosteloos op andere markten gebruikt kan worden,[4] kan de mondiale onderneming een kostenvoordeel bereiken. De McDonalds 'formule' of de 'marteltest' van Timex zijn voorbeelden van marketingcampagnes die over de gehele wereld hebben gewerkt. Sommige merknamen hebben een uitstraling naar geografische markten, hoewel een onderneming

---

[4] Er kunnen kosten verbonden zijn aan het aanpassen van de kennis aan een specifieke geografische markt - zie de bespreking verderop in dit hoofdstuk.

meestal moet investeren om op elke markt zijn merknaam te vestigen. Sommige merknamen krijgen echter internationale erkenning door handelspers, technische literatuur, culturele bekendheid of om andere redenen die van de onderneming geen investeringen vergen.

Schaalvoordelen bij inkoop. Als er reële mogelijkheden zijn op schaalvoordelen bij inkoop door een sterke onderhandelingspositie of door verlaging van de kosten van de leveranciers bij produktie van hoeveelheden die groter zijn dan wat noodzakelijk is om op een afzonderlijke nationale markt te concurreren, kan de mondiale onderneming een kostenvoordeel realiseren. TV-fabrikanten over de hele wereld kunnen bijvoorbeeld transistoren en dioden kopen tegen lagere kosten. De kans op een dergelijk voordeel is het grootst, als de door de bedrijfstak gekochte hoeveelheden bescheiden zijn in vergelijking met de omvang van de bedrijfstak die de grondstoffen of onderdelen levert; als de ingekochte hoeveelheden groot zijn, komt dit de onderhandelingspositie waarschijnlijk niet ten goede. Als een onderneming zich rechtstreeks bezighoudt met delving van grondstoffen (mineralen) of produktie (landbouwprodukten), is het potentiële voordeel hetzelfde. Als bijvoorbeeld de efficiënte schaal van de winning van een bepaald mineraal groter is dan wat de onderneming nodig heeft om op een grote nationale markt te concurreren, zal het bedrijf dat bij de delving op een efficiënte schaal werkt en mondiaal concurreert, een kostenvoordeel hebben. De noodzaak om mondiaal te concurreren teneinde dit voordeel te realiseren veronderstelt echter dat de onderneming geen efficiënte schaal bij de delving kan bereiken door het overschot aan delfstoffen aan andere bedrijven te verkopen.

Produktdifferentiatie. In sommige bedrijfstakken, vooral technologisch geavanceerde, kan een onderneming door mondiale concurrentie haar geloofwaardigheid en reputatie vergroten. In de bedrijfstak van 'high-fashion' kosmetica bijvoorbeeld is een bedrijf zeer gebaat bij vestigingen in Parijs, Londen en New York om met succes in Japan te concurreren.

Particuliere produkttechnologie. Mondiale voordelen kunnen het gevolg zijn van de mogelijkheden om particuliere technologie op meerdere nationale markten toe te passen. Het vermogen hiertoe is vooral belangrijk, wanneer de schaalvoordelen bij onderzoek groot zijn in verhouding tot de verkoopcijfers van de individuele nationale markten. Computers, halfgeleiders, vliegtuigen en turbines zijn bedrijfstakken, waarin technologische voordelen voor op wereldschaal opererende ondernemingen bijzonder groot blijken te zijn. Soms is vooruitgang op technologisch gebied zo kostbaar, dat wereldwijde verkoop pure noodzaak is om de kosten daarvan terug te winnen. Mondiale concurrentie kan een onderneming ook een reeks verbindingskanalen opleveren naar wereldwijde ontwikkelingen, waardoor de technologische concurrentiepositie kan worden verbeterd.

Produktiemobiliteit. Een belangrijk speciaal geval van voordelen door schaal of deling van particuliere technologie doet zich voor, wanneer de produktie van een produkt of dienst mobiel is. In de zware bouw bijvoorbeeld verplaatsen bedrijven hun ploegen van land naar land om aan projecten te werken; olietankers kunnen overal ter wereld olie vervoeren; seismologen, oliebooruitrustingen en adviseurs zijn eveneens mobiel. In dergelijke bedrijfstakken kunnen de vaste kosten van het opbouwen en instandhouden van een organisatie en de ontwikkeling van particuliere technologie gemakkelijk over de operaties op meerdere nationale markten worden gespreid. Daar komt nog bij dat de onderneming kan investeren in geschoold personeel of mobiele uitrusting, waarvan het gebruik niet gerechtvaardigd zou zijn door de vraag naar het produkt op één nationale markt afzonderlijk - hetgeen dus weer een ander voorbeeld is van schaalvoordelen die de omvang van afzonderlijke markten te boven gaan.

Vaak ligt aan mondiale voordelen een combinatie van dergelijke interacterende factoren ten grondslag. Zo kan bijvoorbeeld produktie-organisatie de basis vormen voor een invasie van buitenlandse markten, hetgeen weer leidt tot logistieke of inkoopvoordelen.

Het belang van elke bron van mondiaal voordeel hangt duidelijk af van één van de volgende twee dingen. Ten eerste, hoe belangrijk is het aspect van het bedrijf, waar mondiale voordelen te realiseren zijn voor de totale kosten? Ten tweede, hoe belangrijk is het aspect van het bedrijf, waar de mondiale concurrent een voordeel heeft voor de concurrentie? Een voordeel op een gebied dat slechts een laag percentage van de totale kosten bedraagt (bijvoorbeeld verkoopgroep), kan in sommige bedrijfstakken niettemin het verschil uitmaken tussen succes of mislukking in de concurrentie. In dit geval kan zelfs een geringe verbetering in kosten of doelmatigheid, teweeggebracht door mondiale concurrentie, van belang zijn.

Het is ook belangrijk op te merken dat alle mogelijkheden op voordeel tevens *mobiliteitsbarrières impliceren* voor mondiale ondernemingen. Deze factor zal belangrijk zijn voor onze bespreking van competitieve aspecten in mondiale bedrijfstakken.

BELEMMERINGEN VOOR MONDIALE CONCURRENTIE

Er bestaan uiteenlopende belemmeringen voor het bereiken van de voordelen van mondiale concurrentie en deze kunnen de overgang van een bedrijfstak naar mondiale bedrijfstak zelfs blokkeren. Ook al wegen de voordelen van mondiale concurrentie zwaarder dan de gezamenlijke belemmeringen, toch kunnen deze belemmeringen de nationale ondernemingen die niet mondiaal concurreren, levensvatbare strategische nestelingsmogelijkheden bieden. Sommige belemmeringen hebben een economisch karakter en verhogen de directe kosten van mondiale concurrentie. Andere hebben niet noodzakelijkerwijs een rechtstreekse invloed op de kosten, maar maken de taak van het management complexer.[5] Een derde categorie houdt verband met zuiver institutionele of overheidsbeperkingen, die geen afspiegeling vormen van de economische omstandigheden. Tenslotte kunnen sommige belemmeringen uitsluitend verband houden met beperkingen van perceptuele aard of met beperkingen van de middelen van de ondernemingen in de bedrijfstak.[6]

Economische belemmeringen

Transport- en opslagkosten. Transport- en opslagkosten neutraliseren voordelen van gecentraliseerde produktie, evenals de produktie-efficiency in een geïntegreerd systeem, waarbij gebruik wordt gemaakt van gespecialiseerde vestigingen in een aantal landen en verscheping. Voor produkten als voorgespannen beton, gevaarlijke chemicaliën en kunstmest betekenen hoge transportkosten dat op elke markt een fabriek gebouwd moet worden, ook al zouden strikt genomen de produktiekosten dalen door fabrieken met een capaciteit, die hoger zou liggen dan de behoeften voor de afzonderlijke nationale markten. De concurrentie speelt zich in wezen per markt af.

Verschillende produktbehoeften. Mondiale concurrentie wordt belemmerd, wanneer nationale markten verschillende produktvarianten vragen. Door verschillen in cultuur, stand van economische ontwikkeling, inkomensniveaus, klimaat, enzovoort kunnen nationale markten produktvarianten vragen, die onderling verschillen in de verhouding tussen prijs, kwaliteit en prestatie, stijl, formaat en andere aspecten. Hoewel er bijvoorbeeld elektronische naaimachines verkocht worden in de Verenigde Staten en West-Europa, voldoen eenvoudiger pedaalaangedreven machines uitstekend aan de behoeften in de ontwikkelingslanden. Verschillen in wetgeving, bouwvoorschriften of technische standaarden kunnen ook leiden tot een vraag naar verschillende varianten op verschillende nationale markten, ook al zijn de intrinsieke produktbehoeften voor de rest dezelfde. De noodzaak om verschillende varianten te produceren verhindert het bereiken van mondiale schaal- of 'learning'voordelen. Het kan tevens voordelen van mondiale bronnen verhinderen, als voor de verschillende varianten verschillende grondstoffen of onderdelen nodig zijn.

De barrière voor mondiale concurrentie, die door verschillende produktbehoeften wordt opgeworpen, hangt uiteraard af van de *kosten van produktwijziging* ter aanpassing aan de nationale markten. Als de noodzakelijke produktverschillen zeer oppervlakkig zijn of anderszins tegen

---

[5] De aanwezigheid van deze belemmeringen in een extreme vorm kan betekenen dat een bepaalde bedrijfstak in feite meer regionaal dan nationaal is.

[6] De discussie richt zich hier op de specifieke belemmeringen voor mondiale concurrentie. Een bedrijf dat streeft naar toetreden tot internationale markten, moet uiteraard het volledige scala van de elders in dit boek besproken toetredingsbarrières overwinnen.

geringe aanpassingskosten verwezenlijkt kunnen worden, kan een mondiale onderneming toch nog de meeste mondiale schaalvoordelen realiseren.

Gevestigde distributiekanalen. De noodzaak om toegang te verkrijgen tot distributiekanalen op elke nationale markt kan een belemmering vormen voor mondiale concurrentie. Als de klanten talrijk zijn en de afzonderlijk gekochte hoeveelheden klein zijn, kan het voor de onderneming noodzakelijk zijn dat ze toegang krijgt tot reeds gevestigde onafhankelijke voorraaddistributeurs om met succes te concurreren. Bij elektrische produkten bijvoorbeeld is een afzonderlijk artikel, zoals een oplader of een stroomonderbreker, een te kleine verkoop om interne distributie te rechtvaardigen. In dergelijke situaties kan het voor een buitenlandse onderneming heel moeilijk zijn om in stevig verankerde distributiekanalen te penetreren. De kanalen staan niet te trappelen om een nationaal produktassortiment te vervangen door een buitenlands, tenzij de buitenlandse onderneming een belangrijke (en wellicht verboden) concessie doet. Als de distributiekanalen minder goed gevestigd zijn, omdat de bedrijfstak nieuw of sterk in beweging is, kan deze barrière minder hoog zijn. Verder kan een onderneming, wanneer er grote hoeveelheden door weinig kanalen gaan, een betere kans hebben om toegang tot de kanalen te verkrijgen dan wanneer ze kleine kanalen moet zien over te halen haar produktassortiment op te nemen.

Verkoopgroep. Als voor het produkt een directe verkoopgroep van een plaatselijke producent noodzakelijk is, krijgt de internationale concurrent te maken met een mogelijke barrière van schaalvoordeel, die vooral voor problemen zorgt als de verkoopgroepen van nationale concurrenten een breed produktassortiment op de markt brengen. Deze factor kan verdere mondialisatie in bedrijfstakken als medische produkten,waar sprake is van kostbare detailafzet naar doktoren, in de weg staan.

Plaatselijke reparatie. De noodzaak om de mogelijkheid van plaatselijke reparatie te bieden kan een internationale concurrent net zo in de weg staan als de noodzaak van een locale verkoopgroep.

Gevoeligheid voor produktietijd. Gevoeligheid voor produktietijden als gevolg van korte modecycli, snel voortschrijdende technologie en dergelijke belemmert over het algemeen mondiale concurrentie. De afstand tussen de nationale markt en de gecentraliseerde produktie, produktontwikkeling of marketingactiviteiten zorgen meestal voor vertragingen in de reactie op marktbehoeften, die voor bedrijfsonderdelen als modieuze kleding en distributie onaanvaardbaar is. Dit probleem wordt nog eens benadrukt als de plaatselijke produktbehoeften verschillen.

Een hiermee samenhangend aspect is de produktietijd die nodig is voor het fysieke wereldwijde transport van de goederen. Deze tijd wordt meestal vertaald in kosten, aangezien in theorie elk artikel per vliegtuig vervoerd zou kunnen worden, ook al zou dit waarschijnlijk wel te duur zijn. Waar het om gaat is het feit dat, ook al zou vervoer van het produkt met een goedkoop middel wereldwijd transport niet uitsluiten, de hiervoor benodigde tijd te lang zou zijn om adequate reacties op de vraag van de markt mogelijk te maken.

Complexe segmentatie binnen geografische markten. Complexe prijsprestatie afwegingen tussen concurrerende merken door de klanten op nationale markten hebben wat betreft belemmering van mondiale concurrentie hetzelfde basiseffect als onderling verschillende produktvarianten. Complexe segmentatie maakt de noodzaak van produktassortimenten met veel variëteiten of het vermogen om op maat gemaakte artikelen te produceren nog dringender. Afhankelijk van de produktiekosten van deze extra varianten is het mogelijk dat hierdoor kostenvoordelen door produktiecentralisatie in een geïntegreerd produktiesysteem worden verhinderd. De plaatselijke onderneming zal beter in staat zijn om de diverse segmenten van de plaatselijke markt op te merken en zich eraan aan te passen.

Gebrek aan wereldvraag. Mondiale concurrentie is onmogelijk, als er in een aanzienlijk aantal grote landen geen vraag naar het produkt is. Deze situatie kan zich voordoen, als de bedrijfstak nieuw is of als het produkt of de dienst slechts tegemoetkomt aan de behoeften van een ongebruikelijke klantengroep die alleen in een paar nationale markten aanwezig is.

De nieuwheid van de bedrijfstak zou kunnen betekenen dat een gebrek aan wereldvraag voortvloeit uit de zogenaamde produktlevenscyclus in internationale handel.[7] Volgens dit concept worden produkten aanvankelijk op markten geïntroduceerd, waar hun eigenschappen de meeste waarde hebben (bijvoorbeeld arbeidsbesparende innovaties in landen met hoge lonen). Uiteindelijk hebben produktimitatie en verspreiding tot gevolg dat er ook in andere landen vraag naar ontstaat, hetgeen weer leidt tot export door de pionierende bedrijven en uiteindelijk investeringen door die bedrijven in het buitenland. Met overzeese produktie door buitenlandse ondernemingen kan ook een begin gemaakt worden, als de vraag zich naar het buitenland begint uit te breiden en als de technologie verspreidt raakt. Op het moment van volwassenheid van de bedrijfstak en de daarbij behorende produktstandaardisatie en prijsconcurrentie kunnen buitenlandse ondernemingen op basis van kostenvoordelen, bereikt door pas laat in de bedrijfstakontwikkeling te beginnen, of op basis van comparatieve voordelen prominente posities in de bedrijfstak innemen. Al deze argumenten wijzen erop

---

[7] Zie voor een verdere bespreking van dit concept Vernon (1966); Wells (1972).

dat in het algemeen een zekere mate van volgroeidheid een noodzakelijke voorwaarde is voor mondiale concurrentie, hoewel dit vandaag de dag in mindere mate lijkt te gelden dan tien jaar geleden vanwege het overwicht van multinationale concurrenten met ervaring met betrekking tot mondiale concurrentie, die nieuwe produkten snel wereldwijd kunnen verspreiden.[8]

Belemmeringen in het management

Verschillende marketingtaken. Zelfs wanneer wereldwijd verkochte produktvariëteiten gelijk zijn, kunnen de marketingtaken geografisch verschillen. De distributiekanalen, marketingmedia en rendabele middelen om de koper te bereiken kunnen van land tot land zo van aard verschillen dat de mondiale concurrenten niet alleen niet in staat zijn marketingkennis van andere markten te benutten, maar vaak tevens de grootste moeite hebben om een even effectieve locale marketing te voeren als de plaatselijke concurrenten. Hoewel er geen reden is waarom een mondiale concurrent geen gecentraliseerde produktie en/of O&O zou kunnen hebben in combinatie met plaatselijke marketing, is dit voor het management in de praktijk vaak moeilijk te verwezenlijken. Wat betreft sommige zaken kan een klant ook om uiteenlopende redenen geneigd zijn zaken te doen met plaatselijke bedrijven.

Intensieve plaatselijke dienstverlening. Als in de bedrijfstak intensieve locale marketing, service of andere klantgerichte interactie noodzakelijk zijn om te concurreren, kan het voor een onderneming moeilijk zijn om in de concurrentiestrijd met plaatselijke rivalen te opereren op een geïntegreerde, mondiale basis. Hoewel een mondiale onderneming in principe deze functies door middel van gedecentraliseerde eenheden zou kunnen realiseren, is de taak van het management in de praktijk zo complex, dat het plaatselijke bedrijf sneller zou kunnen reageren. Als intensieve locale marketing en distributie (die zich niet lenen voor mondiale voordelen) van wezenlijk belang zijn, kunnen de voordelen van andere gecentraliseerde activiteiten van de mondiale onderneming door het plaatselijke bedrijf gecompenseerd worden. Ook al zou bijvoorbeeld een mondiale metaalfabrikant enige technologische en produktievoordelen kunnen halen uit multinationale operaties, toch zou de noodzaak van intensieve plaatselijke marketing, adequate service en snelle veranderingen betekenen dat het plaatselijke bedrijf gelijke of betere resultaten kan boeken dan de mondiale onderneming.

Snel veranderende technologie. De mondiale onderneming kan bedrijfsproblemen ondervinden, als door snel veranderende technologie veelvul-

---

[8] Zie voor een bewijs van deze theorie Vernon (1979).

dige bijstellingen van produkt en produktieproces, afgestemd op de plaatselijke markten, noodzakelijk zijn. Het is heel goed mogelijk dat een onafhankelijke nationale onderneming zich beter aan dergelijke omstandigheden aan kan passen.

Institutionele belemmeringen

Overheidsbelemmeringen. Er kunnen zeer uiteenlopende overheidsbelemmeringen bestaan voor mondiale concurrentie, meestal onder het mom van bescherming van locale bedrijven of locale werkgelegenheid:

- heffingen en verplichtingen, die wat betreft het beperken van besparingen op de produktiekosten hetzelfde effect hebben als transportkosten;
- quota;
- voorkeursbemiddeling door (semi-)overheidsinstellingen (bijvoorbeeld telefoonmaatschappijen, defensiecontractanten) bij locale bedrijven;
- aandringen van de overheid op locale O&O of eisen dat de onderdelen van het produkt locaal zijn vervaardigd;
- voorkeursbehandeling op het gebied van belastingen, arbeidsbeleid of andere bedrijfsregels en voorschriften, die in het voordeel werken van locale bedrijven;
- wetten tegen omkoping, belastingwetten of andere vormen van regeringsbeleid, die nadelig zijn voor de bedrijven onder die regering bij internationale activiteiten.

Overheidsbeperkingen kunnen ofwel in plaatselijk eigendom zijnde bedrijven helpen ofwel produktie in het land zelf eisen, waardoor mogelijke schaalvoordelen door mondiale produktie teniet worden gedaan. Overheidsbepalingen kunnen ook dwingend voorschrijven dat de verkochte produktvarianten speciaal worden aangepast aan het land en voorts de marketingactiviteiten zo beïnvloeden dat ze meer landgebonden zijn.

Overheidsbelemmeringen zullen zich bij voorkeur voordoen in bedrijfstakken, die 'eruit springen' of die invloed hebben op belangrijke regeringsdoelstellingen, zoals werkgelegenheid, regionale ontwikkeling, binnenlandse strategische grondstofbronnen, defensie en culturele betekenis. Overheidsbelemmeringen zijn bijvoorbeeld groot in bedrijfstakken als elektriciteitsopwekking en telecommunicatiesystemen.

Perceptuele belemmeringen of belemmeringen op het gebied van bedrijfsmiddelen. De laatste categorie belemmeringen voor mondiale concurrentie betreft de perceptuele of middelenbeperkingen van de in de bedrijfstak zittende ondernemingen. Het opmerken van reële mogelijkheden om op wereldschaal te concurreren is *op zichzelf al een doorbraak*, vooral omdat het kan gaan om internationale onderwerpen die buiten het bereik van de tot nog toe nationale activiteiten liggen. Het kan de ondernemingen aan het noodzakelijke inzicht ontbreken. Bij het mondiaal vestigen zijn de kosten van informatie en onderzoek hoog. Tevens kunnen aanzienlijke bedrijfsmiddelen noodzakelijk zijn voor zaken als de opbouw van faciliteiten op wereldniveau of begininvesteringen bij het penetreren van nieuwe nationale markten. Deze investeringen kunnen, evenals de voor mondiale concurrentie vereiste technische en managementvaardigheden, de capaciteiten van de betreffende ondernemingen te boven gaan.

Belemmeringen voor mondiale concurrentie zijn in een bedrijfstak bijna altijd in zekere mate aanwezig. Het gevolg hiervan is dat zelfs bedrijfstakken die wat betreft het competitieve karakter over het algemeen mondiaal zijn, 'locale' trekjes zullen blijven behouden. In sommige markten of segmenten zal een nationaal bedrijf een overwicht hebben op mondiale concurrenten vanwege de aanwezigheid van bepaalde belangrijke belemmeringen voor mondiale concurrentie.

Ontwikkeling naar mondiale bedrijfstakken

De meeste bedrijfstakken beginnen niet als mondiale bedrijfstakken, maar groeien na verloop van tijd hiertoe uit. Enkele van de meest gangbare oorzaken van het ontstaan van mondiale bedrijfstakken zullen worden behandeld. Deze hebben betrekking op hetzij het creëren of versterken van mogelijkheden tot mondiaal concurrentievoordeel, hetzij het verkleinen of elimineren van belemmeringen voor mondiale concurrentie. Dit laatste zal echter slechts dan tot mondiale concurrentie leiden, wanneer er sprake is van belangrijke bronnen van strategisch voordeel. In alle gevallen is strategische innovatie door een onderneming of ondernemingen noodzakelijk om de bedrijfstak mondiaal te maken, ook al worden de mogelijkheden hiertoe geschapen door institutionele of economische veranderingen.

OMGEVINGSOORZAKEN VAN MONDIALISERING

Verhoogde schaalvoordelen. Technologische vooruitgang die leidt tot verhoogde schaalvoordelen bij de produktie, logistiek, inkoop of O&O, kunnen duidelijk een basis zijn voor mondiale bedrijfstakken.

Verlaagde transport- en opslagkosten. Dalende transport- en opslagkosten zijn een duidelijke stimulans voor mondialisering. De feitelijke lange termijndaling in transportkosten, die zich gedurende de laatste twintig jaar heeft voorgedaan, is één van de belangrijkste oorzaken van de huidige toename van mondiale concurrentie.

Gerationaliseerde of gewijzigde distributiekanalen. Als distributiekanalen in voortdurende beweging zijn, kan dit de toegang van buitenlandse ondernemingen vergemakkelijken. Gerationaliseerde kanalen kunnen hetzelfde effect hebben. Als de distributie met betrekking tot een produkt bijvoorbeeld verschuift van veel gefragmenteerde detailhandelaren naar een paar nationale warenhuizen en massamarktketens, kan het probleem van verwerven van distributiekanalen voor buitenlandse ondernemingen aanzienlijk gemakkelijker worden.

Gewijzigde aanmaakkosten. Veranderingen in de aanmaakkosten kunnen de mogelijkheden voor mondialisering sterk vergroten. Verhoging van de kosten van arbeid, energie en grondstoffen kunnen de optimale configuratie van produktie of distributie zodanig veranderen, dat mondiale concurrentie voordeliger wordt.

Beperking van de nationaal economische en sociale omstandigheden. De noodzaak van verschillende produktvariëteiten en marketingtaken en de problemen bij het verkrijgen van lokale distributie komen voor een deel voort uit verschillen in de economische omstandigheden van de diverse geografische markten. Ze verschillen in hun stand van economische ontwikkeling, relatieve aanmaakkosten, inkomensniveau, soort distributiekanalen, beschikbare marketingmedia, enzovoort. Aangezien geografische markten meer identiek worden wat betreft hun economische en culturele omstandigheden naarmate ze meer binding krijgen met een bepaalde bedrijfstak, nemen de mogelijkheden voor mondiale concurrentie toe, mits in de bedrijfstak mogelijkheden voor het bereiken van mondiaal voordeel aanwezig zijn. De stijging van de energiekosten in de Verenigde Staten bijvoorbeeld, die daardoor dichter in de buurt van de buitenlandse energiekosten kwamen te liggen, vormt, tesamen met een algemene verkleining van het verschil in inkomen per hoofd van de bevolking tussen de Verenigde Staten en andere landen, de reden dat Amerikaanse automobielbedrijven zich agressief gaan richten op de wereldwijde verkoop van kleine auto's; de automobielindustrie wordt in toenemende mate mondiaal. De in vergelijking met de Verenigde Staten en Europa snelle groei in het Verre Oosten en Zuid-Amerika lijkt voor wat betreft consumptie-artikelen de economische omstandigheden van deze markten dichter bij elkaar te brengen, hetgeen kan resulteren in een toenemende mondiale concurrentie.

Verminderde overheidsbeperkingen. Veranderingen in het overheidsbeleid, waardoor quota worden geschrapt, tarieven worden verlaagd, internationale samenwerking op het gebied van technische standaardisatie wordt gestimuleerd, enzovoort, leiden tot een vergroting van de mogelijkheden voor mondiale concurrentie. De oprichting van de Europese Economische Gemeenschap (EEG) bijvoorbeeld heeft rechtstreekse investeringen van de Verenigde Staten in Europa belangrijk gestimuleerd.

STRATEGISCHE INNOVATIES DIE MONDIALISERING BEVORDEREN

Zelfs in het geval dat omgevingsoorzaken ontbreken, kunnen strategische innovaties van een onderneming een begin maken met het proces van mondialisering.

Herdefiniëring van het produkt. Als de vereiste produktverschillen tussen landen afnemen, kunnen er andere mogelijke voordelen uit mondiale concurrentie gehaald worden. Soms vervagen nationale produktverschillen op natuurlijke wijze, als de bedrijfstak volwassen wordt en de produkten gestandaardiseerd worden. Bedrijven kunnen echter produkten herontwerpen om ze voor veel markten aanvaardbaar te maken, zoals General Motors en andere bedrijven aan het doen zijn met de 'world-car'. In andere gevallen is een marketinginnovatie, die het imago of concept van het produkt herdefinieert, soms een instrument om mogelijkheden voor mondiale concurrentie te creëren. Honda bijvoorbeeld herdefinieerde in de Verenigde Staten het imago van een motorfiets tot een praktisch, gemakkelijk, 'clean-cut' vervoermiddel en haalde het uit de sfeer van het imago van een vettig, krachtig en bedreigend vehikel dat bereden wordt door in leer gestoken tuig. Door de afzet in Japan te combineren met nieuwe afzet in de Verenigde Staten was Honda in staat belangrijke mondiale schaalvoordelen te realiseren bij de produktie van motorfietsen. Herdefiniëring van een produktimago kan ook de toegang tot distributiekanalen vergemakkelijken.

Identificatie van marktsegmenten. Zelfs al zijn er vereiste produktverschillen tussen de landen, toch kunnen er *segmenten* van de markt zijn, die alle landen gemeenschappelijk hebben en waaraan de levering in veel landen te wensen overlaat. Japanse en Europese ondernemingen waren bijvoorbeeld in staat om in de verkoop van kleine vorkheftrucks en kleine koelkasten in de Verenigde Staten belangrijke posities te verwerven, omdat de Amerikaanse fabrikanten, die zich concentreerden op de belangrijkste sector, nauwelijks aan deze segmenten leverden. Deze segmenten vereisten andere technologieën, andere voorzieningen en/of marketingbenaderingen, die zich leenden voor mondiale besparingen en die voor nationale ondernemingen niet in overeenstemming te maken waren. Er kunnen ook marktsegmenten zijn, die minder onderworpen zijn aan belemmeringen voor mondiale concurrentie. In bijvoorbeeld de drukkerijbranche wordt aan het lange termijn/hoge kwaliteit segment dat het minst gevoelig is voor produktietijden, op mondiale basis geleverd, terwijl andere segmenten nationaal blijven.

Verminderde aanpassingskosten. De belemmering voor mondiale concurrentie die wordt gevormd door nationale produktverschillen, neemt in betekenis af, als de ondernemingen manieren kunnen creëren om de kosten te verlagen, die noodzakelijk zijn voor aanpassing van basisprodukten aan deze plaatselijke behoeften. Naar verluidt legt Matsushita bijvoorbeeld de laatste hand aan de ontwikkeling van een TV-toestel dat zowel signalen van POL- als van SECAM-technologieën kan ontvangen, die in Frankrijk en andere landen zijn gedifferentieerd. De benodigde schakelapparatuur in telecommunicatiemiddelen verschilt enorm per land, maar Erickson heeft een bibliotheek van modulaire softwarepakketten ontwikkeld, die gebruikt kunnen worden om een standaard stuk hardware aan de locale behoeften aan te passen. Elke innovatie die een produkt moduleert voor gemakkelijke aanpassing of die het compatibiliteitsbereik vergroot, opent mogelijkheden voor mondiale concurrentie. Hetzelfde geldt voor veranderingen in de produktietechnologie, die de produktiekosten van speciale variëteiten omlaagbrengen.

Ontwerpwijzigingen. Ontwerpwijzigingen die leiden tot meer gestandaardiseerde componenten die zich lenen voor mondiale inkoopvoordelen, of wijzigingen die nieuwe componenten vereisen die zich voor dergelijke voordelen lenen, kunnen verschuivingen in de richting van mondiale concurrentie teweegbrengen.

Desintegratie van produktie. In sommige bedrijfstakken kunnen overheidsbeperkingen die locale produktie eisen, omzeild worden door de assemblage locaal te verrichten, terwijl ze sommige of alle componenten centraal produceren. Als schaalvoordelen voornamelijk afhankelijk zijn van één of meer basiscomponenten, kan de centrale produktie hiervan mondialisering van de concurrentie sterk bevorderen.

Eliminatie van beperkingen op het gebied van bedrijfsmiddelen of perceptie. Door toetreding van nieuwe ondernemingen kunnen middelenbeperkingen voor mondiale concurrentie geëlimineerd worden. Nieuwe toetreders kunnen ook in staat zijn om onbevangen met nieuwe strategieën te beginnen, niet gehinderd door een concurrentieverleden in de bedrijfstak, toen deze nog in het premondiale stadium was. Japanse ondernemingen bijvoorbeeld, en onlangs ook bedrijven van andere Aziatische landen als Hong Kong, Singapore en Zuid-Korea, hebben met veel succes bedrijfstakken in deze zin veranderd.

Buitenlandse ondernemingen zijn soms beter in staat geweest om mogelijkheden op te merken voor herdefiniëring van produkten of voor mondiale levering aan bepaalde segmenten dan Amerikaanse bedrijven, vaak omdat ze in hun nationale markten ervaring hadden opgedaan met deze manier van concurreren. Bijvoorbeeld Japanse motorfietsfabrikanten hebben al geruime tijd te maken met een markt, waar de motorfiets een algemeen aanvaard vervoermiddel is; Europese bedrijven produceren al geruime tijd kleine koelkasten, onder andere omdat Europese wooneenheden van oudsher kleiner zijn dan die in de Verenigde Staten.

TOEGANG TOT DE V.S.-MARKT

In veel bedrijfstakken hing mondialisering grotendeels af van de vraag of buitenlandse ondernemingen toegang hadden tot de markt in de V.S. vanwege de uitzonderlijk grote omvang hiervan. Omdat ze het strategische karakter van de markt in de V.S. inzagen, hebben buitenlandse ondernemingen innovaties gestimuleerd teneinde zich die toegang te verschaffen. Anderzijds hebben bedrijven in de V.S. soms minder druk gevoeld om werkelijk mondiale concurrentiemethoden te ontwerpen, omdat ze in deze enorme markt hun basis hadden.

Het is opvallend hoe vrij de overheid zich heeft opgesteld tegenover toegang tot dit afzetgebied, als men kijkt naar het beleid van veel andere regeringen. Een deel van deze vrijheid is een erfenis van de naoorlogse inspanningen om de Japanse en Duitse economieën weer op poten te zetten.

Concurrentie in mondiale bedrijfstakken

Aan concurrentie in mondiale bedrijfstakken zitten in vergelijking met concurrentie in het binnenland enkele unieke strategische aspecten. Hoewel hun resolutie afhangt van de bedrijfstak en de betrokken eigen landen en gastlanden, moeten de mondiale concurrenten een oplossing zien te vinden voor de volgende kwesties.

Bedrijfstakbeleid en competitief gedrag. Mondiale bedrijfstakken kenmerken zich door de aanwezigheid van concurrenten, die wereldwijd opereren vanuit thuisbases in verschillende landen. Vooral buiten de Verenigde Staten mogen de ondernemingen en hun eigen regeringen in een concurrentie-analyse niet los van elkaar gezien worden. Ze hebben complexe relaties met elkaar, die op het gebied kunnen liggen van uiteenlopende vormen van regelgeving, subsidies en andere hulp. Nationale regeringen hebben vaak doelstellingen, zoals werkgelegenheid en evenwicht van de betalingsbalans, die strikt genomen niet economisch zijn, zeker niet vanuit het oogpunt van de onderneming. Het bedrijfstakbeleid van de regering kan vorm geven aan de doelstellingen van ondernemingen, zorgen voor O&O-fondsen en op veel manieren hun mondiale concurrentiepositie beïnvloeden. Nationale regeringen kunnen de onderneming helpen bij onderhandelingen op wereldmarkten (zware bouw, vliegtuigindustrie), helpen bij de financiering van verkoop via centrale banken (landbouwprodukten, defensiegoederen, schepen) of hun politieke invloed aanwenden om op andere wijze het belang van de onderneming te dienen. In sommige gevallen is de eigen regering rechtstreeks bij de onderneming betrokken, doordat ze er gedeeltelijk of volledig eigenaar van is. Een gevolg van al deze steun is dat *uittredingsbarrières* hoger kunnen worden.

In mondiale bedrijfstakken is een concurrentie-analyse onmogelijk zonder zorgvuldig onderzoek naar de relaties tussen ondernemingen en hun nationale regeringen. Het bedrijfstakbeleid van de eigen regering en haar politieke en economische banden met andere regeringen op wereldmarkten die voor het produkt van de bedrijfstak belangrijk zijn, dient goed te worden begrepen.

Vaak is het zo dat concurrentie in wereldwijde bedrijfstakken scheef getrokken wordt door politieke overwegingen die al dan niet verband houden met de betreffende economie. De aankoop van vliegtuigen, defensiemateriaal of computers kan in dezelfde mate afhangen van politieke verhoudingen tussen eigen landen en kopende landen als door vergelijking tussen de merites van het produkt van het ene bedrijf en van dat van een ander. Hieruit vloeit niet alleen voort dat de concurrent in een mondiale bedrijfstak bijzonder goed op de hoogte moet zijn van politieke kwesties, maar ook dat de specifieke relaties van de onderneming met de eigen regering en regeringen in de kopende landen van waarlijk strategisch belang worden. Het kan noodzakelijk zijn dat een concurrentiestrategie acties omvat, die bedoeld zijn om politiek kapitaal op te bouwen, zoals het plaatsen van assemblage-operaties op belangrijke markten, ook al zijn die economisch gezien niet efficiënt.

Relaties met gastregeringen op grote markten. De relatie van een onderneming met gastregeringen op grote markten wordt een belangrijk aspect van mondiale concurrentie. Gastregeringen beschikken over uiteenlopende mechanismen om mondiale ondernemingen de voet dwars te zetten. In sommige bedrijfstakken zijn zij belangrijke kopers, terwijl in andere hun invloed meer indirect maar potentieel even sterk is. Als gastregeringen geneigd zijn hun macht uit te oefenen, kunnen ze hetzij mondiale concurrentie totaal blokkeren, hetzij een aantal verschillende strategische groepen in een bedrijfstak creëren. In zijn studies heeft Doz drie groepen geïdentificeerd.[9] De eerste bestaat uit ondernemingen die op basis van coördinatie *mondiaal concurreren*; de tweede uit multinationale bedrijven (vaak met kleinere marktaandelen) die meer een strategie volgen van *locale respons* dan van integratie. Deze bedrijven omzeilen veel van de regeringsbelemmeringen en kunnen eventueel daadwerkelijke steun ontvangen van de gastregering. Tenslotte is er een derde groep van locale bedrijven. Voor internationale ondernemingen wordt de *mate waarin tegemoet wordt gekomen aan de belangen van de gastregering* een strategische sleutelvariabele. Hieronder zullen de globale alternatieven voor mondiale concurrentie wat gedetailleerder worden besproken.

[9] Doz (1979).

De onderneming die streeft naar mondiale concurrentie, moet wellicht op bepaalde grote markten concurreren teneinde de noodzakelijke besparingen te realiseren. Ze kan bijvoorbeeld de omvang van bepaalde grote markten nodig hebben om een mondiale produktiestrategie te kunnen volgen. Hiervoor is het van strategisch belang om de positie op die markten, die bepalend zijn voor het vermogen de mondiale strategie in zijn geheel uit te voeren, te beschermen. Deze eis versterkt de onderhandelingspositie van de gastregeringen in deze landen en dwingt de onderneming wellicht tot het doen van concessies met de bedoeling om de gehele strategie te kunnen handhaven. Bijvoorbeeld Japanse bedrijven in de TV- en automobielindustrie moeten misschien voor een deel in de Verenigde Staten fabriceren om tegemoet te komen aan de politieke belangen in de V.S. teneinde de afzet aldaar, die de belangrijkste bron van hun mondiale concurrentievoordeel is, te kunnen handhaven. Een ander voorbeeld is IBM's beleid van locale volledige werkgelegenheid, evenwichtige bedrijfsinterne goederenoverdrachten tussen landen en enige locale O&O.[10]

Systemische concurrentie. Een mondiale bedrijfstak is per definitie een bedrijfstak, waarin de ondernemingen de concurrentie als mondiaal beschouwen en hun strategieën daarop afstemmen. De concurrentie verloopt dus volgens een gecoördineerd, wereldwijd patroon van marktposities, voorzieningen en investeringen. De mondiale strategieën van de concurrenten zullen doorgaans betrekking hebben op slechts gedeeltelijke overlapping op markten waaraan geleverd wordt, geografische locatie van fabrieken, enzovoort. Bij handhaving van een competitief evenwicht vanuit systemisch oogpunt, kan het voor bedrijven noodzakelijk zijn defensieve investeringen te doen op bepaalde markten en locaties om te verhinderen dat concurrenten voordelen kunnen behalen, die in factoren ontbonden kunnen worden binnen hun algehele mondiale positie. In zijn studie over internationale concurrentie vond Knickerbocker duidelijke aanwijzingen voor dit gedragspatroon.[11]

Moeilijkheid van concurrentie-analyse. Hoewel voor analyse van internationale concurrenten soortgelijke factoren belangrijk zijn als die factoren, die worden beschreven in hoofdstuk 3, is deze analyse in mondiale bedrijfstakken moeilijk vanwege het overwicht van buitenlandse ondernemingen en de noodzaak systemische relaties te analyseren. Meestal zijn over buitenlandse ondernemingen minder gegevens beschikbaar als over die in de V.S., al moet gezegd worden dat deze verschillen kleiner worden. Analyse van buitenlandse ondernemingen kan tevens institutionele overwegingen omvatten die voor buitenstaanders moeilijk te begrijpen zijn, zoals arbeidspraktijken en managementstructuren.

---

[10] Voor een bespreking van IBM, zie Doz (ter perse).
[11] Knickerbocker (1973).

Strategische alternatieven in mondiale bedrijfstakken

In een mondiale bedrijfstak zijn er een aantal strategische basisalternatieven. De meest fundamentele keuze, waar een onderneming zich voor gesteld ziet, is of ze mondiaal moet *concurreren* of dat er nestelingsgebieden zijn, waar ze een verdedigbare strategie kan opbouwen om in één of enkele nationale markten te concurreren.

De volgende alternatieven zijn voorhanden:

Mondiale concurrentie in breed produktassortiment. Deze strategie is erop gericht om wereldwijd te concurreren in het volledige produktassortiment van de bedrijfstak, waarbij de mogelijkheden op mondiaal concurrentievoordeel worden benut om differentiatie of een lage algehele kostenpositie te verkrijgen. Voor uitvoering van deze strategie zijn ruime middelen en een lange termijn planning noodzakelijk. Om het concurrentievoordeel te maximaliseren moet de onderneming in haar relaties met regeringen de nadruk leggen op het verminderen van belemmeringen voor mondiale concurrentie.

Mondiale focus. Deze strategie is gericht op een bepaald segment van de bedrijfstak, waarin de onderneming wereldwijd concurreert. Een segment wordt daar gekozen, waar de belemmeringen voor mondiale concurrentie gering zijn en waar de positie van het bedrijf in dat segment verdedigd kan worden tegen het binnendringen van mondiale concurrenten in een breed produktassortiment. Deze strategie levert in het segment lage kosten of differentiatie op.

Nationale focus. Deze strategie maakt gebruik van verschillen in de nationale markten om een aanpak te creëren, die gericht is op een bepaalde nationale markt die het bedrijf in staat stelt mondiale ondernemingen weg te concurreren. Deze variant van de focusstrategie heeft hetzij differentiatie tot doel, hetzij lage kosten bij het voorzien in de specifieke behoeften van een nationale markt of de segmenten daarvan, waar de meeste economische belemmeringen bestaan voor mondiale concurrentie.

Beschermd nestelingsgebied. Bij deze strategie worden landen uitgezocht, waar mondiale concurrenten door regeringsbeperkingen worden buitengesloten, doordat een hoge mate van locale voldoening in het produkt, hoge tarieven, enzovoort worden vereist. De strategie van de onderneming is erop afgestemd om adequaat in te spelen op de nationale markten met zulke beperkingen en besteedt bijzonder veel aandacht aan de gastregering om er zeker van te zijn dat deze de beschermende maatregelen handhaaft.

In sommige mondiale bedrijfstakken ontbreken de mogelijkheden van nationale focus of het zoeken naar een beschermd nestelingsgebied, omdat er geen belemmeringen zijn voor mondiale concurrentie, terwijl deze strategieën in andere bedrijfstakken tegen mondiale concurrenten verdedigbaar zijn. Een steeds meer in zwang komende aanpak voor het uitvoeren van de ambitieuzere strategieën in mondiale bedrijfstakken is die van transnationale *coalities*, oftewel samenwerkingsafspraken tussen ondernemingen van verschillende nationaliteiten in dezelfde bedrijfstak. Door coalities kunnen concurrenten samenwerken bij het overwinnen van de moeilijkheden van het uitvoeren van een mondiale strategie op gebieden als technologie, toegang tot de markt en dergelijke. Vliegtuigen (GE-Snecma), auto's (Chrysler-Mitsubishi; Volvo-Renault) en elektrische produkten (Siemens-Allis-Chalmers; Gould-Brown-Boveri) zijn enkele voorbeelden van mondiale of bijna-mondiale bedrijfstakken, waarin coalities zijn gaan domineren.

Trends die mondiale concurrentie beïnvloeden

In de context van deze bespreking bestaan er enkele trends, die van groot belang zijn voor concurrentie in bestaande mondiale bedrijfstakken en voor het ontstaan van nieuwe.

Verkleining van verschillen tussen landen. Een aantal onderzoekers heeft erop gewezen dat de economische verschillen tussen ontwikkelde en pas ontwikkelde landen wellicht kleiner worden op gebieden als inkomen, fabricagekosten, energiekosten, marketingpraktijken en distributiekanalen.[12] De oorzaak hiervan kan deels worden toegeschreven aan de agressiviteit, waarmee multinationale ondernemingen technieken over de wereld verspreiden. Wat de oorzaken hiervan ook mogen zijn, het heeft tot gevolg dat de belemmeringen voor concurrentie op wereldniveau geringer worden.

Agressiever industrieel beleid. In veel landen is het industrieel beleid van de regering in beweging. Regeringen als Japan, Zuid-Korea, Singapore en West-Duitsland stappen van een passieve of beschermende instelling over op agressievere houdingen om de industrie in zorgvuldig geselecteerde sectoren te stimuleren. Ze vergemakkelijken tevens het uittreden uit sectoren, die als minder gunstig worden beschouwd. Deze nieuwe industriële politiek geeft bedrijven in zulke landen de steun om vermetele acties te ondernemen, waardoor bedrijfstakken een mondiale status zullen krijgen, zoals de bouw van indrukwekkende fabriekscomplexen en grote investeringen op voorhand voor het openbreken van nieuwe markten. Bedrijven die in mondiale bedrijfstakken overblijven, kunnen zich dus heel goed anders gaan gedragen, terwijl bedrijven in sectoren die niet door hun regeringen begunstigd worden, uit de boot kunnen vallen. Naarmate de eerste catego-

---

[12] Bijvoorbeeld Vernon (1979).

rie steeds meer gesteund wordt door regeringen die zich agressief opstellen, zullen de voor concurrentie beschikbare hulpmiddelen toenemen en de op het spel staande belangen groter worden. Niet-economische doelstellingen, die door overheidsbemoeienis centraal zijn komen te staan, gaan een steeds grotere rol spelen. De mogelijkheid bestaat dat de internationale rivaliteit zal escaleren als gevolg van deze factoren en dat de uittredingsbarrières eveneens zullen toenemen, hetgeen de rivaliteit nog verder zal doen vergroten.

Nationale erkenning en bescherming van distinctieve bedrijfsmiddelen. Regeringen raken steeds beter geïnformeerd over wat hun distinctieve hulpbronnen zijn vanuit het oogpunt van economische concurrentie en ze zijn steeds meer geneigd om al het mogelijke voordeel te halen uit het bezit van deze hulpbronnen. Natuurlijke hulpbronnen (bijvoorbeeld olie, koper, tin, rubber) zijn duidelijke voorbeelden van bedrijfsmiddelen, die hetzij rechtstreeks door de overheid gecontroleerd worden als eigendom, hetzij indirect via joint ventures van regeringen en producenten. De overvloedige aanwezigheid van goedkope, matig geschoolde en ongeschoolde arbeid (Zuid-Korea, Taiwan, Hong Kong) is in sommige landen een ander duidelijk erkend bedrijfsmiddel. De exploitatie van zulke distinctieve bedrijfsmiddelen door regeringen is een afspiegeling van de veranderde opvattingen over industrieel beleid, zoals hiervoor besproken.

Deze houding kan fundamentele gevolgen hebben voor mondiale concurrentie in bedrijfstakken, waar zulke beschermde bedrijfsmiddelen strategisch belangrijk zijn. Buitenlandse ondernemingen kunnen buitengesloten worden van effectieve controle over belangrijke hulpbronnen. In de olie bijvoorbeeld heeft een dergelijke heroriëntatie van de regering geleid tot een heroriëntatie van de strategieën van oliemaatschappijen. Deze schakelden over van het verzadigen van de detailhandel en andere activiteiten, gericht op het maken van winsten in het produktiestadium, naar het maken van winst in elk verticaal stadium. In andere bedrijfstakken kan dit bepaalde bedrijven uit een dergelijk land fundamentele voordelen in mondiale concurrentie bieden.

Vrijere stroom van technologie. Een vrijere stroom van technologie blijkt een reeks uiteenlopende bedrijven, inclusief concurrenten uit pas ontwikkelde landen (POL-concurrenten), in staat te stellen te investeren in moderne faciliteiten op wereldniveau. Sommige ondernemingen, vooral de Japanse, zijn zeer agressief geworden in de verkoop van hun technologie aan het buitenland. Verder zijn sommige bedrijven die technologie gekocht hebben, bereid om die weer aan derden door te verkopen tegen zeer lage prijzen. Dergelijke activiteiten bevorderen doorgaans meer mondiale concurrentie.

Geleidelijk ontstaan van nieuwe grootschalige markten. Terwijl de Verenigde Staten al sinds lang de strategische markt is voor mondiale concurrentie vanwege zijn unieke omvang, kunnen China, Rusland en wellicht India in de toekomst misschien uiteindelijk uitgroeien tot enorme markten. Deze mogelijkheid heeft een aantal implicaties. Ten eerste, als China en Rusland de toegang tot hun markten beheersen, kunnen hun ondernemingen uitgroeien tot belangrijke mondiale krachten. Ten tweede, het verkrijgen van toegang tot één of beide markt(en) kan in de toekomst heel goed een belangrijke strategische variabele worden vanwege de schaal die het succesvolle ondernemingen kan bieden.

POL-concurrentie. Een verschijnsel van de laatste tien tot vijftien jaar is de concurrentie vanuit pas ontwikkelde landen in wereldwijde bedrijfstakken, en dan met name de opkomst van Taiwan, Zuid-Korea, Singapore en Brazilië. POL's concurreerden van oudsher op basis van goedkope arbeid en/of natuurlijke hulpbronnen en dit gebeurt nog steeds (textiel, kleine artikelen als speelgoed en plastic produkten). POL-concurrentie heeft echter een steeds grotere invloed gekregen op kapitaalintensieve bedrijfstakken als scheepsbouw, TV-toestellen, staal, kunststoffen en binnenkort wellicht ook auto's.

Pas ontwikkelde landen zijn op grond van sommige van de hierboven weergegeven argumenten steeds beter in staat om grote kapitaalinvesteringen te doen in grootschalige voorzieningen, agressief te speuren naar, of anders te kopen of in licentie te nemen van de nieuwste technologie en enorme risico's te nemen. De bedrijfstakken die het meest kwetsbaar zijn voor POL-concurrentie zijn die, die de volgende toetredingsbarrières *missen*:

- snel veranderende technologie die in eigendom gehouden kan worden;
- hooggekwalificeerde arbeid;
- gevoeligheid voor produktietijden;
- complexe distributie en service;
- intensieve, consumentgerichte marketinginspanning;
- complexe, technische verkooptaak.

Sommige van deze factoren zullen herkend worden als eerder beschreven belemmeringen voor mondiale concurrentie. Hoewel ze wellicht concurrenten van ontwikkelde landen niet zullen afschrikken, zijn dit voor POL-ondernemingen problemen die bijzonder moeilijk op te lossen zijn, omdat ze niet beschikken over hulpbronnen of vaardigheden, onervaren zijn, geen geloofwaardigheid of gevestigde relaties hebben of niet in staat zijn de vereiste voorwaarden te begrijpen (bijvoorbeeld distributie, consumentgerichte marketing en verkoop) op de traditionele markten, omdat die enorm verschillen van de locale omstandigheden.

III
Strategische beslissingen

In deel III wordt gebruik gemaakt van de analytische structuur in deel I voor de bestudering van elk belangrijk type strategische beslissing die in een bedrijfstak genomen wordt:

- verticale integratie (hoofdstuk 14);
- belangrijke capaciteitsexpansie (hoofdstuk 15);
- toetreding (hoofdstuk 16).

Afbouw, het andere belangrijke type strategische beslissing, wordt gedetailleerd besproken in hoofdstuk 12, waar de problemen van concurrentie in neergaande bedrijfstakken worden geanalyseerd.

In elk hoofdstuk van deel III wordt gebruik gemaakt van de concepten in deel I, die betrekking hebben op de specifieke strategische beslissing die op dat moment onderzocht wordt. In deel III worden verder ook nog enkele theoretisch-economische en bestuurlijke aspecten van het leiden en motiveren van een organisatie aan de orde gesteld, die verband houden met de onderscheiden strategische beslissingen.

Het is de bedoeling dat deel III het bedrijf niet alleen helpt bij het nemen van deze strategische beslissingen op zich, maar het tevens inzicht verschaft in de manier waarop zijn concurrenten, klanten, leveranciers en potentiële toetreders deze zouden kunnen nemen. In deel III worden dus de in de delen I en II behandelde concepten dieper uitgewerkt.

14
De strategische analyse van verticale integratie

Verticale integratie is de combinatie van technologisch verschillende produktie-, distributie-, verkoop- en/of andere economische processen binnen de grenzen van één onderneming. Als zodanig vertegenwoordigt het een beslissing van het bedrijf om bij de verwezenlijking van zijn economische doelstellingen de voorkeur te geven aan interne of bestuurlijke transacties boven markttransacties. Een bedrijf met een eigen verkoopgroep bijvoorbeeld zou via de markt een onafhankelijke verkooporganisatie hebben kunnen contracteren voor levering van de vereiste verkoopdiensten. Evenzo zou het bedrijf dat zelf de grondstoffen uit de grond haalt waarmee het eindprodukten fabriceert, een onafhankelijke mijnbouworganisatie hebben kunnen contracteren om in zijn behoefte te voorzien.

In theorie zouden alle functies, waarvan we nu verwachten dat een onderneming die vervult, vervuld kunnen worden door een consortium van onafhankelijke economische eenheden die elk een contract hebben met een centrale coördinator, die zelf uit nauwelijks meer dan een bureau en één enkele manager zou hoeven te bestaan. Bepaalde segmenten van de uitgeverij en platenindustrie hebben in feite ook min of meer deze vorm. Veel uitgevers besteden redactiewerkzaamheden, lay-out, grafische vormgeving, drukwerk, distributie en verkoop uit, waardoor voor het bedrijf zelf weinig meer overblijft dan beslissingen over de uit te geven boeken, marketing en financiering. Sommige platenmaatschappijen contracteren op soortgelijke wijze onafhankelijke artiesten, producers, opnamestudio's, plaatpersen en distributie- en marketingorganisaties om elke plaat op te nemen, te maken en te verkopen.

In de meeste situaties kiezen bedrijven er echter voor om een belangrijk deel van de bestuurlijke, produktieve, distributieve of marketingprocessen die nodig zijn voor de produktie van hun produkten of diensten, intern uit te voeren en niet via contracten met een reeks onafhankelijke eenheden. Ze denken dat het goedkoper is, minder riskant, of gemakkelijker te coördineren wanneer deze taken intern worden verricht.

Veel beslissingen over verticale integratie zijn te herleiden tot 'maak of koop'-beslissingen, waarbij de aandacht uitgaat naar de financiële berekeningen die voor een dergelijke beslissing noodzakelijk zijn.[1] Dit houdt in dat men probeert een schatting te maken van de kostenbesparingen van integratie en deze dan probeert af te wegen tegen de vereiste investering. Een beslissing over verticale integratie omvat echter veel meer dan dit. De essentie van een beslissing over verticale integratie is niet de financiële berekening zelf, maar veeleer de getallen, waarmee bij de berekening wordt gewerkt. Bij de beslissing mag men zich niet beperken tot een analyse van kosten en investeringsvereisten, maar moet men tevens de bredere strategische aspecten van integratie afwegen tegen het gebruik van markttransacties en daarnaast enkele bijzonder ingewikkelde problemen bij het leiden van een verticaal geïntegreerde eenheid, die het succes van een geïntegreerd bedrijf kunnen beïnvloeden, in overweging nemen. Deze zijn bijzonder moeilijk in cijfers uit te drukken. Het zijn de grootte en het strategisch belang van de baten en kosten van verticale integratie, zowel in direct economische zin als indirect door het effect ervan op de organisatie, die bij de beslissing de essentie vormen.

Dit hoofdstuk onderzoekt de economische en bestuurlijke gevolgen van verticale integratie teneinde managers te helpen bij het vaststellen van de juiste mate van verticale integratie in een strategische context en ze te begeleiden bij beslissingen tot verticale integratie of desintegratie. Bij het zoeken naar de strategisch juiste mate van verticale integratie dient het bedrijf economische en bestuurlijke baten van verticale integratie af te wegen tegen de economische en bestuurlijke kosten. Zowel deze afweging als de specifieke kosten en baten zelf zullen in hoge mate verschillen, afhankelijk van de bedrijfstak in kwestie en van de specifieke strategische situatie van het bedrijf. De kosten en baten worden verder mede bepaald door de vraag of het bedrijf een beleid voert van *getemperde* integratie (interne produktie van sommige benodigdheden en uitbesteding van de rest) of kiest voor volledige integratie. Ook is het zo dat veel van de baten van integratie soms verkregen kunnen worden zonder alle kosten te dragen door middel van *schijnintegratie* - het gebruik van investeringen in aandelen of schulden en

---

[1] Hier zal geen poging gedaan worden een overzicht te geven van de technieken voor het uitvoeren van 'maak of koop'-berekeningen. Voor een bespreking daarvan, zie Buffia (1973); Moore (1973).

andere middelen om bindingen te creëren tussen verticaal verbonden bedrijven zonder volledig eigendom.

Het hier weergegeven schematisch kader is geen formule, maar veeleer een gids die ervoor zorgt dat de belangrijke kosten en baten van verticale integratie in overweging zijn genomen, die de manager wijst op enkele chronische valkuilen en enige mogelijke alternatieven aan de hand doet voor het behalen van de voordelen van volledige verticale integratie. Het schema zal gecombineerd moeten worden met een zorgvuldige bedrijfstaks- en concurrentie-analyse van de specifiek te bestuderen situatie en een nauwgezette strategische taxatie door het bedrijf dat de beslissing moet nemen.

Strategische baten en kosten van verticale integratie

Verticale integratie heeft belangrijke generieke baten en kosten, die bij elke beslissing in overweging moeten worden genomen, maar waarvan de betekenis afhangt van de bedrijfstak in kwestie. Met de hiertoe noodzakelijke veranderingen zijn ze van toepassing op zowel voorwaartse als achterwaartse integratie. Hier zullen de gegeneraliseerde baten en kosten besproken worden en verderop in dit boek zullen enkele specifieke aspecten van voorwaarts en achterwaarts integrerende bedrijven onderzocht worden. In het kader van deze bespreking dient onder het *stroomopwaartse* bedrijf het verkopende bedrijf in de verticale keten verstaan te worden en onder het *stroomafwaartse* bedrijf het kopende bedrijf.

VERWERKTE HOEVEELHEID VERSUS EFFICIËNTE SCHAAL

De baten van verticale integratie hangen in de eerste plaats af van de hoeveelheid produkten of diensten die het bedrijf koopt van of verkoopt aan de vorige of volgende schakel, afgezet tegen de efficiënte produktiefaciliteit in dat stadium. Laten we voor het gemak het geval nemen van een achterwaarts integrerend bedrijf. De aangekochte hoeveelheden van het bedrijf dat achterwaartse integratie overweegt, moeten groot genoeg zijn om er een interne leverancierseenheid op na te houden, die groot genoeg is om alle schaalvoordelen te behalen bij het produceren van de input. Is dit niet het geval, dan staat het bedrijf voor een dilemma. Ofwel het moet een kostennadeel bij de interne produktie van de input accepteren, ofwel het moet een gedeelte van de produktie van de stroomopwaartse eenheid op de vrije markt verkopen. Zoals later uitgebreid besproken zal worden, kan het verkopen van overtollige output op de vrije markt moeilijk zijn, omdat het bedrijf mogelijk aan de concurrenten zal moeten verkopen. Als de behoeften van het bedrijf de schaal van een efficiënte eenheid *niet* te boven gaan, krijgt het bedrijf te maken met één van de twee kosten van integratie, die dan moeten worden afgewogen tegen de baten. Ofwel het richt een inefficiënte kleine eenheid op die uitsluitend in de interne vraag voorziet, ofwel het richt een efficiënte afdeling op, waarbij het risico van aan- of verkoop op de open markt genomen wordt.

STRATEGISCHE BATEN VAN INTEGRATIE

Besparingen van integratie

Als de verwerkte hoeveelheid groot genoeg is om de mogelijke schaalvoordelen te behalen,[2] is het meest genoemde voordeel van verticale integratie het realiseren van *bezuinigingen* of kostenbesparingen op het gebied van gezamenlijke produktie, verkoop, inkoop, controle, enzovoort.

Besparingen van gecombineerde operaties. Soms kan een bedrijf uit het samenvoegen van technologisch verschillende operaties voordelen halen. Op het gebied van fabricage bijvoorbeeld kan door deze maatregel het aantal stappen in het produktieproces worden verminderd, evenals de bedienings- en transportkosten, en kan gebruik worden gemaakt van onbenutte capaciteit die zich voordoet bij ondeelbaarheden in één stadium (machinetijd, fysieke ruimte, onderhoudsvoorzieningen, enz.). In het klassieke geval van het heet walsen van staal hoeft de stalen plaat niet opnieuw verhit te worden, als de processen van fabricage en walsen geïntegreerd zijn. Het metaal hoeft dan niet een behandeling te ondergaan om oxydatie te voorkomen voor de volgende bewerking; onbenutte input, zoals de capaciteit van bepaalde machines, kan bij beide processen gebruikt worden. Bepaalde voorzieningen kunnen dan vlak bij elkaar worden geplaatst, zoals het geval is bij veel grootverbruikers van zwavelzuur (kunstmestbedrijven, oliemaatschappijen), die achterwaarts zijn geïntegreerd in de zwavelzuurproduktie. Door deze stap worden de transportkosten, die voor een gevaarlijk en moeilijk te hanteren produkt als zwavelzuur zeer hoog zijn, geëlimineerd.

Voordelen van interne controle en coördinatie. De kosten van planning, het coördineren van operaties en het reageren op noodgevallen kunnen lager worden, als het bedrijf is geïntegreerd. Aangrenzende locatie van de geïntegreerde afdelingen vergemakkelijkt controle en coördinatie. Verder is een interne afdeling waarschijnlijk meer geneigd rekening te houden met de behoefte van een zusterafdeling en daardoor hoeft er in het bedrijf minder speling ingebouwd te worden om onvoorziene gebeurtenissen het hoofd te bieden. Stabielere aanvoer van grondstoffen of het vermogen om onregelmatigheden in de aflevering weg te nemen, kan leiden tot een betere con-

---

[2] Of als het kostennadeel klein genoeg is om te worden gecompenseerd door andere, later te bespreken voordelen van integratie.

trole over de produktieschema's, afleveringsschema's en onderhoudswerkzaamheden. Dit komt, doordat de afgesproken boete voor leveranciers die in gebreke blijven, geringer kan zijn dan de kosten van de onderbreking, waardoor de leveranciers moeilijk te motiveren zijn om stipt op tijd te leveren. Stijlwijzigingen, nieuwe produktontwerpen of introductie van nieuwe produkten zijn eveneens intern gemakkelijker of sneller te coördineren. Door zulke voordelen van controle kunnen de onbenutte tijd, de benodigde voorraad en het benodigde personeel voor controle worden verminderd.

Voordelen van informatie. Geïntegreerde operaties kunnen de noodzaak van het verzamelen van bepaalde gegevens over de markt doen afnemen of, wat waarschijnlijker is, kunnen de totale kosten van informatieverwerving drukken. De vaste kosten van marktbewaking en het voorspellen van aanvoer, vraag en prijzen kunnen over alle onderdelen van het geïntegreerde bedrijf worden gespreid, terwijl ze in een niet geïntegreerde onderneming gedragen hadden moeten worden door elke afdeling afzonderlijk.[3] Een geïntegreerd levensmiddelenbedrijf bijvoorbeeld kan verkoopprojecties voor het eindprodukt in alle segmenten van de verticale keten gebruiken. Evenzo zullen marktgegevens veel vrijer door een organisatie circuleren dan door een reeks onafhankelijke partijen. Zo is een bedrijf door integratie in staat om snellere en preciezere gegevens over de markt te verkrijgen.

Voordelen van vermijding van de markt. Door te integreren kan een bedrijf besparen op sommige kosten van verkoop, prijsoriëntatie, onderhandeling en transactie, die bij markttransacties horen. Hoewel gewoonlijk ook wel bij interne transacties onderhandeld wordt, zijn de kosten hiervan bij lange na niet zo hoog als die van verkoop aan of aankoop van partijen van buitenaf. Er is geen verkoopgroep nodig, noch een marketing- of een inkoopafdeling. Bovendien is adverteren niet nodig, evenmin als andere marketingkosten.

Voordelen van stabiele verhoudingen. Zowel de stroomopwaartse als de stroomafwaartse eenheden kunnen, in de wetenschap dat hun aan- en verkooprelaties stabiel zijn, efficiëntere gespecialiseerde procedures ontwikkelen voor hun onderlinge relaties die met een onafhankelijke leverancier of klant - waar zowel koper als verkoper het competitieve risico lopen door de ander in de steek gelaten of onder druk gezet te worden - onmogelijk zouden zijn. Gespecialiseerde procedures voor de omgang met klanten of leveranciers kunnen speciaal ontworpen logistieke systemen, speciale verpakkingen, uitzonderlijke afspraken op het gebied van boekhouding en con-

---

[3] Sommige voordelen van verticale integratie, zoals voordelen van informatie, kunnen ook behaald worden, als de produktuitwisseling zich in feite niet afspeelt tussen verticaal verbonden eenheden in het bedrijf, maar plaatsvindt met partijen van buitenaf.

trole en andere mogelijk kostenbesparende onderlinge regelingen omvatten.

Het is ook mogelijk dat de stroomopwaartse eenheid door de stabiliteit van de relatie zijn produkt (in kwaliteit, specificaties, enz.) exact op de vereisten van de stroomafwaartse eenheid zal kunnen afstemmen of dat de stroomafwaartse eenheid zich meer zal aanpassen aan de kenmerken van de stroomopwaartse afdeling. Voor zover door een dergelijke aanpassing onafhankelijke partijen op elkaar aangewezen zouden raken, zou het plaatsvinden hiervan zonder verticale integratie betaling van een risicopremie noodzakelijk maken, hetgeen de kosten zou doen stijgen.

Kenmerken van voordelen verticale integratie. Voordelen van integratie vormen de kern van de analyse van verticale integratie, niet alleen omdat ze op zichzelf al belangrijk zijn, maar ook omdat ze bijdragen tot de betekenis van enkele andere, hieronder te bespreken aspecten van integratie. Het spreekt vanzelf dat het belang daarvan in een bedrijfstak *per bedrijf verschilt*, afhankelijk van de strategie van het afzonderlijke bedrijf en de sterke en zwakke punten ervan. Een bedrijf met een strategie van produktie tegen lage kosten kan bijvoorbeeld grotere waarde hechten aan het realiseren van allerlei typen besparingen. Evenzo zal een bedrijf met een zwakte op het gebied van marketing meer te winnen hebben met het vermijden van markttransacties.

Vertakking in technologie

Een tweede potentieel voordeel van verticale integratie is een vertakking in technologie. Onder sommige omstandigheden kan zo grondig inzicht verkregen worden in de technologie in stroomopwaartse of stroomafwaartse bedrijven, die van cruciaal belang is voor het succes van de basisonderneming. Het is een vorm van voordeel van informatie, die te belangrijk is om niet apart behandeld te worden. Veel mainframe computer en minicomputer producerende bedrijven zijn bijvoorbeeld achterwaarts geïntegreerd in het ontwerpen en fabriceren van halfgeleiders om meer te weten te komen over deze essentiële technologie. Fabrikanten van onderdelen op uiteenlopende terreinen zijn voorwaarts geïntegreerd in systemen om tot in details te begrijpen hoe de onderdelen worden gebruikt. Vaak, zo niet meestal, is de integratie om een vertakking te hebben in de technologie een getemperde of gedeeltelijke integratie, omdat volledige integratie enkele technologische risico's met zich meebrengt.

Veilig stellen van aanvoer en/of vraag

Door verticale integratie is een bedrijf ervan verzekerd dat het voldoende aanvoer zal krijgen in tijden van schaarste of dat het een afzet voor zijn produkten zal hebben in perioden van geringe totale vraag. Integratie stelt de vraag alleen veilig voor zover de stroomafwaartse eenheid de output van de stroomopwaartse eenheid kan absorberen. De mogelijkheid van de stroomafwaartse eenheid om dat te doen hangt duidelijk af van het effect van concurrentievoorwaarden ten aanzien van de vraag van de stroomopwaartse eenheid. Als in de stroomafwaartse bedrijfstak de vraag laag is, kan de verkoop van de interne eenheid ook op een laag pitje staan en kunnen de behoeften aan de output van de interne leverancier eveneens gering zijn. Integratie kan alleen de onzekerheid dat het bedrijf door de klanten eigenmachtig in de steek gelaten wordt, verminderen en geen garantie vormen voor vraag in de letterlijke zin.

Hoewel verticale integratie de onzekerheid over aanvoer en vraag kan verminderen en het bedrijf kan beschermen tegen prijsschommelingen, betekent dit nog niet dat verstoringen van de markt geen gevolgen hebben voor de interne transactieprijzen. De produkten dienen binnen een geïntegreerd bedrijf van eenheid op eenheid over te gaan tegen transferprijzen die een afspiegeling vormen van de marktprijzen om er zeker van te zijn dat elke eenheid goed geleid wordt. Als deze transferprijzen van de marktprijzen verschillen, zal de ene eenheid de andere ondersteunen en zullen sommige eenheden het dus beter doen dan op de vrije markt het geval geweest zou zijn en andere slechter. Het management van de stroomopwaartse en stroomafwaartse eenheden kan dan beslissingen nemen op basis van deze kunstmatige prijzen, waardoor de efficiency afneemt en de concurrentiepositie van de eenheden wordt geschaad. Als een stroomopwaartse eenheid bijvoorbeeld aan een stroomafwaartse eenheid levert tegen prijzen die aanzienlijk lager liggen dan die welke hij op de vrije markt zou kunnen ontvangen, zal de onderneming in zijn geheel daar waarschijnlijk schade van ondervinden. De stroomafwaartse manager zal, handelend op basis van kunstmatig lage prijzen, wellicht proberen de marktpositie van de stroomafwaartse eenheid te versterken - waardoor de stroomopwaartse eenheid genoodzaakt zal zijn nog meer te laag geprijsde produkten te leveren.

Het veilig stellen van aanvoer en vraag mag dus *niet* beschouwd worden, als een volledige bescherming tegen ups en downs op de markt, maar moet meer gezien worden als een vermindering van de onzekerheid omtrent de gevolgen daarvan op het bedrijf. Zowel de stroomopwaartse als de stroomafwaartse eenheid moet in staat zijn tot een betere planning met minder risico op onderbrekingen, eliminatie van veranderingen in leveranciers of klanten en met een kleinere kans om in een situatie terecht te komen, waarin in geval van nood prijzen betaald moeten worden die boven de gemiddelde marktprijzen liggen. Deze vermindering van onzekerheid is vooral belangrijk, als één of beide fasen kapitaalintensief zijn. Het veilig stellen van aanvoer en vraag is als belangrijkste motivering aangevoerd voor integratie in bedrijfstakken als de olie-, staal-, en aluminiumindustrie.

Neutralisatie van onderhandelingsmacht en scheefgetrokken inputkosten

Als een bedrijf te maken heeft met leveranciers of klanten die een sterke onderhandelingspositie hebben, en winsten boeken die boven de alternatieve vermogenskosten uitstijgen, is het voor het bedrijf lonend om te integreren, ook al zijn er geen andere besparingen aan de integratie verbonden. Neutralisatie van de onderhandelingsmacht door middel van integratie kan niet alleen leiden tot daling van de aanvoerkosten (door middel van achterwaartse integratie) of het realiseren van een prijsverhoging (bij voorwaartse integratie), maar het bedrijf tevens in staat stellen om efficiënter te opereren door eliminatie van in wezen waardeloze praktijken die werden gebruikt om machtige leveranciers of klanten het hoofd te bieden. De onderhandelingsmacht van leveranciers of klanten zal bepaald worden door de structuur van hun respectieve bedrijfstakken met betrekking tot de bedrijfstak van de onderneming.

Achterwaartse integratie om onderhandelingsmacht te neutraliseren heeft andere potentiële baten. Door de winsten van de leveranciers binnen het eigen bedrijf te halen kunnen de werkelijke kosten van die input duidelijk worden. De onderneming heeft dan de mogelijkheid de prijs van zijn eindprodukt bij te stellen om de totale winsten van de twee eenheden voor integratie te maximaliseren. Het feit dat het bedrijf op de hoogte is van de werkelijke kosten van de input betekent ook dat het de efficiency kan verbeteren door de samenstelling te veranderen van de verschillende inputs die worden gebruikt in de produktieprocessen van de stroomafwaartse bedrijven.[4] Deze maatregel kan tevens de totale winstgevendheid verbeteren.

Hoewel de voordelen voor de onderneming van aanpassing aan de alternatieve vermogenskosten van de input duidelijk zijn, is het belangrijk om op te merken dat een beleid van conventionele transferprijzen het realiseren van dit soort voordelen bemoeilijkt. Als externe leveranciers van een input onderhandelingsmacht hebben, zullen interne transfers tegen de marktprijs boven de werkelijke vermogenskosten van de input liggen. Transfers tegen marktprijzen kunnen echter bestuurlijke voordelen hebben in de zin van stimulering van het management.

Vergroot vermogen om te differentiëren

Verticale intregratie kan een bedrijf beter in staat stellen om zich te differentiëren van anderen door het aanbieden van een groter deel toegevoegde waarde onder controle van het management. Dit aspect kan bijvoorbeeld een betere controle over distributiekanalen mogelijk maken om betere service te kunnen bieden of om te zorgen voor reële mogelijkheden tot differentiatie door interne vervaardiging van eigen componenten. Het

---

[4] Deze beslissing is natuurlijk afhankelijk van het vermogen van de stroomafwaartse eenheid om de samenstelling hiervan te variëren.

effect van verticale integratie op differentiatie zal hieronder verder besproken worden.

Opwerpen van toetredings- en mobiliteitsbarrières

Als door verticale integratie één van deze voordelen wordt bereikt, kan dit zorgen voor mobiliteitsbarrières. De voordelen kunnen het geïntegreerde bedrijf een concurrentievoordeel geven op het niet-geïntegreerde in de vorm van hogere prijzen, lagere kosten of minder risico's. Het niet geïntegreerde bedrijf moet dus integreren of anders een nadeel accepteren en de nieuwe toetreder van de bedrijfstak moet dit doen als geïntegreerd bedrijf of anders dezelfde gevolgen dragen. Hoe belangrijker de netto voordelen van integratie zijn, des te groter wordt de druk op andere bedrijven om eveneens te integreren. Als er aanzienlijke barrières van schaalvoordelen of kapitaalvereisten zijn voor integratie, zal de noodzaak om te integreren zorgen voor mobiliteitsbarrières in de bedrijfstak. Als echter schaalvoordelen noch kapitaalvereisten een factor van betekenis vormen, zal de noodzaak van integratie voor de concurrentie van weinig betekenis zijn.

Toetreden van een winstgevender bedrijfstak

Soms zal een bedrijf zijn totale winsten willen vergroten door verticaal te integreren. Als het produktiestadium, waarin integratie wordt overwogen, een structuur heeft die hogere winsten te bieden heeft dan de vermogenskosten voor het bedrijf, is integratie winstgevend, ook al zijn er aan de integratie op zich geen voordelen verbonden. Het integrerende bedrijf moet bij zijn berekeningen van de in de aangrenzende bedrijfstak te behalen winsten natuurlijk rekening houden met de kosten, die zijn verbonden aan het overwinnen van toetredingsbarrières, en niet alleen uitgaan van de daar te behalen winsten. Zoals in hoofdstuk 16 besproken zal worden, moet het bedrijf dus potentiële voordelen hebben boven andere potentiële toetreders.

Verdediging tegen afsluiting

Zelfs al zijn er geen positieve voordelen verbonden aan integratie, toch kan verdediging tegen afsluiting van toegang tot leveranciers of klanten noodzakelijk zijn, wanneer de concurrenten wel geïntegreerd zijn. Het kan voorkomen dat door wijdverspreide integratie van de concurrenten veel van de aanvoerbronnen of de aantrekkelijke klanten of detailhandelaren zich hebben vastgelegd. In dit geval heeft het niet-geïntegreerde bedrijf het grimmige vooruitzicht dat het zal moeten vechten voor de resterende leveranciers of klanten met het risico dat deze slechter zijn dan diegenen, die met de geïntegreerde bedrijven in zee zijn gegaan. Afsluiting van distributiekanalen leidt dus tot verhoging van de mobiliteitsbarrière dienaangaande of de absolute kostenbarrière met betrekking tot toegang tot gunstige leveranciers van grondstoffen.

Een bedrijf kan gedwongen zijn te integreren op louter defensieve gronden, omdat het anders te maken krijgt met een uitsluitingsnadeel dat zwaarder gaat wegen naarmate het percentage onbereikbare klanten of leveranciers toeneemt. Dezelfde overwegingen houden in dat een nieuwe toetreder tot de bedrijfstak op geïntegreerde basis moet toetreden. De noodzaak van integratie zal mobiliteitsbarrières doen toenemen op dezelfde wijze als eerder werd beschreven, indien die te maken hebben met aanzienlijke schaalvoordelen of kapitaalvereisten. Het probleem van uitsluiting heeft in de Verenigde Staten tot veel defensieve integratie geleid in bedrijfstakken als cement en schoenen.

STRATEGISCHE KOSTEN VAN INTEGRATIE

De strategische kosten van verticale integratie betreffen voornamelijk toetredingskosten, flexibiliteit, evenwicht, vermogen om het geïntegreerde bedrijf te leiden en het gebruik van interne organisatorische prikkels in plaats van marktprikkels.

Kosten van overwinning van mobiliteitsbarrières

Het is duidelijk dat verticale integratie van een bedrijf eist dat de mobiliteitsbarrières voor het concurreren in stroomopwaartse of stroomafwaartse sectoren overwonnen worden. Per slot van rekening is integratie een speciaal (hoewel veel voorkomend) geval van de algemene strategische optie van toetreding tot een nieuwe bedrijfstak.[5] Door de interne koop- en verkoopverhoudingen, die het gevolg zijn van verticale integratie, kan een integrerend bedrijf vaak gemakkelijk over enkele mobiliteitsbarrières van de aangrenzende sector, zoals toegang tot distributiekanalen en produktdifferentiatie, heen stappen. Niettemin kan het overwinnen van barrières, die veroorzaakt worden door kostenvoordelen van particuliere technologie of gunstige grondstofbronnen, kosten van verticale integratie met zich meebrengen. Hetzelfde geldt voor het overwinnen van andere oorzaken van mobiliteitsbarrières, zoals schaalvoordelen en kapitaalvereisten. Dit heeft ertoe geleid dat verticale integratie zeer vaak heeft plaatsgevonden in bedrijfstakken als metalen containers, drijfgasverpakkingen en zwavelzuur, waar de technologie volkomen bekend is en de minimale efficiënte schaal van een bedrijf niet groot is.

---

[5] Zie hoofdstuk 16 voor een onderzoek naar de economische en strategische aspecten van een beslissing tot toetreding in het algemeen.

*Verhoogde hefboomwerking voortvloeiend uit de mate van aanwezigheid
van vaste kosten in de opbouw van de totale kosten (operating leverage)*

Door verticale integratie neemt het aandeel van de vaste kosten van
een bedrijf toe. Als een bedrijf bijvoorbeeld een produkt zou kopen op de
locohandel, zouden alle kosten van die input variabel zijn. Als de input
intern wordt geproduceerd, moet het bedrijf alle vaste kosten dragen, die
de produktie ervan met zich meebrengt, ook wanneer de vraag ernaar door
een baisse of een andere reden afneemt. Aangezien de verkoop van de
stroomopwaartse eenheid afhankelijk is van die van de stroomafwaartse
eenheid, heeft een schommeling in één van de eenheden schommelingen in
de gehele keten tot gevolg. Schommelingen kunnen het gevolg zijn van de
conjunctuurschommeling, concurrentie- en marktontwikkelingen, enzovoort. Door integratie neemt dus de 'operating leverage' van het bedrijf
toe, waardoor het bloot staat aan grotere cyclische schommelingen in de
winsten. Door verticale integratie wordt dus het hieraan gekoppelde
bedrijfsrisico groter, hoewel reeds eerder is opgemerkt dat het netto-effect
van integratie op risico afhangt van de vraag in hoeverre andere bedrijfsrisico's afnemen. De mate, waarin door integratie de 'operating leverage' in
een bepaald bedrijf zal toenemen, hangt uiteraard af van de hoogte van de
vaste kosten van het bedrijf, waarbinnen integratie plaatsvindt. Als het
bedrijf bijvoorbeeld lage vaste kosten heeft, kan de effectieve toename van
de 'operating leverage' beperkt zijn.

Een goed voorbeeld van het risico van 'operating leverage' door exten-
sieve verticale integratie is de Curtis Publishing Company. Curtis bouwde
een enorme verticale onderneming op om zijn relatief kleine aantal tijdschriften, vooral de *Saturday Evening Post*, te bevoorraden. Toen dat tijd-
schrift aan het eind van de jaren zestig in moeilijkheden kwam, waren de
financiële gevolgen voor Curtis rampzalig.

Geringere fexibliliteit om van partners te veranderen

Verticale integratie houdt in dat de kansen van de bedrijfseenheden om
succesvol te concurreren op zijn minst gedeeltelijk bepaald worden door de
mogelijkheden van hun interne leverancier of klant (die tevens distributiekanaal zou kunnen zijn). Technologische veranderingen, wijzigingen in
het produktontwerp met betrekking tot componenten, strategische mislukkingen of problemen in het management kunnen een situatie creëren,
waarin de interne leverancier een duur, inferieur of onbruikbaar produkt of
dienst levert, of waarin de interne klant of het interne distributiekanaal
bezig is zijn positie op de markt te verliezen, waardoor hij niet langer
geschikt is als klant. Door verticale integratie worden de kosten, verbonden
aan het veranderen van leverancier of klant, hoger in vergelijking met het
aangaan van contracten met onafhankelijke eenheden. Imasco bijvoor-

beeld, een Canadese marktleider in de sigarettenindustrie, integreerde achterwaarts in het verpakkingsmateriaal dat voor zijn produktieproces nodig was. Een technologische verandering maakte deze verpakkingsvorm echter inferieur aan andere varianten die door de interne leverancier niet konden worden geproduceerd. Na veel moeilijkheden werd de leverancier uiteindelijk afgebouwd. De moeilijkheden van Robert Hall in de herenkleding zijn misschien deels het gevolg van diens onvoorwaardelijk vertrouwen in intern geproduceerde artikelen.

Bepalend voor de hoogte van dit risico is het antwoord op de vraag hoe realistisch de waarschijnlijkheid wordt ingeschat, dat een interne leverancier of klant in moeilijkheden komt, alsmede de waarschijnlijkheid van externe of interne wijzigingen die aanpassingen bij het zusteronderdeel noodzakelijk zullen maken.

Hogere algemene uittredingsbarrières

Integratie, waardoor de specialisatie van bedrijfsmiddelen, de onderlinge strategische verhoudingen of de emotionele banden met het bedrijf nog intensiever worden, kan de algehele uittredingsbarrières verhogen. Elk van de uittredingsbarrières (beschreven in hoofdstuk 12) kan hierdoor beïnvloed worden.

Kapitaalinvesteringsvereisten

Door verticale integratie worden kapitaalmiddelen opgeslokt, die binnen het bedrijf vermogenskosten vertegenwoordigen, terwijl bij contacten met een onafhankelijke partij investeringskapitaal van buitenaf wordt gebruikt. Wil verticale integratie een goede keuze zijn, dan moet deze winsten opleveren die gelijk zijn aan of groter zijn dan de vermogenskosten van het bedrijf, rekening houdend met de in dit hoofdstuk besproken strategische overwegingen. Het feit dat integratie belangrijke voordelen oplevert, wil nog niet zeggen dat die voldoende zijn om de baten van integratie hoger te doen uitkomen dan de kosten die de onderneming heeft bij het nemen van deze hindernis, wanneer het bedrijf integratie overweegt in sectoren met een laag winstpotentieel, zoals de detailhandel of groothandel.

Dit aspect kan zich uiten in de *behoefte aan kapitaal* van stroomopwaartse en stroomafwaartse sectoren, waarin integratie wordt overwogen. Als de behoefte aan kapitaal waarschijnlijk groot is in verhouding tot het vermogen van het bedrijf om geldbronnen aan te boren, kan de noodzaak om fondsen te herinvesteren in de geïntegreerde eenheid het bedrijf blootstellen aan strategische risico's elders. Met andere woorden: integratie kan kapitaal opzuigen dat elders in de onderneming nodig is.

Door integratie kan het toewijzingsbeleid van investeringsfondsen bij het bedrijf minder flexibel worden. Aangezien het functioneren van de gehele verticale keten afhankelijk is van elke schakel afzonderlijk, kan het bedrijf, om de gehele keten te behouden, gedwongen worden in een marginale schakel te investeren in plaats van het kapitaal elders aan te wenden. Het blijkt bijvoorbeeld dat enkele grote, geïntegreerde bedrijven die grondstoffen leveren in sectoren met een laag winstpotentieel, vast zijn blijven zitten, omdat ze onvoldoende kapitaal hadden om te diversifiëren. Hun kapitaalintensieve, geïntegreerde operaties hebben de meeste voor investering beschikbare reserves opgeslokt, alleen om de waarde van hun bedrijfsmiddelen in deze operaties te behouden.

Uitsluiting van onderzoek en/of know-how van leverancier of klant

Door te integreren kan een bedrijf zichzelf afsluiten van de stroom van technologie van zijn leveranciers of klanten. Integratie betekent gewoonlijk dat de onderneming de verantwoordelijkheid krijgt voor de ontwikkeling van eigen technologische vaardigheden en niet langer kan leunen op anderen. Als het bedrijf er echter voor kiest om niet te integreren (terwijl andere dit wel doen), zijn leveranciers vaak bereid om het bedrijf agressief te ondersteunen met onderzoek, technische assistentie en dergelijke.

Uitsluiting van technologie kan een aanzienlijk risico zijn, wanneer er veel onafhankelijke leveranciers of klanten zijn die aan onderzoek doen, of als leveranciers of klanten op grote schaal onderzoeksinspanningen verrichten of bepaalde know-how hebben die moeilijk is te kopiëren. Dit risico is onvermijdelijk bij integratie met het doel een directe vertakking naar de technologie van aangrenzende sectoren te verkrijgen, hoewel dat misschien in evenwicht wordt gehouden door het risico van het om deze reden achterwege laten van integratie. Ook al integreert een bedrijf slechts gedeeltelijk en koopt en verkoopt het nog steeds enkele produkten op de vrije markt, toch riskeert het uitsluiting van technologie, doordat het zichzelf tot concurrent heeft gemaakt van de eigen leveranciers of klanten (zie hieronder).

Handhaving van evenwicht

De produktieve capaciteiten van de stroomopwaartse en stroomafwaartse eenheden binnen een onderneming moeten in evenwicht blijven, omdat anders problemen kunnen ontstaan. De schakel in de verticale keten met overcapaciteit (of overvraag) moet een gedeelte van zijn output verkopen (of iets van zijn input kopen) op de vrije markt op straffe van opoffering van de marktpositie. Een dergelijke stap in die situatie is misschien moeilijk, omdat de verticale relatie het bedrijf vaak dwingt van zijn concurrenten te kopen of aan hen te verkopen. Deze kunnen onwillig zijn om met het bedrijf handel te drijven uit angst om op de tweede plaats te komen of om versterking van de positie van de concurrent te vermijden. Als daarentegen het outputoverschot gemakkelijk op de vrije markt verkocht kan worden of als het tekort daar gemakkelijk aangevuld kan worden, zijn de risico's van evenwichtsverstoring niet al te groot.

Verticale fases raken om een aantal redenen uit balans. Ten eerste lopen de efficiënte capaciteitsuitbreidingen voor verschillende fases doorgaans uiteen, waardoor zelfs in een groeiende markt perioden van evenwichtsverstoring kunnen optreden. Technologische verandering in de ene fase kan veranderingen noodzakelijk maken in bepaalde procedures, waardoor de capaciteit in vergelijking met de andere fase daadwerkelijk toeneemt. Tevens kunnen veranderingen in de samenstelling en kwaliteit van het produkt de effectieve capaciteit in de verticale stadia ongelijk beïnvloeden. Het risico van evenwichtsverstoring zal afhangen van voorspellingen over de waarschijnlijkheid van deze factoren.

Lauwe prikkels

Verticale integratie betekent een geheel van onderlinge koop- en verkooprelaties. Het stroomopwaartse bedrijf kan ongeïnteresseerd raken voor prikkels, omdat het binnenshuis verkoopt en geen concurrentiestrijd hoeft aan te gaan. Omgekeerd zal het bedrijf dat intern inkoopt van een andere eenheid binnen de onderneming, de onderhandelingen minder hard voeren dan het geval geweest zou zijn met verkopers van buiten de onderneming. Door interne handel kunnen de prikkels dus afnemen. Een punt dat hiermee verband houdt is het feit dat interne projecten om de capaciteit uit te breiden of interne contracten om te kopen of te verkopen minder streng worden bekeken dan externe contracten met leveranciers of klanten.

Of deze lauwe prikkels al dan niet daadwerkelijk het resultaat in de verticaal geïntegreerde onderneming doen afnemen, hangt af van de structuur van het management en de procedures die de verhouding tussen de bestuurlijke eenheden in de verticale keten bepalen. Men leest vaak beleidsverklaringen betreffende interne transacties, die managers de vrijheid geven bronnen van buitenaf te gebruiken of extern te verkopen als de interne eenheid niet concurrerend is. Louter het bestaan van zulke procedures is echter niet voldoende. Het gebruik van een externe in plaats van een interne bron laadt meestal de last op de schouders van de afdelingsmanager om het topmanagement te bewijzen dat dit noodzakelijk was; de meeste managers zullen dergelijke confrontaties liever uit de weg gaan. Er heerst ook vaak een geest van fair play en kameraadschap binnen een organisatie, waardoor het maken van heel strakke afspraken soms moeilijk wordt, vooral als er een eenheid is die heel weinig winst maakt of anderszins in ernstige moeilijkheden verkeert. Toch is het juist in dergelijke gevallen dat strakke verhoudingen geboden zijn.

De zojuist besproken moeilijkheid leidt tot het 'rotte appel' probleem. Als de stroomopwaartse of stroomafwaartse eenheid ongezond is (strategisch of anderszins), is het mogelijk dat deze de gezonde partner besmet. Een eenheid kan gedwongen of vrijwillig proberen de in moeilijkheden verkerende eenheid te redden door het accepteren van duurdere produkten, produkten van mindere kwaliteit of lagere prijzen bij interne verkoop. Deze situatie kan de gezonde eenheid strategisch schade berokkenen. Als de moedermaatschappij de in moeilijkheden verkerende eenheid wil helpen, doet ze er beter aan deze rechtstreeks te ondersteunen of te helpen en niet indirect via een zusterbedrijf. Ook als het topmanagement dit punt echter onderkent, zal de menselijke natuur het de gezonde eenheid moeilijk maken zich tegenover de 'zieke' eenheid onverbiddelijk op te stellen (hoewel dit in sommige ondernemingen wel degelijk gebeurt). De aanwezigheid van de ongezonde eenheid kan dus een verraderlijk effect hebben op een gezonde eenheid.

Verschillende vereisten voor het management

Bedrijven kunnen niettegenstaande hun onderlinge verticale relaties verschillende structuren, technologieën en management hebben. De produktie en fabricage van primaire metalen verschillen bijvoorbeeld zeer; het ene is uiterst kapitaalintensief, terwijl het andere dit niet is maar wel een zeer nauwe supervisie van produktie vraagt en een gedecentraliseerde nadruk op service en marketing. Produktie en detailhandel verschillen zeer. Begrijpen hoe een zo verschillende eenheid geleid moet worden, kan een belangrijke kostenfactor van integratie en bij de beslissing een vrij groot risico-element vormen.[6] Een management dat in staat is om één schakel in de verticale keten uitstekend te leiden, kan tegelijkertijd incapabel zijn een ander goed te leiden, om het eens extreem te stellen. Een globale benadering door het management en een gemeenschappelijke serie veronderstellingen kan op verticaal met elkaar verbonden bedrijven een averechts effect hebben.

Aangezien verticaal verbonden bedrijven echter met elkaar handel drijven, bestaat bij het management onmerkbaar de neiging om ze als gelijk te beschouwen. Organisatiestructuur, controlesystemen, prikkels, richtlijnen voor de begroting en allerlei andere managementtechnieken van het basisbedrijf worden in zo'n geval zonder onderscheid toegepast voor stroomopwaartse en stroomafwaartse eenheden. Evenzo worden oordelen en regels, die tot stand zijn gekomen door ervaring in het basisbedrijf, toegepast op de sector waarin geïntegreerd wordt. Deze neiging om dezelfde manage-

---

[6] Deze potentiële verschillen in vereisten voor het management worden minder, als een verticaal gerelateerd bedrijf noodzakelijkerwijs in het buitenland moet opereren, hetgeen het geval is met veel leveranciers van grondstoffen. Locatie in het buitenland voegt in de bij verticaal gerelateerde bedrijven vereiste aanpak van het management extra verschillen toe aan het type verschillen dat reeds eerder werd besproken. Daar komt nog bij dat onder sommige omstandigheden een buitenlandse eigenaar een nadeel kan vormen ten opzichte van locale eigenaars als gevolg van het beleid van de gastregering.

mentstijl op beide elementen van de keten toe te passen is nog een risico van integratie.

Bij het vaststellen van de strategische kosten en baten van verticale integratie dient men deze niet alleen te onderzoeken in de huidige omgeving, maar tevens in het licht van waarschijnlijke veranderingen in de bedrijfstakstructuur in de toekomst. Integratievoordelen die op dat moment klein lijken, kunnen bijvoorbeeld in een rijpere bedrijfstak aanzienlijk zijn. Een andere mogelijkheid is dat door de groei van de bedrijfstak en de daaruit voortvloeiende groei van de onderneming het bedrijf weldra in staat zal zijn een interne eenheid met een efficiënte schaal te ondersteunen. Verder kan door een langzamer tempo van technologische verandering het risico verminderen dat men aangewezen raakt op de interne leverancier.

Specifieke strategische aspecten van voorwaartse integratie

Naast de hiervoor besproken kosten en baten van integratie zijn er enkele specifieke aspecten verbonden aan voorwaartse integratie.

Meer mogelijkheden tot produktdifferentiatie. Door voorwaartse integratie kan een bedrijf haar produkt vaak succesvoller differentiëren, omdat het op meer elementen van het produktieproces of van de wijze, waarop het produkt wordt verkocht, controle kan uitoefenen. De voorwaartse integratie van bijvoorbeeld Texas Instruments in consumptiegoederen als horloges en zakrekenmachientjes heeft geleid tot ontwikkeling van een merknaam, terwijl de elektronische onderdelen ervan in wezen gebruiksartikelen waren. Monfort, een veebedrijf, is voorwaarts geïntegreerd in vleesverpakking en distributie, gedeeltelijk om althans bij de detailhandel een merknaam te ontwikkelen.

Serviceverlening voor een produkt, evenals het verkopen van het produkt zelf, stelt een bedrijf soms in staat zich te differentiëren, ook al is het produkt niet superieur aan dat van de concurrenten. Door voorwaartse integratie in de detailhandel kan een bedrijf de presentatie van de verkoopeenheid, de materiële voorzieningen en het imago van de winkel, de prikkels van de verkoopeenheid en andere elementen op het terrein van de detailverkoop die differentiatie van het produkt bevorderen, soms bepalen. In al deze gevallen is het basisidee achter integratie het verhogen van de toegevoegde waarde om voor differentiatie een basis te creëren, die niet of nauwelijks mogelijk zou zijn geweest in een niet-geïntegreerde eenheid. Door het verhogen van de produktdifferentiatie verhoogt het bedrijf misschien tegelijkertijd ook de mobiliteitsbarrières.

Toegang tot distributiekanalen. Door voorwaartse integratie wordt het probleem van toegang tot distributiekanalen opgelost en verdwijnen de eventuele onderhandelingstroeven van die kanalen.

Betere toegang tot marktinformatie. In een verticale keten is de onderliggende vraag naar het produkt (evenals de beslisser die daadwerkelijk kiest uit concurrerende merken) vaak afkomstig uit een voorwaartse fase. Deze fase bepaalt de omvang en samenstelling van de vraag naar stroomopwaartse produktiestadia. De vraag naar alternatieve bouwmaterialen bijvoorbeeld wordt bepaald door de aannemer of projectontwikkelaar, die een afweging maakt tussen de wensen van de klanten en de kwaliteit en de kosten van de beschikbare materialen. Het stadium, waarin deze belangrijke marktbeslissingen genomen worden, zal hier worden aangeduid als de *vraagbepalende fase.*

Voorwaartse integratie in de richting van of in de vraagbepalende fase kan een bedrijf belangrijke marktinformatie bezorgen, die leiden tot een efficiënter functioneren van de gehele verticale keten. Op het eenvoudigste niveau kan het bedrijf hierdoor in staat zijn de kwantiteit van de vraag naar zijn produkten sneller vast te stellen dan wanneer deze indirect uit de orders van klanten had moeten worden afgeleid. Interpretatie van de orders van de klanten wordt bemoeilijkt door de in elk van de tussenliggende fasen aangehouden voorraden. Door snellere marktinformatie kunnen de produktieniveaus beter aangepast en de kosten van overschotten en tekorten beperkt worden.

Informatievoordelen kunnen soms op een wat subtieler vlak liggen dan enkel en alleen tijdige informatie over de omvang van de vraag. Door te concurreren in de vraagbepalende fase kan een bedrijf uit de eerste hand tijdige informatie krijgen over de optimale samenstelling van het produkt, trends in de voorkeuren van de koper en concurrentie-ontwikkelingen die uiteindelijk het produkt zullen beïnvloeden. Deze informatie vergemakkelijkt snelle aanpassingen van de eigenschappen en de samenstelling van het produkt in de stroomopwaartse fasen en verlaagt de kosten daarvan.

Een aantal ondernemingen heeft in al hun eenheden impliciete of expliciete strategieën van integratie gevolgd in de vraagbepalende fase. Genstar Ltd., een grote Canadese onderneming, integreerde voorwaarts in de huizenbouw en zware bouw vanuit zijn sectoren in cement en bouwmaterialen. Indal Ltd., een andere Canadese onderneming, voert een beleid van voorwaartse integratie ten aanzien van de laatste activiteiten van zijn eenheden in het walsen, extruderen en lakken van metalen. Beide ondernemingen voeren marktinformatie aan als voornaamste reden voor voorwaartse integratie.

De voordelen van voorwaartse integratie met dit doel zijn afhankelijk van de instabiliteit of veranderlijkheid van de marktsituatie in de vraagbepalende fase, of er nu naar voorraad dan wel op order wordt geproduceerd, en ook van het vermogen van het bedrijf om voorwaartse marktinformatie in te winnen zonder tot integratie over te gaan. Zowel in de bouw als in de metaal is de vraag naar de eindprodukten zeer cyclusgevoelig en verandert de samenstelling ervan vaak snel. Cyclische, grillige en veranderende vraag vergroten de voordelen van tijdige marktinformatie. Als de vraag naar eindprodukten zeer stabiel is, is de marktinformatie die via klanten wordt verkregen, waarschijnlijk meer dan voldoende.

Hoe accuraat de informatie is, die via klanten verkregen kan worden, hangt af van de bedrijfstak. Hoewel het moeilijk is om te generaliseren als er sprake is van veel kleine klanten, geven informele steekproeven waarschijnlijk wel een nauwkeurige indicatie over de situatie in voorwaartse markten. Daarentegen betekent de aanwezigheid van weinig grote klanten (vooral als deze veel macht hebben) dat accurate voorwaartse informatie soms moeilijk te verkrijgen is. De gevolgen van veranderingen in de specificaties van een bepaalde klant zijn in een dergelijke situatie eveneens veel groter.

Realisatie van hogere prijzen. In sommige gevallen kan een bedrijf door voorwaartse integratie hogere globale prijzen realiseren door voor in wezen hetzelfde produkt verschillende prijzen vast te stellen voor verschillende klanten. Het probleem bij deze handelwijze is dat men deze bij de rechtbank kan aanvechten en dat deze in sommige gevallen illegaal is krachtens de Robinson-Patman Act. Als een bedrijf integreert in die eenheden, die lagere prijzen zouden moeten betalen omdat de vraag er elastischer is, kan het misschien bij andere klanten hogere verkoopprijzen krijgen. Andere ondernemingen die het produkt verkopen, moeten dan echter ook geïntegreerd zijn, of het produkt van het bedrijf moet gedifferentieerd zijn, zodat klanten de produkten van de concurrenten niet als een volmaakt substituut zullen aanvaarden.

Een andere handelwijze is integratie met het doel de prijzen beter af te stemmen op de elasticiteit van de vraag van de uiteindelijke klanten van het bedrijf. Sommige klanten zijn bijvoorbeeld misschien bereid meer voor een produkt te betalen, omdat ze er een intensiever gebruik van maken dan andere klanten. Het kan voor een bedrijf echter moeilijk zijn de prijzen af te stemmen op de verschillen in gebruiksintensiteit, omdat die niet te meten is. Als het bedrijf echter ook tegen vergoeding service verleent of artikelen verkoopt die in combinatie met het produkt gebruikt moeten worden, kan het de basisprijs laag zetten en de voordelen uit de verschillen in elasticiteit halen uit de verkoop van deze randapparatuur. Een dergelijke aanpak is in sectoren van kopieermachines en computers gebruikt. Zo lang de koper niet gedwongen wordt tot aankoop van de randapparatuur van het bedrijf als koopvoorwaarde van het basisprodukt, is deze handelwijze onder de antitrustbepalingen toegestaan.

Specifieke strategische aspecten van achterwaartse integratie

Evenals bij voorwaartse integratie dient bij achterwaartse integratie aandacht te worden besteed aan enkele specifieke aspecten.

Kennis in eigendom. Door in de eigen behoeften te voorzien vermijdt een bedrijf het delen van particuliere gegevens met leveranciers die deze nodig hebben voor de fabricage van componenten of grondstoffen. Vaak kan de leverancier uit de precieze specificaties voor componenten de basiskenmerken van de fabricage of het ontwerp van het eindprodukt afleiden of zijn het juist de componenten zelf, waar het bij de eigen kennis omtrent het eindprodukt om gaat. Als in een dergelijke situatie het bedrijf de component intern niet kan produceren, zullen de leveranciers een aanzienlijke onderhandelingsmacht hebben en een toetredingsbedreiging vormen. Gedurende lange tijd heeft Polaroid veel van de particuliere componenten van zijn produkten uitsluitend om deze reden intern geproduceerd en de rest uitbesteed.

Differentiatie. Doo. achterwaartse integratie kan een bedrijf differentiatie versterken, hoewel de omstandigheden iets verschillen van die bij voorwaartse integratie. Door controle te verkrijgen over de produktie van de belangrijkste input kan het bedrijf daadwerkelijk beter in staat zijn tot produktdifferentiatie of verklaringen op dit punt geloofwaardig maken. Als een bedrijf bijvoorbeeld door integratie input met bijzondere specificaties kan ontvangen, kan hierdoor het eindprodukt verbeteren of zich althans onderscheiden van dat van de concurrenten. Ook al onderscheiden Perdue kippen zich in niets van andere, het feit dat ze door Frank Perdue worden gefokt, maakt het hem mogelijk te zeggen dat ze speciaal behandeld worden. Als hij nu doorsnee kippen kocht op de vrije markt en ze alleen verwerkte, zou de bewering van Perdue heel wat moeilijker te handhaven zijn.

Lange termijncontracten en de voordelen van integratie

Het is van groot belang de mogelijkheid in te zien dat *sommige voordelen van integratie behaald zouden kunnen worden door het juiste soort lange termijn- of zelfs korte termijncontract tussen onafhankelijke bedrijven.* Door bijvoorbeeld de vestigingen van twee onafhankelijke eenheden naast elkaar neer te zetten zouden wellicht procesvoordelen behaald kunnen worden. Blikfabrieken staan soms naast grote levensmiddelenfabrieken en zijn ter vermijding van transportkosten daarmee verbonden door transportbanden. Kosten van verkoop en coördinatie zouden vermeden kunnen worden door lange termijncontracten van exclusieve leverantie, waarin een vast leverantieschema is opgenomen.

Gewoonlijk kunnen door contracten echter niet alle voordelen van integratie behaald worden, omdat ze één of beide partijen aan aanzienlijke risico's blootstellen om ingekapseld te worden en omdat onafhankelijke partijen nu eenmaal belangen hebben die waarschijnlijk niet parallel lopen. Deze risico's en de uiteenlopende belangen maken het onafhankelijke bedrijven vaak onmogelijk om een contract af te sluiten, hetzij vanwege de onderhandelingskosten, hetzij vanwege het risico van gemarchandeer achteraf. Vandaar dat integratie nodig is om alle voordelen te verwezenlijken.

Desalniettemin dient een bedrijf altijd de mogelijkheid van een contract met een onafhankelijke eenheid om dezelfde voordelen als die van integratie te bereiken onder ogen te zien, vooral wanneer de eerder besproken risico's en integratiekosten hoog zijn. Eén van de valkuilen bij verticale integratie is overvallen te worden door de kosten of risico's, terwijl veel van de voordelen behaald hadden kunnen worden door slimmer te onderhandelen met partijen van buitenaf.

GETEMPERDE INTEGRATIE

Getemperde integratie is gedeeltelijke achterwaartse of voorwaartse integratie, waarbij het bedrijf de rest van zijn benodigdheden op de vrije markt koopt. Hiervoor moet het bedrijf in staat zijn om een interne operatie met een efficiënte omvang *meer dan te ondersteunen* en toch nog andere produkten nodig hebben die op de vrije markt worden gekocht. Als het bedrijf niet groot genoeg is om deze interne operaties efficiënt te maken, moet het nadeel van de kleine schaal in mindering gebracht worden bij de nettovoordelen van getemperde integratie.

Getemperde integratie kan veel van de eerder beschreven voordelen van integratie opleveren, terwijl sommige kosten minder worden. Het is niet gewenst dat de vanwege het onvolledige karakter van integratie misgelopen voordelen zwaarder wegen dan de door de tempering veroorzaakte verlaging van de kosten van integratie. De keuze tussen getemperde en volledige integratie zal per bedrijfstak en per bedrijf in dezelfde bedrijfstak verschillen.

Getemperde integratie en de kosten van integratie

Getemperde integratie leidt tot minder hoge vaste kosten dan volledige integratie. Bovendien kan de mate van tempering (of het aandeel van de extern gekochte produkten of diensten) aangepast worden aan de risicofactor op de vrije markt. Onafhankelijke leveranciers kunnen gebruikt worden om het risico van schommelingen te dragen, terwijl interne leveranciers een stabiel produktiepeil handhaven.[7] Dit is het geval in de automobielindustrie en

---

[7] Deze handelwijze veronderstelt dat er leveranciers zijn, die hiertoe bereid zijn en dergelijke schommelingen willen opvangen zonder een dienovereenkomstige risicopremie te berekenen. De waarschijnlijkheid dat zulke leveranciers bestaan, is het grootst als de leverende bedrijfstakken gefragmenteerd en/of zeer competitief zijn.

ook in veel Japanse industriële bedrijfstakken is het een gangbare praktijk. Tempering kan ook gebruikt worden als bescherming tegen evenwichtsverstoring tussen de fasen door de eerder beschreven problemen. De optimale mate van tempering varieert met de omvang van de verwachte marktschommelingen en de ernst van waarschijnlijke evenwichtsverstoringen tussen de fasen als gevolg van verwachte technologische verandering en andere gebeurtenissen. Hier dient echter opgemerkt te worden dat een bedrijf door getemperde integratie onvermijdelijk aan concurrenten moet verkopen of van hen moet kopen. Als dit een ernstig risico inhoudt, moet getemperde integratie afgeraden worden.

Getemperde integratie vermindert het risico van inkapseling, afhankelijk van de mate van tempering. Het verschaft het bedrijf enigermate toegang tot externe O&O-activiteiten en kan voor een gedeeltelijke oplossing zorgen van de problemen van interne prikkels. De gelijkschakeling van de interne leverancier of klant en de onafhankelijke leveranciers of klanten zorgt voor een vorm van concurrentie tussen beiden die tot verbetering van hun werk kan leiden.

Getemperde integratie en de voordelen van integratie

Door getemperde integratie is een bedrijf in staat aan te tonen dat een dreiging van volledige integratie geloofwaardig is, hetgeen een sterke troef vormt tegenover leveranciers of klanten en de noodzaak van volledige integratie om onderhandelingsmacht te neutraliseren overbodig kan maken. Bovendien krijgt het bedrijf door getemperde integratie een gedetailleerde kennis van de bedrijfskosten in de aangrenzende bedrijfstak en is het in geval van nood verzekerd van levering. Deze factoren maken de onderhandelingspositie nog sterker. Een dergelijke sterke onderhandelingspositie is kenmerkend voor de grote automobielbedrijven en de internationale oliemaatschappijen (die de diensten van tankrederijen kopen om hun eigen vloten mee aan te vullen). Het handhaven van een proeffabriek zonder een volledige interne produktie kan in enkele gevallen veel van dezelfde effecten hebben als getemperde integratie, terwijl nog minder investering noodzakelijk is.[8]

Getemperde integratie levert een bedrijf ook veel informatievoordelen van integratie op. Enkele andere van de hiervoor besproken voordelen van integratie zijn echter geringer, soms neemt dat voordeel zelfs meer dan proportioneel af naarmate verder getemperd wordt. Tempering kan zelfs een verhoging van de coördinatiekosten tot gevolg hebben in situaties, waarin de door externe leveranciers geproduceerde produkten precies moeten aansluiten op de interne eenheid.

---

[8] Zie Cannon (1968), blz. 447.

SCHIJNINTEGRATIE

Schijnintegratie is het vestigen van een relatie tussen verticaal met elkaar verbonden bedrijven, hetgeen zweeft tussen lange termijncontracten en volledig eigendom. Gangbare vormen van schijnintegratie zijn:

- investering in minderheidaandelen;
- leningen of leninggaranties;
- kredieten van vooraankoop;
- exclusieve handelsovereenkomsten;
- gespecialiseerde logistieke faciliteiten;
- gezamenlijk O&O.

In bepaalde omstandigheden worden door schijnintegratie sommige of veel van de voordelen van verticale integratie bereikt zonder alle kosten te dragen. De belangen van koper en verkoper kunnen hierdoor meer parallel lopen, waardoor speciale regelingen (zoals logistieke voorzieningen) mogelijk worden, die de kosten per eenheid verlagen, het risico van onderbrekingen in aanvoer en vraag terugbrengen, onderhandelingsmacht verminderen, enzovoort. Deze gemeenschappelijke belangen zijn gebaseerd op goodwill, het delen van informatie, frequentere en informele contacten tussen managers en het directe financiële belang dat voor elk van beide partijen op het spel staat. Schijnintegratie kan ook de kosten omlaagbrengen, die aanwezig zijn bij volledige integratie, en elimineert de noodzaak om volledig te vertrouwen op vraag en aanbod in de aangrenzende bedrijfstak. Schijnintegratie vermijdt tevens onder andere de noodzaak om de volledige kapitaalinvestering te doen, die voor integratie vereist zou zijn, en de noodzaak om het aangrenzende bedrijf te leiden.[9]

Schijnintegratie dient beschouwd te worden als een alternatief voor volledige integratie. Kernvraag is of het door de schijnintegratie gevestigde gemeenschappelijk belang voldoende is voor het bereiken van genoeg voordelen van integratie om de vermindering van de kosten (en risico's) ten opzichte van volledige integratie te rechtvaardigen. Sommige voordelen van integratie, zoals een hoger winstpercentage, verhoogde produktdifferentiatie of hogere mobiliteitsbarrières zijn met schijnintegratie wellicht moeilijk te realiseren. Een analyse van alle kosten en baten van verticale integratie in de betreffende sector, met in het achterhoofd het alternatief van schijnintegratie, zal noodzakelijk zijn om de wenselijkheid van een dergelijke strategie te kunnen bepalen.

---

[9] Voor een verdere bespreking van schijnintegratie in de context van een bepaalde grondstoffenhandel, zie D'Cruz (1979).

Illusies bij beslissingen omtrent verticale integratie

Er bestaan enkele algemene misvattingen over de voordelen van verticale integratie, waarvoor men zich dient te behoeden:

1. Een sterke marktpositie in één fase kan zich automatisch uitstrekken tot de andere.

Vaak wordt beweerd dat het bedrijf met een sterke positie in zijn basissector in een intensiever concurrerende aangrenzende sector kan integreren en zijn positie tot die markt kan uitbreiden. Stel dat een sterke producent van consumptiegoederen voorwaarts integreert in de detailhandel, een sector waar de concurrentie intensief is. Hoewel de geïntegreerde detailhandel alle handelsprodukten van de producent op zou kunnen nemen, waardoor het marktaandeel zou toenemen, zou de producent misschien beter af zijn als veel detailhandelaren actief zouden concurreren om de verkoop van zijn produkten.[10] De producent zou de interne detailhandel inderdaad hogere prijzen kunnen berekenen - hoewel het slechts een boekhoudkundige overheveling van de winst zou zijn van de ene eenheid naar de andere - maar als die interne detailhandel zijn prijzen zou gaan aanpassen, zou dit zijn concurrentiepositie verslechteren. Integratie houdt dus helemaal niet automatisch uitbreiding van die sterke marktpositie in. Slechts indien *integratie op zich* tastbare voordelen zou opleveren, zou de krachtige marktpositie zich naar andere sectoren kunnen uitbreiden, omdat onder deze omstandigheden de gecombineerde eenheid beter zou kunnen concurreren.

2. Intern dingen doen is altijd goedkoper.

Zoals reeds eerder besproken, zijn er veel potentiële verborgen kosten en risico's verbonden aan verticale integratie, die vermeden kunnen worden door met bedrijven van buitenaf zaken te doen. Ook bestaat de mogelijkheid dat door het slim afsluiten van contracten voordelen van integratie kunnen worden verkregen zonder de kosten of risico's. Vaak worden de voordelen van integratie te eng bekeken en bij veel beslissingen omtrent integratie wordt aan veel van deze aspecten voorbijgegaan.

3. Het is vaak verstandig om in een competitieve sector te integreren.

Integratie in een zeer competitieve bedrijfstak is niet aan te raden. Bedrijven in een dergelijke bedrijfstak maken vaak lage winsten en voeren een intensieve concurrentie om de kwaliteit te verbeteren en de klant ter wille te zijn. Voor koop of verkoop zijn er veel bedrijven, waaruit men kan kiezen. Door verticale integratie kunnen prikkels verdwijnen en initiatieven gesmoord worden.

---

[10] Als de concurrentie in de aangrenzende bedrijfstak, waarin integratie wordt overwogen, zeer intensief is, is het bedrijf vaak slechter af, als het alle output stuurt naar één enkele interne klant of alle input van één enkele interne leverancier koopt dan wanneer het via de markt zou handelen. In een bedrijfstak met intensieve concurrentie zijn de risico's dat men met handen en voeten aan één partner gebonden raakt, gewoonlijk het grootst.

4. Door verticale integratie kan een strategisch ongezond bedrijf worden gered.

Hoewel de strategische positie van een bedrijf door een strategie van verticale integratie onder bepaalde, reeds eerder besproken omstandigheden ondersteund kan worden, is het zelden een afdoend geneesmiddel voor een strategisch ongezond bedrijf. Een sterke marktpositie kan, behoudens bijzondere omstandigheden, niet automatisch verticaal uitgestrekt worden. *Elke schakel* van een verticale keten dient strategisch gezond te zijn om de gezondheid van de totale onderneming te garanderen. Als één schakel ziek is, bestaat er een grotere kans dat de gezonde schakels daardoor besmet worden dan andersom, zoals uit de eerder gegeven analyse bleek.

5. Ervaring in één schakel van de verticale keten kwalificeert management automatisch voor de leiding van hoger of lager in de keten gelegen eenheden.

Zoals we reeds eerder zagen, zijn de managementkenmerken van verticaal verbonden bedrijven vaak zeer uiteenlopend. Een vals gevoel van zekerheid, dat voortspruit uit de raakvlakken van de sector met het eigen werkterrein, kan leiden tot het kapot maken van een nieuwe hoger of lager in de keten gelegen eenheid, wanneer slechts verouderde managementbenaderingen worden toegepast.

15
Capaciteitsuitbreiding

Capaciteitsuitbreiding is één van de belangrijkste strategische beslissingen, waar bedrijven voor komen te staan, zowel wat betreft de hoeveelheid kapitaal die hierbij betrokken is, als de complexiteit van het besluitvormingsproces. Het is waarschijnlijk het centrale strategie-aspect in bedrijfstakken van redelijk homogene goederen. Aangezien capaciteitsuitbreidingen produktietijden met zich mee kunnen brengen, die in jaren gemeten worden, en de capaciteit meestal van lange duur is, moet een bedrijf bij beslissingen hiertoe middelen vastleggen op basis van verwachtingen omtrent de situatie in de verre toekomst. Twee soorten verwachtingen zijn belangrijk: die omtrent de vraag in de toekomst en die omtrent het gedrag van de concurrenten. Het belang van de eerste verwachting voor beslissingen omtrent capaciteitsuitbreiding spreekt vanzelf. Precieze verwachtingen omtrent het gedrag van de concurrenten zijn eveneens zeer belangrijk, omdat, als te veel concurrenten hun capaciteit opvoeren, geen enkel bedrijf waarschijnlijk aan de negatieve gevolgen hiervan zal ontkomen. Bij capaciteitsuitbreiding spelen dus alle klassieke problemen van een oligopolie, waarin alle bedrijven onderling van elkaar afhankelijk zijn, een rol.

Het strategische punt bij capaciteitsuitbreiding is hoe de capaciteit uitgebreid moet worden om de doelstellingen van het bedrijf naderbij te brengen, in de hoop dat de concurrentiepositie of het marktaandeel verbetert zonder dat er in de bedrijfstak overcapaciteit ontstaat. Behalve als tijdelijk probleem komt ondercapaciteit in een bedrijfstak zelden voor, aangezien ondercapaciteit meestal nieuwe investeringen aan zal trekken. Omdat investeringen in capaciteit echter grotendeels onherroepelijk zijn, kan een vraagovertreffende capaciteit wel degelijk gedurende langere tijd voortduren. Overcapaciteit is dan ook inderdaad een probleem, waar herhaalde malen vele bedrijfstakken mee te kampen hebben gehad - papier-, scheepsbouw-, staal- en aluminiumindustrie en veel chemische sectoren, om slechts enkele voorbeelden te noemen.

In dit hoofdstuk zal de beslissing omtrent capaciteitsuitbreiding in een strategische context onderzocht worden. Allereerst zullen de beslissingselementen uiteengezet worden. Aangezien overcapaciteit van een bedrijfstak een chronisch probleem is, zullen in de volgende paragraaf de oorzaken van overcapaciteit onderzocht worden, alsmede enkele methodes ter voorkoming hiervan. Tenslotte zal een preëmptieve strategie voor capaciteitsuitbreiding besproken worden, een strategie die in de jaren zestig en zeventig steeds vaker is toegepast.

Elementen van de beslissing tot capaciteitsuitbreiding

De technieken voor het nemen van een beslissing tot capaciteitsuitbreiding in de traditionele zin van kapitaalbegroting zijn duidelijk - elk financieel handboek beschrijft dit in detail. De toekomstige cash flow uit de nieuwe capaciteit wordt voorspeld en verdisconteerd om ze af te wegen tegen de voor de investering noodzakelijke cash outflow. Het nettoresultaat hiervan is bepalend voor de plaats die uitbreiding inneemt tussen andere investeringsprojecten, waar het bedrijf uit kan kiezen.

Achter deze eenvoud gaat echter een uiterst subtiel beslissingsprobleem schuil. Meestal heeft een bedrijf een aantal opties voor capaciteitsuitbreiding, dat vergeleken moet worden. Bovendien moet het bedrijf de winst in de toekomst voorspellen om de toekomstige cash inflow uit de uitbreiding te kunnen vaststellen. Deze winsten zullen voornamelijk afhangen van de omvang en timing van beslissingen tot capaciteitsuitbreiding door de gezamenlijke concurrenten, alsmede van alle andere relevante factoren. Doorgaans bestaat er ook onzekerheid over toekomstige ontwikkelingen in de technologie en hoe groot de vraag in de toekomst zal zijn.

De essentie van een capaciteitsbeslissing is dus niet de de cash flow berekening, maar de variabelen die daarbij worden ingevoerd, met inbegrip van toegerekende kansen op die variabelen. Inschatting hiervan is weer een subtiel probleem van bedrijfstak- en concurrentie-analyse (*niet* van financiële analyse).

De eenvoudige berekeningswijze uit de financiële handboeken laat geen ruimte voor onzekerheid en wisselende veronderstellingen inzake het gedrag van de concurrenten. Met het oog op de complexiteit van de bereke-

Stel de mogelijkheden vast die het bedrijf heeft wat betreft omvang en soort capaciteitsuitbreiding

↓

Stel de waarschijnlijke toekomstige vraag en inputkosten vast

↓

Stel de waarschijnlijke technologische veranderingen en de kans op veroudering vast

↓

Voorspel de capaciteitsuitbreidingen door alle concurrenten afzonderlijk op basis van de verwachtingen van de concurrenten omtrent de bedrijfstak

↓

Tel deze op om het evenwicht tussen vraag en aanbod in de bedrijfstak te bepalen en de daaruit voortvloeiende prijzen en kosten in de bedrijfstak

↓

Bepaal de verwachte cash flow uit de capaciteitsuitbreiding

↓

Test de analyse op consistentie

FIGUUR 15-1   Elementen van de beslissing tot capaciteitsuitbreiding

ningen van de verwachte cash flow, waarin deze elementen wel aan de orde komen, is het verstandig de capaciteitsbeslissing zo nauwkeurig mogelijk te modelleren. De stappen in figuur 15-1 beschrijven de elementen van dit model.

De stappen in figuur 15-1 moeten in hun samenhang geanalyseerd worden. De eerste stap is het bepalen van de realistische opties, die het bedrijf heeft om zijn capaciteit uit te breiden. Gewoonlijk kan de omvang van de uitbreidingen variëren, evenals de mate van verticale integratie van de nieuwe capaciteit. Door uitbreiding van niet geïntegreerde capaciteit kan een bedrijf zich tegen risico's indekken. Aangezien de eigen beslissing van het bedrijf omtrent de grootte van de uitbreiding het gedrag van concurrenten kan beïnvloeden, moet elke optie afzonderlijk in combinatie met dat gedrag geanalyseerd worden.

Nadat het bedrijf de mogelijkheden heeft bepaald, moet het prognoses opstellen over de toekomstige vraag, de inputkosten en de technologie. De toekomstige technologie is belangrijk, omdat het noodzakelijk is de waarschijnlijkheid te schatten dat de capaciteitsuitbreidingen van dat moment verouderd zullen raken of dat door ontwerpwijzigingen effectieve toename van de capaciteit uit interne voorzieningen gehaald kan worden. Bij het voorspellen van de inputkosten moet rekening gehouden worden met de mogelijkheid dat door de verhoogde vraag als gevolg van de nieuwe capaciteit de inputprijzen stijgen. Deze voorspellingen over vraag, technologie en inputkosten zullen een onzekerheidsfactor hebben en voor analysedoeleinden kunnen er scenario's (hoofdstuk 10) gebruikt worden om met deze onzekerheid om te gaan.

De volgende stap voor het bedrijf is het voorspellen van hoe en wanneer de concurrenten hun capaciteit zullen uitbreiden. Dit is een subtiel probleem van concurrentie-analyse, waarbij gebruik moet worden gemaakt van alle technieken die in de hoofdstukken 3, 4 en 5 weergegeven staan. Capaciteitsmaatregelen van de concurrenten zullen uiteraard bepaald worden door *hun* verwachtingen omtrent de toekomstige vraag, kosten en technologie. Voorspelling van hun gedrag betekent dus het ontdekken van (of het raden naar) hoe deze verwachtingen er waarschijnlijk uit zullen zien.

Voorspelling van het gedrag van de concurrenten is tevens een iteratief proces, aangezien het gedrag van de ene concurrent dat van de ander zal beïnvloeden, vooral als die concurrent een marktleider is. Capaciteitsuitbreidingen van concurrenten moeten daarom tegen elkaar uitgespeeld worden om een waarschijnlijke opeenvolging van acties en reacties op te stellen. Bij capaciteitsuitbreiding is sprake van een verderop te bespreken 'schaap-over-de-dam'-effect en het is belangrijk om te proberen dat te voorspellen.

De volgende stap van de analyse is het optellen van de capaciteitsgevolgen van het gedrag van de concurrenten en het eigen bedrijf voor de totale bedrijfstakcapaciteit en individuele marktaandelen, die afgewogen moeten worden tegen de verwachte vraag. Deze stap stelt het bedrijf in staat een schatting te maken van de prijzen in de bedrijfstak en daardoor van de verwachte cash flow uit de investering.

Het gehele proces moet gecontroleerd worden op inconsistenties. Als volgens de voorspellingen één concurrent het bijvoorbeeld slecht zal doen omdat hij zijn capaciteit niet vergroot, dient de analyse wellicht bijgesteld te worden door de concurrent zijn vergissing te laten inzien, zodat hij later alsnog zijn capaciteit vergroot. Indien het gehele proces van voorspelde uitbreiding tot een situatie leidt die tegengesteld is aan de voorspelde verwachting van de meeste concurrenten, moet het proces misschien ook bijgesteld worden. Het modelleren van het proces van capaciteitsuitbreiding is zeer ingewikkeld en berust voor een groot deel op schattingen. Dit proces verschaft het bedrijf echter wel inzicht in wat de drijvende krachten achter bedrijfstakexpansie zullen zijn en welke mogelijke wegen er zijn om van die uitbreiding gebruik te maken.[1]

Een model van het proces van capaciteitsuitbreiding maakt duidelijk dat de *mate van onzekerheid over de toekomst* één van de centrale determinanten is van de wijze waarop dit proces in zijn werk gaat. Als er sprake is

---

[1] Een gedetailleerd computermodel van capaciteitsuitbreiding in een complexe bedrijfstak wordt beschreven in Porter en Spence (1978).

van grote onzekerheid over de toekomstige vraag, zal elk verschil in risicovermijding en financiële mogelijkheden van bedrijven gewoonlijk leiden tot een ordelijk proces van uitbreiding. Risiconemende bedrijven, die veel cash geld hebben of grote strategische belangen hebben in de bedrijfstak, zullen gelijk tot actie overgaan, terwijl de meeste bedrijven zullen afwachten wat de toekomst werkelijk zal brengen. Als echter over de toekomstige vraag vrij grote zekerheid heerst, wordt het proces van capaciteitsuitbreiding een *preëmptief spel*. Als ze de toekomstige vraag eenmaal kennen, zullen de bedrijven om het hardst proberen hun capaciteit op het voor die vraag benodigde peil te brengen en als ze dat doen, zal het voor anderen niet verstandig zijn om nog meer capaciteit hieraan toe te voegen. Dit preëmptieve spel zal doorgaans vergezeld gaan van duidelijke marktsignalen om te proberen andere bedrijven van investering af te houden. Het probleem doet zich voor, als te veel bedrijven elkaar vóór willen zijn en er een te grote capaciteit ontstaat, omdat de bedrijven elkaars bedoelingen verkeerd begrijpen, signalen verkeerd interpreteren of hun relatieve sterke punten en stabiliteit van hun positie verkeerd inschatten. Zo'n situatie is een belangrijke oorzaak van overcapaciteit in een bedrijfstak en zal hier verder onderzocht worden.

Oorzaken van te grote capaciteitsuitbreiding

Met name in de sfeer van de 'commodities' lijkt een sterke neiging tot een te grote opvoering van de capaciteit te bestaan, die veel verder gaat dan die welke veroorzaakt zou kunnen worden door mislukte pogingen tot voorkoop. Aangezien overcapaciteit een belangrijk probleem is bij capaciteitsuitbreiding, moeten enkele oorzaken eens nader worden bekeken.

Het risico van overcapaciteit is in voornoemde bedrijfstakken om twee redenen zeer hoog.

1. Vraag is over het algemeen cyclisch. Cyclische vraag garandeert niet alleen overcapaciteit tijdens een baisse, maar leidt ook tot buitensporig optimistische verwachtingen in een hausse.
2. Produkten zijn niet gedifferentieerd. Hierdoor worden *kosten* belangrijk voor concurrentie, aangezien de keuze van de kopers voornamelijk gebaseerd is op prijs. Verder betekent het ontbreken van merkloyaliteit dat de verkoop van een bedrijf direct afhankelijk is van hun *capaciteitsgrootte*. Bedrijven staan dus onder grote druk om grote, moderne fabrieken te bouwen om concurrerend te blijven en voldoende capaciteit te hebben voor het behalen van het beoogde marktaandeel.[2]

---

[2] In de onderhavige bedrijfstakken is de vraag ook vaak niet elastisch. Onelastische vraag kan verlenging van de periode van overcapaciteit tot gevolg hebben, omdat prijsverlaging door de bedrijven met de bedoeling om de vraag te stimuleren hier niet helpt.

Zowel in bedrijfstakken van homogene goederen als in andere bedrijfstakken is er een aantal voorwaarden, dat leidt tot overcapaciteit. Deze voorwaarden kunnen in de volgende categorieën ingedeeld worden. Als in een bedrijfstak één of meer factoren een rol spelen, kunnen de risico's van overcapaciteit zeer groot zijn.

TECHNOLOGIE

Capaciteitsuitbreiding met grote hoeveelheden. De noodzaak om capaciteit met grote hoeveelheden ineens te vergroten verhoogt het risico dat het samenvallen van capaciteitsbeslissingen tot ernstige overcapaciteit zal leiden. Dit was een belangrijke factor in de overcapaciteit van kleurenbuizen aan het eind van de jaren zestig. Veel producenten van TV-toestellen vonden het nodig zich van de aanvoer van buizen te verzekeren, maar de omvang van een efficiënte buizenfabriek was zeer groot in verhouding tot die van een assemblagefabriek van TV-toestellen. De vraag groeide niet snel genoeg om de plotseling zo massaal geworden kleurenbuiscapaciteit te absorberen.

Schaalvoordelen of een belangrijke 'learning'curve. Deze factor vergroot de kans op pogingen tot het eerder besproken preëmptief gedrag. Het bedrijf met de grootste capaciteit of het bedrijf dat de capaciteit in een vroeg stadium uitbreidt, zal een kostenvoordeel hebben, waardoor alle bedrijven onder druk worden gezet om snelle en agressieve maatregelen te nemen.

Lange produktietijden bij capaciteitsuitbreiding. Lange produktietijden maken het voor bedrijven noodzakelijk hun beslissingen te baseren op verwachtingen omtrent vraag en concurrentiegedrag in de verre toekomst of de tol te betalen voor het niet kapitaliseren van de kansen, indien de vraagverwachting werkelijkheid wordt.[3] Lange produktietijden verhogen de strop voor het bedrijf dat zonder capaciteit achterblijft, en kunnen ertoe leiden dat bedrijven, die afkerig zijn van risico's, sneller geneigd zullen zijn om te investeren, ook al is de capaciteitsbeslissing op zich riskant.

Verhoogde minimum efficiënte schaal (MES). Als de MES toeneemt en de nieuwe grotere fabrieken die gebouwd worden, efficiënter zijn, zal, tenzij de vraag snel stijgt, het aantal fabrieken moeten verminderen om overcapaciteit te vermijden. Behoudens het geval dat elk bedrijf meerdere vestigingen heeft en deze kan consolideren, zullen sommige bedrijven hun marktaandeel moeten verkleinen, hetgeen ze waarschijnlijk niet graag zullen doen. Het is waarschijnlijker dat elk bedrijf de grotere nieuwe faciliteiten zal bouwen, met overcapaciteit als gevolg.

[3] Als een fabriek in fasen gebouwd kan worden of als de annuleringskosten gering zijn, speelt dit probleem minder.

Een variant op deze situatie heeft zich voorgedaan in de olietankerindustrie, waar de nieuwe mammoettankers talloze malen groter zijn dan de oude schepen. De capaciteit van de in het begin van de jaren zeventig bestelde mammoettankers ging de vraag op de markt ver te boven.

Veranderingen in de produktietechnologie. Veranderingen in de produktietechnologie leiden tot aantrekking van investeringen in de nieuwe technologie, hoewel fabrieken, waar van de oude technologie gebruik wordt gemaakt, blijven draaien. Hoe hoger de uittredingsbarrières voor de oude faciliteiten zijn, des te kleiner is de kans dat ze op ordelijke wijze aan de markt onttrokken zullen worden. Deze situatie doet zich voor bij de produktie van chemicaliën, waar men is overgestapt van aardgas op olie als grondstof. Als de oliegevoede fabrieken beginnen te draaien, wordt een serieus capaciteitsoverschot verwacht dat langzaam zal verdwijnen, wanneer het gas duurder wordt en op gas draaiende fabrieken gesloten worden.

STRUCTURELE FACTOREN

Belangrijke uittredingsbarrières. Als er hoge uittredingsbarrières zijn, zal ondoelmatige overcapaciteit niet soepel van de markt verdwijnen. Deze factor accentueert en verlengt perioden van overcapaciteit.

Forcering door leveranciers. Leveranciers van apparatuur kunnen door subsidies, gemakkelijke financieringsvoorwaarden, prijsverlagingen en dergelijke overcapaciteit in de bedrijfstakken van hun klanten bevorderen. In hun strijd om orders kunnen leveranciers ook marginale concurrenten in staat stellen om capaciteit op te bouwen, terwijl die daar onder normale omstandigheden niet toe in staat zouden zijn geweest. Scheepsbouwers hebben, geholpen door zware overheidssubsidies voor het behoud van de werkgelegenheid, capaciteitsuitbreidingen in de scheepvaart geforceerd. Geldschieters voor nieuwe capaciteit kunnen het probleem van overcapaciteit ook benadrukken door iedereen die erom vraagt geld te geven. Agressieve Onroerend Goed Investeringstrusts (OGT's) kunnen bijvoorbeeld gedeeltelijk verantwoordelijk gesteld worden voor de overcapaciteit in het hotelwezen aan het eind van de jaren zestig en begin jaren zeventig.[4]

Opbouw van geloofwaardigheid. Vaak is een periode van aanzienlijk overcapaciteit praktisch noodzakelijk in bedrijfstakken die nieuwe produkten proberen te verkopen aan grote kopers, vooral als het nieuwe produkt een belangrijke input is. De kopers van die bedrijfstak zullen pas op het nieuwe produkt overstappen, als voldoende capaciteit voorhanden is om in hun behoeften te voorzien zonder dat ze kwetsbaar worden voor een paar leveranciers. Dit is het geval geweest in de bedrijfstak van limonadesiroop.

---

[4] Zie *Business Week*, 17 juli 1978.

Een hiermee verband houdend en zeer veel voorkomend geval is dat, waarin de kopers de bedrijven sterk aanmoedigen om in capaciteit te investeren met impliciete beloften van afname in de toekomst. Dit kunnen ze op directe of indirecte wijze doen door verklaringen omtrent hun behoefte aan nieuwe capaciteit. Uiteraard zijn de kopers niet daadwerkelijk verplicht tot plaatsing van de orders, als de capaciteit er eenmaal is; het is in hun belang om er zeker van te zijn dat er voldoende capaciteit voorhanden is om aan hun grootst mogelijke vraag te voldoen, ook al is het operationeel maken van zoveel capaciteit voor de leverancier niet de meest verstandige beslissing - aangezien een dergelijk niveau van de vraag niet erg waarschijnlijk is.

De druk van de kopers is het sterkst, als de bedrijfstak het hoofd moet bieden aan produkten die bijna als substituut kunnen dienen. Hier kunnen door gebrek aan capaciteit substituten in de bedrijfstak penetreren; en de bedrijven is er veel aan gelegen om dit verhinderen.

Geïntegreerde concurrenten. Als de concurrenten in een bedrijfstak ook stroomafwaarts geïntegreerd zijn, kan de druk tot overcapaciteit toenemen, doordat elke onderneming zijn vermogen om de stroomafwaartse operaties te bevoorraden in stand wil houden. Onder deze omstandigheden zal het bedrijf, wanneer het over onvoldoende capaciteit beschikt om aan de vraag te voldoen, niet alleen marktaandeel in de bedrijfstak verliezen, maar mogelijk ook marktaandeel in de stroomafwaartse eenheden, of grotere risico's lopen met betrekking tot inputaanvoer. Daarom is het beter om ervoor te zorgen dat er genoeg capaciteit is, ook al is er onzekerheid over de toekomstige vraag. Een vergelijkbaar argument geldt, als de concurrenten stroomopwaarts geïntegreerd zijn.

Capaciteitsaandeel beïnvloedt de vraag. In bedrijfstakken als de vliegtuigindustrie is het mogelijk dat de onderneming met de grootste capaciteit een onevenredig marktaandeel krijgt, omdat kopers geneigd zijn eerst naar die maatschappij te stappen. Dit verschijnsel bevordert opbouw van een capaciteitsoverschot, als verscheidene bedrijven streven naar capaciteitsleiderschap.[5]

Leeftijd en type capaciteit beïnvloedt de vraag. In sommige bedrijfstakken, zoals veel dienstverlenende sectoren, wordt capaciteit rechtstreeks op de markt gebracht. Het bezit van bijvoorbeeld het modernste, fraaist ingerichte fast-food restaurant kan concurrentievoordelen opleveren. In bedrijfstakken waar de keuze van de kopers tussen bedrijven uitsluitend of gedeeltelijk gebaseerd is op het type capaciteit dat ze beschikbaar hebben, bestaat deze druk tot overcapaciteit.

[5] Zie Fruhan (1972).

CONCURRENTIE

Groot aantal bedrijven. De neiging tot overcapaciteit is het grootst, als veel bedrijven de kracht en de middelen hebben om belangrijke capaciteitsuitbreiding aan de markt toe te voegen en ze allemaal proberen hun marktpositie te versterken en misschien preëmptief marktaandeel te verwerven. Papier, kunstmest, meelprodukten en scheepvaart zijn bedrijfstakken, waar het grote aantal ondernemingen gezorgd heeft voor een ernstig probleem van overcapaciteit.

Gebrek aan geloofwaardige marktleider(s). Als meerdere bedrijven wedijveren om het marktleiderschap en geen enkel bedrijf de geloofwaardigheid heeft om een ordelijk uitbreidingsproces op gang te brengen, neemt de instabiliteit van het proces toe. Een sterke marktleider daarentegen kan op geloofwaardige wijze met voldoende capaciteit uitbreiden om aan een belangrijk gedeelte van de vraag in de bedrijfstak tegemoet te komen, indien dit nodig mocht zijn, en kan op geloofwaardige wijze tegenmaatregelen nemen tegen overagressieve uitbreiding door anderen. Een sterke leider of een kleine groep leiders kan dus vaak zorgen voor een ordelijk verloop van de uitbreiding door middel van verklaringen en maatregelen. De voorwaarden voor geloofwaardigheid en de gebruikte middelen zijn besproken in hoofdstuk 5.

Nieuwe toetreding. Nieuwe toetreders zorgen vaak voor een verergering van het probleem van overcapaciteit. Ze streven vaak naar belangrijke posities in de bedrijfstak en de reeds aanwezige bedrijven verzetten zich daartegen. Toetreding is een belangrijke oorzaak geweest van overcapaciteit in bedrijfstakken als kunstmest, gips en nikkel. Bedrijfstakken met lage toetredingsbarrières hebben ook vaak te maken met overcapaciteit, omdat de toetreders op de bedrijfstak afkomen in perioden van voorspoed.

Voordelen van de eerste zet. Het in een vroeg stadium opvoeren van de capaciteit biedt soms voordelen die veel bedrijven ertoe verleiden om zich vroeg op capaciteit te gaan toeleggen, wanneer de toekomstverwachtingen gunstig zijn. Mogelijke voordelen van vroege verplichtingen in die richting omvatten onder meer korte levertijden bij de bestelling van uitrusting, lagere uitrustingskosten en de eerste gelegenheid om voordelen te halen uit evenwichtsverstoringen tussen vraag en aanbod.

INFORMATIESTROOM

Inflatie van toekomstverwachtingen. Het lijkt wel of er een proces is, waardoor de verwachtingen omtrent de toekomstige vraag op hol slaan, wanneer concurrenten naar elkaars openbare verklaringen en naar beleggingsanalisten luisteren. Deze situatie lijkt zich bijvoorbeeld voorgedaan te hebben in de ethyleen- en ethyleenglycolindustrie. Een hiermee verband houdend punt is dat managers waarschijnlijk optimisten zijn, die positieve actie verkiezen boven een afwachtende of negatieve houding.

Uiteenlopende veronderstellingen of opvattingen. Als bedrijven verschillende opvattingen hebben over elkaars relatief sterke punten, middelen en vermogen om in de bedrijfstak overeind te blijven, heeft dit meestal een destabiliserend effect op het proces van capaciteitsuitbreiding. Bedrijven kunnen de waarschijnlijkheid dat hun concurrenten zullen investeren, onder- of overschatten, waardoor ze of onverantwoord kunnen gaan investeren of dit aanvankelijk helemaal achterwege kunnen laten. Het eerste geval leidt onmiddellijk tot overcapaciteit, terwijl in het tweede geval het achteropgeraakte bedrijf misschien een wanhopige poging doet het verloren terrein terug te winnen en zo een serie buitensporige investeringen op gang brengt.

Instorting van het systeem van marktsignalen. Als bedrijven de marktsignalen niet langer vertrouwen vanwege nieuwe toetreders, gewijzigde omstandigheden, een recente concurrentie-oorlog of andere redenen, wordt het proces van capaciteitsuitbreiding instabieler. Geloofwaardige signalen daarentegen werken een ordelijke uitbreiding in de hand door de bedrijven in staat te stellen andere van voorgenomen maatregelen op de hoogte te brengen, het verwachte begin en de voltooiing van de capaciteitsuitbreiding te plannen, enzovoort.

Structurele verandering. Structurele verandering in een bedrijfstak houdt verband met het vorige punt en kan eveneens vaak leiden tot overcapaciteit, hetzij omdat het bedrijf in nieuwe soorten capaciteit moet investeren, hetzij omdat bedrijven door de onrust van de structurele verandering geneigd zijn hun relatieve sterkte verkeerd in te schatten.

Druk van de financiële gemeenschap. Hoewel de financiële gemeenschap soms een stabiliserende kracht kan zijn, lijken beleggingsanalisten vaak druk uit te oefenen in de richting van overcapaciteit door het beleid van managers te bekritiseren, die niet hebben geïnvesteerd terwijl hun concurrenten dat wel hebben gedaan. Daar komt nog bij dat de noodzaak van het management om positieve verklaringen tegenover de financiële gemeenschap af te leggen voor het doen stijgen van de aandelen tot verklaringen kan leiden, die door de concurrenten ten onrechte zouden kunnen worden opgevat als agressief, waardoor tegenmaatregelen zouden worden uitgelokt.

MANAGEMENT

Produktiegerichtheid van het managament. Overcapaciteit lijkt vooral te gebeuren, als de aandacht van het management van oudsher op de produktie gericht is geweest en niet op marketing of financiering. In zulke bedrijven is de trots van de bezitter van de nieuwste en fraaiste fabriek zeer groot en wordt het risico van achteropraken bij het uitbreiden met de nieuwste en meest efficiënte capaciteit groot geacht. Deze dwingende nadruk leidt dus gemakkelijk tot overcapaciteit.

Asymmetrische afkeer van risico. Men kan gerust aannemen dat managers meer te verliezen hebben, wanneer ze het enige bedrijf zijn dat zonder capaciteit komt te zitten op een sterke markt dan wanneer ze, samen met al hun concurrenten, teveel capaciteit hebben opgebouwd, omdat de vraag lager uitkomt dan verwacht. In het laatste geval kunnen ze zich achter cijfers verbergen en is hun relatieve positie niet verslechterd. In het eerste geval kunnen zowel hun banen als de strategische positie van de onderneming in gevaar verkeren. Een dergelijke asymmetrie tussen de gevolgen van investeren en niet investeren legt ook een sterke druk op alle bedrijven om de capaciteit uit te breiden, als er een paar 'schapen over de investeringsdam' zijn gegaan.

REGERING

Tegennatuurlijke belastingvoordelen. Belastingstructuur en/of belastingvoordeel bij investering kunnen soms aanmoedigen tot overinvestering. Dit is een acuut probleem in de Scandinavische scheepvaartindustrie, waar de belastingwetten in capaciteit geherinvesteerde winsten beschermen, maar niet opnieuw geïnvesteerde winsten belasten. Dit motiveert alle reders om in capaciteit te herinvesteren, als de bedrijfstaksituatie gunstig is. Overcapaciteit wordt ook in de hand gewerkt door het belastingvrij vasthouden van winsten door Amerikaanse dochterondernemingen in het buitenland.

Hang naar een sterk binnenlandse bedrijfstak. Bedrijfstakken, die het onderwerp zijn van veelzijdig overheidsverlangen naar een sterke, nationale industrie, hebben vaak te maken met mondiale overcapaciteit. Veel landen zullen proberen op eigen bodem een bedrijfstak te vestigen in de hoop dat overschotten op de wereldmarkt verkocht kunnen worden. Als de minimale efficiënte schaal relatief groot is in verhouding tot de wereldmarkt, leidt dit al gauw tot overcapaciteit.

Druk tot handhaving of toename van werkgelegenheid. Regeringen oefenen soms grote druk uit op bedrijven om te investeren (of niet te desinvesteren) om de werkgelegenheid op hetzelfde peil te houden of te verhogen, een maatschappelijk doel. Deze factoren benadrukken het probleem van overcapaciteit.

GRENZEN AAN CAPACITEITSUITBREIDING

Er bestaan ook factoren die paal en perk stellen aan de neiging tot opbouw van overcapaciteit, ook al zijn enkele van de hiervoor besproken voorwaarden aanwezig. De volgende komen het meest voor:

- Financiële beperkingen;
- Diversifiëring van het bedrijf, waardoor de alternatieve vermogenskosten verhoogd worden en/of de horizon van het management, dat wellicht produktiegericht was of neigde naar overcapaciteit om de positie in hun traditionele bedrijfstak te beschermen, verbreed wordt;
- Vervanging het management met marketing- of produktie-achtergrond door topmanagement met financiële achtergrond;
- Kosten van milieubeheer en andere toegenomen kosten van de nieuwe capaciteit;
- Grote en algemeen gedeelde onzekerheid over de toekomst;
- Ernstige problemen door vorige perioden van overcapaciteit.

Verscheidene van deze voorwaarden waren in 1979 aanwezig in de aluminiumindustrie en het gevolg is misschien dat de bedrijfstak het patroon van hoge pieken en diepe dalen zal verlaten. Slechte resultaten als gevolg van de overcapaciteit aan het eind van de jaren zestig en beperkte winsten in de jaren van grote vraag als gevolg van de loon-prijscontrole hebben belangrijke investeringen in deze bedrijfstak financieel onmogelijk gemaakt zolang niet een aantal goede jaren achter elkaar de buidel heeft gevuld. Daar komt nog bij dat de bouwkosten van voorzieningen sinds 1968 verviervoudigd zijn.[6]

Soms kan een bedrijf het proces van capaciteitsuitbreiding op een aantal manieren beïnvloeden door via eigen gedrag signalen te geven naar de concurrenten omtrent zijn verwachtingen of plannen, of door anderszins te proberen de verwachtingen van de concurrenten te beïnvloeden. De volgende maatregelen bijvoorbeeld zullen over het algemeen capaciteitsuitbreidingen van concurrenten ontmoedigen:

- aankondiging van een grote capaciteitsuitbreiding door een bedrijf (zie de volgende paragraaf van dit hoofdstuk over ontmoedigingsstrategieën);

---

[6] *New York Times*, 11 februari 1979, blz. D1.

- aankondigingen, andere signalen of informatie die een ontmoedigend beeld geven van de vraag in de toekomst;
- aankondigingen, andere signalen of informatie, waardoor de waarschijnlijkheid van technologische veroudering van de huidige capaciteitsgeneratie hoger zal worden ingeschat.

Ontmoedigingsstrategieën

Een voorbeeld van een methode van capaciteitsuitbreiding op een groeiende markt is de ontmoedigingsstrategie, waarbij het bedrijf probeert een belangrijk deel van de markt naar zich toe te trekken om de concurrenten de moed te ontnemen hun capaciteit uit te breiden en potentiële toetreders af te schrikken. Als bijvoorbeeld zekerheid bestaat over de toekomstige vraag en een bedrijf kan voldoende capaciteit opbouwen om aan alle vraag te voldoen, durven andere bedrijven hun capaciteit misschien niet meer op te voeren. Voor een ontmoedigingsstrategie zijn gewoonlijk niet alleen investeringen in voorzieningen nodig, maar ook investeringen in het opbouwen van weerstand tegen marginale of zelfs negatieve financiële resultaten op korte termijn; bij de capaciteitsuitbreiding wordt op de vraag geanticipeerd en bij de prijsstelling wordt vaak geanticipeerd op een toekomstige daling van de kosten.

De ontmoedigingsstrategie is op zichzelf riskant, omdat in een vroeg stadium aanzienlijke middelen worden vastgelegd voor een markt, vóórdat de resultaten daarvan bekend zijn. Daar komt nog bij dat dit, als de concurrentie hierdoor niet wordt afgeschrikt, kan leiden tot een rampzalige concurrentie-oorlog, omdat er een aanzienlijke overcapaciteit zal ontstaan en omdat andere bedrijven die dezelfde strategie volgen, belangrijke marktverplichtingen zijn aangegaan waar ze moeilijk op terug kunnen komen.

In verband met de kosten en risico's van een ontmoedigingsstrategie is het belangrijk de voor succes noodzakelijk voorwaarden op een rijtje te zetten. De ontmoedigingsstrategie is deels daarom zo riskant, omdat aan *al* deze voorwaarden moet worden voldaan.

Grote capaciteitsuitbreiding in verhouding tot de verwachte marktomvang. Als de schaal van een maatregel in verhouding tot de verwachte omvang van de markt gering is, gaat er geen ontmoedigende werking van uit. Er zijn dus duidelijke voorwaarden voor de omvang van de capaciteitsuitbreiding, waartoe men moet overgaan om vooruit beslag te leggen op een markt, waarvan de toekomstige vraagsituatie bekend is. Een belangrijke kwestie hierbij is echter de verwachtingen van *elke concurrent en potentiële concurrent* over de toekomstige vraag. Als er een concurrent of potentiële concurrent is, die van mening is dat de vraag in de toekomst groot genoeg zal zijn om de ontmoedigende capaciteitsmaatregel meer dan

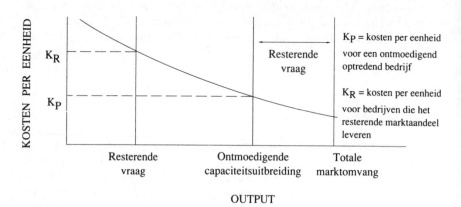

FIGUUR 15-2   Ontmoedigende capaciteit bij gegeven schaalvoordelen

te absorberen, kan hij er ook voor kiezen te investeren. Een bedrijf dat een ontmoedigende actie overweegt, moet er dus op vertrouwen dat het de verwachtingen van de concurrenten kent of moet proberen deze zodanig te beïnvloeden dat het er zeker van is dat ze de actie als ontmoedigend zullen zien.[7] Als de visie van de concurrenten op de potentiële vraag irrealistisch hoog is, moet het op ontmoediging gerichte, handelende bedrijf een geloofwaardige verplichting kenbaar maken om snel nog meer capaciteit toe te voegen, als de toekomstige vraag hoger blijkt uit te vallen dan oorspronkelijk verwacht.

Grote schaalvoordelen in verhouding tot de totale vraag op de markt of een belangrijke 'learning'curve. Als schaalvoordelen in verhouding tot de totale vraag op de markt groot zijn, kan een ontmoedigende capaciteitsmaatregel in een vroeg stadium misschien tot gevolg hebben dat er voor de concurrenten onvoldoende vraag overblijft om efficiqqent te zijn (zie figuur 15-2). In dit geval moeten investerende concurrenten aanzienlijk investeren en lopen ze het risico van een verbitterde strijd om capaciteit aan te vullen of zullen ze hogere kosten hebben, als ze op kleine schaal investeren. Ze zullen terugdeinzen voor welke investering dan ook of een permanent kostennadeel hebben, wanneer ze op kleine schaal investeren.

Als er sprake is van een belangrijke 'learning'curve, waarvan de voordelen eigengemaakt kunnen worden, zal de vroege, grootschalige investeerder in capaciteit tevens een duurzaam kostenvoordeel hebben.

Geloofwaardigheid van het ontmoedigend optredende bedrijf. Bij de

---

[7] Zoals het signaleren van zekerheid over vraag en technologie in de toekomst.

aankondigingen en maatregelen van het ontmoedigend optredende bedrijf moet geloof gehecht worden aan de verplichting en het vermogen om de ontmoedigingsstrategie uit te voeren. De geloofwaardigheid hangt af van de beschikbare middelen, de benodigde technologische vaardigheden, in hoeverre in het verleden geplande investeringen zijn doorgevoerd, enzovoort.[8] Zonder geloofwaardigheid zullen de concurrenten de maatregel hetzij als niet ontmoedigend beschouwen, hetzij de uitdaging aannemen.

Vermogen om ontmoedigend motief kenbaar te maken voordat concurrenten tot actie overgaan. Een bedrijf moet in staat zijn een signaal te geven dat het preëmptief de markt in beslag neemt, *vóórdat* de concurrenten zich verplicht hebben tot het doen van investeringen. Het moet dus een ontmoedigende capaciteitshoeveelheid in stelling brengen, voordat de concurrenten capaciteitsbeslissingen zelfs maar overwegen of, wat waarschijnlijker is, het moet in staat zijn om zijn bedoelingen aan te kondigen of op andere wijze geloofwaardig over te laten komen. Een bedrijf moet geloofwaardigheid bezitten wat betreft het uitvoeren van de ontmoedigingsstrategie, zoals die hier is besproken, en het moet ook over een geloofwaardige manier beschikken om het ontmoedigende motief voor zijn optreden aan te geven.

Bereidheid van de concurrenten terug te krabbelen. De ontmoedigingsstrategie gaat ervan uit dat de concurrenten de potentiële voordelen van bestrijding hiervan zullen overwegen en dan tot de conclusie komen dat ze niet opwegen tegen de risico's. Hier is echter een aantal kinken in de kabel mogelijk, met als constante factor het feit dat er bij het vestigen of handhaven van een belangrijke positie in de omstreden bedrijfstak hoge belangen op het spel staan. Ontmoediging kan een hachelijke zaak zijn tegenover de volgende soorten concurrenten:

1. Concurrenten met andere dan zuiver economische doelstellingen: als concurrenten grote waarde hechten aan handhaving in de bedrijfstak vanwege een lange traditie of andere emotionele banden, zullen ze misschien proberen zich tegen de ontmoedigende actie te verdedigen ondanks het feit dat aan de andere eerder beschreven gunstige voorwaarden voor ontmoediging wordt voldaan.
2. Concurrenten, voor wie deze sector een belangrijk strategisch bolwerk is of verbonden is met andere sectoren in hun portefeuille: in deze situatie beschouwt het bedrijf de aanwezigheid in de sector als zeer belangrijk, ook al zou het niet verstandig zijn zich tegen de ontmoedigende onderneming te verzetten, als de concurrent de sector geïsoleerd zou beschouwen. In een dergelijk geval is het bijna onmogelijk met succes een ontmoedigende actie te ondernemen.

---

[8] Zie hoofdstuk 5 voor een behandeling van de factoren die leiden tot een geloofwaardige verplichting.

3. Concurrenten, wier vermogen zich in de bedrijfstak te handhaven even goed of beter is, die een langere tijdshorizon hebben of een grotere bereidheid om winst in te leveren voor marktpositie: er kunnen concurrenten zijn, die bereid zijn zeer lang op succes te wachten en over een lange tijd strijd te leveren. In een dergelijke situatie kan men vraagtekens zetten bij een ontmoedigingsstrategie.

16
Toetreding tot nieuwe bedrijfstakken

In dit hoofdstuk wordt de strategische beslissing om tot een nieuwe bedrijfstak toe te treden onderzocht. Dit zal gebeuren vanuit het standpunt van het toetredende bedrijf, dat zowel via overname als via bedrijfsinterne ontwikkeling een toetredingsstrategie kan volgen.[1] Analysetechnieken voor een beschouwing van beide toetredingsvormen zullen hier verklaard worden, waarbij ook gekeken zal worden naar de vraag hoe bedrijven geholpen kunnen worden bij het selecteren van de juiste bedrijfstak en de beste toetredingsstrategie.

Hoewel er veel complexe factoren zijn die een rol spelen bij het zoeken, onderhandelen, integreren, organiseren, motiveren en leiden van overnames en bedrijfsinterne ontwikkeling van nieuwe bedrijven, stel ik de doelstellingen in dit hoofdstuk toch wat enger. De nadruk zal liggen op het beantwoorden van de vraag hoe de elders in dit boek beschreven instrumenten van bedrijfstak- en concurrentie-analyse managers kan helpen bij het nemen van toetredingsbeslissingen. Zoals we zullen zien, kunnen bedrijfstakken die aantrekkelijke perspectieven bieden voor toetreding, bepaald worden met behulp van enkele belangrijke economische principes,

---

[1] Mijn referentiekader is verbetering van de prestaties van het toetredende bedrijf. De vraag wat de gevolgen van toetreding zijn voor de aandeelhouder zal hier niet aan de orde komen. Het interessante boek van Salter en Weinhold (1979) gaat zeer gedetailleerd op deze vraag in.

aan de hand waarvan kan worden vastgesteld welke bedrijfsmiddelen en vaardigheden toetreding winstgevend zullen maken. Deze principes zijn van essentieel belang voor het succes of de mislukking van toetreding, ook al worden ze vaak uit het oog verloren door de gerechtvaardigde zorg voor alle menselijke, organisatorische, financiële, juridische en bestuurlijke factoren, die eveneens belangrijk kunnen zijn voor succes of mislukking van een bepaalde toetredingspoging.

De economie van toetreding berust op enkele fundamentele marktmechanismen, die altijd in werking treden wanneer toetreding plaatsvindt. Als deze marktmechanismen in economische zin perfect functioneren, *kan geen enkele beslissing tot toetreding een meer dan gemiddelde meeropbrengst opleveren*. Deze opzienbarende uitspraak is de sleutel tot de analyse van de voordelen van toetreding - waarbij bedrijfstaksituaties opgespoord moeten worden, waarin de marktmechanismen niet volmaakt werken. De voor de hand liggende conclusie van onze analyse is dat, los van alle problemen van het integreren en leiden van nieuwe bedrijven en in tegenstelling tot wat algemeen wordt aangenomen, de overname of bedrijfsinterne ontwikkeling van gezonde, goed geleide bedrijven in gunstige bedrijfstakomstandigheden verre van voldoende is om succes van de toetreding te garanderen. Er bestaan echter wel talloze mogelijkheden om toetreding succesvol te laten zijn; die zal ik nu gaan behandelen.

Toetreding via bedrijfsinterne ontwikkeling

Bij toetreding via bedrijfsinterne ontwikkeling gaat het om het creëren van een nieuwe bedrijfseenheid in een bedrijfstak, inclusief nieuwe produktiecapaciteit, distributiecontacten, verkoopgroep, enzovoort. Bij joint ventures spelen in wezen dezelfde economische aspecten, omdat deze ook pas opgerichte eenheden zijn, hoewel ze gecompliceerde kwesties oproepen over de verdeling van de activiteiten onder de partners en wie de effectieve leiding moet krijgen.[2]

Het eerste belangrijke punt bij de analyse van bedrijfsinterne ontwikkeling is de eis dat het bedrijf *de confrontatie met de twee bronnen van barrières voor de toetreding tot een bedrijfstak rechtstreeks aangaat* - de structurele toetredingsbarrières en de verwachte reactie van de reeds aanwezige bedrijven. De toetreder via bedrijfsinterne ontwikkeling (hierna te noemen *interne toetreder*) moet de prijs van het overwinnen van structurele toetredingsbarrières betalen en het risico nemen dat de bestaande bedrijven

---

[2] Joint ventures moeten op dezelfde wijze worden geanalyseerd als interne toetreding. Als een joint venture deze horde genomen heeft, moet vervolgens bekeken worden of de doelstellingen, verwachtingen of managementvoorkeuren van de *partner* betreffende de onderneming verschillen van die van het bedrijf. Dergelijke verschillen kunnen zelfs met een gezonde bedrijfsopzet het functioneren van een joint venture onmogelijk maken.

tegenmaatregelen zullen treffen. De kosten van het eerste omvatten gewoonlijk vooruit-investeringen en aanloopverliezen die deel gaan uitmaken van de investeringsbase in het nieuwe bedrijf. Het risico van tegenmaatregelen door bestaande bedrijven kan beschouwd worden als extra toetredingskosten, die gelijk zijn aan de omvang van het nadelige effect van die maatregelen (bijv. lagere prijzen en een escalatie van de marketingkosten) vermenigvuldigd met de kans hierop.

In hoofdstuk 1 heb ik vrij gedetailleerd de oorzaken van structurele toetredingsbarrières besproken en de factoren die bepalend zijn voor de kans op tegenmaatregelen. De juiste analyse van een beslissing om toe te treden zal de volgende kosten en voordelen tegen elkaar afwegen:

1. de investeringskosten die nodig zijn om in de nieuwe bedrijfstak te komen, zoals investering in produktievoorzieningen en voorraad (waarvan sommige verhoogd kunnen worden door structurele toetredingsbarrières);
2. de extra investeringen die nodig zijn om andere structurele toetredingsbarrières te overwinnen, zoals merkidentificatie en technologie in eigendom[3];
3. de verwachte kosten door tegenmaatregelen van bestaande bedrijven tegen de toetreding, *afgewogen tegen*
4. de cash flow die men van de nieuwe bedrijfstakpositie verwacht.

Bij veel begrotingsbehandelingen van de toetredingsbeslissing worden één of meer van deze factoren verwaarloosd. Te vaak wordt er bijvoorbeeld bij de financiële analyse uitgegaan van de normale prijzen en kosten in de bedrijfstak vóór de toetreding en meet men slechts de overduidelijk noodzakelijke investeringen in het bedrijf, zoals het bouwen van produktievoorzieningen en het oprichten van een verkoopafdeling. Waar men aan voorbij gaat zijn de subtielere kosten van het overwinnen van structurele toetredingsbarrières, zoals gevestigde merkfranchises, door concurrenten vastgelegde distributiekanalen, toegang van de concurrenten tot de gunstigste grondstofbronnen, of de noodzaak om technologie in eigendom te ontwikkelen. Tevens kunnen door toetreding de prijzen van schaarse aanvoer, apparatuur of arbeid stijgen, waardoor de kosten van het toetredende bedrijf hoger worden.

Een ander vaak verwaarloosd aspect is het *effect van de nieuwe capaciteit van de toetreder* op het evenwicht tussen vraag en aanbod in de bedrijfstak. Als de toevoeging door de interne toetreder aan de capaciteit in de bedrijfstak aanzienlijk is, zullen diens pogingen om die capaciteit op te vul-

---

[3] De vereiste investeringen om tot een bedrijfstak toe te treden via bedrijfsinterne ontwikkeling kunnen hoog lijken in vergelijking met de kosten van overname, afhankelijk van de situatie op de acquisitiemarkt, die later aan de orde zal komen. Tegenwoordig worden veel bedrijven door de voor hen hoge kosten van interne toetreding naar de acquisitiemarkt gedreven.

len betekenen dat tenminste een paar andere bedrijven met overcapaciteit te maken zullen krijgen. Bij hoge vaste kosten is de kans groot op prijsverlagingen of andere inspanningen om de capaciteit opgevuld te krijgen, die voort zullen duren totdat iemand zich uit de bedrijfstak terugtrekt of de overcapaciteit verdwijnt door groei van de bedrijfstak of buitendienststelling van faciliteiten.

Nog minder aandacht besteedt men bij een toetredingsbeslissing vaak aan de gevolgen van de *waarschijnlijke reacties van bestaande bedrijven*. Onder bepaalde omstandigheden die later beschreven zullen worden, kunnen bestaande bedrijven op toetreding reageren volgens een aantal uiteenlopende patronen. Een zeer gebruikelijke reactie is het verlagen van de prijzen, hetgeen misschien betekent dat de bedrijfstakprijzen, waar in de modelberekeningen van de wenselijkheid van toetreding mee wordt gewerkt, *lager* dienen te zijn dan de prijzen die voor de toetreding gangbaar zijn. Vaak zijn de prijzen jaren na een toetreding nog aan de lage kant, zoals dit het geval was in de maïsverwerkingsindustrie na de toetredingen van Cargill en Archer-Daniels-Midland. Toetreding door Georgia-Pacific heeft ook de prijsstructuur in de gipsindustrie ontwricht.[4]

Andere reacties van bestaande bedrijven kunnen bestaan uit marketingactiviteiten, speciale promotie-activiteiten, verruiming van garantievoorwaarden, gemakkelijker kredietvoorwaarden en verbeteringen in de produktkwaliteit.

Een andere mogelijkheid is dat door toetreding een ronde van buitensporige capaciteitsuitbreiding in de bedrijfstak plaatsvindt, vooral wanneer de nieuwe toetreder modernere faciliteiten met zich meebrengt dan sommige bestaande bedrijven hebben. De instabiliteit met betrekking tot capaciteitsuitbreiding verschilt per bedrijfstak en sommige factoren die een bedrijfstak instabiel maken, worden besproken in hoofdstuk 15.

De reikwijdte van deze reacties en hun waarschijnlijke duur moeten voorspeld worden, waarna de in de modelberekeningen voor de toetreding gebruikte kosten en prijzen dienovereenkomstig aangepast moeten worden.

KOMEN ER TEGENMAATREGELEN?

Bestaande bedrijven zullen zich tegen toetreding verzetten, als het op basis van economische en niet-economische overwegingen lonend is om dat te doen. De kans dat interne toetreding een ontwrichtend effect heeft en tegenmaatregelen uitlokt, wat de toekomstverwachtingen negatief beïnvloedt, is groot in de volgende soorten bedrijfstakken (die daarom riskante toetredingsdoelen zijn):

---

[4] Zie *Forbes*, 18 september, 1978.

Trage groei. Door interne toetreding zal altijd een marktaandeel van bestaande bedrijven worden afgenomen. In een traag groeiende markt is dit echter wel bijzonder onwelkom, omdat hierdoor de absolute verkoop zou kunnen dalen en daarom is de kans op tegenmaatregelen groot. Als de markt snel groeit, kunnen de bestaande bedrijven hun goede financiële resultaten voortzetten, ook al neemt een toetreder een zeker marktaandeel af. De door de toetreder toegevoegde capaciteit wordt sneller opgevuld zonder dat de prijzen kelderen.

Gebruiksartikelen of aanverwante produkten. In zulke bedrijfstakken bestaan er geen merkloyaliteiten of gesegmenteerde markten om de bestaande bedrijven te beschermen tegen de effecten van een nieuwe toetreder en vice versa. Toetreding onder dergelijke omstandigheden beïnvloedt de gehele bedrijfstak en de kans op prijsverlagingen is groot.

Hoge vaste kosten. Als de vaste kosten hoog zijn, is het waarschijnlijk dat de toevoeging van de capaciteit van de toetreder aan de markt tegenmaatregelen van de concurrenten uitlokt wanneer hun capaciteitsbezetting belangrijk daalt.

Hoge bedrijfstak-concentratie. In dergelijke bedrijfstakken komt toetreding hard aan en kan deze een bres slaan in de marktpositie van één of meer bestaande bedrijven. In een zeer gefragmenteerde bedrijfstak beïnvloedt de toetreder misschien de positie van veel bedrijven, maar is die invloed wel heel klein. Geen van de bedrijven zal ernstig genoeg geschaad worden om fel terug te vechten en het is niet waarschijnlijk dat één van hen in staat is om de toetreder te bestraffen. Bij het vaststellen van de kans op tegenmaatregelen is het uiteraard belangrijk in te schatten hoe ernstig de positie van bestaande bedrijven hierdoor zal worden aangetast. Hoe ongelijker de effecten door de bestaande bedrijven gevoeld zullen worden, des te groter is de kans dat de bedreigde bedrijven tegenmaatregelen zullen nemen. Als de schok gelijkmatig over iedereen verdeeld wordt, is die kans geringer.

Bestaande bedrijven die een hoog strategisch belang hechten aan hun positie in de bedrijfstak. Als door de nieuwe toetreder bedrijven in het nauw komen die veel strategisch belang hebben bij handhaving van hun marktaandeel in de bedrijfstak, kan toetreding scherpe tegenmaatregelen tot gevolg hebben. Het strategische belang kan voortvloeien uit het feit dat de onderneming voor cash flow of toekomstige groei in hoge mate afhankelijk is van het bedrijf, uit de positie van het bedrijf als vlaggeschip van de onderneming, uit onderlinge verbondenheid tussen het bedrijf en andere binnen de onderneming, enzovoort. De factoren die een bedrijf strategisch belangrijk maken voor een onderneming worden besproken in hoofdstuk 3 en in de bespreking van uittredingsbarrières in hoofdstuk 12.

Instelling van managers in de bedrijfstak. Het bestaan van reeds lang in de bedrijfstak gevestigde bedrijven kan, vooral als het bedrijven zijn met slechts één vestiging, leiden tot een zeer felle reactie op toetreding. In zulke bedrijfstakken wordt toetreding vaak opgevat als een belediging of een onrechtvaardigheid en kan deze zeer verbitterd worden bestreden. In het algemeen kan de instelling en achtergrond van het management van bestaande bedrijven in belangrijke mate bepalend zijn voor de tegenmaatregelen. Sommige managers hebben een verleden of een gerichtheid, waardoor ze zich sneller bedreigd voelen door toetreding of die de kans vergroot dat ze vergeldingsmaatregelen zullen nemen.[5]

De houding van bestaande bedrijven ten opzichte van dreigingen van toetreding in het verleden zal meestal een aanwijzing opleveren over hoe ze op een nieuwe toetreder zullen reageren. Vooral het gedrag ten opzichte van vroegere toetreders en bestaande bedrijven die een verschuiving van de strategische groepen proberen te bewerkstelligen, vormt een bruikbare indicatie.

VASTSTELLEN VAN DE DOEL-BEDRIJFSTAKKEN VOOR INTERNE TOETREDING

Aangenomen dat de potentiële toetreder de hierboven beschreven beslissingselementen goed heeft geanalyseerd, luidt de vraag: waar is interne toetreding waarschijnlijk het aantrekkelijkst? Het antwoord op deze vraag wordt geleverd door het basisschema voor structurele analyse. De verwachte winstgevendheid van de bedrijven in een bedrijfstak hangt af van de invloed van de vijf concurrentiekrachten: concurrentie, substitutie, onderhandelingspositie van leveranciers en afnemers en toetreding. Toetreding werkt als een weegschaal bij het bepalen van de winsten in de bedrijfstak. Is de bedrijfstak stabiel of in evenwicht, dan zullen de winstverwachtingen van toetreders *alleen* een afspiegeling zijn van de hoogte van de structurele toetredingsbarrières en de gerechtvaardigde verwachtingen van de toetreders omtrent tegenmaatregelen. Bij zijn berekeningen van de te verwachten winst zal de potentiële toetreder tot de conclusie komen dat deze normaal of middelmatig is, ook al zijn de winsten van de bestaande bedrijven hoog. Doordat de toetreder structurele toetredingsbarrières moet overwinnen en het risico loopt van reactie van de kant van bestaande bedrijven, heeft hij meer kosten dan de succesvolle bedrijven in de bedrijfstak en deze kosten maken winsten die boven het gemiddelde liggen onmogelijk. Als de toetredingskosten meer dan gemiddelde winsten niet zouden neutraliseren, zouden andere bedrijven al eerder zijn toegetreden tot de bedrijfstak en de winsten omlaag hebben gehaald tot het niveau waarop de toetredingskosten opwegen tegen de voordelen van toetreding. *Het zal dus zelden*

---

[5] Voor een bespreking van dit punt zie hoofdstuk 3.

lonend zijn toe te treden tot een bedrijfstak die in evenwicht is, tenzij het bedrijf speciale voordelen heeft - er zijn marktmechanismen werkzaam die de opbrengsten teniet doen.

Hoe kan een bedrijf dan meer dan gemiddelde opbrengsten verwachten van toetreding? Het antwoord ligt in het herkennen van die bedrijfstaksituaties waarin de door mij beschreven marktmechanismen niet volmaakt werken. De voornaamste doelen van interne toetreding door een bedrijf vallen in één van de volgende categorieën:

1. De bedrijfstak is niet in evenwicht.
2. Men kan trage of ondoeltreffende tegenmaatregelen verwachten van de bestaande bedrijven.
3. Het bedrijf heeft lagere toetredingskosten dan andere bedrijven.
4. Het bedrijf heeft het kenmerkende vermogen de structuur van de bedrijfstak te veranderen.
5. Toetreding zal positieve effecten hebben op de bestaande bedrijven van de toetreder.

Bedrijfstakken met verstoord evenwicht

Niet alle bedrijfstakken zijn in evenwicht.

Nieuwe bedrijfstakken. In nieuwe, snel groeiende bedrijfstakken is de concurrentiestructuur gewoonlijk nog in beweging en zijn de kosten van toetreding waarschijnlijk lager dan voor latere toetreders het geval is. Waarschijnlijk zal nog geen enkel bedrijf zich van aanvoer van grondstoffen meester hebben gemaakt, merkidentificatie van betekenis tot stand hebben gebracht of een sterke neiging hebben ontwikkeld tot tegenmaatregelen tegen toetreding. Bestaande bedrijven kunnen misschien maar met een beperkte snelheid uitbreiden. Een bedrijf moet echter niet alleen tot een bedrijfstak toetreden, omdat het een nieuwe bedrijfstak is. Toetreding is pas verantwoord, als een volledige structurele analyse (hoofdstuk 1) tot de voorspelling leidt dat meer dan gemiddelde winsten verwacht kunnen worden over een periode, die lang genoeg is om de investering te rechtvaardigen. Het is verder belangrijk op te merken dat bij sommige bedrijfstakken de toetredingskosten voor pioniersbedrijven *hoger* liggen dan voor latere toetreders, alleen vanwege de kosten van het pionierswerk. Sommige analysetechnieken voor de beantwoording van de vraag of voor vroege of late toetreding moet worden gekozen staan in hoofdstuk 10 beschreven onder opkomende bedrijfstakken. Tenslotte zij nog opgemerkt dat er in de nieuwe bedrijfstak nog wel andere toetreders zullen komen en als het bedrijf verwacht dat de winsten toch hoog zullen blijven, moeten er economische argumenten zijn voor het geloof dat latere toetreders hogere toetredingskosten zullen hebben dan het bedrijf zelf.

Stijgende toetredingsbarrières. Stijgende toetredingsbarrières betekenen dat de *huidige* toetredingskosten meer dan goed gemaakt zullen worden door de toekomstige winsten.[6] Door één van de eerste toetreders te zijn kunnen de toetredingskosten geminimaliseerd worden en kan soms een voordeel opleveren bij produktdifferentiatie. Als echter veel andere bedrijven eveneens in een vroeg stadium op het toneel verschijnen, kan deze deur zich sluiten. Waar het in dergelijke bedrijfstakken derhalve om gaat, is vroege toetreding en vervolgens het stimuleren van verhoging van de toetredingsbarrières om latere toetreders tegen te houden.

Slechte informatie. Een langdurige evenwichtsverstoring tussen de toetredingskosten en de verwachte winsten kan in sommige bedrijfstakken voortkomen uit het feit dat potentiële toetreders dit verschijnsel niet onderkennen. Deze situatie kan zich voordoen in stagnerende of onopvallende bedrijfstakken, die aan de aandacht van veel gevestigde bedrijven ontsnappen.

Het is belangrijk om in te zien dat tot op zekere hoogte de marktmechanismen het toetredende bedrijf tegenwerken. Als de vooruitzichten voor toetreding gunstig zijn vanwege een evenwichtsverstoring, zal de markt dezelfde signalen uitzenden naar andere bedrijven die eveneens zullen willen toetreden. Een beslissing tot toetreding dient dus genomen te worden met een duidelijk idee waarom de voordelen van de evenwichtsverstoring naar de toetreder en niet naar andere bedrijven zullen gaan. Vaak berust het vermogen om dit te voorspellen op de voordelen van vroege toetreding door de evenwichtsverstoring het eerst op te merken. Niettemin zullen de voordelen van vroege toetreding waarschijnlijk gaandeweg uitgehold worden (zo ze niet verdwijnen), tenzij de toetreder barrières kan opwerpen tegen navolging. Bij een toetredingsstrategie moeten dergelijke kwesties in overweging worden genomen en moet een plan ontworpen worden om ze aan te pakken.

Trage of ondoelmatige tegenmaatregelen

Er kan ook een gunstige evenwichtsverstoring zijn tussen verwachte winsten en toetredingskosten in bedrijfstakken met bedrijven die weliswaar winstgevend zijn, maar sloom, slecht geïnformeerd of anderszins niet in staat tot tijdige of doeltreffende tegenmaatregelen. Het bedrijf dat als één van de eersten een dergelijke bedrijfstak ontdekt, kan meer dan gemiddelde winsten halen.

Bedrijfstakken die misschien geschikte doelen vormen voor toetreding, hebben *niet* de kenmerken die leiden tot felle tegenmaatregelen (eerder gegeven), maar wel enkele andere unieke aspecten.

---

[6] Toetredingsbarrières gaan in nieuwe bedrijfstakken vaak omhoog.

De voordelen van doeltreffende tegenmaatregelen wegen voor de bestaande bedrijven niet op tegen de kosten. Het bedrijf dat toetreding overweegt, moet de berekening onderzoeken die elke belangrijke onderneming in de bedrijfstak zal maken voor de beslissing omtrent de kracht van zijn tegenmaatregelen. Het bedrijf moet voorspellen hoe groot de winstuitholling is die de onderneming moet opvangen, als hij de toetreder verliezen probeert toe te brengen. Zullen de bestaande bedrijven denken dat ze een langere adem hebben dan de toetreder? Hoe hoger de kosten van tegenmaatregelen worden in verhouding tot de voordelen voor de bestaande ondernemer, des te kleiner wordt de kans op tegenmaatregelen.

De toetreder kan niet alleen bedrijfstakken kiezen, waar de kans op tegenmaatregelen klein is, maar kan ook de kans op tegenmaatregelen *beïnvloeden*. De toetreder kan de bestaande bedrijven er bijvoorbeeld van overtuigen dat hij zijn pogingen om een levensvatbare positie in de bedrijfstak te verwerven nooit zal opgeven, waardoor ze misschien geen geld zullen besteden aan pogingen om het bedrijf volledig te verjagen.[7]

Er is een beschermend, dominerend bedrijf of een besloten groep van allang gevestigde marktleiders. Een dominerend bedrijf met een beschermende houding ten opzichte van de bedrijfstak is misschien nooit gedwongen geweest te concurreren en leert dat misschien maar langzaam. De leider (of leiders) ziet zichzelf misschien als de beschermer en woordvoerder van de bedrijfstak. Hij handelt misschien in het beste belang van de bedrijfstak (bijvoorbeeld handhaving van prijsniveau, produktkwaliteit, hoge niveaus van klantenservice of technische hulp), maar niet noodzakelijkerwijs in zijn eigen belang. Een toetreder kan een belangrijke marktpositie innemen zolang de leider niet wordt uitgedaagd (of zolang deze onmachtig is) te reageren. Een dergelijke situatie heeft zich misschien wel voorgedaan in nikkel en maïsverwerking, waarin INCO en CPC vrij veel positie hebben moeten prijsgeven aan nieuwkomers. Het risico van deze strategie is natuurlijk dat de reus wakker wordt geschud en daarom is de beoordeling van het soort management van cruciaal belang.

De kosten van respons zijn voor de zittende bedrijven hoog, gezien de noodzaak hun bestaande bedrijven te beschermen. Deze situatie biedt mogelijkheden voor de strategie van gemengde motieven, besproken in hoofdstuk 3. Door te reageren op een toetreder die een nieuw distributiekanaal gebruikt, kan een bedrijf bijvoorbeeld de loyaliteit van bestaande groothandels verliezen. De gelegenheid is ook aanwezig, als de reactie van een bestaand bedrijf op een nieuwe concurrent een daling van zijn eigen verkoop van dagelijkse levensbehoeften tot gevolg zal hebben, de strategie van de toetreder zal helpen rechtvaardigen of niet te verenigen zal zijn met zijn eigen imago op de markt.

---

[7] Voor een bespreking van de wegen, waarlangs een bedrijf, ook een toetreder, een dergelijke vastbeslotenheid kenbaar kan maken, zie hoofdstuk 5.

De toetreder kan traditionele wijsheden uitbuiten. Als de bestaande bedrijven geloven in traditionele wijsheden of bepaalde fundamentele uitgangspunten innemen over hoe in de bedrijfstak geconcurreerd moet worden, kan een bedrijf dat geen vooropgezette ideeën heeft, vaak situaties herkennen, waarin de traditionele wijsheid onjuist of achterhaald is. Traditionele wijsheden kunnen in produktassortiment, service, fabriekslocatie en bijna alle andere aspecten van een concurrentiestrategie sluipen. Bestaande bedrijven houden misschien koppig aan deze ideeën vast, omdat ze in het verleden goed hebben gewerkt.

Lagere toetredingskosten

Een vaker voorkomende en minder riskante situatie, waarin de aantrekkelijkheid van interne toetreding niet door de marktmechanismen teniet wordt gedaan, is een bedrijfstak, waarvan de toetredingskosten niet voor alle bedrijven gelijk zijn. Als een bedrijf *structurele toetredingsbarrières van een bedrijfstak goedkoper kan overwinnen* dan de meeste andere potentiële toetreders, kunnen uit toetreding meer dan gemiddelde winsten worden gehaald. Een bedrijf kan ook speciale concurrentievoordelen hebben in de bedrijfstak, die opwegen tegen de toetredingsbarrières.

Het vermogen om structurele toetredingsbarrières goedkoper te overwinnen dan andere potentiële toetreders, berust doorgaans op de aanwezigheid van bedrijfsmiddelen en vaardigheden uit de bestaande bedrijven van de toetreder of op innovaties die leiden tot een nieuw strategisch concept voor toetreding. Een onderneming kan zoeken naar bedrijfstakken, waarvan zij in staat is de toetredingsbarrières te overwinnen door eigen technologie, gevestigde distributiekanalen, een bekende en verplaatsbare merknaam, enzovoort. Als veel andere potentiële toetreders dezelfde voordelen hebben, zullen deze voordelen waarschijnlijk al weerspiegeld worden in een evenwicht tussen kosten en voordelen van toetreding. Als het vermogen van de onderneming om structurele toetredingsbarrières te overwinnen echter uniek of zeer apart is, zal toetreding waarschijnlijk winstgevend zijn. Voorbeelden zijn de bedrijfsinterne toetreding van General Motors tot de bedrijfstakken van recreatievoertuigen, chassisbouw, motoren en tot een dealernetwerk vanuit diens activiteiten in de automobielindustrie; en de toetreding van John Deere tot de bouwgereedschappensector, met gebruikmaking van zijn in landbouwgereedschappen verworven produktietechnologie en ervaring in produktontwerp en service.

Het is ook mogelijk dat een bedrijf zich tegenover minder krachtdadige tegenmaatregelen gesteld ziet dan andere potentiële toetreders, hetzij omdat er veel respect is voor het bedrijf als concurrent, hetzij omdat de toetreding op de een of andere wijze niet als een dreiging wordt gezien. Het respect voor de toetreder zou gebaseerd kunnen zijn op diens grootte of op diens reputatie als een eerlijke concurrent (of misschien juist als meedogenloze concurrent). De toetreding zou als niet bedreigend kunnen worden ervaren, doordat de toetreder in het verleden zijn operaties heeft beperkt tot kleine nestelingsgebieden op de markt, nooit de aanzet heeft gegeven tot prijsverlagingen, enzovoort. Als de onderneming een beduidend voordeel heeft en op grond van één van deze redenen minder tegenmaatregelen verwacht, zullen de verwachte kosten als gevolg van tegenmaatregelen lager uitvallen dan die van andere potentiële toetreders, waardoor toetreding waarschijnlijk meer dan gemiddelde winsten zal opleveren.

Onderscheidend vermogen om de bedrijfstakstructuur te beïnvloeden

Bedrijfsinterne toetreding zal ondanks de marktmechanismen winstgevend zijn, als het bedrijf een onderscheidend vermogen heeft het structurele evenwicht in de bedrijfstak, die als doelwit dient, te veranderen. Als het bedrijf bijvoorbeeld de mobiliteitsbarrières in de bedrijfstak voor navolgende toetreders kan verhogen, zal dit gevolgen hebben voor het structurele evenwicht in de bedrijfstak. De initiatiefnemer zal dan in een positie zijn, waarin hij meer dan gemiddelde winsten zal kunnen halen uit de toetreding. Voorts is het zo dat toetreding van een gefragmenteerde markt soms een proces op gang kan brengen dat de mobiliteitsbarrières aanzienlijk verhoogt en tot consolidatie leidt, zoals werd besproken in hoofdstuk 9.

Positief effect op bestaande bedrijven

Zelfs als de hierboven beschreven voorwaarden ontbreken, zal bedrijfsinterne toetreding winstgevend zijn, wanneer er een voordelige invloed van uitgaat naar bestaande bedrijven van de ondernemer. Deze invloed zou kunnen liggen in verbetering van de relaties met distributeurs, het imago van de onderneming, de verdediging tegen dreigingen, enzovoort. Dus zelfs als het nieuwe bedrijf slechts middelmatige winsten oplevert, is de onderneming als geheel toch sterker geworden.

Xerox' voorgenomen toetreding tot digitale datatransmissienetwerken is misschien een voorbeeld van toetreding op deze basis.[8] Xerox lijkt te proberen een brede basis op te bouwen in het 'kantoor van de toekomst'. Aangezien datatransmissie tussen computers, elektronische verzending en met zorg voorbereide en uitgewerkte aaneenschakeling van bedrijfslocaties waarschijnlijk onderdeel van die toekomst zullen zijn - evenals de allang bestaande kopieermachines -, probeert Xerox misschien zijn huidige sterke basis te beschermen, ook al heeft het geen speciale voordelen in de bedrijfstak van datanetwerken. Een ander voorbeeld is de actie van Eaton Corporation in de reparatiecentra voor auto's. Als één van de belangrijkste producenten van reserve-onderdelen heeft Eaton belang bij het openbreken van

---

[8] Voor een korte bespreking van deze geplande actie, zie *Business Week*, 27 november 1978.

markten en het weghalen van activiteiten bij de interne dealer- en service-afdelingen van de autoproducenten, die uitsluitend fabrieksonderdelen gebruiken. Hoewel Eaton geen reden heeft om meer dan gemiddelde opbrengsten te verwachten in de autoreparatie op zich, kunnen de totale winsten van de onderneming hierdoor stijgen.

GENERIEKE CONCEPTEN VOOR TOETREDING

Enkele algemene benaderingen van toetreding, die berusten op verschillende concepten voor het goedkoper dan andere bedrijven overwinnen van toetredingsbarrières, zijn:

Verlagen van produktiekosten. Het vinden van een manier om het produkt te produceren tegen lagere kosten dan de bestaande bedrijven. Mogelijkheden hiertoe zijn: (1) een geheel nieuwe procestechnologie; (2) een grotere fabriek die grotere schaalvoordelen biedt; (3) modernere faciliteiten, die technologische verbeteringen betekenen; (4) het delen van activiteiten met bestaande afdelingen, waardoor een kostenvoordeel wordt bereikt.

Inkopen door middel van lage prijzen. Het kopen van een marktpositie door opoffering van korte termijnwinsten om de concurrenten te dwingen marktaandeel op te geven. Het succes van deze benadering hangt af van de onwilligheid of het onvermogen van de concurrent om tegenmaatregelen te nemen in verband met de sterke punten van de toetreder.

Aanbieden van een superieur produkt in ruime zin. Het bieden van een innovatie in produkt of dienst, waardoor de toetreder barrières ten aanzien van produktdifferentiatie kan overwinnen.

Ontdekking van een nieuw gat in de markt. Het vinden van een nog niet eerder opgemerkt marktsegment of nestelgebied dat distinctieve eisen stelt, waaraan het bedrijf kan voldoen. Door een dergelijke actie kan de toetreder bestaande barrières van produktdifferentiatie (en misschien distributiekanalen) overwinnen.

Innovatie op het gebied van marketing. Het vinden van een nieuwe manier om het produkt op de markt te brengen, waardoor barrières van produktdifferentiatie overwonnen worden of de machtspositie van distributeurs omzeild wordt.

Gebruik van bestaande distributie. Het baseren van een toetredingsstrategie op gevestigde distributierelaties van andere bedrijfsafdelingen.

Toetreding via overname

Op toetreding via overname is een heel ander analyseschema van toepassing dan bij bedrijfsinterne toetreding, omdat door overname niet direct een nieuw bedrijf aan de bedrijfstak wordt toegevoegd. Zoals we echter zullen zien, zijn sommige van de factoren die bepalend zijn voor de aantrekkelijkheid van interne toetreding, ook van toepassing op een kandidaat voor overname.

Van cruciaal belang is onderkenning van het feit dat *de prijs van een overname bepaald wordt op de markt voor bedrijven*. De markt voor bedrijven is de markt, waarin eigenaren van bedrijven (of bedrijfseenheden) de verkopers zijn en overnemende bedrijven de kopers. In de meeste geïndustrialiseerde landen, en vooral de Verenigde Staten, is de markt voor bedrijven zeer levendig en worden er elk jaar bedrijven verkocht en gekocht. De markt is goed georganiseerd, met bemiddelaars, makelaars en investeringsbanken die allemaal proberen kopers en verkopers tot elkaar te brengen en daar vaak een forse commissie voor opstrijken. De organisatie van de markt is de laatste jaren steeds beter geworden naarmate tussenpersonen en participanten zich steeds verder hebben ontwikkeld.[9] Bemiddelaars stellen zich nu actief op om meerdere gegadigden voor overname van een bedrijf aan te trekken; en het veelvuldig doen van een bod is niet ongebruikelijk. De markt voor bedrijven is ook een markt, waarover veel is geschreven in de pers en waarvan veel statistieken zijn bijeengeraapt. Al deze factoren maken een relatief efficiënt functioneren van deze markt mogelijk.

Een efficiënte markt voor bedrijven *verhindert dat er meer dan gemiddelde winsten uit overname gehaald kunnen worden*. Als een bedrijf een goed management heeft en gunstige toekomstperspectieven, zal de marktprijs ervan stijgen. Als daarentegen de toekomst van het bedrijf er somber uitziet of als het bedrijf enorme kapitaalinjecties nodig heeft, zal de prijs in verhouding tot de boekwaarde laag zijn. Voor zover de markt voor bedrijven dus efficiënt werkt, zal de prijs van de overname de winsten voor de koper grotendeels opslokken.

Wat bijdraagt tot het goed functioneren van de markt, is het feit dat de verkoper meestal de mogelijkheid heeft het bedrijf te houden en te laten draaien. In sommige situaties zijn er voor de verkoper dwingende redenen om te verkopen, waardoor hij moeilijk de prijs, die op de markt voor bedrijven wordt bepaald, kan weigeren. Indien de verkoper echter de mogelijkheid heeft de bedrijfsoperaties voort te zetten, zal hij redelijkerwijs gesproken niet tot verkoop overgaan, als de prijs lager ligt dan de verwachte huidige opbrengsten uit bedrijfsvoortzetting. Deze verwachte huidige opbrengsten vormen de *bodem* voor de prijs van het bedrijf. De prijs die tevoor-

---

[9] Vroeger had de markt voor bedrijven een veel informeler karakter en bestond deze voornamelijk uit persoonlijke contacten.

schijn komt uit het proces van bieden op de markt voor bedrijven, dient boven deze bodem te liggen, anders gaat de transactie niet door. In de praktijk moet de prijs van overname aanzienlijk boven de bodemprijs liggen, wil verkoop voor de eigenaar de moeite waard zijn. In de tegenwoordige markt voor bedrijven zijn grote toeslagen op de marktwaarde eerder regel dan uitzondering.

Deze analyse suggereert dat het heel moeilijk is om voordeel te behalen uit overname. De markt voor bedrijven en de mogelijkheid voor de verkoper om het bedrijf voort te zetten belemmeren het behalen van meer dan gemiddelde winsten uit overname. Misschien is dit wel de reden waarom overnames vaak niet aan de verwachtingen van managers lijken tegemoet te komen, zoals veel overzichtsrapporten suggereren. Deze analyse komt eveneens overeen met de conclusies van een aantal studies door economen, waaruit zou blijken dat het meestal de verkoper, en niet de koper, is die het meeste wint bij een overname.

De reële kracht van deze analyse ligt echter in het feit dat de aandacht verlegd wordt naar de voorwaarden die bepalen of een bepaalde overname een goede kans biedt op meer dan gemiddelde winsten. Overnames zullen naar alle waarschijnlijkheid winstgevend zijn als

1. de bodemprijs, die gecreëerd is door het alternatief van de verkoper om het bedrijf voort te zetten, laag is;
2. de markt voor bedrijven *niet goed* functioneert en meer dan gemiddelde winsten door het proces van bieden niet worden uitgesloten;
3. de koper over een *uniek* vermogen beschikt de overgenomen bedrijfseenheid te runnen.

Het is belangrijk om op te merken dat het proces van bieden de winstgevendheid van een overname kan verhinderen, ook al is de bodemprijs laag. Daarom is het voor een succesvolle overname nodig dat de omstandigheden met betrekking tot minstens twee van de bovengenoemde factoren gunstig zijn.

DE HOOGTE VAN DE BODEMPRIJS

De bodemprijs voor een overname wordt gezet door het alternatief van de verkoper het bedrijf voort te zetten. Dit hangt duidelijk van de waarneming van de *verkoper* af en niet van die van de koper of de markt voor bedrijven. Het moge duidelijk zijn dat de bodemprijs lager zal komen te liggen naarmate de verkoper een sterkere drang voelt om te verkopen, omdat hij bijvoorbeeld:

- problemen heeft met vast goed;
- snel kapitaal nodig heeft;

• het topmanagement kwijtgeraakt is of geen opvolgers ziet voor het huidige management.

De bodemprijs zal ook laag zijn, als de verkoper pessimistisch is over de vooruitzichten van voortzetting van het bedrijf. De verkoper is misschien van mening dat hij minder mogelijkheden heeft dan de kopers om het bedrijf te leiden, als hij

• kapitaalbeperkingen aan de groei ziet;
• zijn zwakke punten als manager onderkent.

ONVOLKOMENHEDEN OP DE MARKT VOOR BEDRIJVEN

Ondanks de hoge organisatiegraad kan de markt voor bedrijven een aantal onvolkomenheden hebben, hetgeen wil zeggen dat er zich situaties kunnen voordoen, waarin het proces van bieden de winsten uit overname niet volledig zal elimineren. Deze onvolkomenheden vloeien voort uit het feit dat op de markt voor bedrijven produkten met een eenmalig karakter worden verhandeld, dat gegevens vaak zeer onvolledig zijn en kopers en verkopers vaak complexe motieven hebben. Onvolkomenheden op de markt, die leiden tot succesvolle overnames, zullen onder andere onder de volgende omstandigheden voorkomen:

1. *De koper is beter geïnformeerd.* De koper kan in een betere positie verkeren om gunstige toekomstige resultaten van overname te voorspellen dan andere kopers. Hij kan kennis hebben van de bedrijfstak of ontwikkelingen in de technologie of beschikken over inside informatie die andere potentiële kopers missen. In dit geval zal aan het bieden een eind komen vlak voor het elimineren van alle meer dan gemiddelde winsten.

2. *Het aantal bieders is klein.* Met een klein aantal bieders neemt de kans toe dat niet alle winsten uit de overname zullen worden geëlimineerd. Het aantal bieders kan laag zijn, als het een ongebruikelijke bedrijfseenheid betreft, die niet goed zou passen bij of begrepen zou worden door veel potentiële overnemers, of als de kandidaat zeer groot is (en maar weinig kopers het zich kunnen permitteren). De manier waarop de koper de onderhandelingen voert, kan de verkoper de moed ontnemen om te proberen andere bieders te zoeken ('wij zullen niet meedoen aan een oorlog van bieden').

3. *De economische situatie is ongunstig.* Het blijkt dat de economische situatie niet alleen het aantal kopers beïnvloedt, maar ook wat de kopers bereid zijn te betalen. Een onderneming kan dus mogelijk meer dan gemiddelde winsten behalen door tijdens een baisse bereid te zijn zaken te doen, wanneer het hiervan minder te lijden heeft dan andere bieders.

4. *Het verkopende bedrijf is ongezond.* Er zijn aanwijzingen dat ongezonde bedrijven meer in marktwaarde dalen dan op basis van een analyse

van de werkelijke verwachte opbrengsten gesuggereerd zou mogen worden, misschien omdat overnemers allemaal op zoek zijn naar gezonde bedrijven met een goed management. Het aantal bieders op een ongezond bedrijf zal dus waarschijnlijk lager zijn, evanals de prijzen die ze bereid zijn te betalen. White Consolidated blijkt met succes van een dergelijke situatie gebruik te hebben gemaakt door kwijnende bedrijven of divisies beneden de boekwaarde te kopen om ze klaarblijkelijk daarna weer winstgevend te maken.

5. *De verkoper heeft andere doelstellingen dan alleen het maximaliseren van de verkoopprijs.* Een geluk voor overnemers is dat niet alle verkopers een zo hoog mogelijke prijs voor hun bedrijf proberen te ontvangen. Aangezien de verkoopprijzen van bedrijven vaak veel hoger liggen dan wat hun eigenaars financieel verantwoord achten, hechten verkopers vaak ook waarde aan andere zaken. Voorbeelden zijn: de naam en de reputatie van de koper, de manier waarop de werknemers van de verkoper behandeld zullen worden, of het management van de verkoper aanblijft, en hoe groot de bemoeienis van de koper zal zijn bij het runnen van het bedrijf, als de eigenaar van plan is zijn functie te behouden. Ondernemingen die divisies verkopen, zullen waarschijnlijk minder snel dit soort niet-economische motieven hanteren dan eigenaars of eigenaar-managers die een geheel bedrijf verkopen, ook al kunnen ze wel een rol spelen.

Volgens deze analyse zouden overnemers moeten zoeken naar bedrijven die ook niet-economische doelstellingen hebben en hierop inspelen. Tevens suggereert deze analyse dat sommige overnemers in het voordeel zijn door de boodschap die ze voor de verkopers hebben. Als ze bijvoorbeeld kunnen wijzen op correcte behandeling van het personeel en management bij overnames in het verleden, kunnen ze hun zaak naar potentiële verkopers toe geloofwaardiger bepleiten. Grote, prestigieuze overnemers kunnen om soortgelijke redenen ook een streepje voor hebben, aangezien eigenaars hun levenswerk (hun bedrijf) graag geassocieerd zien met een gerenommeerde organisatie.

UNIEK VERMOGEN OM HET BEDRIJF VAN DE VERKOPER TE RUNNEN

De koper kan hoger bieden dan andere kopers en toch meer dan gemiddelde winsten behalen onder de volgende omstandigheden:

1. *De koper heeft het speciale vermogen de bedrijfsvoering van de verkoper te verbeteren.* Een koper met speciale bedrijfsmiddelen of vaardigheden om de strategische positie van de over te nemen kandidaat te verbeteren kan door overname meer dan gemiddelde winsten behalen. De andere bieders zullen, in hun berekeningen uitgaande van geringere voordelen van overname, stoppen met bieden, voordat de winsten zijn geëlimineerd. Bekende voorbeelden van dergelijke overnames zijn: Vlasic door Campbell en ITE door Gould.

Het vermogen om de positie van de over te nemen kandidaat te verbeteren is op zichzelf niet genoeg. Het bedrijf moet zich in dit vermogen op de een of andere wijze onderscheiden van de rest, omdat anders andere bedrijven dezelfde mogelijkheden zullen zien. Deze bedrijven kunnen dan misschien blijven bieden tot de winsten uit die verbeteringen zijn geëlimineerd door de prijs.

Bij deze aanpak lijken toetreding via overname en toetreding door bedrijfsinterne ontwikkeling het meest op elkaar. In beide gevallen moet de koper een speciaal vermogen hebben om in de nieuwe bedrijfstak te concurreren. In het geval van overname is het bedrijf in staat om andere gegadigden te overbieden en toch nog meer dan gemiddelde winsten te behalen. In het geval van bedrijfsinterne ontwikkeling is het bedrijf in staat toetredingsbarrières goedkoper te overwinnen dan andere bedrijven.

2. *Het bedrijf koopt zich in een bedrijfstak in, die voldoet aan de criteria voor bedrijfsinterne ontwikkeling.* Veel van de in de context van bedrijfsinterne toetreding aangestipte punten inzake gunstige bedrijfstakken zijn ook hier van toepassing. Als de overnemer bijvoorbeeld de acquisitie kan gebruiken als basis voor verandering van de bedrijfstakstructuur of voor uitbuiting van traditionele wijsheid, of voordeel kan trekken uit de trage of ineffectieve respons van de bestaande bedrijven op veranderingen in de bedrijfstak, zijn er goede mogelijkheden voor meer dan gemiddelde winsten in de bedrijfstak.

3. *Overname zal op unieke wijze de positie van de bestaande bedrijven van de koper versterken.* Als de overname iets kan toevoegen om de positie van de koper in zijn huidige branche te verstevigen, wordt de winstgevendheid van overname misschien niet door het proces van bieden geëlimineerd. Een goed voorbeeld van deze logica als motief voor overname is de overname van Del Monte door R.J. Reynolds. Reynolds heeft een aantal levensmiddelenmerken (Hawaiian Punch, Chun King, Vermont Maid en andere), maar is er bij de meeste van die merken niet in geslaagd een belangrijke marktpenetratie te realiseren. De overname van Del Monte zal een distributiesysteem, meer aanzien bij levensmiddelenhandelaren en penetratie van internationale markten, waar de bestaande merken van Reynolds een zwakke positie hebben, opleveren. Ook al zijn de opbrengsten uit de overname van Del Monte zelf slechts gemiddeld, het positieve effect ervan op de rest van Reynolds' strategie met betrekking tot levensmiddelen betekent waarschijnlijk dat de transactie meer dan gemiddelde winsten zal opleveren.

IRRATIONELE BIEDERS

Bij het bieden op over te nemen bedrijven is het uiterst belangrijk de motieven en de situatie van andere bieders te onderzoeken. Hoewel het bieden gewoonlijk zal stoppen, als de meer dan gemiddelde winsten zijn geëlimineerd, dient men toch rekening te houden met de mogelijkheid dat sommige concurrerende bieders nog tot ver voorbij het punt gaan waarop, vanuit het standpunt van een bepaald bedrijf, de winst is geëlimineerd. Dit kan een aantal redenen hebben:

- de bieder ziet een unieke mogelijkheid het doel van overname te verbeteren;
- de overname zal de bestaande zaken van de bieder verbeteren;
- de bieder heeft andere doelstellingen of motieven dan alleen het maximaliseren van de winst - misschien is groei het voornaamste doel. De bieder ziet mogelijkheden tot een eenmalig financieel gewin of wil het over te nemen bedrijf juist vanwege de bijzondere eigenschappen van het management.

In zo'n geval is het belangrijk de bereidheid van de bieder om de prijs te verhogen *niet* als een indicatie voor de waarde van de overname te beschouwen.

Stapsgewijze toetreding

Alle beslissingen om tot een bedrijfstak toe te treden moeten een strategische doelgroep bevatten. Als men de bespreking in hoofdstuk 7 echter combineert met de eerder in dit hoofdstuk gegeven analyse, blijkt dat een bedrijf een strategie van stapsgewijze toetreding kan volgen door aanvankelijk in één groep te penetreren en vervolgens groep voor groep verder door te dringen. Zo nam Procter and Gamble bijvoorbeeld de Charmin Paper Company over, die toiletpapier van hoge kwaliteit maakte en enige produktiefaciliteiten bezat, maar weinig of geen merkidentificatie had en slechts beschikte over regionale distributie. Met deze strategische groep als vertrekbasis investeerde Procter and Gamble substantiële middelen in het creëren van merkidentificatie, het bereiken van een nationale distributie en het verbeteren van het produkt en de produktiefaciliteiten. Zo schoof Charmin op naar een nieuwe strategische groep.

Door een dergelijke strategie van stapsgewijze toetreding kunnen de totale kosten en risico's van het overwinnen van de mobiliteitsbarrières naar de strategische groep die het uiteindelijke doel is, verminderen. De kosten kunnen dalen door het accumuleren van kennis en merkidentificatie in de bedrijfstak door penetratie in de basisgroep, die dan zonder kosten gebruikt wordt voor verplaatsing naar de uiteindelijke doelgroep. Managementtalent kan iets gematigder op eenzelfde wijze ontwikkeld worden. Tevens kan de reactie van bestaande bedrijven op toetreding getemperd worden door een dergelijke stapsgewijze strategie.

Vaak worden door een stapsgewijze strategie de risico's van toetreding teruggebracht, omdat het bedrijf het risico kan segmenteren. Als het bedrijf bij de eerste poging tot toetreding faalt, bespaart het de kosten van verdere pogingen; het zou al zijn kaarten op tafel hebben moeten leggen, wanneer het geprobeerd had rechtstreeks tot de uiteindelijke doelgroep toe te treden. Stapsgewijze toetreding stelt een bedrijf ook in staat kapitaal te accumuleren voor volgende positieverschuivingen, waarvoor het wellicht een hoge prijs zou hebben moeten betalen, als het alles in één keer nodig had gehad. Daar komt nog bij dat een bedrijf kan besluiten tot een eerste stap in een strategische groep, waarin voor het overwinnen van mobiliteitsbarrières investeringen nodig zijn, die relatief goed inwisselbaar zijn (fabriekscapaciteit die goed in de markt ligt). De eerste stap van een bedrijf kan bijvoorbeeld bestaan uit de produktie voor een eigen merk. Alleen als het daarin succesvol is, zal het bedrijf vervolgens proberen te penetreren in een strategische groep, waar enorme investeringen in reclame, O&O of andere niet te recupereren gebieden noodzakelijk zijn om mobiliteitsbarrières te overwinnen.

De analyse van stapsgewijze toetreding kan omgedraaid worden om de implicaties voor de bestaande bedrijven in de bedrijfstak af te leiden. Als er bepaalde, veilige strategieën van stapsgewijze toetreding zijn, is het duidelijk zinvol om rechtstreeks te investeren in mobiliteitsbarrières teneinde die strategieën onmogelijk te maken.

Appendices

Appendices

APPENDIX A
Portfoliotechnieken bij concurrentie-analyse

Sinds het einde van de zestiger jaren heeft men een aantal technieken ont-wikkeld voor het weergeven van de operaties van een gediversifieerde onderneming als een 'portfolio' van bedrijven. Deze technieken voorzien in simpele methodes voor het in kaart brengen of categoriseren van verschil-lende bedrijven, die in de portfolio van een onderneming zitten, en het bepalen van de implicaties voor de allocatie van bedrijfsmiddelen. Technie-ken voor portfolio-analyse zijn het meest toepasbaar op de ontwikkeling van een strategie op overkoepelend niveau en op het verschaffen van een overzicht van de bedrijfseenheden, en niet zozeer op het ontwikkelen van een concurrentiestrategie voor individuele bedrijfstakken. Niettemin kun-nen deze technieken, als hun beperkingen worden begrepen, ook helpen bij de beantwoording van sommige vragen over concurrentie-analyse die in hoofdstuk 3 aan de orde kwamen, vooral als een bedrijf concurreert met een gediversifieerde concurrent die deze technieken gebruikt voor zijn stra-tegische planning.

Er is veel geschreven over de meest gebruikte technieken voor portfo-lio-analyse en ik zal hier geen uitgebreide bespreking geven van hun wer-king.[1] De aandacht zal meer gericht worden op het uiteenzetten van de

---

[1] Voor een uitgebreide behandeling van deze technieken, zie Abell en Hammond (1979), hoofdstukken 4 en 5; Day (1977); Salter en Weinhold (1979), hoofdstuk 4.

basiselementen van de twee meest gebruikte technieken - de groei/markt-aandeelmatrix, ontwikkeld door de Boston Consulting Group (BCG), en de doorlichting van bedrijfspositie/aantrekkelijkheid van bedrijfstak, ontwikkeld door General Electric en McKinsey -, alsmede het bespreken van hun nut voor concurrentie-analyse.

De groei/marktaandeelmatrix

De groei/marktaandeelmatrix is gebaseerd op het gebruik van de groei van de bedrijfstak en het relatieve marktaandeel[2] als benaderingen voor (1) de concurrentiepositie van de bedrijfseenheid van een onderneming in de bedrijfstak en (2) de daaruit voortvloeiende netto cash flow die nodig is om de bedrijfseenheid draaiende te houden. Aan deze formule ligt de veronderstelling ten grondslag dat er sprake is van een 'learning'curve (besproken in hoofdstuk 1) en dat het bedrijf met het grootste relatieve marktaandeel daardoor producent tegen de laagste kosten zal zijn.

Deze premissen leiden tot een portfoliokaart, zoals getoond in figuur A-1, waarop elke bedrijfseenheid van een onderneming kan worden ingedeeld. Hoewel de scheidslijnen in termen van groei en relatief marktaandeel arbitrair zijn, wordt de portfoliokaart van groei/marktaandeel gewoon-

FIGUUR A-1   Groei/marktaandeelmatrix

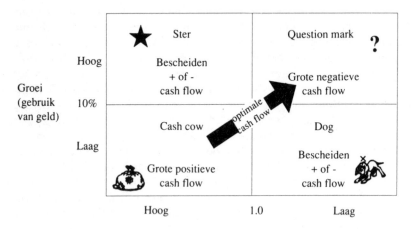

Relatief marktaandeel (vorming van geld)

---

[2] Het relatieve marktaandeel is het marktaandeel van het bedrijf, afgezet tegen dat van de grootste concurrent in de bedrijfstak.

lijk in vier kwadranten verdeeld. Het idee hierachter is dat bedrijfseenheden die elk in een ander kwadrant zijn geplaatst, zich in een fundamenteel andere cash flowpositie zullen bevinden en anders geleid moeten worden, hetgeen ons brengt naar enige implicaties voor de manier waarop de onderneming moet proberen zijn totale portfolio op te bouwen.

- Cash cows: bedrijven met een hoog relatief aandeel op langzaam groeiende markten zullen een gezonde cash flow voortbrengen, die kan worden gebruikt om andere, zich ontwikkelende bedrijven te steunen.
- Dogs: bedrijven met een laag relatief aandeel op langzaam groeiende markten zullen vaak bescheiden geldverbruikers zijn. Ze zullen 'geldvallen' zijn vanwege hun zwakke concurrentiepositie.
- Stars: bedrijven met een hoog aandeel op zeer snel groeiende markten zullen vaak grote bedragen nodig hebben om de groei te handhaven, maar ze hebben een sterke marktpositie, die hoge winsten garandeert. Ze kunnen vrijwel in geldevenwicht zijn.
- Question marks: bedrijven met een laag relatief aandeel op een snel groeiende markt hebben grote bedragen nodig om de groei te financieren en brengen weinig geld op vanwege hun zwakke concurrentiepositie.

Volgens de filosofie van de groei/marktaandeelportfolio worden de 'cash cows' de financierders van andere ontwikkelende bedrijven binnen de onderneming. In het ideale geval worden 'cash cows' gebruikt om van 'question marks' 'stars' te maken. Aangezien er erg veel kapitaal nodig is om zowel de snelle groei bij te houden als het marktaandeel uit te breiden, wordt de beslissing over welke 'question marks' tot 'stars' gemaakt moeten worden strategisch zeer belangrijk. Als een bedrijf eenmaal een 'star' is, wordt het uiteindelijk een 'cash cow', als de groei van de markt afneemt. 'Question marks' die niet voor investering worden uitgekozen, moeten afgeroomd worden (zodanig geleid worden dat ze geld gaan opbrengen) tot ze 'dogs' zijn geworden. 'Dogs' moeten afgeroomd of uit de portfolio geschrapt worden. Een onderneming moet zijn portfolio zo beheren, volgens de BCG, dat de gebeurtenissen volgens dit wenselijke stramien plaatsvinden en de portfolio in geldevenwicht is.

BEPERKINGEN

De toepasbaarheid van het portfoliomodel hangt van een aantal voorwaarden af, waarvan de belangrijkste hieronder worden samengevat:

- De markt is voldoende nauwkeurig afgebakend om belangrijke gedeelde ervaring en andere onderlinge afhankelijkheid met andere markten te verklaren. Dit is vaak een subtiel probleem dat veel analysewerk vergt.

- De structuur van de bedrijfstak (hoofdstuk 1) en binnen de bedrijfstak (hoofdstuk 7) zijn zodanig, dat het relatieve marktaandeel een goede afspiegeling is van concurrentiepositie en relatieve kosten. Dit is vaak niet het geval.
- Groei van de markt is een goede benadering voor de benodigde geldinvestering. Toch hangen winsten (en cash flow) van een heleboel andere zaken af.

GEBRUIK BIJ CONCURRENTIE-ANALYSE

Met het oog op deze voorwaarden is de groei/marktaandeelmatrix op zich niet bijzonder handig voor het formuleren van een strategie voor een bepaalde bedrijfstak. Voor het vaststellen van de concurrentiepositie van een bedrijfseenheid en de vertaling daarvan in een concrete strategie is veel analyse noodzakelijk van het in dit boek beschreven soort.[3] Als deze uitgebreide analyse is uitgevoerd, voegt de portfolio-indeling daar weinig aan toe.

De groei/marktaandeelmatrix kan echter een onderdeel zijn van concurrentie-analyse, mits gecombineerd met de andere in hoofdstuk 3 beschreven soorten analyse. Een bedrijf kan zo goed mogelijk de ondernemingsportfolio van elk van zijn belangrijke concurrenten indelen, zo mogelijk op verschillende tijdstippen. De portfoliopositie van de bedrijfseenheid, waartegen het bedrijf concurreert, zal enkele aanwijzingen bevatten in verband met de vragen die in hoofdstuk 3 worden gesteld, met betrekking tot de doelstellingen waarvan verwezenlijking door de bedrijfseenheid misschien van de moedermaatschappij wordt verwacht, en met betrekking tot de kwetsbaarheid voor verschillende soorten strategische maatregelen. Een bedrijf dat bijvoorbeeld afgeroomd wordt, zal kwetsbaar zijn voor aanvallen op zijn marktaandeel. Door vergelijking van de portfolio's van concurrenten in de tijd kunnen nog duidelijker positieverschuivingen van een bedrijfseenheid van de concurrent ten opzichte van andere eenheden binnen die onderneming vastgesteld worden en kunnen verdere aanwijzingen over de strategische opdrachten die de concurrent misschien heeft gekregen, worden verkregen. Als van de concurrent bekend is dat hij gebruik maakt van de portfoliobenadering van groei/marktaandeel bij zijn planning, wordt de voorspellende kracht van portfolio-analyse alleen maar groter. Maar ook als een concurrent deze techniek niet formeel gebruikt, kan de logica van de noodzaak van een brede allocatie van bedrijfsmiddelen betekenen dat de portfolio bruikbare aanwijzingen bevat.

[3] Adviezen als 'afromen' of 'maak er een *star* van' zijn als richtlijn voor het management absoluut onvoldoende.

De doorlichting van bedrijfspositie/aantrekkelijkheid van de bedrijfstak

Een andere techniek is de drie-bij-drie-matrix, afwisselend toegeschreven aan General Electric, McKinsey and Company en Shell. Een representatieve variant van deze techniek wordt weergegeven in figuur A-2. Bij deze benadering worden de twee assen gevormd door de aantrekkelijkheid van de bedrijfstak en de kracht of concurrentiepositie van de bedrijfseenheid. Waar de plaats van een bepaalde bedrijfseenheid ten opzichte van deze assen is, wordt bepaald door een analyse van die eenheid in zijn bedrijfstak, waarbij criteria worden gebruikt, die in figuur A-2 worden opgesomd. Afhankelijk van de plaats van de eenheid in de matrix luidt de algemene strategische richtlijn investering van kapitaal om een positie *op te bouwen*, de positie *vast te houden* door een evenwicht te bewaren tussen selectief gebruik van geld en het voortbrengen ervan, of *af te romen* of af te bouwen. De te verwachten verschuivingen in de aantrekkelijkheid van de bedrijfstak of de bedrijfspositie maken bijstelling van de strategie noodzakelijk. Een onderneming kan zijn bedrijvenportfolio in een dergelijke matrix indelen om zeker te zijn van een juiste allocatie van de bedrijfsmiddelen. Het bedrijf kan ook proberen een afweging te maken met betrekking tot de samenstelling van de portfolio uit ontwikkelende en ontwikkelde bedrijven en de interne consistentie van geldvorming en geldverbruik.

FIGUUR A-2   Doorlichting van bedrijfspositie/aantrekkelijkheid van de bedrijfstak

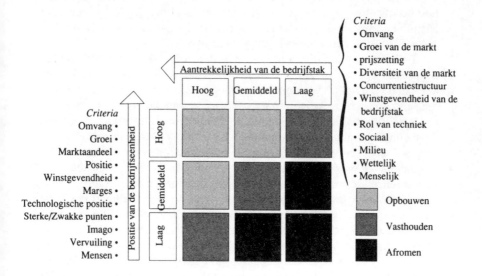

De doorlichting van bedrijfspositie/aantrekkelijkheid van de bedrijfstak is minder nauwkeurig te kwantificeren dan de methode van groei/marktaandeel, omdat voor de indeling van een bepaalde bedrijfseenheid een subjectieve beoordeling nodig is. Vaak hoort men de kritiek dat deze methode kwetsbaarder is voor manipulatie. Met het oog hierop gebruikt men soms afwegingsschema's, waarbij criteria, waarvan is vastgesteld dat ze een bedrijfstak aantrekkelijk maken of dat ze bepalend zijn voor de bedrijfspositie, worden gebruikt om de analyse 'objectiever' te maken. De doorlichtingstechniek gaat ervan uit dat elke bedrijfseenheid verschillend is en dat daarvoor een aparte analyse van concurrentiepositie en aantrekkelijkheid van de bedrijfstak nodig is. Zoals hierboven reeds is opgemerkt, is voor het opstellen van de portfolio van groei/marktaandeel in de praktijk een soortgelijke particularistische analyse van elke bedrijfseenheid nodig. De 'objectiviteit' daarvan verschilt in wezen dus weinig van die van de doorlichting van de bedrijfspositie/aantrekkelijkheid van de bedrijfstak.

Net als de portfoliomatrix van groei/marktaandeel biedt de doorlichting van bedrijfspositie/aantrekkelijkheid van de bedrijfstak slechts een basiscontrole op consistentie bij het formuleren van een concurrentiestrategie voor een bepaalde bedrijfstak. Waar het werkelijk om gaat, is de beslissing over waar de bedrijven in het schema moeten worden geplaatst, het besluit of de bij die positie behorende strategie gevolgd moet worden en de uitwerking van een gedetailleerd strategisch concept voor opbouw, consolidatie of afroming. Voor deze stappen is het soort analyse nodig dat in dit boek wordt beschreven, aangezien de in figuur A-2 opgesomde criteria bij lange na niet voldoende zijn om de attractiviteit van de bedrijfstak, de bedrijfspositie of de juiste strategie te bepalen. Het is bijvoorbeeld moeilijk te zien hoe doorlichting zou kunnen leiden tot een aanbeveling om in een neergaande bedrijfstak te investeren, hetgeen in sommige situaties, besproken in hoofdstuk 12, een verstandig advies kan zijn.

Toch kan doorlichting op bijna dezelfde wijze als de groei/marktaandeelmatrix een rol spelen in concurrentie-analyse. Het kan gebruikt worden om de portfolio's van concurrenten op verschillende tijden te construeren om zo inzicht te krijgen in de strategische richtlijnen die de concurrerende bedrijfseenheid misschien van het hoofdkantoor ontvangt. Of hiertoe de techniek van groei/marktaandeel of bedrijfspositie/aantrekkelijkheid van de bedrijfstak wordt gebruikt, is hoofdzakelijk een kwestie van persoonlijke voorkeur (voor een goed gebruik van beide technieken is in wezen eenzelfde analyse nodig), tenzij van een concurrent bekend is welke van de twee hij gebruikt. In dat geval wordt de voorspellingskracht het grootst, als dezelfde techniek wordt gebruikt. Opgemerkt moet worden dat de techniek van groei/marktaandeel onlosmakelijk is verbonden met het concept van de 'learning'curve. Als van een concurrent dus bekend is dat hij sterk beïnvloed wordt door een 'learning'curve, geeft de portfoliobenadering van groei/marktaandeel waarschijnlijk een betere prognose over diens doelstellingen en gedrag.

APPENDIX B
Het uitvoeren van een bedrijfstak-analyse

Hoe moet men te werk gaan bij het analyseren van een bedrijfstak en van concurrenten? Naar wat voor gegevens moet men zoeken en hoe kunnen die geordend worden? Waar kan men deze gegevens vinden? In deze appendix wordt ingegaan op deze vragen en op enkele andere praktische problemen bij het uitvoeren van een bedrijfstakanalyse. Er zijn in wezen twee soorten informatiebronnen over bedrijfstakken: gepubliceerde gegevens en gegevens die verzameld zijn in interviews met managers in en waarnemers van de bedrijfstak (veldgegevens). Het grootste gedeelte van deze appendix zal gewijd zijn aan het vaststellen van belangrijke bronnen van gepubliceerde en veldgegevens, hun sterke en zwakke punten en strategieën waarmee ze het meest doeltreffend en in de juiste volgorde aangeboord kunnen worden.

Een volledige bedrijfstakanalyse is een gigantische taak en kan maanden in beslag nemen, als men vanaf nul begint. Bij het beginnen van een bedrijfstakanalyse bestaat de neiging om er gelijk in te duiken en een massa gedetailleerde informatie te verzamelen, die weinig bijdraagt tot een algemeen schema of een algemene methode om die informatie in te passen. In het gunstigste geval leidt dit gebrek aan methodiek tot frustatie, in het slechtste geval tot verwarring en verspilde moeite. Alvorens dus de specifieke bronnen nader te beschouwen is het belangrijk een algemene strategie te bepalen voor het verrichten van een bedrijfstakonderzoek en voor de belangrijke eerste stappen om daarmee een begin te maken.

Strategie voor bedrijfstakanalyse

Er zitten twee belangrijke aspecten aan het ontwikkelen van een strategie voor het analyseren van een bedrijfstak. Het eerste is het bepalen van wat het is, waar men naar zoekt. 'Alles over de bedrijfstak' is veel te ruim gesteld om als een efficiënte leidraad te kunnen dienen voor het onderzoek. Hoewel de volledige lijst van specifieke punten, waar men zich bij een bedrijfstakanalyse op moet richten, afhangt van de te bestuderen bedrijfstak, is het mogelijk om te generaliseren over de belangrijke informatie en ruwe gegevens, waar de onderzoeker naar moet speuren. De hoofdstukken in dit boek hebben de belangrijkste structurele kenmerken van bedrijfstakken, de belangrijke krachten waardoor die veranderen en de noodzakelijke strategische informatie over concurrenten aangegeven. Deze factoren vormen het doel van een bedrijfstakanalyse en de kern van het schema, waarin deze factoren zijn vervat, is weergegeven in de hoofdstukken 1, 3, 7 en 8 en is in de rest van het boek uitgebreid. Aangezien deze kenmerken van de structuur en de concurrenten in het algemeen echter geen veldgegevens zijn, maar veeleer het resultaat van een *analyse* daarvan, zullen onderzoekers tevens baat hebben bij een gestructureerde aanpak voor het systematisch verzamelen van ruwe gegevens. Een eenvoudige maar uitputtende reeks terreinen, waarop ruwe gegevens moet worden verzameld, is weergegeven in figuur B-1. De onderzoeker die elk van deze terreinen volledig kan beschrijven, zal zich in een positie moeten bevinden om een compleet en begrijpelijk beeld van de bedrijfstakstructuur en van het profiel van de concurrenten te ontwikkelen.

Na het bepalen van een gestructureerde aanpak voor het verzamelen van gegevens is de tweede belangrijke strategische vraag in welke volgorde de gegevens op al die terreinen uitgewerkt moeten worden. Er is een aantal alternatieven, uiteenlopend van het punt voor punt bestuderen tot willekeurig te werk gaan. Zoals echter reeds eerder opgemerkt is, biedt het belangrijke voordelen te beginnen met een algemeen *overzicht* van de bedrijfstak en pas daarna de aandacht te richten op specifieke punten. Ervaring heeft uitgewezen dat een breed inzicht de onderzoeker kan helpen belangrijke items effectiever naar voren te halen bij het bestuderen van informatiebronnen en gegevens effectiever te organiseren.

Een aantal stappen kan behulpzaam zijn bij het verkrijgen van een dergelijk overzicht:

1. *Wie bevinden zich in de bedrijfstak?* Het is verstandig direct een globale lijst op te stellen van bedrijven in de bedrijfstak, vooral marktleiders. Met een lijst van de belangrijkste concurrenten kan men sneller andere artikelen en bedrijfsartikelen vinden (enkele van de later te bespreken bronnen zullen hierbij helpen). De sleutel voor de ontsluiting van veel van deze bronnen in de V.S. is de *Standard Industrial Classification*-code (SIC) van de bedrijfstak, die gehaald kan worden uit het Standard Industrial Classifi-

FIGUUR B-1   Ruwe gegevenscategorieën voor bedrijfstakanalyse

Gegevenscategorieën

Samenvoeging

Produktassortimenten	Per bedrijf
Kopers en hun gedrag	Per jaar
Complementaire produkten	Per functioneel gebied

Substituten

Groei
  Snelheid (groeivoet)
  Patroon (seizoens-, cyclisch)
  Determinanten

Technologie van produktie en distributie
  Kostenstructuur
  Schaalvoordelen
  Toegevoegde waarde
  Logistiek
  Arbeid

Marketing en verkoop
  Marktsegmentatie
  Marketingpraktijken

Leveranciers

Distributiekanalen (indien niet rechtstreeks)

Innovatie
  Soorten
  Bronnen
  Snelheid (innovatievoet)
  Schaalvoordelen

Concurrenten - strategie, doelstellingen, sterke en
zwakke punten, uitgangspunten

Sociale, politieke en wettelijke omgeving

Macro-economische omgeving

cation Manual van het Census Bureau. Het SIC-systeem classificeert bedrijfstakken volgens een aantal uiteenlopende breedteniveaus, waarbij bedrijfstakken met 10 tot 100 ondernemingen voor de meeste doelen veel te groot zijn, bedrijfstakken met meer dan 10.000 bedrijven vaak te klein en bedrijfstakken met tussen de 1000 en 10.000 bedrijven gewoonlijk wel goed zijn.

2. *Bedrijfstakstudies*. Als men geluk heeft, kan men de beschikking krijgen over een betrekkelijk begrijpelijke studie of een aantal breed georiënteerde artikelen. Het lezen hiervan kan een snelle manier zijn om een overzicht te krijgen. (Bronnen van bedrijfstakstudies worden later besproken).

3. *Jaarverslagen*. Als er zich publikatieplichtige bedrijven in de bedrijfstak bevinden, moeten in een vroeg stadium jaarverslagen geraadpleegd worden. Uit een enkel jaarverslag zal misschien niet veel op te maken zijn. Het doorbladeren van de jaarverslagen van een aantal grote maatschappijen over een periode van tien tot vijftien jaar is echter een uitstekende manier om een eerste inzicht te verwerven in de bedrijfstak. Hierin zullen de meeste aspecten van de bedrijfstak op een gegeven moment wel aan de orde komen. Het voor een overzicht meest verhelderende gedeelte van een jaarverslag is meestal het begeleidend commentaar van de president-directeur of de voorzitter van de Raad van Bestuur. De onderzoeker moet kijken naar de aangevoerde redenen voor zowel goede als slechte resultaten; hieruit kan iets afgeleid worden omtrent de factoren die voor het succes van het bedrijf van cruciaal belang zijn. Het is ook belangrijk op te merken waar het bedrijf in zijn jaarrapport trots op lijkt te zijn, waar het zich zorgen over maakt en welke belangrijke veranderingen zijn doorgevoerd. Het is ook mogelijk om al lezende iets te begrijpen van de organisatie van het bedrijf, de produktiestroom en talloze andere factoren door bij een reeks jaarverslagen van eenzelfde bedrijf tussen de regels door te lezen.

De onderzoeker zal over het algemeen in een later stadium op de jaarrapporten en andere bedrijfsdocumentatie terug willen komen. Na een eerste studie zullen nog veel nuances onzichtbaar zijn, die duidelijk worden als de kennis over de bedrijfstak en de concurrent vollediger wordt.

VROEG BEGINNEN MET VELDONDERZOEK

Als er één algemeen probleem is bij het starten van een bedrijfstakanalyse, is dat het feit dat onderzoekers geneigd zijn te veel tijd te besteden aan het zoeken naar gepubliceerde bronnen en aan bezoeken aan de bibliotheek alvorens veldbronnen aan te boren. Zoals we later zullen zien, hebben gepubliceerde bronnen verscheidene beperkingen: tijdgebondenheid, niveau van samenvoeging, diepte, enzovoort. Ofschoon het verstandig is je vooraf een beeld te vormen van de bedrijfstak om zoveel mogelijk uit de veldinterviews te kunnen halen, moet de onderzoeker niet eerst alle gepubliceerde bronnen uitputtend bestuderen *voordat* hij/zij het veld ingaat. Integendeel, veld- en literatuuronderzoek dienen gelijktijdig plaats te vinden. Ze vullen elkaar vaak aan, vooral als de onderzoeker op directe wijze elke veldbron vraagt om verwijzingen naar gepubliceerd materiaal over de bedrijfstak. Veldbronnen zijn doorgaans efficiënter, omdat ze direct ter zake komen, zonder tijdverspilling door het lezen van zinloze documenten. Interviews kunnen de onderzoeker soms ook helpen bepaalde punten te onderkennen. Deze hulp kan in sommige gevallen ten koste gaan van de objectiviteit.

ALLE BEGIN IS MOEILIJK

Ervaring wijst uit dat het moreel van onderzoekers bij een bedrijfstak-
studie gedurende de onderzoek volgens een U-vormige cyclus verloopt.
Het aanvankelijke enthousiasme maakt plaats voor verwarring en zelfs
paniek, als de complexiteit van de bedrijfstak duidelijk wordt en bergen
informatie zich opstapelen. Pas in een later stadium van het onderzoek
beginnen alle zaken wat duidelijker te worden. Dit patroon blijkt heel vaak
voor te komen, en het kan dan ook voor onderzoekers nuttig zijn daar aan
te denken.

Gepubliceerde bronnen voor bedrijfstak- en concurrentie-analyse

De hoeveelheid beschikbare gepubliceerde informatie verschilt per
bedrijfstak. Hoe groter de bedrijfstak is, hoe ouder deze is en hoe trager
het tempo van technologische verandering, des te uitgebreider de beschikbare gepubliceerde informatie zal zijn. Helaas voldoen veel bedrijfstakken
niet aan deze criteria en is er in die gevallen maar weinig gepubliceerd
materiaal voorhanden. Het is echter *altijd* mogelijk om enkele belangrijke
gegevens over een bedrijfstak uit gepubliceerde bronnen te halen; deze
bronnen moeten dan ook veel aandacht krijgen. Bij het gebruik van gepubliceerde gegevens voor het analyseren van een economisch van belang
zijnde bedrijfstak zal de onderzoeker over het algemeen geconfronteerd
worden met het probleem dat deze te *globaal* zijn, of teveel bijeengevoegd,
om relevante informatie over de bedrijfstak te geven. Als de onderzoeker
met deze realiteit in het achterhoofd naar gegevens begint te zoeken, zal hij
het nut van globale gegevens beter inzien en zal hij de neiging om al te
gemakkelijk op te geven beter kunnen onderdrukken.

Het verkrijgen van verwijzingen naar gepubliceerd materiaal kan door
twee belangrijke principes gesteund worden. Ten eerste moet elke gepubliceerde bron zorgvuldig nageplozen worden op verwijzingen naar ander
bronnen, zowel gepubliceerde bronnen als veldinterviews. Vaak zullen in
artikelen bepaalde personen (bedrijfsdirecteuren, beleggingsanalisten,
enzovoort) niet bij toeval geciteerd worden; meestal zijn dit zeer goed geïnformeerde of bijzonder openhartige waarnemers van de bedrijfstak en kunnen ze uitstekende aanwijzingen verschaffen.

Het tweede principe is het zorgvuldig bijhouden van een bibliografie
van alles dat aan het licht is gekomen. Hoewel het op het moment zelf bijzonder lastig is, spaart volledige bronvermelding niet alleen tijd uit bij het
samenstellen van de bibliografie aan het eind van het onderzoek, maar
wordt hierdoor tevens zinloos dubbel werk door leden van het onderzoeksteam vermeden, evenals de vertwijfeling van het vergeten zijn waar een

cruciaal stuk informatie ook al weer vandaan kwam. Resumerende aantekeningen over de bronnen of kopieën van bruikbare bronnen zijn eveneens
nuttig. De noodzaak van herlezing wordt hierdoor tot een minimum teruggebracht en de communicatie binnen het onderzoeksteam wordt hierdoor
vergemakkelijkt.

Hoewel er soms talloze soorten gepubliceerde bronnen zijn, kan men
toch een aantal algemene categorieën onderscheiden, die hieronder worden behandeld.[1]

BEDRIJFSTAKSTUDIES

Studies die een algemeen overzicht van bepaalde bedrijfstakken ople-
ren, vallen in twee algemene soorten uiteen. Ten eerste zijn er studies over
bedrijfstakken, die de omvang hebben van een boek en vaak (doch niet
altijd) door economen zijn geschreven. Deze kunnen gewoonlijk het
gemakkelijkst gevonden worden in de standcatalogi van bibliotheken en
door controle van verwijzingen in andere bronnen. Deelnemers in of waarnemers van een bedrijfstak zullen van het bestaan van dergelijke studies
bijna altijd op de hoogte zijn en ze dienen er in de loop van het onderzoek
naar gevraagd te worden.

De tweede algemene categorie wordt gevormd door de aanmerkelijk
kortere, meer gespecialiseerde studies van effectenbanken of adviesbureaus, zoals Frost and Sullivan, Arthur D. Little, Stanford Research Insti-
tute en alle andere beursgerichte onderzoeksbedrijven. Soms verzamelen
gespecialiseerde adviesbureaus gegevens over bepaalde bedrijfstakken,
zoals SMART Inc. in de ski-industrie en IDC in de computerindustrie.
Vaak moet men betalen om deze studies te mogen inzien. Hoewel er verschillende 'gidsen' zijn gepubliceerd van studies over marktonderzoek, is er
helaas geen centraal punt waar deze allemaal zijn opgeslagen; de beste
manier om er wat over te weten te komen is via deelnemers in of waarnemers van de bedrijfstak.

HANDELSVERENIGINGEN

Veel bedrijfstakken kennen handelsverenigingen, die dienen als uitwis-
selingsplaats voor gegevens over de bedrijfstak en die soms gedetailleerde
statistieken van de bedrijfstak publiceren.[2] De bereidheid van handelsverenigingen om onderzoekers gegevens te verstrekken verschilt zeer. Meestal

---

[1] L. Daniels (1976) is een uitstekende algemene bron van bedrijfstakinformatie. In de grote
bedrijfsbibliotheken beschikt men ook over een aantal geautomatiseerde uittreksel- en infor-
matiediensten, die het proces van het vinden van artikelen en het scheiden van de nuttige en
de onbruikbare aanzienlijk bespoedigen.

[2] Er bestaan verscheidene gepubliceerde registers van handelsverenigingen.

is echter een introductie van een lid van de handelsvereniging handig om medewerking van de staf te krijgen bij het verzamelen van gegevens.

Of de handelsvereniging nu een bron van gegevens is of niet, leden van de staf kunnen zeer nuttig zijn door de onderzoekers te attenderen op bestaande gepubliceerde gegevens over de bedrijfstak, de belangrijkste bedrijven in de bedrijfstak te noemen en hun een algemene indruk te geven van het functioneren van de bedrijfstak, van de sleutelfactoren voor bedrijfssucces en van belangrijke ontwikkelingen in de bedrijfstak. Als eenmaal met een bestuurslid van een handelsvereniging contact is gelegd, kan deze op zijn beurt een nuttige referentie zijn voor nieuwe contacten met bedrijfstakparticipanten en kan hij dié participanten aanwijzen, die representatief zijn voor de diverse standpunten.

VAKTIJDSCHRIFTEN

De meeste bedrijfstakken kennen één of meer vaktijdschriften die de gebeurtenissen in de bedrijfstak regelmatig (soms zelfs dagelijks) verslaan. Een kleine bedrijfstak wordt soms opgenomen als onderdeel van een breder georiënteerde vakpublikatie. Vakbladen in de bedrijfstak van de klant, distributeur of leverancier zijn soms eveneens nuttige bronnen.

Het doorbladeren van vaktijdschriften over een langere periode is bijzonder nuttig voor het verkrijgen van inzicht in de dynamische concurrentiefactoren en belangrijke veranderingen in de bedrijfstak, alsmede voor een diagnose van de normen en attitudes.

FINANCIEEL-ECONOMISCHE PERS

Bedrijven en bedrijfstakken passeren via een reeks uiteenlopende bedrijfspublikaties op periodieke basis de revu. Voor het vinden van verwijzingen zijn er diverse standaardbibliografieën, waaronder de *Business Periodicals Index*, *The Wall Street Journal Index* en de *F&S Index*, Verenigde Staten (en bijlagen voor Europa en de rest van de wereld).

REGISTRATIE VAN BEDRIJVEN EN STATISTISCHE GEGEVENS

Er bestaan verschillende registers van zowel openbare als privé-ondernemingen in de V.S., waarvan sommige een beperkt aantal gegevens bevatten. Veel registers geven de bedrijven aan met hun SIC-code en zorgen zo voor een methode voor het aanleggen van een complete lijst bedrijfstakparticipanten. Uitgebreide registers zijn onder meer *Thomas Register of American Manufacturers*, de *Million Dollar Directory* en *Middle Market Directory* van Dun en Bradstreet, *Standard and Poor's Register of Corporations, Directors and Executives* en de verschillende publikaties van *Moody*. Een andere uitgebreide lijst van naar bedrijfstak gerangschikte bedrijven is de *30.000 Leading U.S. Corporations* van Newsfront, die tevens nog een beperkte hoeveelheid financiële informatie geeft. Naast deze algemene registers zijn ook financiële tijdschriften (*Fortune, Forbes*) en gidsen voor kopers een mogelijke bron van uitgebreide bedrijfsregistraties.

Dun en Bradstreet stelt kredietrapporten samen over alle bedrijven van enige omvang, of ze nu openbaar of privé zijn. Deze rapporten zijn niet in elke bibliotheek te vinden en worden alleen gezonden naar ingeschreven bedrijven die voor deze service een hoog vast bedrag betalen, plus een kleine bijdrage voor de afzonderlijke rapporten. De rapporten van Dun en Bradstreet zijn als bronnen over privé-ondernemingen waardevol, maar aangezien de door de onderneming verstrekte gegevens niet gecontroleerd kunnen worden, moet bij het gebruik ervan enige terughoudendheid betracht worden; veel gebruikers hebben melding gemaakt van onjuistheden in gegevens.

Er zijn ook veel statistische bronnen voor gegevens, zoals reclame-uitgaven en gedrag op de aandelenmarkt.

BEDRIJFSDOCUMENTEN

De meeste bedrijven publiceren allerlei documenten over zichzelf, vooral als hun aandelen openbaar verhandeld worden. Naast jaarverslagen kunnen rapporten van de beurscommissie, volmachtverklaringen, prospectussen en andere door de overheid vereiste publikaties nuttig zijn. Ook nuttig zijn toespraken of verklaringen van directieleden, persberichten, produktbeschrijvingen, handleidingen, gepubliceerde historische rapporten over bedrijven, notulen van jaarvergaderingen, personeelsadvertenties, patenten en zelfs reclame.

BELANGRIJKE OVERHEIDSBRONNEN

De Internal Revenue Service geeft in de *IRS Corporation Source Book of Statistics of Income* uitgebreide jaarlijkse financiële gegevens over bedrijfstakken (door de organisatie-omvang binnen de bedrijfstak) op basis van de collectieve belastingopbrengsten. Een minder gedetailleerde, gedrukte versie van de gegevens geeft de *Statistics of Income*. Het voornaamste nadeel van deze bron is het feit dat de financiële gegevens van een gehele onderneming bij de voornaamste bedrijfstak van die onderneming worden ingedeeld, daarmee een vertekend beeld gevend in bedrijfstakken waarin veel participanten in hoge mate gediversifieerd zijn. De IRS-gegevens verschijnen echter elk jaar, gaan terug tot 1940 en vormen de enige bron van financiële gegevens over alle bedrijven in de bedrijfstak.

Een andere bron van overheidsstatistieken is het Bureau of the Census. De meest gebruikte uitgaven zijn *Census of Manufacturers, Census of Retail*

Trade en *Census of the Mineral Industries*, die tot vrij ver in het verleden teruggaan. Net als de IRS-gegevens verwijzen de tellingen niet zozeer naar specifieke bedrijven, maar splitsen ze veeleer de statistieken volgens SIC-code uit. Uit het tellingsmateriaal zijn ook veel regionale gegevens over bedrijfstakken te halen. In tegenstelling tot IRS-gegevens zijn tellingsgegevens gebaseerd op samenvoegingen van gegevens over vestigingen binnen ondernemingen, zoals fabrieken en warenhuizen, en niet op de onderneming als één geheel. De gegevens worden dus niet vertekend door bedrijfsdiversifiëring. Een kengetal van de *Census of Manufacturers* dat bijzonder nuttig kan zijn, is het speciale rapport *Concentration Ratios in Manufacturing Industry*. In dit gedeelte staan de percentages van de totale bedrijfstakverkoop van de grootste vier, acht, twintig en vijftig bedrijven in de bedrijfstak voor elk van de industriële bedrijfstakken met volgens SIC tussen de 1000 en 10.000 bedrijven in het land. Een andere nuttige overheidsbron voor veranderingen in het prijsniveau van bedrijfstakken is de *Wholesale Price Index* van het Bureau of Labor Statistics.

Aanwijzingen voor verdere overheidsinformatie kunnen verkregen worden via de verschillende catalogi van overheidspublikaties of door contact op te nemen met het U.S. Department of Commerce en de bibliotheken van andere overheidsinstanties. Andere overheidsbronnen omvatten onder meer de archieven van regulerende instanties, hoorzittingen van het congres en statistieken van patentenbureaus.

ANDERE BRONNEN

Andere mogelijk vruchtbare gepubliceerde bronnen zijn:

- antitrustdocumenten;
- de locale pers in plaatsen, waar vestigingen of het hoofdkwartier van een concurrent gevestigd zijn;
- plaatselijke belastingrapporten.

Verzameling van veldgegevens voor bedrijfstakanalyse

Bij het verzamelen van veldgegevens is het belangrijk een schema te hebben voor het identificeren van mogelijke bronnen, het bepalen van de mate waarin deze bereid zullen zijn tot medewerking aan het onderzoek en het ontwikkelen van een methode hen te benaderen. Figuur B-2 geeft een schematisch diagram van de belangrijkste bronnen van veldgegevens: participanten in de bedrijfstak zelf, bedrijven en personen in aangrenzende bedrijfstakken (leveranciers, distributeurs, klanten), service-organisaties die voeling hebben met de bedrijfstak (inclusief handelsverenigingen) en waarnemers van de bedrijfstak (waaronder andere de financiële gemeenschap en regelgevende autoriteiten). Het is nuttig om de enigszins verschillende kenmerken van elk van deze bronnen expliciet aan te geven.

KENMERKEN VAN VELDBRONNEN

Concurrenten in een bedrijfstak zullen misschien het meest aarzelen om met onderzoekers samen te werken, omdat de gegevens die zij vrijgeven, hen mogelijk economische schade kunnen berokkenen. Het benaderen van bronnen in de bedrijfstak vergt de grootste voorzichtigheid (enige richtlijnen zullen later aan de orde komen). Soms zullen ze helemaal niet samenwerken.

De op één na meest gevoelige bronnen zijn service-organisaties, zoals consultants, accountants, bankiers en personeel van handelsverenigingen, die werken vanuit een traditie van vertrouwelijkheid met betrekking tot individuele cliënten, maar gewoonlijk niet met betrekking tot algemene achtergrondinformatie over de bedrijfstak. De meeste andere worden niet rechtstreeks bedreigd door onderzoek naar de bedrijfstak en zien het juist vaak als hulp. De meest opmerkzame waarnemers van buitenaf zijn vaak directieleden van leveranciers of afnemers, die gedurende langere tijd een actieve belangstelling hebben voor alle participanten in de bedrijfstak. Detailhandelaren en groothandels zijn vaak eveneens uitstekende bronnen.

De onderzoeker moet proberen met personen uit alle grote groepen te spreken, aangezien ieder van hen belangrijke gegevens en nuttige controles over en weer kunnen verstrekken. Gezien hun verschillende uitgangspunten moet de onderzoeker *niet* verbaasd zijn, als ze conflicterende en zelfs tegenstrijdige verklaringen afleggen. Een goede interviewer is bedreven in het over en weer checken en verifiëren van gegevens uit verschillende bronnen.

De onderzoeker kan het initiële contact maken op elk punt in figuur B-2. Voor het vergaren van achtergrondinformatie kan men in het begin het best contact leggen met iemand die kennis heeft van de bedrijfstak, *maar er geen direct economisch belang in heeft*. Dergelijke geïnteresseerde derden zijn gewoonlijk opener en vormen de beste mogelijkheid voor het verkrijgen van een onvertekend overzicht van de bedrijfstak en de hoofdrolspelers daarin, hetgeen in dit vroege stadium belangrijk is. Als de onderzoeker in staat is om diepgaandere en gerichtere vragen te stellen, kunnen de directe bedrijfstakparticipanten benaderd worden. Om de kansen op succes van het interview zo groot mogelijk te maken is echter een persoonlijke introductie, hoe indirect ook, belangrijk. Deze overweging kan heel goed bepalend zijn voor de beslissing waar te beginnen. Veldonderzoek bevat altijd een element van opportunisme en het volgen van een analysemethode moet de onderzoeker er niet van weerhouden belangrijke mogelijkheden uit te buiten.

FIGUUR B-2   Bronnen van veldgegevens voor bedrijfstakanalyse

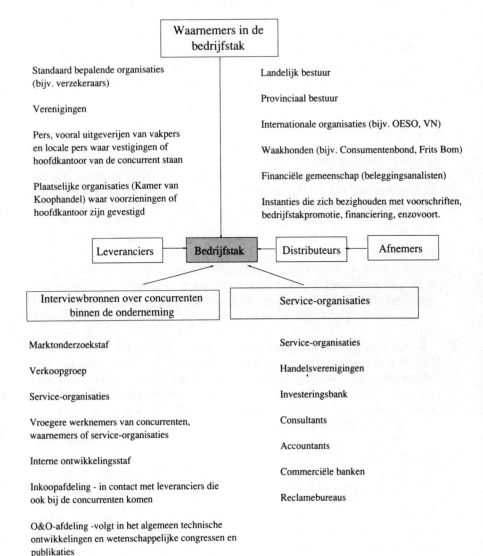

Waarnemers in de bedrijfstak

Standaard bepalende organisaties
(bijv. verzekeraars)

Verenigingen

Pers, vooral uitgeverijen van vakpers
en locale pers waar vestigingen of
hoofdkantoor van de concurrent staan

Plaatselijke organisaties (Kamer van
Koophandel) waar voorzieningen of
hoofdkantoor zijn gevestigd

Landelijk bestuur

Provinciaal bestuur

Internationale organisaties (bijv. OESO, VN)

Waakhonden (bijv. Consumentenbond, Frits Bom)

Financiële gemeenschap (beleggingsanalisten)

Instanties die zich bezighouden met voorschriften,
bedrijfstakpromotie, financiering, enzovoort.

Leveranciers — **Bedrijfstak** — Distributeurs — Afnemers

**Interviewbronnen over concurrenten
binnen de onderneming**

Marktonderzoekstaf

Verkoopgroep

Service-organisaties

Vroegere werknemers van concurrenten,
waarnemers of service-organisaties

Interne ontwikkelingsstaf

Inkoopafdeling - in contact met leveranciers die
ook bij de concurrenten komen

O&O-afdeling -volgt in het algemeen technische
ontwikkelingen en wetenschappelijke congressen en
publikaties

Service-organisaties

Service-organisaties

Handelsverenigingen

Investeringsbank

Consultants

Accountants

Commerciële banken

Reclamebureaus

Het is belangrijk eraan te denken dat veel deelnemers in of waarnemers van een bedrijfstak elkaar persoonlijk kennen. Bedrijfstakken zijn niet onpersoonlijk; ze bestaan uit mensen. Als de onderzoeker voor zijn taak berekend is, zal de ene bron hem dus leiden naar de andere. Personen die in artikelen wel eens geciteerd zijn, staan vaak heel open voor veldinterviews. Een andere goede methode om aan gesprekken te komen is het bijwonen van bedrijfstakbijeenkomsten om de mensen op informele basis te ontmoeten en daar contacten te leggen.

VELDINTERVIEWS

Veldinterviews vormen een tijdrovend en subtiel proces dat echter het grootste gedeelte van de cruciale gegevens over veel bedrijfstakken zal opleveren. Hoewel elke interviewer zijn of haar eigen stijl zal hebben, kunnen een paar eenvoudige punten van pas komen.

Contacten. Het is over het algemeen het meest produktief om per telefoon contacten te leggen met potentiële bronnen, en niet per brief, tenzij gevolgd door een telefoontje. Mensen zijn snel geneigd een brief in de la te leggen en een beslissing over samenwerking te omzeilen. Een telefoontje werkt verplichtender en mensen zijn eerder geneigd in te gaan op een goed geformuleerd en onderbouwd mondeling verzoek dan op een brief.

Aanlooptijd. Onderzoekers moeten zo vroeg mogelijk beginnen met het regelen van interviews, aangezien er veel tijd kan verstrijken voor ze plaats kunnen vinden en reisschema's wellicht moeilijk te coördineren zijn; het regelen en voltooien ervan kan maanden vergen. Hoewel de aanlooptijd voor de meeste interviews minstens een week is, kan de onderzoeker vaak op korte termijn een interview krijgen, omdat de plannen van mensen kunnen veranderen. Het is raadzaam een aantal alternatieve te interviewen personen achter de hand te hebben bij elke interviewreis; mocht er ineens tijd vrijkomen, dan zou men misschien wel bereid kunnen zijn tot een ontmoeting op korte termijn.

Niets voor niets. Als men een interview afspreekt, moet men de ondervraagde iets te bieden hebben in ruil voor zijn of haar tijd. Dit kan variëren van een aanbod om (uiteraard selectief) sommige van de op de studie gebaseerde bevindingen van de onderzoeker te bespreken, tot het geven van goed doordachte feedback op de verklaringen van de geïnterviewde, of zo mogelijk tot samenvattingen van de resultaten of uittreksels uit de studie zelf.

Affiliatie. Een interviewer dient bereid te zijn om zijn of haar werkverband aan te geven en een verklaring af te leggen omtrent de identiteit of (in ieder geval) de aard van zijn of haar cliënt, indien de studie plaatsvindt in opdracht van een andere organisatie. Er is een morele verplichting de geïnterviewde te waarschuwen, indien de informatie in zijn of haar nadeel gebruikt zou kunnen worden. Als de identiteit van het bedrijf of de cliënt van de interviewer niet kan worden onthuld, moet een algemene verklaring gegeven worden met betrekking tot het economische belang van het bedrijf of de cliënt in de te bestuderen bedrijfstak. Anders zullen de bronnen waarschijnlijk geen interview toestaan (en daar hebben ze gelijk in). Het verhullen van de identiteit van het bedrijf of de cliënt zal het nut van een interview vaak beperken (maar niet noodzakelijkerwijs elimineren).

Volharding. Hoe bekwaam de interviewer ook is, het plannen van interviews is altijd een frustrerend proces; vaak wordt een interview afgewezen of met duidelijke tegenzin toegestaan. Dit hoort er nu eenmaal bij en de interviewer moet zich er niet door laten ontmoedigen. Vaak is de geïnterviewde veel enthousiaster tijdens het interview zelf, wanneer de verhouding tussen interviewer en geïnterviewde persoonlijker is geworden.

Geloofwaardigheid. Bij het afspreken en afnemen van interviews komt de interviewer veel geloofwaardiger over, als hij of zij vrij veel van de bedrijfstak afweet. Deze kennis moet zowel bij het leggen van het contact als tijdens het interview zelf in een vroeg stadium getoond worden. Het gesprek wordt er interessanter door en wordt misschien nuttig voor het onderzoek.

Teamwork. Interviewen is vermoeiend werk en dient, als de middelen dit toelaten, bij voorkeur in teams van twee mensen te gebeuren. Terwijl de één een vraag stelt, kan de ander notities maken en nadenken over volgende vragen. Hierdoor kan de één oogcontact houden met de geïnterviewde, terwijl de ander aantekeningen maakt. Teamwork maakt eveneens een evaluatiegesprek mogelijk na een interview of aan het eind van de dag, hetgeen van groot belang is voor het teruglezen en verduidelijken van de aantekeningen, het controleren op inconsistente indrukken, het analyseren van het interview en het samenvatten van de bevindingen. Ook een solo-interviewer dient hier tijd voor in te ruimen.

Vragen. Het verzamelen van accurate gegevens hangt af van een heldere vraagstelling, die het antwoord niet in een bepaalde richting duwt of beperkt en evenmin iets van de opvattingen van de interviewer onthult. De interviewer dient er tevens voor te waken door gedrag, intonatie of gelaatsuitdrukking aan te geven wat het 'gewenste' antwoord is. De meeste mensen zijn graag behulpzaam en inschikkelijk en dergelijk gedrag zou het antwoord kunnen beïnvloeden.

Aantekeningen. Naast het maken van aantekeningen kan de onderzoeker zijn voordeel doen met waarnemingen tijdens het interview zelf. Wat voor publikaties gebruikt de persoon? Welke boeken staan er op de plank? Hoe zijn de kantoren ingericht? Weelderig of sober? Heeft de geïnterviewde produktmonsters op zijn bureau? Dergelijke zaken verschaffen vaak aanknopingspunten voor het interpreteren van de verbale gegevens van het interview en leveren ook aanwijzingen voor nog meer bronnen.

Verhoudingen. Het is belangrijk te beseffen dat het onderwerp een mens is, dat deze de onderzoeker nog nooit eerder heeft gezien, een reeks persoonlijke karaktertrekken heeft en wellicht niet zeker weet wat hij of zij wel of niet moet zeggen. De stijl en woordkeus van de persoon, zijn of haar gedrag en attitude, lichaamstaal en dergelijke zijn belangrijke aanwijzingen en moeten snel beoordeeld worden. Een goede interviewer is meestal snel in staat een persoonlijke verhouding met de geïnterviewde tot stand te brengen. Pogingen om zich aan de stijl van de geïnterviewde aan te passen, de onzekerheid te verminderen en het gesprek op een wat persoonlijkere basis te voeren in plaats van het puur zakelijk te houden, zullen beloond worden door de kwaliteit en betrouwbaarheid van de gegeven informatie.

Formeel versus informeel. Veel interessante informatie wordt pas gegeven, als het formele interview achter de rug is. Als de onderzoeker bijvoorbeeld een rondleiding door de fabriek kan krijgen, wordt de geïnterviewde misschien veel opener naarmate de sfeer van het gesprek zich verder verwijdert van de formelere sfeer in het kantoor. De onderzoeker moet proberen de interviews zo in te richten dat de inherente formaliteit van de situatie wordt overwonnen. Dit kan gebeuren door elkaar op neutraal terrein te ontmoeten, een rondleiding te krijgen, te lunchen of door het aansnijden van andere onderwerpen van gemeenschappelijke interesse naast de bedrijfstak in kwestie.

Gevoelige informatie. De meest effectieve methode om een interview te openen is het stellen van enkele onschuldige vragen met een algemeen karakter, en niet het vragen naar specifieke getallen of andere potentieel gevoelige gegevens. In situaties, waar waarschijnlijk sprake is van bezorgdheid over gevoelige informatie, is het meestal het verstandigst om aan het begin van het interview expliciet te verklaren dat het de onderzoeker niet te doen is om vertrouwelijke gegevens, maar veeleer om indrukken van de bedrijfstak. Vaak zullen personen bereid zijn gegevens te verstrekken in de vorm van globale indicaties, 'cijfers bij benadering' of 'ronde getallen', die voor de interviewer zeer bruikbaar kunnen zijn. Vragen dienen als volgt gestructureerd te worden: 'Ligt het aantal leden van de verkoopgroep dichter bij de 100 dan bij de 500?'

Volgen van aanwijzingen. Een onderzoeker moet altijd in het interview enige tijd inruimen voor het stellen van vragen als: Met wie zouden we nog meer moeten spreken? Van welke publikaties moeten we op de hoogte zijn? Zijn er momenteel congressen die voor ons interessant zouden kunnen zijn? (Een groot aantal bedrijfstakken in de V.S. houden in januari en februari congressen.) Zijn er boeken die verhelderend zouden kunnen werken? De methode om het nut van een interview te maximaliseren is het halen van verdere aanwijzingen uit het interview. Als de geïnterviewde bereid is de interviewer bij een ander persoon te introduceren, moet dit aanbod altijd aanvaard worden. Het zal het arrangeren van verdere interviews in hoge mate vergemakkelijken.

Telefonische interviews. In een betrekkelijk laat stadium van de studie, wanneer zeer gerichte vragen kunnen worden gesteld, kunnen telefonische interviews zeer produktief zijn. Ze werken het best bij leveranciers, afnemers, distributeurs en andere 'derde' bronnen.

Bibliografie

Abell, D.F., en Hammond, J.S. *Strategic Market Planning: Problems and Analytical Approaches*. Englewood Cliffs, N.J.: Prentice-Hall, 1979.

Abernathy, W.J. en Wayne, K. 'The Limits of the Learning Curve', *Harvard Business Review*, september/oktober 1974.

Abernathy, W.J. *The Productivity Dilemma: Roadblock to Innovation in the Automobile Industry*. Baltimore, Md.: Johns Hopkins Press, 1978.

Andrews, K.R. *The Concept of Corporate Strategy*. New York: Dow Jones-Irwin, 1971.

Ansoff, H.I. 'Checklist for Competitive and Competence Profiles'. *Corporate Strategy*, blz. 98-99. New York: McGraw Hill, 1965.

Brock, G. *The U.S. Computer Industry*. Cambridge Mass.: Ballinger Press, 1975.

Buchele R. 'How to Evaluate a Firm'. *California Management Review*, Fall 1962, blz. 5-16.

Buffa, E.S. *Modern Production Management*. 4e ed. New York: Wiley, 1973.

Buzzell, R.D. 'Competitive Behavior and Product Life Cycles'. Uit *New Ideas for Succesful Marketing*, uitgegeven door John Wright en J.L. Goldstucker, blz. 46-68. Chicago: American Marketing Association, 1966.

Buzzell, R.D., Gale, B.T., en Sultan, R.G.M. 'Market Share - A Key to Profitability.' *Harvard Business Review*, januari-februari 1975, blz. 97-106.

Buzzell, R.D., Nourse, R.M., Matthews, J.B. Jr., en Levitt, T. *Marketing: A Contemporary Analysis*. New York: McGraw Hill, 1972.

Cannon, J.T. *Business Strategy and Policy*. New York: Harcourt, Brace and World, 1968.

Catry, B., en Chevalier, M. 'Market Share Strategy and the Product Life Cycle' *Journal of Marketing*, jrg. 38, oktober 1974, blz. 29-34.

Christensen, C.R., Andrews, K.R., en Bower, J.L. *Business Policy: Text and Cases*. Homewood, Ill.: Richard D. Irwin, 1973.

Clifford, D.K., Jr. 'Leverage in the Product Life Cycle.' *Dun's Review*, mei 1965.

Corey, R. *Industrial Marketing*. 2e ed. Englewood Cliffs, N.J.: Prentice-Hall, 1976.

Cox, W.E., Jr. 'Product Life Cycles as Marketing Models.' *Journal of Business*, oktober 1967, blz. 375-384.

Daniels, L. *Business Information Sources*. Berkeley: University of California Press, 1976.

Day, G.S. 'Diagnosing the Product Portfolio.' *Journal of Marketing*, april 1977, blz. 29-38.

D'Cruz, J. 'Quasi-Integration in Raw Material Markets.' DBA Dissertatie, Harvard Graduate School of Business Administration, 1979.

Dean, J. 'Pricing Policies for New Products.' *Harvard Business Review*, jrg. 28, nr. 6, november 1950.

Deutsch, M. 'The Effect of Motivational Orientation Upon Threat and Suspicion.' *Human Relations*, 1960, blz. 123-139.

Doz, Y.L. *Government Control and Multinational Strategic Management*. New York.: Praeger, 1979.

_____ . 'Strategic Management in Multinational Companies.' *Sloan Management Review*, ter perse 1980.

Forbus, J.L. en Mehta, N.T. 'Economic Value to the Customer.' Stafdocument, McKinsey and Company, februari 1979.

Forrester, J.W. 'Advertising: A Problem in Industrial Dynamics.' *Harvard Business Review*, jrg. 38, nr. 2, maart/april 1959, blz. 100-110.

Fouraker, L.F., en Siegel, S. *Bargaining and Group Decision Making: Experiments in Bilateral Monopoly*. New York: McGraw-Hill, 1960.

Fruhan, W.E., Jr. *The Fight for Competitive Advantage*. Cambridge, Mass.: Division of Research, Harvard Graduate School of Business Administration, 1972.

_____ . *Financial Strategy*. Homewood, Ill.: Richard D. Irwin, 1979.

Gilmour, S.C. 'The Divestment Decision Process.' DBA Dissertatie, Harvard Graduate School of Administration, 1973.

Harrigan, K.R. 'Strategies for Declining Industries.' DBA Dissertatie, Harvard Graduate School of Business Administration, 1979.

Hunt, M.S. 'Competition in the Major Home Appliance Industry.' Ph.D. Dissertatie, Harvard University, 1972.

Knickerbocker, F.T. *Oligopolistic Reaction and Multinational Enterprise.* Cambridge, Mass.: Division of Research, Harvard Graduate School of Business Administration, 1973.

Kotler, P. *Marketing Management.* 2e ed. Englewood Cliffs, N.J.: Prentice-Hall, 1972.

Levitt, T. 'Exploit the Product Life Cycle.' *Harvard Business Review,* november/december 1965, blz. 81-94.

_____ . 'The Augmented Product Concept.' Uit *The Marketing Mode: Pathways to Corporate Growth.* New York: McGraw-Hill, 1969.

Mehta, N.T. 'Policy Formulation in a Declining Industry: The Case of the Canadian Dissolving Pulp Industry.' DBA Dissertatie, Harvard Graduate School of Business Administration, 1978.

Moore, F.G. *Production Management.* 6e ed. Homewood, Ill.: Richard D. Irwin, 1973.

Newman, H.H. 'Strategic Groups and the Structure-Performance Relationship.' *Review of Economics and Statistics,* jrg. LX, augustus 1978, blz. 417-427.

Newman, H.H. en Logan, J.P. *Strategy, Policy and Central Management.* Hoofdstuk 2. Cincinnati, Ohio: South Western Publishing, 1971.

Patton, Arch. 'Stretch Your Product's Earning Years.' *Management Review,* jrg. XLVII, nr. 6, juni 1959.

Polli, R. en Cook, V. 'Validity of the Product Life Cycle.' *Journal of Business,* oktober 1969, blz. 385-400.

Porter, M.E. *Interbrand Choice, Strategy and Bilateral Market Power.* Cambridge, Mass.: Harvard University Press, 1976a.

_____ . 'Strategy Under Conditions of Adversity.' Collegepaper, Harvard Graduate School of Business Administration, 1976b.

_____ . 'Please Note Location of Nearest Exit: Exit Barriers and Planning.' *California Management Review,* jrg. XIX, Winter 1976c, blz. 21-33.

_____ . 'The Structure Within Industries and Companies' Performance.' *Review of Economics and Statistics,* LXI, mei 1979, blz. 214-227.

Porter, M.E. en Spence, M. 'Capacity Expansion in a Growing Oligopoly: The Case of Corn Wet Milling,' Collegepaper, Harvard Graduate School of Business Administration, 1978.

Quain, Mitchell. *Lift-Truck Industry: Near Term Outlook.* New York: Wertheim & Company, 22 juni, 1977.

Rothschild, W.E. *Putting It All Together.* New York AMACOM, 1979.

Salter, M., en Weinhold, W. *Diversification Through Acquisition.* New York: Free Press, 1979.

Schelling, T. *The Strategy of Conflict.* Cambridge Mass.: Harvard University Press, 1960.

Schoeffler, S., Buzzell, R.D., en Heany, D.F. 'Impact of Strategic Planning on Profit Performance.' *Harvard Business Review,* maart/april 1974, blz. 137-145.

Skinner, W. 'The Focused Factory.' *Harvard Business Review,* mei/juni 1974, blz. 113-121.

Smallwood, J.E. 'The Product Life Cycle: A Key to Strategic Market Planning.' *MSU Business Topics,* jrg.21., nr. 1, Winter 1973, blz. 29-36.

Spence, A.M. 'Entry, Capacity, Investment and Oligopolistic Pricing.' *Bell Journal of Economics,* jrg. 8, herfst 1977, blz. 534-544.

Staudt, T.A., Taylor, D., en Bowersox, D. *A Managerial Introduction to Marketing.* 3e ed. Englewood Cliffs, N.J.: Prentice-Hall, 1976.

Sultan, R. *Pricing in the Electrical Oligopoly. Jrg. I en II.* Cambridge, Mass.: Division of Research, Harvard Graduate School of Business Administration, 1974.

Vernon, R. 'International Investment and International Trade in the Product Cycle.' *Quarterly Journal of Economics,* jrg. LXXX, mei 1966, blz. 190-207.

_____ . 'The Warning Power of the Product Cycle Hypothesis.' Collegepaper, Harvard Graduate School of Business Administration, mei 1979.

Wells, L.T., Jr. 'International Trade: The Product Life Cycle Approach.' Uit *The Product Life Cycle in International Trade,* uitgegeven door L. T. Wells jr. Cambridge, Mass.: Division of Research, Harvard Graduate School of Business Administration, 1972.

Casestudies

Note on the Watch Industries in Switzerland, Japan and the United States. Intercollegiate Case Clearinghouse, 9-373-090.

Prelude Corporation. Intercollegiate Case Clearinghouse, 4-373-052, 1968.

Timex (A). Intercollegiate Case Clearinghouse, 6-373-080.

Tijdschriften/Kranten

Business Week, 13 augustus 1979; 11 juni 1979; 27 november 1978; 9 oktober 1978; 17 juli 1978; 15 augustus 1977; 28 februari 1977; 13 december 1976; 18 november 1976.

Dun's, februari 1977.

Forbes, 25 december 1978; 18 september 1978; 15 juli 1977; 15 november 1977.

New York Times, 11 februari 1979.

Index